Né le 18 septembre 1933, par hasard, dans le bureau de poste de Flassans-sur-Isso___ ___ ___ ___lité que ses parents traversaient en voiture. N'y e_ ___ ___ ___.
Etudes primaire_ ___ ___ ___ ___ ___ ___ ___s Aires et Toulon; études u___ ___ ___ ___ ___ ___s, Saigon, Oxford, New Y___ ___ ___ ___ ___ le lettres, d'histoire et d'a___ ___ ___ ___.

Parle plusieurs ___ ___ ___ ___ ___res dont le khmer et le chi___ ___ ___ ___ en apprenant le malais.
Plus de cent vingt pays visités. Premier voyage personnel en 1950, à destination de la Laponie finlandaise pour un film sur la migration des rennes. Voyages multiples à compter de cette date : séjours successifs d'un an en Grande-Bretagne, aux Etats-Unis et au Canada, de sept ans en Extrême-Orient (Cambodge, Thaïlande, Vietnam et Hong Kong).
Parmi les emplois occupés : docker, barman, assistant commissaire de bord, réceptionniste d'hôtel, guide touristique, agent de voyage, interprète, publicitaire, associé d'une société d'import-export en Asie du Sud-Est, directeur d'imprimeries, rédacteur en chef de journaux de courses, scénariste. Mais, pour l'essentiel : journaliste indépendant. A ce dernier titre surtout, a longuement parcouru l'Asie et l'Amérique du Sud pour United Press International, Washington Post, Borba, etc.
Par jeu, écrit en 1967 un roman policier, *La Porte d'or* (prix du Quai des Orfèvres), ne commence toutefois à écrire régulièrement qu'une dizaine d'années plus tard. Produit dès lors une quinzaine de pièces radiophoniques, une autre quinzaine de dramatiques télévisées et une dizaine de romans policiers sous pseudonyme. Publie *Pirates et Barbaresques en Méditerranée* en 1975, *Le Caïd* en 1976, *Un amour d'araignée* (prix du Roman d'aventures) en 1976, la série T.N.T. chez Robert Laffont (9 volumes de 1978 à 1980), *Jaraï* en 1980, *La Porte de Kerkabanac* en 1982, *Daddy* en 1987.
Travaille actuellement à un nouveau roman contemporain, à l'adaptation télévisuelle (six heures) de *La Porte de Kerkabanac* en coproduction franco-brésilienne, à l'écriture d'une série de treize heures d' « Aventures en Méditerranée » en coproduction européenne. Prépare également une série de livres sur l'Asie où il effectue de fréquents voyages de documentation.

LOUP DURAND

Jaraï

ROMAN

DENOËL

Dans Le Livre de Poche :

LE CAÏD.

A Roger, assassiné
un 23 janvier
aux abords d'Angkor Thom

A tous les autres.

Centre de Phnom Penh en 1970

1 Marché Central
2 Cathédrale
3 Palais du Gouvernement
4 Pagode Onalom
5 Phnom
6 Monument de l'Indépendance
7 Club Sportif
8 Hôtel Royal
9 Hôtel Raja

10 Taï San
11 Villa des Korver
12 **La Taverne**
13 Poste Centrale
14 Ambassade U.S.
15 Ambassade de France
16 Stade
17 Lycée Descartes
18 Musée
19 Palais Royal
20 Hôpital Français

Le Cambodge en 1970

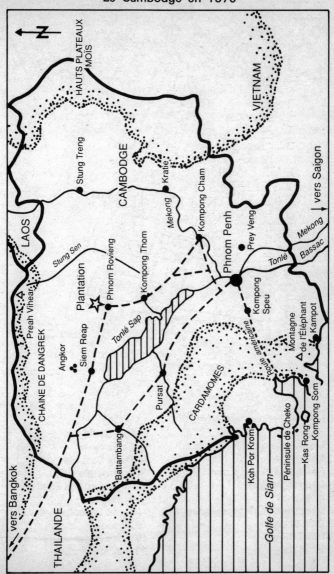

PREMIÈRE PARTIE

LE SEIGNEUR DE LA GUERRE

1

La plantation se trouvait et se trouve sans doute encore dans le nord du Cambodge, en haut et un peu à gauche à l'intérieur d'un triangle dont la pointe du bas serait figurée par Phnom Penh et dont les deux côtés seraient faits du Mékong descendant du Laos, et de l'axe Phnom Penh-Siem Reap. Il n'y avait pas de route pour s'y rendre, simplement une piste de latérite puis de sable qui, au-delà, continuait vers le nord en direction des anciens temples de Preah Vihear et de la frontière thaïe. Les petites montagnes des Dangrek sont à quelques dizaines de kilomètres à vol d'oiseau; on sent leur présence à une sorte d'humidité plus dense dans l'air mais on n'en voit même pas les contreforts, à cause de la forêt qui est ici dense, tropicale, une vraie jungle. A l'arrivée d'Oreste Marccaggi, et donc probablement au début de l'après-midi du 17 janvier 1948, il y avait deux ans, presque jour pour jour, que Pierre et Nancy Lara, ainsi que la petite Elisabeth, avaient été assassinés, et tout permettait de penser que Kamsa et sa bande d'égorgeurs, responsables du massacre, se trouvaient encore sur les lieux. Si bien qu'il fallait être complètement fou, ou impatient de mourir, pour aller là-bas seul.

Oreste Marccaggi arrêta la Peugeot quelques mètres avant de tenter le franchissement de l'arroyo. Il mit pied à terre et alla s'assurer que les deux grosses poutres en teck qui constituaient à la fois le tablier et la chaussée du pont étaient encore suffisamment solides. Il frappa du pied, vérifia l'écartement, qui était prévu pour les roues d'une voiture particulière ou d'un camion léger. Oreste Marccaggi était un gros homme qui avait alors quarante-sept ans, au mufle léonin, le cheveu gris taillé en brosse, les joues épaisses fendues par deux profondes rides verticales semblables à des cicatrices, pesant environ cent dix kilos pour un mètre soixante-quinze. Il avait rencontré Lara à Hanoi, et ce que Lara lui dit pour le convaincre demeurera toujours un mystère. A l'époque, Lara n'avait pas dix-huit ans, il n'avait jamais vu Oreste auparavant et il ne disposait d'aucun argent; et enfin il n'était pas lui-même corse, ce qui eût au moins créé un lien entre lui et l'ancien garde du corps du Gouverneur général de l'Indochine. Mais le fait est pourtant que, dès le lendemain, Oreste se mit en route. Le 14 janvier, il parvint à trouver une place sur un avion militaire reliant Hanoi à Saigon; le 15, il quitta Saigon au volant d'une voiture vraisemblablement prêtée par un Corse de Cholon; le 17 à l'aube, il repartit de Phnom Penh.

Lors de sa halte au bungalow de Kompong Thom, où il avait bu quelques bières, il portait encore sa chemisette de toile kaki; à présent, il l'avait enlevée et n'avait plus sur lui que son short, ses bottes de parachutiste et sa ceinture-cartouchière supportant un Colt 45 à crosse de nacre et une machette.

Il avança carrément jusqu'au milieu de l'une des planches et sauta, avec une souplesse surprenante chez un homme de son poids, au-dessus des douze mètres de vide. L'eau qui coulait en bas était parfaitement claire, et non pas de cette ocre limoneuse de la plupart des rivières indochinoises. Elle clapotait agréablement et, sur ce clapotement, Oreste entendit très distinctement les glissements des corps dans les fourrés, les respirations des hommes qui le guettaient, non seulement sur l'autre rive mais sur cette rive même où la Peugeot se trouvait. Il identifia même le claquement d'un vieux fusil Mas 36 que l'on armait. Il les entendit mais ne broncha pas, son mufle impassible avec des crevasses fendant ses joues, mâchonnant l'un de ces cigares qu'il confectionnait toujours lui-même, à partir de Caporal ordinaire renforcé par les feuilles de divers arbres, selon son inspiration du moment. Rassuré quant aux madriers, il se remit au volant et traversa avec précaution, se penchant à intervalles réguliers pour vérifier que ses quatre roues étaient bien centrées. Après cela, il pénétra véritablement sur le territoire de la plantation. Il roula au pas, sur trois cents mètres d'une piste en terre rouge. Il chantonnait *Vous qui passez sans me voir* de cette agréable voix de tête de certains chanteurs corses. Derrière lui, autour de lui, les herbes hautes encouragées dans leur croissance par deux années d'indépendance se refermèrent sans autre bruit qu'un léger chuintement, et les hommes de Kamsa se mirent en mouvement, invisibles mais l'enveloppant de toutes parts, se contentant de contrôler son avance sans rien faire pour la stopper. Peut-être furent-ils stupéfiés par son inconscience ou peut-être obéirent-ils à des ordres. Peut-être encore pensèrent-ils qu'il fallait en effet être complètement fou pour faire ce qu'Oreste Marccaggi était en train de faire. Et ils voulurent voir sans doute jusqu'où sa folie pouvait aller.

Il déboucha sur une cour vaguement carrée, face à un long bâtiment à toiture de zinc qui avait été peint en jaune vif avant l'incendie. Sur la gauche se dressait la petite usine avec ses bacs de coagulation en aluminium, le laminoir, la chaudière, la cuve pour la fabrication du crêpe, les longues gouttières, l'amoncellement des baquets de tôle galvanisée utilisés par les saigneurs; tout y était noirci par le feu, et le latex fondu par les flammes s'était partout répandu comme une lèpre noire, qui puait encore. Sur la droite, par-delà un double rideau de citronniers et de santals, la maison, apparemment intacte. Intacte à l'exception de ce volet de bois massif à demi arraché et pendant à un dernier gong tordu : c'était par là qu'après trente-trois heures de siège les assaillants étaient entrés. La maison était en bois de teck mais les gros pilotis qui la juchaient à un mètre du sol plongeaient dans une semelle de béton.

La Peugeot stoppa. Le regard d'Oreste se porta sur la véranda, large de six mètres, longue de vingt, abritée du soleil par un toit en feuilles de latanier. Un homme s'y trouvait, superbement solitaire, voluptueusement vautré dans l'un des deux grands fauteuils-paons en rotin de Manille. Oreste coupa le moteur et le silence se fit. Oreste mit pied à terre, avança jusqu'à trois mètres des marches et demanda en khmer :

– C'est toi, Kamsa ?

– C'est, dit Kamsa, sans bouger de son fauteuil. Il portait un casque colonial en liège, une veste de smoking blanche sur sa poitrine nue et un sarong, et il se coupait les ongles des pieds avec un couteau de trente centimètres.

Dans le dos d'Oreste, il y eut des glissements de pas, des piétinements et la présence silencieuse de nombreux hommes. Il y eut aussi un bruit étrange, sorte de sifflement, en réalité produit par les coupe-coupe dont les lames fouettaient l'air.

– Pourquoi t'as pas de chemise ? demanda Kamsa avec curiosité.

Oreste haussa les épaules.

– Trop chaud.

Dans la seconde suivante, il reçut le premier coup de coupe-coupe : la lame, d'une ahurissante légèreté, lui écrêta délicatement l'épaule, y prélevant quelques grammes de chair. Il ne se retourna même pas, ne réagit en aucune façon. Sans lâcher son cigare, il cracha, touchant une bouteille sur le sol, à quatre mètres de lui. Oreste Marccaggi était, s'agissant de cracher ou de tirer avec son Colt, d'une adresse stupéfiante.

Il demanda :

– Tu sais pourquoi je suis venu ?

Kamsa secoua la tête en riant. Quand il secouait la

tête, sa tête bougeait mais pas le casque, qui était trop grand.

– Pourquoi es-tu venu?

Oreste sourit en retour :

– Pour te tuer, dit-il.

Le rire de Kamsa redoubla. Oreste hochait la tête, à la façon de quelqu'un qui vient d'en raconter une bien bonne et est heureux de constater qu'on l'apprécie. Il finit par allonger et ouvrir son poing gauche, y révélant la présence de deux dés d'ivoire.

– Mais d'abord, dit-il, on va jouer aux dés.

Deux autres coups de coupe-coupe le frappèrent, avec toujours la même délicatesse, l'un lui entaillant la hanche droite après avoir fendu la toile du short, l'autre lui incisant très finement le dos, sous l'omoplate. Impassible, Oreste fit sauter les dés dans sa main gauche.

– Des dés, hein? dit Kamsa, l'air pensif.

– On m'a parlé de toi à Hanoi, dit Oreste. On m'a dit que tu es le plus grand tricheur d'Indochine. Mais moi aussi je peux tricher. Mieux que toi. Je peux te battre quand je veux.

– Sauf si je te tue.

– Evidemment, dit Oreste, paisible.

Un silence. A la puanteur stagnante du latex carbonisé, une autre odeur tout aussi puissante se mêlait, grasse et molle, presque gluante : celle de la jungle cambodgienne en décomposition, rampant au fil des jours sur la plantation abandonnée, dans une monstrueuse digestion. Le dos d'Oreste était en sang.

– Tu es un Seigneur de la Guerre, reprit Oreste. Mais tu ne sais pas vraiment jouer aux dés. Je te bats quand je veux.

Kamsa éclata de rire et son rire ressembla à un coup de feu. Ses yeux brillaient sauvagement. Oreste dit encore :

– Tu es un Seigneur de la Guerre, mais je peux te battre aux dés et à autre chose.

Kamsa pencha la tête :

– Et à quoi?

– Au chum[1], dit Oreste. Je peux en boire plus que toi.

Pour la première fois, Oreste se retourna. Derrière lui, ils étaient peut-être trente, immobiles; leurs visages étaient intéressés, attentifs. Ils avaient le teint sombre, les cheveux d'huile noire des Samrés, les Khmers de la forêt ou des Phnongs, les sauvages des montagnes. Quelques-uns avaient des fusils, tous avaient des coupe-coupe. Oreste revint face à Kamsa.

– Je te bats quand je veux, Seigneur de la Guerre. Et quand je t'ai battu, je te tue.

Et c'est un fait qu'ils se mirent à jouer, installés face à face dans les deux fauteuils-paons, faisant rouler les dés sur le plancher étonnamment lisse et noir de la véranda, tandis que les spectateurs accroupis sur leurs talons, coudes sur les genoux, mains pendant mollement dans le vide, paumes ouvertes, s'étaient établis en un demi-cercle respectueux et grave. Aucun d'eux n'osa seulement poser le pied sur les marches de la véranda, abandonnant celle-ci aux louk thom, aux grands messieurs, aux notables qu'étaient pour eux leur chef Kamsa et le Barang[2] fou de courage. Peu à peu, s'enhardissant, des femmes apparurent; leurs sampots moulaient leurs hanches rondes et pleines, leurs cuisses longues; et leurs seins nus étaient lourds, à la différence des Vietnamiennes ou des Chinoises au buste le plus souvent peu formé.

Les heures passèrent. Tout en jouant, les deux hommes sur la véranda vidaient régulièrement l'un après l'autre les quelque cent récipients de bambou emplis de

1. Alcool de riz.
2. Abréviation de Barangsès, Français en kmer. Peut désigner n'importe quel Blanc.

chum que le Corse avait apportés dans le coffre et sur la banquette arrière de la Peugeot.

– Je suis un Seigneur de la Guerre, disait Kamsa d'une voix de plus en plus pâteuse – et il avait ingurgité assez d'alcool pour faire flotter un sampan.

– Je suis un grand Seigneur de la Guerre, je suis un communiste, je suis un révolutionnaire, je combats pour l'indépendance du Cambodge.

– *Eccu, eccu*, voilà, voilà, répondait dans un corse nonchalant et doux Oreste Marccaggi, qui menait au score par quarante-deux à trois. Sur son grand corps massif, sur son torse énorme, sur sa peau rose constellée de taches de rousseur où le hâle ne prenait pas, le sang avait fini par sécher. Mais le fait de boire aussi énormément faisait littéralement ruisseler la transpiration.

Vers sept heures, les habituelles escadres de renards volants apparurent dans le ciel qui s'obscurcissait, chauves-souris géantes, grandes parfois d'un demi-mètre, qui battaient mécaniquement l'air de leurs ailes membraneuses dans des froissements de soie, noires comme des cauchemars. Elles venaient du Mékong, des chutes de Kratié, et s'en allaient retrouver leurs tours sombres d'Angkor. La nuit tomba sur la partie de dés en cours, sans que personne eût bougé, des deux hommes sur la véranda qui jouaient et buvaient inlassablement yeux dans les yeux, des quelque cinquante spectateurs attendant la fin et la sachant désormais proche.

On alluma alors des lampes à acétylène portant la marque de la Manufacture d'armes et cycles de Saint-Etienne et elles se mirent à siffler dans la nuit moite bruissante d'insectes. Les spectateurs disparurent dans l'ombre, et seule la véranda demeura dans la lumière.

Vint pourtant un moment où, ayant convenu d'une pause dans leur rencontre, bras dessus, bras dessous et doigts entremêlés, unis par une amitié éternelle qui durerait bien jusqu'au moment où ils s'entr'égorgeraient, Oreste Marccaggi et Kamsa partirent faire un tour de la plantation, précédés par des porteurs de lampes. Ils se mirent à chanter, façon de rejeter la peur qu'ils avaient l'un de l'autre. Presque d'une même voix, ils interprétèrent *Marie chez nous soyez reine* et aussi *Viens Poupoule*, parce que c'étaient les deux seules chansons dont ils connussent les paroles. C'étaient deux hommes dans le fond semblables, également d'instinct et sauvages et ils s'étaient maintenant totalement reconnus. Mâchonnant toujours le même cigare, Oreste vit la porte de la grange où Kamsa avait cloué Nancy Lara; il vit aussi la chambre encore miraculeusement en ordre de la jeune Elisabeth, qui avait six ans au moment de sa mort, et il put contempler le placard où la fillette s'était un moment cachée. Il vit enfin l'épave déjà rouillée du camion Citroën P 45 au pare-chocs duquel on avait attaché Pierre Lara pour le traîner jusqu'à ce que mort s'ensuive.

– Mais tu n'as pas tué le garçon, dit Oreste. Celui-là, tu l'as raté.

– Il s'est enfui, expliqua Kamsa d'un air de reproche. Il est mort dans la forêt. Il était blessé, beaucoup blessé. On lui a coupé la moitié de la tête mais il s'est enfui quand même. Il est mort dans la forêt.

– Il n'est pas mort. Le Neak Ta, le génie de la Forêt l'a protégé. Et il m'a envoyé pour te tuer.

Kamsa hurla de rire et Oreste fit chorus. Le reste de l'assistance rit de confiance, quelques enfants nus se roulant par terre sous l'effet de l'hilarité et les vieilles femmes au crâne rasé exposant leurs chicots noircis par le bétel. Pleurant de rire, on revint sur la véranda où l'on mangea du riz gluant enveloppé dans des feuilles de bananier, du poisson assaisonné de prahoc[1] et de gingembre, des pastèques et des papayes, le tout généreusement arrosé d'un chum que l'on avait renforcé avec le dernier flacon survivant d'eau de Cologne du Mont-Saint-Michel. L'une après l'autre, les lampes s'éteignirent dans un ultime sifflement et les dernières furent

---

1. Jus de poisson fermenté, semblable au nuoc-mam vietnamien.

rassemblées sur la véranda où les deux hommes avaient retrouvé leur altière solitude de louk thom. Oreste entreprit d'entretenir une ambiance que son partenaire titubant commençait à négliger. Il lança de lourdes plaisanteries, prenant à témoin son public englouti par la nuit et désormais invisible, déclenchant à tous coups des rires tonitruants.

Bientôt, il ne resta plus que deux lampes à éclairer encore la véranda, puis une seule. Qui mourut à son tour. Oreste Marccaggi, juste avant l'ultime lueur, s'était rassis dans son fauteuil et avait commencé de se balancer par un mouvement régulier de métronome qui émettait à chaque fois un petit craquement caractéristique, ses petits yeux noirs ne quittant plus Kamsa qui, effondré, dormait, lèvres grandes ouvertes sur ses dents très blanches.

Puis l'obscurité enveloppa complètement la véranda. Ce n'était pas que la nuit fût si sombre : sans le toit de latanier, sans les grands arbres proches, on aurait sans doute pu distinguer ce que pouvait faire l'un ou l'autre des deux hommes, mais le toit et les arbres étaient là et l'on ne vit rien. Des heures durant, on entendit le crissement ténu du fauteuil à bascule du Corse. A un moment, il s'interrompit, et ceux des spectateurs qui n'avaient pas eux-mêmes succombé au sommeil, ceux-là retinrent leur souffle. Après peut-être une ou deux minutes, le bruit reprit, avec la même régularité.

Quand le jour se leva, on vit d'abord Kamsa : il était pendu par le cou à la poutre maîtresse, la nuque visiblement brisée, ses pieds à un mètre au-dessus du sol. Et le Corse se décida enfin à quitter son fauteuil. Il se leva lourdement et s'avança jusqu'au bord des marches. Il se mit à parler en khmer de sa grosse voix. Il dit que la plantation redevenait la propriété de M. Lara, que M. Lara allait revenir, et que le travail allait reprendre.

Hommes et femmes s'inclinèrent, mains jointes à la hauteur du front.

Mais cela se passa le 17 janvier 1948. Or l'histoire ne commence vraiment que vingt et un ans plus tard.

2

Matthew Kinkaird se souvint brusquement de la première fois où il avait rencontré Lara. En vérité, le souvenir resurgit avec une force et une précision étonnantes, ce fut même plus qu'un souvenir : durant quelques secondes Lara se trouva réellement là, quelques pas en deçà du seuil de la porte, immobile, droit et mince, sa mèche sur le front, ses yeux fixant la statue laotienne en bois de teck, sa main droite massant machinalement son épaule gauche, par ce tic dont Matthew avait su l'origine avant même leur rencontre. « J'ai hésité », disait Lara avec cette douceur qu'il avait dans la voix quand il parlait anglais, « entre cette statuette et un éléphant, mais les éléphants mangent davantage ». Et puis l'image disparut, bien entendu, le salon redevint naturellement vide. Matthew tenait toujours la lettre entre ses doigts; il la plia en quatre, la glissa dans la poche de poitrine de sa chemise sous son blouson fourré. Il jeta un coup d'œil sur le reste du courrier, qui était sans importance. Il alla pour sortir, revint sur ses pas : il prit la statuette puis sortit vraiment, fermant la porte à clef et glissant, comme d'ordinaire, cette clef dans la boîte aux lettres.

La maison avait huit pièces et un étage, elle était toute en bois peint en vert pâle et blanc, elle se trouvait rue Cache-La-Poudre à Colorado Springs, dans l'Etat du Colorado. Dehors, au bout d'une étroite pelouse plantée de deux charmes identiques, un petit camion de fabrication japonaise attendait, Pete Martinez étant déjà à son volant.

– Ça va ? interrogea Pete. Vous êtes sûr de n'avoir rien oublié cette fois ?

Matthew fit un signe de tête en guise de réponse et prit place dans la cabine. Le camion démarra, roulant à l'ouest. « Je devrais être triste, pensa Matthew, je devrais l'être. » Mais peut-être triste n'était-il pas le mot juste. « Accablé? assommé? En tous les cas, je devrais ressentir quelque chose. » Mais il n'éprouvait rien. « Je suis vide. » Pete Martinez dit :

– Si vous êtes d'accord, plutôt que la Vingt-Quatre, je vais prendre Manitou Avenue et faire un crochet par le jardin des Dieux.

Une fois encore, Matthew acquiesça. Il venait de découvrir que ses mains posées sur ses genoux, et qui tenaient la statuette, que ses mains tremblaient et pour un peu il se serait demandé pourquoi... « Je dois être en état de choc. C'est cela : en état de choc. » Le mot lui plaisait confusément et en quelque sorte le rassurait.

– Ça va? demanda Pete.

Ils avaient quitté Cache-La-Poudre comme prévu à dix heures précises et maintenant ils venaient de laisser derrière eux les tours nouvelles du centre administratif, si bien que les montagnes Rocheuses occupaient à nouveau l'horizon, avec Pikes Peak jouant les sentinelles avancées, avec les monts Sangre de Cristo sur une gauche presque imaginaire à force d'être lointaine. Le voile formé au cours des dernières années était évidemment toujours là, gris par endroits, souvent presque orangé dans les premières lueurs du jour, planant et stagnant à peut-être mille mètres en l'air; il n'était en aucune façon un phénomène naturel, mais était le désolant résultat des usines, des voitures sur l'autoroute inter-Etat qui coupe le Colorado en deux du nord au sud, d'un côté les Rocheuses de l'autre la Prairie, des voitures encore dans les rues de Denver, de Springs, de Boulder ou de Pueblo, des voitures toujours sur ces routes taillées sur le tracé des anciennes pistes indiennes ou françaises. « Un jour viendra où les Rocheuses disparaîtront complètement à la vue des hommes, mais Dieu merci je serai mort. » Sa mémoire lui adressa, avec cette pénétrante acuité dont ce matin précisément elle semblait faire preuve, lui adressa le souvenir d'un court séjour d'été qu'il avait fait, bien des années plus tôt, dans cette ferme de Cheyenne Wells, à la frontière du Kansas. Il avait alors seize ans, c'était donc en 1915. De Cheyenne Wells, au cœur de la Grande Prairie, il se souvenait d'une clarté, d'une lumière presque étincelantes sur les Rocheuses, pourtant distantes de plus de deux cents kilomètres.

— Ça n'a pas l'air d'aller, dit Pete.

Le petit Toyota passa devant le musée, longea le parc de Monument Valley.

— Ça ne va pas, dit Pete.

Les mains de Matthew étaient glacées. Elles caressèrent les yeux fendus, l'énigmatique demi-sourire de la statue venue du Laos. Il dit :

— Ça va. Pourquoi le jardin des Dieux ?

— J'ai deux caisses pour Allie Nillson. Ça ne nous retardera pas.

— Le dernier détour que tu m'as fait faire nous a pris trois jours.

— C'est vous qui ne vouliez plus rentrer. J'ai failli vous assommer pour vous ramener de force.

Matthew ferma les yeux, luttant férocement pour que sa voix demeurât égale.

— Tu n'as pas les moyens de m'assommer. Tu ne les as jamais eus. J'ai toujours été bien plus fort que toi.

— Sauf une fois, dit Pete. Baoum !

— Tu m'as pris par surprise.

Ils en parlaient comme d'une bagarre fraîche éclatée de la veille mais cela s'était passé cinquante et quelques années plus tôt. Alors Matthew Kinkaird avait treize ans et Pete Martinez le Chicano[1] en avait onze. L'Anglo avait frappé le Chicano puis s'en était allé, tournant le dos... Et il s'était retrouvé le nez dans la poussière avec sur le

1. Américain d'origine mexicaine ou hispanique.

22

sommet du crâne une bosse grosse comme un ballon de football...

– Tout de même pas si grosse, dit Pete.

Il alluma la radio de langue espagnole et ils reconnurent en même temps, dès la première mesure, *Le Petit Jésus de Chihuahua*. Pete se mit à chantonner. Le camion suivait Mesa Road de sorte qu'un peu plus loin les cathédrales naturelles en grès rouge du jardin des Dieux surgirent sur le vert de la sauge et des pins. Ils stoppèrent un court instant non loin du jardin des Poupées et il était à peine onze heures quand ils repartirent, montant au travers des étranges flèches de pierre qui avaient donné son nom à l'endroit. Ils gagnèrent la route des crêtes de la montagne Verte, roulant toujours au nord, s'enfonçant dans le cœur des montagnes Rocheuses et gagnant peu à peu en altitude, tandis que la radio continuait à diffuser la musique chicano. Des congères de neige apparurent sur les bas-côtés mais l'asphalte de la route était nu et noir; l'air devint plus vif, plus froid mais aussi plus clair : ils dépassaient la nappe due à la pollution. Sur leur droite, le Blodgett se dessina, à la même altitude qu'eux-mêmes, soit plus de trois mille mètres. A gauche, ils distinguaient maintenant très nettement le tracé de la route ordinairement en poussière de grès rouge, pour l'heure enfouie sous la neige, et qui permet durant l'été aux voitures d'escalader jusqu'au sommet les quatre mille deux cents mètres de Pikes Peak. Droit devant, d'autres montagnes, qui dissimulaient Aspen et les autres stations, ainsi que les sources de la Platte.

– J'ai reçu une lettre au sujet de Jon, dit soudain Matthew Kinkaird.

Et tout se passa comme s'il avait attendu pour parler d'être ainsi à l'air libre.

Pete lui jeta un coup d'œil puis coupa la radio, sans un mot.

– Il est accusé d'avoir tué l'un de ses officiers et d'avoir déserté, ajouta Matthew.

23

Jusque-là goudronnée, la route suivie par le Toyota devint une piste blanche sinuant entre les grands arbres enneigés de Pikes Peak National Forest.

– Il a disparu au Vietnam depuis maintenant trente-cinq jours. Il est peut-être mort, dit encore Matthew.

Pete Martinez se taisait toujours. Il tourna sur sa droite, vers le ravin du Chat-Sauvage. Il demanda simplement :

– C'est cette lettre ?

– Celle-là.

Entre les arbres, une maison apparut. Deux chiens entravés se mirent à japper et à sautiller. Pete stoppa le camion, mais sans arrêter le moteur.

– Ils disent que mon petit-fils est non seulement un meurtrier et un déserteur mais aussi un drogué. Ils ne disent pas qu'ils l'abattront à vue sitôt qu'ils l'auront retrouvé mais je suppose que le règlement le leur permet. Pete, la lettre que j'ai reçue est de Larry, mon fils, le père de Jon. Larry a honte. Larry dit que nous devons tous avoir honte, que toute notre famille est à jamais déshonorée. Il espère que Jon est mort ou, s'il ne l'est pas, qu'il ne le reverra jamais. Voilà ce qu'il me dit et pendant qu'il m'écrit, je peux voir ma chère belle-fille penchée par-dessus son épaule et approuvant chaque mot.

Il se tut. Après un moment, Pete Martinez coupa le contact, sauta à terre et se mit à décharger les provisions ramenées de Springs. Matthew lui-même, tenant la statuette contre sa poitrine, détacha les chiens et entra dans la maison. Celle-ci consistait en un bâtiment bas en bois; une grande salle de séjour en occupait la moitié de la surface, l'autre moitié étant partagée entre une cuisine, une resserre, une chambre à coucher équipée d'une petite salle de bain. Mais il y avait sur l'arrière une porte, que Matthew ouvrit.

Ce fut, d'un seul coup, comme s'il venait de franchir des milliers de kilomètres : une jungle en réduction se dressait devant lui, foisonnante et moite, d'une luxuriance folle presque amazonienne, mais contenue en fait dans ce qui n'était qu'une serre, la première des trois que Matthew Kinkaird avait lui-même construites en vingt ans. La serre chaude s'allongeait sur vingt-cinq mètres, s'élargissant jusqu'à neuf; bougainvillées et daturas, euphorbes, citronniers, crotons, anthuriums, caféiers, poinsettias de Floride et orchidées y occupaient tablards et bat-flanc, sur un véritable lit de fougères irisées, de pandanus et de fétuques; tandis que le fond de cette première serre, délimité par un fin grillage, était consacré à une volière peuplée de tangaras et d'oiseaux-mouches.

Matthew passa.

La deuxième serre était en permanence maintenue à une température plus basse, aux alentours de quatorze degrés centigrades. Légèrement moins large mais aussi longue que la première, elle mêlait les potées d'azalées ou de saint-paulias à un véritable jardin potager de tomates, de concombres et de laitues. Matthew passa encore.

Il entra dans la troisième serre, celle-ci littéralement suspendue au-dessus du vide du ravin. La troisième serre regroupait des plantes printanières, jacinthes ou primevères aux pieds d'orangers, de mimosas et de myrtes, et devant une légion de cactées. Il y faisait presque froid, le chauffage ne se déclenchant automatiquement qu'à partir du moment où la température tombait sous cinq degrés. Mais par-delà le verre soutenu par son armature de cèdre rouge, c'était tout un panorama somptueux qui s'offrait. Ou qui se serait offert sans la pollution. Alors le regard aurait atteint aisément Colorado Springs, vingt kilomètres plus loin, quinze cents mètres plus bas et l'aurait même dépassé, découvrant la Grande Prairie américaine qui court pratiquement sur trois mille kilomètres, jusqu'aux Appalaches.

Derrière Matthew, un bruit de pas et le crissement des griffes des chiens sur le passe-pied de grès.

– Ça va être prêt, dit Pete. Je parle du déjeuner. Ruth nous a préparé des enchiladas.

Matthew revint sur ses pas, vérifiant machinalement chacun des thermostats. Les chiens refluèrent avec lui, humant avec curiosité ces mondes inconnus auxquels ils n'avaient normalement pas accès.

– J'ai très faim, dit Pete. Je n'aurais pas voulu repartir le ventre vide; je me serais sûrement évanoui au volant. Et puis vous connaissez Ruth : quand elle fait des enchiladas, il y a de quoi nourrir le comté.

Il se dandinait derrière sa grosse moustache, maladroit et amical. Sitôt le déjeuner terminé, il partit, visiblement à regret. Le silence revenu, Matthew alla se rasseoir devant le feu. Le premier des Kinkaird était arrivé au Colorado en 1858, avec les hommes courant, dix ans après la ruée de Californie, vers l'or de Pikes Peak comme vers un nouvel Eldorado. Ce Kinkaird-là venait de Saint-Louis et il était, déjà, avocat. Ce qui lui avait peut-être permis d'échapper à la fièvre de l'or et l'avait en tout cas aidé à acquérir, auprès des éleveurs de bétail, des fermiers, une solide réputation en matière de droits sur l'eau. Le Colorado est un château d'eau, la plupart des grands fleuves de l'Ouest y prennent naissance; que cinquante fermiers y changent le cours de cinquante ruisseaux et, au bout de la chaîne, c'est un milliard d'acres qui en pâtissent.

De son grand-père, Matthew conservait un souvenir émerveillé. « Alors que je ne me souviens pas d'avoir jamais eu, avec mon père, le moindre dialogue vrai. Pas plus d'ailleurs que je n'ai eu de dialogue avec Larry, mon fils. » Le fait le frappa soudain : tout se passait chez les Kinkaird comme si, s'agissant de se comprendre, on sautait systématiquement une génération sur deux. « D'un côté mon père et Larry, de l'autre mon grand-père et moi... »

Et Jon.

La douleur revint, par bouffées de plus en plus oppressantes. Il dut se lever. Il marcha dans la grande salle.

Larry était le seul fils qu'il ait eu. Larry avait refusé d'étudier le droit, refusé d'être le quatrième des Kinkaird à prétendre arbitrer les conflits en matière d'eau. A sa démobilisation en 1945, il était resté à San Francisco, y avait trouvé un emploi à la télévision, disait-il suffisant pour nourrir sa femme et sa fille Lisa, née en 1942. Quant à Jon, il était né plus tard, en 1949.

Il se retrouva dans la serre chaude sans même l'avoir voulu. Tout aussi machinalement, il se pencha sur le bassin où s'agitaient des poissons rouges et nota qu'entre les fougères scolopendres et les grands iris d'eau, Pete avait planté des impatiens dont le rouge piquetait la masse verte. « Il aurait pu m'en parler. C'est ma serre », songea-t-il avec une légère irritation. Du coup, il faillit ne pas entendre la sonnerie du téléphone.

– Grand-Père?

La voix de Lisa; sa voix calme, posée, nette; la voix de Lisa basse et légèrement voilée qui ne prononçait jamais que les mots justes et nécessaires; Lisa aux yeux violets, les mêmes yeux que Jon, mais pourtant si différente de son frère.

– Je suis au courant, dit Matthew, ton père m'a écrit.

– Il faut faire quelque chose et j'ai bien l'intention de faire quelque chose.

L'image de la jeune femme s'imposa. D'où venait que depuis presque toujours, alors même qu'elle n'était qu'une gamine, Matthew avait toujours eu l'impression face à sa petite-fille qu'il était, lui, l'enfant et elle l'adulte? Il demanda :

– Où es-tu?

– New York. J'ai appelé Springs sans réponse. Tu n'aurais pas dû monter à la cabane, tu y es trop seul.

– Pete Martinez vient juste de partir, répondit Matthew sur la défensive, suggérant ainsi que sa solitude n'avait rien de dramatique.

– J'ai réfléchi toute la nuit, reprit Lisa. Je ne vois pas d'autre solution que d'aller moi-même à Saigon. Si Jon est encore vivant, je le retrouverai et je le convaincrai de se rendre. S'il a vraiment fait ce qu'on lui reproche, bien sûr.

Un instant, Matthew demeura sans voix.

– Je t'en prie, dit-il enfin, ne fais pas ça.

– J'ai besoin d'argent. Pour le voyage et surtout sur place. Je peux avoir besoin de payer des gens. Papa a refusé.

Matthew ferma les yeux, luttant pour empêcher les larmes d'inonder son visage.

– Grand-père, tu m'as entendu ?

– Oui.

– Il n'y a pas d'autre solution.

– Je ne sais pas.

– Aucune autre.

L'un des chiens vint poser sa tête sur sa cuisse. « J'ai encore laissé la porte de la serre ouverte. »

– Je peux t'envoyer vingt mille dollars, dit-il à haute voix. Demain matin. Je descendrai à Manitou.

Un silence.

– Moi aussi, j'ai envie de pleurer tu sais, dit très doucement Lisa.

– Je sais.

– Je t'embrasse.

Il ne répondit pas. Elle dit encore :

– N'en veux pas trop à papa et maman.

– D'accord.

– Sur le moment, j'ai eu la même réaction qu'eux. J'en voulais à Jon.

– D'accord.

Le deuxième chien – il s'appelait Tige et son coéquipier Rover, du nom des personnages du roman de Clifford Simak, *City*[1] – vint à son tour quêter une caresse. Matthew regagna la salle de séjour puis, changeant d'avis, repartit jusqu'à la serre froide. Il s'assit dans le fauteuil de bois installé devant le panorama de la

1. Titre français : *Demain, les chiens.*

vallée. Il y passa le reste de l'après-midi, vit la nuit tomber. Les lumières de Colorado Springs réussirent à trouer la nappe. Il y avait même un vague halo de clarté roussâtre, dans le nord-ouest, qui pouvait bien être Denver.

Il ne se décida à écrire que bien plus tard, vers une ou deux heures du matin.

En 1874, le premier des Kinkaird du Colorado, déjà veuf depuis dix ans avec trois enfants dont le père de Matthew, s'était remarié avec la fille d'un homme d'affaires écossais venu dans l'Ouest américain contrôler les investissements de ses amis d'Edimbourg. La seconde Mme Kinkaird, qui n'avait pas eu elle-même d'enfant, avait en revanche une nièce, et cette nièce prénommée Nancy avait épousé un planteur d'Indochine appelé Pierre Lara. Il n'y avait donc, en réalité, aucun lien de parenté réel entre les Kinkaird et les Lara.

Le lendemain 4 avril 1969, Matthew Kinkaird expédia deux lettres de Manitou Springs. La première contenait un chèque certifié de vingt-deux mille dollars au nom de Lisa Kinkaird-Trenton, si bien que Matthew ne posséda plus que dix mille six cent trente dollars sur son compte.

La deuxième lettre portait une adresse en français, recopiée mot à mot d'après celle laissée par Lara onze ans plus tôt quand il avait effectué un bref séjour au Colorado : *Monsieur Lara, Boîte Postale 424, Phnom Penh, Cambodge.*

En réalité, cette seconde lettre était un appel dans la nuit. Matthew ignorait si cette vieille adresse correspondait encore à quelque chose. A cette époque, il était sans nouvelles de Lara depuis neuf ans. Pour autant qu'il le sût, Lara pouvait être mort, ou n'être plus au Cambodge depuis longtemps.

3

Sept jours plus tard, à deux heures de l'après-midi, un Français du nom de Roger Bouès ouvrit les yeux et, dans la seconde suivante, acquit une fois de plus la conviction que la vie valait la peine d'être vécue. C'est-à-dire qu'il l'acquit à la façon dont on acquiert une voiture d'occasion : « J'ai quand même des doutes, dit-il à haute voix, soyons franc. » Il contempla le plafond au-dessus de son lit. De la profondeur des étages inférieurs, un piétinement sourd montait, rythmant la tonitruante interprétation de l'immortel *Cerisiers roses et pommiers blancs* dans sa version sino-coré-philippino-japonaise, par une demi-douzaine de haut-parleurs directement branchés sur la rue; et c'était le signe le plus péremptoire de ce que la séance de cinéma allait débuter incessamment, dans deux ou trois heures au plus. Le cinéma Lux occupait à Phnom Penh l'angle de la rue Dekcho-Damdin et du boulevard Norodom; il s'était fait une spécialité de films indiens où l'on voyait généralement un Tarzan gras aux seins pendants triompher d'un tigre un peu plus petit qu'un autobus, à seule fin de sauver une héroïne en jodhpurs et perruque blonde.

Roger Bouès habitait l'étage unique au-dessus de la salle de spectacle et son appartement ne comportait en tout et pour tout qu'une pièce, grande il est vrai de quarante-trois mètres sur neuf. Sa salle de bain-cuisine était à l'exacte verticale de la cabine du projectionniste et avait de celle-ci les dimensions et même la triple meurtrière. Pure fantaisie de la part de l'architecte, lequel architecte se trouvait être précisément le même Roger Bouès.

Au vrai, ce n'était pas un architecte surchargé de travail et cette journée s'annonçait semblable à toutes les autres : il n'avait rien de particulier à faire, sinon un vague rendez-vous, auquel il n'était pas encore décidé à se rendre. Non qu'il ne travaillât jamais; cela lui arrivait quelques jours par an, quand la marée montante de ses dettes atteignait la cote d'alerte. Il réussissait alors à contrebattre une paresse à enrager un Laotien de souche et jetait sur le papier les plans d'une villa ou le décor d'un cinéma, voire d'un magasin, voire de n'importe quoi. Mais du coup il se déchaînait, frénétique; il inventait les formes les plus extravagantes et, l'essentiel de sa clientèle étant fait de Chinois, mélangeait et opposait les couleurs avec une malignité sournoise, jusqu'à ce que leurs contrastes lui parussent effrayants. Parfois, il poussait le masochisme jusqu'à se rendre sur le chantier pour constater le résultat de ses folles élucubrations, mais en général s'en abstenait avec sagesse. On ne lui payait pas souvent ses honoraires, ou alors avec des lenteurs de caravane. Il n'en était pas autrement affecté et, par une fort ingénieuse opération de calcul mental, il équilibrait les sommes qui lui étaient dues et celles qu'il devait lui-même, si bien qu'ayant de la sorte appliqué le principe des créanciers communicants, il considérait le problème comme résolu.

Il se leva. C'était un homme d'environ quarante ans avec l'œil fendu, la lèvre gourmande, le nez pointu, la moustache fine des Gascons; légèrement enveloppé, il avait l'air d'un Mousquetaire qui se serait attardé dans les cuisines du couvent. Sur une étagère de la minuscule cuisine, il trouva trois biscuits Petit-Brun et un vieux fond de Nescafé. Il était en train de préparer son petit déjeuner quand il devina une présence derrière lui. Il se retourna et reconnut Ieng Samboth.

– Comment diable es-tu entré?

– Par le toit et ton balcon.

– Tu aurais pu frapper.

– Avec cette musique, tu n'aurais rien entendu de toute façon, répondit Ieng en haussant les épaules.

Et c'était vrai que les deux hommes étaient presque obligés de hurler pour s'entendre. Roger contempla le fond de Nescafé :

– Il doit y en avoir pour deux. Tu en veux?

Ieng acquiesça, l'air absent et fatigué. « Que vient-il faire chez moi? » pensa Roger. La dernière fois qu'il avait entendu parler de Ieng, c'était quelques mois plus tôt quand le bruit avait couru que le député au Sangkum, l'Assemblée nationale khmère, après avoir été arrêté par la police de Lon Nol, était parvenu à s'évader dans des conditions mal définies. On avait même dit que Ieng et ses compagnons, Khieu Samphan, Hu Nim et Hou Yuon, avaient été exécutés. De toute façon, Ieng et Roger Bouès n'avaient jamais été particulièrement liés.

— Je te croyais en prison, dit Roger. Ou mort. Ou à tout le moins recherché et déambulant à pas pensifs dans l'inextricable forêt khmère.

— On me recherche toujours.

— Merci d'être venu chez moi, dit Roger sarcastique. Justement, je rêve depuis longtemps de décorer la prison.

La bouilloire sur le réchaud électrique se mit à siffler et fumer. Ieng tourna les talons et, quittant le seuil de la cuisine-salle de bain, revint dans l'immense pièce. Celle-ci n'était meublée que d'un lit de camp, de coussins en caoutchouc mousse amoncelés et, servant de table à dessin, d'un très grand panneau de contre-plaqué posé sur des tréteaux; deux caisses faisaient office d'armoires et une trentaine de bouteilles, à peu près toutes vides, étaient alignées dans un coin. Mais sur un socle de marbre noir, au cœur de ce désert, s'élevait une apsara de pierre à la grâce et à la beauté réellement stupéfiantes.

Ieng s'assit sur le lit. Après un moment, Roger le rejoignit, portant les deux tasses de café et les trois biscuits.

— Tu as faim?

Ieng refusa le biscuit d'un signe de tête.

— Je peux te demander ce que tu viens faire chez moi?

— Je ne peux tout de même pas me promener en ville, dit Ieng. On me reconnaîtrait.

Parlant français, il avait parfois sur certains mots des traces d'accent très parisien, presque faubourien, à l'instar des Indochinois ayant longuement vécu en France et à Paris.

– Tu comptes rester longtemps?

– Je partirai cette nuit.

Roger hocha la tête, se livrant *in petto* à de savants calculs : « Voyons, j'ai fumé ma dernière cigarette d'hier ce matin à quatre heures trente environ, un peu avant de quitter le *Saint-Hubert*. Il est maintenant deux heures et quart. Si je ne fume plus jusqu'à cinq heures, en décomptant la cigarette que je vais maintenant fumer, il m'en restera neuf pour la soirée. » Il s'était fixé pour règle de ne pas dépasser dix cigarettes par jour et découvrait avec satisfaction que le fait de s'être éveillé deux heures plus tard qu'à l'ordinaire lui avait fait gagner une cigarette sur son calendrier. (Bien entendu, il n'avait jamais réussi à respecter le moins du monde ce dernier.) Il alluma une Bastos et demanda :

– Et qui t'a appris comment on entre chez moi par le toit?

– Lara.

– Ah! dit Roger.

On aurait annoncé à Roger Bouès que Lara venait de partir avec deux ou trois hommes pour conquérir la Chine en réannexant le Tonkin au passage, qu'il aurait aussitôt fait ses valises – « en fait, je n'en ai qu'une » – pour aller l'attendre à Pékin.

– Quand as-tu vu Lara?

– Ces jours-ci.

– Il va bien?

– Oui.

– Et tu l'as vu où?

Ieng Samboth, le premier nom était en khmer le patronyme, appuya les longs cheveux noirs et luisants de sa nuque contre le mur blanc. Il ferma les yeux. Ainsi silhouetté et les yeux clos, et malgré son air d'épuisement, il avait un air de jeunesse que Roger lui avait rarement vu sur le visage. « Il doit avoir trente-sept ou trente-huit ans, si je me souviens bien. » En Ieng, quelque chose avait toujours gêné Roger, une sorte de sérieux mortel. Il chercha le mot : « fanatisme »?

– Je vais prendre une douche, dit-il à haute voix. Si tu veux dormir? Tu me sembles en avoir besoin.

Les haut-parleurs de la rue libéraient maintenant une tornade de musique chinoise. Sous l'eau tiède, Roger se mit à chanter de toute la force de ses poumons, lançant *Le Temps des cerises* à l'assaut des cymbales et des gongs. Mais le cœur n'y était pas. Ce qu'il devinait de secrète complicité entre Lara et l'ex-député gauchiste en rupture de parlement l'inquiétait. « Lara a même expliqué à Ieng comment on entre chez moi sans frapper. » L'image des deux hommes se concertant quelque part dans la forêt s'imposa à lui et les multiples bruits qui avaient couru et couraient plus que jamais sur le compte de Lara lui revinrent en mémoire, avec un poids qu'ils n'avaient jamais eu jusque-là. C'était un secret de polichinelle que les planteurs d'hévéas payaient depuis longtemps au Vietnam et maintenant dans le sud-est du Cambodge, la dîme au Vietcong. On l'avait dit de Lara comme des autres, bien que sa plantation fût au nord, et de dimensions très modestes. Mais de Lara, on disait pis, on s'étonnait de son étrange et persistante immunité dans une région où on allait peu, où n'importe quoi pouvait arriver. « Allons, pensa Roger, Lara est assez grand pour savoir ce qu'il a à faire. » Il arrêta l'eau de la douche.

– Ieng, je vais sortir. J'ai un rendez-vous à Sihanoukville. Tu ne veux pas partir avec moi?

Pas de réponse.

– Ieng?

Il s'habilla, enfilant une de ces chemises blanches empesées, à très large col, qu'il se faisait livrer par douzaines en omettant scrupuleusement de les payer. Il ressortit de la salle de bain. Allongé sur le lit étroit, face au mur, le Khmer dormait, ou faisait semblant de dormir.

– Bon, je m'en vais, dit Roger. Il n'y a qu'une clef et je l'emporte. Si je frappe en disant que c'est moi, ce sera forcément quelqu'un d'autre. Je rentrerai tard, ou pas du tout. Merci de ta visite.

Ieng ne bougea pas. « Il dort peut-être vraiment. Tout compte fait, cette confiance qu'il me témoigne m'énerve singulièrement, je dirais même qu'elle me vexe. Ai-je à ce point une tête de brave type ? » Il sortit, fermant la porte à double tour derrière lui.

Dehors, il s'installa au volant de sa voiture, une station-wagon Studebaker bleu ciel et blanc démodée, reçue en paiement de la décoration d'un bar-restaurant créé par des Chinois avenue Kampuchea Krom. Il consacra le quart d'heure suivant aux formalités d'usage : convaincre le pompiste le plus proche qu'il allait régler sous peu la facture en souffrance et que rien n'interdisait donc qu'on lui fît le plein. Il obtint finalement satisfaction, après avoir proposé de décorer le garage, ce qui lui fut refusé avec la dernière énergie, voire de l'épouvante, et surtout après avoir affirmé qu'il partait de ce pas pour Sihanoukville où l'attendait un très important chantier.

Il décida que la prochaine fois, pour faire emplir son réservoir, il ne proposerait plus mais menacerait de décorer le garage.

Avant de prendre réellement la route, il voulut passer par la poste. C'est là plus un rite qu'une nécessité; il n'attendait en fait aucun courrier. Seule sa mère, qui vivait en France quelque part sur les bords de la Dordogne, aurait pu lui écrire, mais il y avait tout de même sept ou huit ans qu'elle ne l'avait plus fait. Il longea la Banque d'Indochine et son jardin, déboucha sur la place de la poste centrale et alla se garer à la perpendiculaire de la terrasse de la *Taverne*. Il mit pied à terre, échangea un signe d'amitié avec le pharmacien français debout à la porte de son officine, avec l'Auvergnat qui tenait la *Taverne*, avec le Lorrain qui, tout près de là, vivait de son métier d'infirmier. Il croisa deux Corses et un trio d'Ariégeois en train de lire *L'Equipe* avec quinze jours de retard. Il faillit entrer directement à la *Taverne* mais à la dernière seconde se ravisa et traversa la place si française d'aspect. Il pénétra dans la poste non par le hall, comme toujours encombré par les Chinois apportant les colis destinés à leurs familles restées en Chine, mais par la petite porte sur le côté gauche du bâtiment. Son numéro de boîte postale était le 424, et il partageait la boîte avec Lara. A l'intérieur, pas de lettre pour lui, évidemment, mais il y en avait une pour Lara et qui venait des Etats-Unis. Qui diable pouvait écrire à Lara depuis le Colorado ? Sur le seuil en ressortant, il manqua de se heurter avec Oreste Marccaggi qui, de toute évidence, commençait à peine à ouvrir les yeux.

– Salut Oreste ! dit gaiement Roger. Bien dormi ?

Ils s'étaient rencontrés la veille chez Pilou, au *Saint-Hubert*.

– Grmmbbll, dit Oreste.

– Il y a une lettre pour Lara, dit Roger.

Le Corse acquiesça, répondant quelque chose comme « l'abbé est tendre » ou « je vais la prendre ». Roger ressortit dans le soleil, se tint un moment sur le seuil. Oreste le frôla à nouveau, eut un vague signe de tête, toujours aussi bourru et taciturne et pour finir monta dans la Land-Rover et démarra. « Il retourne tout droit à la plantation. Je me demande où est Lara. Il y a des jours et des jours que je l'ai pas vu. » Un pénible sentiment de solitude envahit Roger. « Mais où aller ? » Des images oubliées de son enfance refluèrent, le Palais des Pyrénées à Pau, le bassin où l'on faisait flotter des voiliers, où il était une fois tombé, terrifié, d'où son père l'avait retiré d'une seule main, en riant sous sa moustache. Son père qui s'était suicidé en 1944. « Et le petit Roger partant seul pour l'Indochine sur le grand paquebot. Arrête, crétin. » Il revint vers sa voiture, jeta un coup d'œil hésitant sur la salle sombre de la *Taverne* mais n'y entra pas. Au lieu de cela, il se remit à son volant et prit la route de Kompong Som, également appelée Sihanoukville, surtout par Sihanouk.

Le chantier dont il avait parlé au garage existait, mais il n'était pas important; il ne s'agissait que de construire une petite villa à un seul niveau, guère mieux qu'une paillote, et encore était-ce un cadeau que Huoth, l'architecte cambodgien chargé de la conception d'ensemble du nouveau casino prévu par Sihanouk, lui avait fait par pure amitié.

Il suivit la rue Ang Non, tourna à gauche dans le boulevard Monivong où les boutiques chinoises étaient désormais aussi nombreuses que dans la rue Ohier, de l'autre côté de la ville. Et quand ces boutiques n'étaient pas chinoises, elles étaient vietnamiennes. « Mais où sont donc les Cambodgiens ? »

Phnom Penh était alors une ville de six cent mille habitants dont quatre cent mille étaient Chinois ou Vietnamiens. Le Cambodge tout entier était d'ailleurs un pays sans aucune ville lui appartenant en propre : la proportion des étrangers et aussi la répartition des revenus étaient en effet les mêmes, quand elles n'étaient pas plus spectaculaires encore, à Battambang, Kompong Cham, Kampot, Kompong Chhnang, Pursat, Kompong Thom, Takéo ou Prey Veng. En fin de compte, la seule ville à être typiquement khmère, était Angkor Thom, mais ce n'était plus une ville, elle était déserte et abandonnée depuis des siècles et les seuls hommes capables d'y lire le passé n'étaient pas des Cambodgiens mais les archéologues de l'Ecole française d'Extrême-Orient.

Pour gagner les bords du golfe du Siam, Roger Bouès avait le choix entre deux routes : celle passant par Kompong Speu, que l'on appelait la Route américaine parce que tracée par la mission d'aide américaine dix ans plus tôt, ou bien la route plus ancienne du sud, qui traversait Kampot et ses célèbres plantations de poivre. Roger choisit d'aller au sud. Il roulait doucement. « Je ne voudrais pas déraper sur un cochon. Il n'y a rien de plus glissant qu'un cochon cambodgien... »

Le Cambodge était un pays pourri et gai, extraordinairement nonchalant avec de brutales flambées de cruauté rageuse, où il était impossible de mourir de faim, sauf à le faire vraiment exprès, cas rare en Asie. Le système politique en était une monarchie vaguement héréditaire largement tempérée par la corruption. A sa tête, Samdech Euv, Monseigneur-Père, neutraliste au-dedans comme au-dehors, à la fois par calcul et par goût. C'est-à-dire qu'il opposait dans sa politique extérieure les pressions soviétique et américaine, chinoise et française, et qu'il jouait à l'intérieur sur les antagonismes de gauche et de droite, sur les haines et les intérêts divergents, équilibrant le tout et y prenant un plaisir visible, dansant comme un funambule convaincu de ne jamais tomber. « J'ai faim. Je trouverai bien un poulet-bambou sur le bord de la route... »

Il fouilla son vide-poches et, ô merveille, y trouva dix riels. Cela devrait suffire.

Sous Monseigneur-Père, la merveilleuse et attendrissante hiérarchie des pots-de-vin. Le système était cette fois celui du mandarinat renforcé par la sardonique méticulosité héritée de l'administration française. « On appelle mandarinat toute organisation par laquelle un fonctionnaire prélève des impôts pour son compte personnel et ne consent à en transmettre une partie à son supérieur que lorsque celui-ci insiste vraiment pour lui couper la tête. Ce que j'ai faim! je mangerais un buffle. »

Roger roulait depuis déjà une heure.

Au Cambodge en fin de compte, un Cambodgien pur ne pouvait être que prince ou cyclo-pousse. Entre les deux, rien. Pas de bourgeoisie, à moins d'être d'ascendance chinoise, comme Lon Nol, ou vietnamienne, comme beaucoup, « comme Khieu Samphan, soit dit en passant ». En revanche, il y avait des gangs, au moins quatre importants : celui de la Reine-Mère, celui des militaires, celui des banquiers et grands négociants chinois, celui enfin de la propre épouse de Monseigneur-Père. Et qui se disputaient les sources essentielles de revenus : gestion des entreprises nationalisées, attribution des marchés publics à des entreprises privées dûment chapeautées, trafic de l'or, des devises, des pierres précieuses de Païlin, près de la frontière thaïe, du riz, de l'opium, racket sur les commerces et les boîtes de nuit, détournement des aides étrangères, contrôle de l'approvisionnement en armes des Vietcongs installés au Cambodge, des cercles de jeux et des casinos, de la prostitution... « Et pas le moindre poulet-bambou à l'horizon des rizières... »

Il arrivait à Kampot, dont le vieux pont à poutres de fer en treillis franchissait la rivière. Pour Kompong Som-Sihanoukville, Roger aurait dû continuer tout droit. Sans même avoir conscience de prendre une décision, il tourna à gauche, vers les plages de Kep, où il avait quelques années plus tôt construit et dessiné un bar-restaurant en rotonde. Il y avait ainsi partout au Cambodge, des preuves éclatantes – très éclatantes même – de ce que Roger Bouès travaillait parfois. Un jour, il avait même accepté de se rendre à Stung Treng par le Mékong, vingt heures de chaloupe aller, autant pour revenir, à seule fin de dresser les plans d'une annexe au lycée local. De cette expédition dans le Nord, à deux pas du Laos, il avait en fin de compte conservé un souvenir mitigé; il se souvenait surtout de sa rencontre avec les hommes des hauts plateaux, sortes de pères Noëls nus et noirs, portant leur hotte tressée sur le dos, hérissés d'arbalètes et de lances; ils avaient quelque chose d'animal, de furtif, d'inquiétant et marchaient dans les rues, ou la rue, elles n'étaient pas si nombreuses à Stung Treng, se figeant devant une bicyclette avec des visages d'hommes du néolithique ayant d'un coup franchi cinq mille années.

Ieng Samboth était de Stung Treng. Il était licencié en sciences économiques et en histoire mais il était né et avait passé une partie de sa jeunesse à côté de ces hommes.

Dans le rectangle du pare-brise apparurent les palmiers inclinés par le vent et la plage de Kep, les senteurs marines s'engouffrèrent par les vitres baissées et un âpre et presque douloureux bonheur s'empara de Roger. Il adorait Kep, l'aimait surtout tel qu'il le voyait maintenant, c'est-à-dire désert, balayé par le vent tiède de la mousson du sud-ouest. Il laissa sur sa gauche le bar en rotonde qui était son œuvre et suivit la route en bordure du sable et de la palmeraie délimitée par une barrière blanche. A gauche encore, hissé sur une butte de pelouse, le bungalow, se dressait, s'efforçant vaillamment de ressembler à un grand hôtel, mais il était probablement vide, comme presque toujours. Kep était une station balnéaire où personne ne venait jamais. Les Occidentaux de Phnom Penh préféraient la piscine du Club sportif ou le ski nautique sur le Mékong. Parfois une famille de fonctionnaires cambodgiens s'aventurait, un dimanche, jouant avec sérieux à être en vacances à Saint-Tropez; elle finissait toujours par s'enfuir, écrasée par ce silence et le sentiment de n'être ni chez elle ni dans son temps.

Quelques centaines de mètres plus loin, cette fois sur la droite de la route, Roger s'arrêta devant un restaurant tenu par des Chinois : on y mangeait d'incomparables crabes farcis et flambés au cognac. Au serveur impassible qui somnolait sous la tonnelle, Roger passa commande.

– C'est moyen manger dans une demi-heure?
– C'est moyen, répondit le Chinois laconique.
Roger prit un maillot de bain dans le coffre de la Studebaker. Une minute plus tard, il flottait sur le dos dans le golfe du Siam, face au large, contemplant la

silhouette familière de l'île vietnamienne de Phu Quoc juste devant lui, très exactement entre ses deux gros orteils qui pointaient hors de l'eau. Ieng Samboth. Et Lara. Pourquoi diable n'arrivait-il pas à penser à autre chose? Une minute durant, il s'imposa de ne penser qu'à Huoth, son collègue architecte qui devait l'attendre à Sihanoukville, depuis déjà une heure. Il parvint presque à éprouver un très léger sentiment de culpabilité. Le visage de Ieng découpé sur la blancheur du mur le poursuivait.

Ieng avait quitté très tôt sa province pour venir à Phnom Penh; il avait fait ses études au lycée Descartes, très probablement, Roger en était convaincu, grâce à l'aide financière de Pierre Lara. Son baccalauréat obtenu, il était ensuite parti en France, d'abord à Montpellier puis à Paris, où il était resté sept ou huit ans. Revenu au Cambodge avec ses diplômes, il avait systématiquement refusé tous les postes qu'on lui offrait dans les ministères et pendant quelque temps, il était même reparti pour Stung Treng où il avait travaillé comme simple instituteur. Il y avait alors eu les élections de 1966. Ça n'avait pas été des élections ordinaires : pour la première fois, par un de ces mouvements d'orgueil dont il était coutumier et qui s'apparentaient fort à des coups de tête, Sihanouk avait décidé de ne pas intervenir dans le choix des candidats. Jusque-là, arguant que le parti unique qu'il présidait, le Sang-Kum Reastr Niyum, représentait toutes les tendances possibles, il avait toujours sélectionné lui-même les futurs députés afin, avait-il expliqué, de maintenir un juste équilibre entre la gauche et la droite. En 1966, il avait soudain décidé de laisser le champ libre à tout le monde. La preuve par l'absurde qu'il avait raison. Les milieux d'affaires et l'armée s'en étaient donné à cœur joie, achetant les électeurs quand ils ne pouvaient pas les contraindre. Si bien que quatre députés de gauche seulement avaient réussi à franchir le barrage : Hu Yuon, Hu Nim, Khieu Samphan et Ieng Samboth. Leur immunité parlementaire n'avait pas duré longtemps. Traqués par la police sous les prétextes les plus divers, les quatre hommes avaient disparu.

L'eau du golfe du Siam était miraculeusement tiède. Roger faisait la planche. Il faisait remarquablement la planche et estimait même que dans cet exercice, il n'avait pas de rival pour le moins jusqu'à l'Australie. Lara, lui, ne savait pas faire la planche; il n'y était jamais arrivé, alors qu'il nageait parfaitement; au grand plaisir de Roger, enchanté de se découvrir au moins cette supériorité.

Agitant doucement les mains, bras collés au corps, il partit lentement en arrière, en direction de la plage. Bientôt ses épaules vinrent au contact du sable. Il se mit debout et commença à marcher vers le restaurant chinois où ses deux crabes devaient maintenant être prêts. Il les arroserait de cognac-soda, lui qui ordinairement ne buvait jamais.

En vérité, cette journée d'avril fut celle où Roger Bouès eut l'intuition que quelque chose de grave pouvait désormais arriver. Mais sur le moment, ce ne fut pour lui que comme un signal qu'on perçoit sans en comprendre la signification. Il pénétra sous la tonnelle et s'assit, n'ayant pas à choisir : il était le seul client et une seule table était dressée.

— M. Lara, c'est pas venir ? demanda le Chinois.

— Non, dit Roger, je suis seul.

4

Il était dans les habitudes d'Oreste Marccaggi de se rendre une fois par mois à Phnom Penh pour y passer quatre jours d'affilée, pendant lesquels il buvait de la bière. En matière d'absorption de bière, les capacités d'Oreste étaient véritablement impressionnantes : Oreste était capable d'ingurgiter une centaine de canettes par jour, voire davantage, et les ingurgitait effectivement, négligeant de manger, de dormir ou même de quitter le comptoir, sinon pour satisfaire à quelque besoin naturel. Le jour où Roger Bouès le rencontra, il venait d'effectuer sa tournée d'adieux mensuels et prit en effet la route en quittant la poste. Si bien qu'il fut le soir même à la plantation, avec la lettre de Matthew Kinkaird.

« Je me souviens de vous, écrivait Matthew Kinkaird. Et peut-être vous souvenez-vous de moi. Il y a onze ans, vous êtes venu ici, au Colorado, dans ma maison. Peu de temps, il est vrai, et vous avez peu parlé. Dans ma maison, vous avez rencontré un garçon de huit ans qui est mon petit-fils et qui s'appelle Jon Kinkaird. Jon s'est engagé pour aller se battre au Vietnam. Hier, j'ai appris ce qui lui est arrivé ou ce que l'on prétend lui être arrivé : il aurait tué l'un de ses officiers, après quoi il aurait déserté. Quoi qu'il en soit, voilà plus d'un mois qu'il a disparu et l'Armée déclare tout ignorer de lui. On affirme aussi qu'il est devenu un drogué. J'ai hésité à vous écrire, assis dans cette serre dont je vous avais parlé et dont je crois que je vous l'avez visitée. Je ne sais même pas si ma lettre vous parviendra et je sais moins encore s'il vous sera possible de faire quelque chose pour Jon. Lisa, la sœur aînée de Jon, qui n'était pas au Colorado quand vous y êtes venu, est actuellement en route pour Saigon. Elle a de l'argent, si cela peut aider. Je ne lui ai pas parlé de vous. De sorte que vous êtes libre de ne pas me répondre et j'ignorerai toujours si vous avez choisi de vous taire ou si, simplement, vous n'avez pas reçu ma lettre... »

Ils partirent à deux heures du matin, le 13 avril 1969, Kutchaï tenant le volant de la Range-Rover, Lara assis sur le siège voisin dans une attitude qui lui était familière, jambes allongées aussi loin que le permettait le siège, mains enfoncées dans les poches de sa chemise-veste dont le col était toujours relevé, sans doute pour dissimuler la cicatrice sur la nuque et l'épaule gauche, faite par les hommes de Kamsa, menton sur la poitrine, ses yeux pâles fixant la nuit rougie par la poussière de la piste en latérite.

En 1969, Lara avait trente-huit ans. Il était brun, d'une taille un peu au-dessus de la moyenne, très mince et comme enveloppé d'un sang-froid, d'une réserve difficiles, sinon impossibles à troubler; sa voix était très douce quoique très grave et quand il parlait, il avait une façon particulière de fixer son interlocuteur dans les yeux; une expression attentive et pensive dans son regard gris-bleu frangé de cils noirs : il inclinait alors un peu la tête sur le côté et, dans un geste certainement inconscient, les longs doigts de sa main droite venaient masser doucement sa nuque, à l'endroit de sa blessure. Il se déplaçait avec une lenteur apparente, trompeuse. On le savait généreux, peu enclin aux confidences et surtout, patient et obstiné. Il était né en Indochine, où il avait toujours vécu, le premier des Lara ayant débarqué en Annam en compagnie d'un neveu de Dupleix, au printemps de 1685. Outre le français et l'anglais, il parlait couramment khmer et vietnamien, comprenait assez bien le chinois de Canton et divers dialectes des hauts plateaux. Il avait été marié mais sa femme, appartenant à une riche famille sino-khmère de Phnom Penh, était morte avec l'enfant qu'elle allait mettre au monde, en 1956, après dix mois de mariage.

Ils passèrent l'arroyo, dont le pont avait été remplacé depuis le premier passage de Marccaggi, et émergèrent de la jungle véritable pour traverser sous la lune trente-cinq kilomètres de forêt-clairière. Ils firent s'envoler engoulevents et paons hypnotisés par les phares, réveillèrent sur leur passage d'énormes buffles affalés dans la boue jaune, qui écarquillèrent leurs yeux injectés de sang, et peu après trois heures, ils furent à Kompong Thom.

A Kompong Thom, la petite animation suscitée par le

départ de l'autocar pour Phnom Penh venait tout juste de retomber. Mais les lumières de la place du marché étaient restées allumées, attirant des nuages de phalènes multicolores qui faisaient doucement vibrer la nuit. La Land-Rover stoppa quelques instants en catastrophe, le temps d'un café au lait glacé, puis repartit. Une demi-heure plus tard, elle rattrapa et dépassa l'autocar chinois retardé par ses multiples arrêts mais qui, après chaque halte, se relançait avec une fureur suicidaire. C'était un engin stupéfiant, dont le totalisateur aurait problablement indiqué trois ou quatre cent mille kilomètres si, par hasard, il avait encore fonctionné, qui était déglingué et bringuebalant au-delà du possible, qui était prévu initialement pour transporter trente-deux passagers mais qui en contenait pour le moins soixante-dix, sans compter la douzaine de passagers clandestins officiels agrippés aux balles cubiques de caoutchouc sur le toit, en compagnie de quelques poulets vivants et de divers bagages individuels. De sorte qu'il se hissait par des entassements successifs à sept ou huit mètres au-dessus de la route, sur laquelle il avançait nettement penché sur le côté, tout en se projetant quand même à environ cent kilomètres à l'heure, véritable bombe qui, de temps à autre, achevait sa course dans la rizière, dans un fou rire général.

A quatre heures, Lara et Kutchaï traversèrent le Tonlé Sap par le bac de Prek Dam. A quatre heures trente, ils atteignirent Phnom Penh. Mueller, un Suisse représentant en liqueurs et qui rentrait se coucher après une discussion d'affaires au *Zigzag*, les aperçut vers cinq heures au Vieux-Marché, en train de manger debout une soupe chinoise. Il échangea quelques mots avec eux. Il leur demanda ce qu'ils pouvaient seulement bien foutre loin de la plantation, en ville, à Phnom Penh, à une heure pareille.

L'énorme index spatulé de Kutchaï se posa sur sa poitrine.

— On en a marre de leur foutue guerre au Vietnam, dit

45

Kutchaï. Ça nous empêche de dormir, toutes ces détonations. On va aller leur dire de fermer un peu leur gueule.

L'Helvète insista pour payer les soupes chinoises. C'était un grand échalas de deux mètres de haut qui parvenait, à la stupéfaction générale, à s'installer au volant d'une Triumph, ayant alors ses genoux à la hauteur de ses oreilles ou à peu près. Il était célèbre dans tout le Cambodge pour avoir un jour poché l'œil de sa microscopique concubine vietnamienne par un coup d'estoc de son membre virilement dressé, à l'occasion de câlins sous la douche. Il ne crut pas un seul instant que Lara et Kutchaï partaient réellement pour le Vietnam.

En quittant le marché, les deux hommes se rendirent dans une petite rue aux alentours du stade olympique. Kutchaï arrêta la voiture devant une maison en dur, à un étage. Il jeta un coup d'œil sur Lara; ce dernier, mains dans les poches de sa chemise-veste, nuque sur le haut de son siège, paraissait dormir.

– Je vois, dit Kutchaï. Autrement dit, c'est à moi d'y aller?

– Et que ça saute, dit Lara en bâillant, mais sans ouvrir les yeux. La dernière fois, c'était moi. Donc, c'est ton tour.

Le Jaraï mit pied à terre et alla frapper à la porte du rez-de-chaussée. La nuit ici, à deux kilomètres du centre et des rumeurs de ses marchés, était extraordinairement paisible, à l'exception de crapauds offrant leur récital habituel. Kutchaï frappa encore, toujours sans réponse. Il regarda Lara.

– Eh oui! dit Lara, les paupières toujours closes.

Kutchaï finit par se décider. Il avisa sur le côté droit du bâtiment un escalier extérieur conduisant à l'étage. Il le gravit, se trouva devant une deuxième porte. Prenant grand soin de ne pas se trouver dans la zone de tir délimitée par l'encadrement, il frappa puis, d'un geste vif, ouvrit et poussa le battant, se plaça aussitôt à l'abri. La détonation caractéristique du Colt 45 éclata, une balle siffla et alla se perdre de l'autre côté du Tonlé Sap, voire du Mékong.

– Je vous aurai tous! cria quelqu'un en français et avec un fort accent alsacien. Tous jusqu'au dernier, bande de chacals!

Kutchaï s'assit, à l'abri du mur.

– Crétin du Mékong, dit-il, debout et apporte ton parachute. On va faire un tour en aéroplane.

Boudin était un Français travaillant comme chef mécanicien pour Royal Air Cambodge et que, pour d'obscures raisons, quelqu'un avait baptisé la Saucisse de Strasbourg. Il pilotait un Cessna à ses moments perdus, pour le compte de qui le payait. Il avait ordinairement un caractère de cochon et était le reste du temps de mauvaise humeur. Quelques années plus tôt, lors d'une discussion d'après boire, il avait tranché d'un coup de dent et avalé la première phalange de l'index que braquait sur lui son interlocuteur.

– Un jour, tu tueras quelqu'un, lui dit Lara dans la Range-Rover qui roulait maintenant vers l'aéroport de Pochentong.

– Je n'en demande pas plus, répondit hargneusement Boudin, qui était légèrement plus grand qu'un tabouret de bar. Et vous allez où?

– A Saigon, dit Lara. Via Bangkok. A moins que tu ne veuilles prendre le risque d'aller te poser à Tan Son Nhut sans autorisation.

– Il faudrait être cinglé pour le faire, dit Boudin.

– Mais tu es cinglé, dit doucement Lara.

– C'est vrai, reconnut Boudin.

– On passe par Bangkok, de toute façon.

C'était Lara qui, douze ans plus tôt, avait trouvé pour Boudin ce travail à Royal Air Cambodge et c'était encore Lara qui avait avancé l'argent pour l'achat du vieux Cessna. Lara était le seul homme au monde à pouvoir expliquer à Boudin qu'il était fou sans déclencher une éruption.

Ils arrivèrent à Pochentong avec le jour, roulèrent

directement jusqu'au hangar où le Cessna était garé. Pendant que l'Alsacien préparait l'appareil, une jeep arriva, conduite par un Cambodgien en uniforme de capitaine. L'officier stoppa dans un hurlement de pneus et avisa Lara.

– Qu'est-ce que tu fous ici à une heure pareille?

– Voyage d'affaires, dit Lara.

– Vous allez voler dans ce tas de ferraille?

– De quoi il parle? de quoi il parle? rugit Boudin, les yeux hors de la tête et la tête hors du moteur.

– Voilà, dit Lara, c'est exactement ça : on va voler dans ce tas de ferraille.

– Vous êtes cinglés, dit le capitaine, qui s'appelait Kao.

Il était responsable de la sécurité de l'aéroport; en d'autres termes, il le rackettait, au nom de la reine. Lara et lui se connaissaient depuis des années mais n'avaient jamais vraiment sympathisé. Pendant ses moments de loisir, Kao partait à la chasse et avait à cette fin monté une mitrailleuse lourde sur le capot de sa jeep. Il chassait uniquement le chevreuil et ne se déclarait satisfait que lorsque les grosses balles de douze millimètres sept avaient réduit les gracieuses petites bêtes en une bouillie sanglante.

– Cinglés, répéta le capitaine Kao. Complètement cinglés.

Kutchaï éclata de rire. Le rire de Kutchaï s'allongeait réellement d'une oreille à l'autre, découvrant pour le moins trente-deux dents superbement blanches, superbement plantées, d'une régularité parfaite, qui avaient quelque chose d'un piège à loups; cela débutait dans la gaieté apparente, cela se poursuivait dans une jovialité de plus en plus féroce et cela ne faisait pas le moindre bruit. Il y avait chez Kutchaï, en dépit de l'usage remarquable qu'il faisait du français, quelque chose de sauvage et d'animal, et son rire était inquiétant au possible. D'autant qu'il s'en servait le plus souvent pour exprimer une émotion violente, la colère par exemple.

– Dis-lui d'arrêter de me regarder comme ça, dit Kao à Lara.

– Arrête de le regarder comme ça, dit Lara à Kutchaï.

Un ange passa et comme Boudin prétendait ne pas être prêt à décoller avant un vingtaine de minutes, Kao invita Lara et Kutchaï à boire un verre, sans doute pour dissiper la gêne qui venait de s'installer. Ils montèrent donc dans la jeep et se rendirent au bar de l'aéroport, en principe fermé mais que Kao fit ouvrir en distribuant quelques coups de pied çà et là.

– Comment va Oreste ? demanda Kao.

– Il vieillit, dit Lara.

– Ça dépend des jours, dit Kutchaï qui adorait le Corse. Il est encore capable de tuer d'un seul coup de poing un capitaine de la police cambodgienne.

Kao choisit de ne pas entendre.

– Il a bien soixante-dix ans, non ?

– Pas tant que ça, dit Lara en souriant.

Ils burent le premier cognac-soda de la journée.

– Et la plantation ? demanda Kao. Les Khmers rouges ne vous font pas d'ennuis ?

– Quels Khmers rouges ? dit Kutchaï en riant.

– Il t'a répondu, dit Lara. Son regard pâle ne quittait pas Kao.

Ils commandèrent trois autres cognacs-soda, Lara et Kao payant chacun leur tournée.

– Je ne peux pas vous empêcher de monter dans cette saloperie d'avion.

– Alors, ne nous en empêche pas.

– Tu es parfaitement libre d'aller t'écraser dans une rizière. Ça aura au moins l'avantage de débarrasser le Cambodge d'un fou.

Il montrait Kutchaï.

– C'est pas moyen tuer Kutchaï pauv' Khmer, dit Kutchaï. Kutchaï pauv' Khmer immortel.

Ils vidèrent leurs verres et partirent rejoindre Boudin. Quelques minutes plus tard, sous les ailes argentées du

Cessna, s'inscrivaient le damier couleur de jade des rizières, l'ocre des diguettes et les ombres graciles des palmiers allongées par le soleil levant. Boudin effectua deux ou trois passages rageurs au ras des cheveux de Kao debout à côté de sa jeep peinte en noir. « Un tas de ferraille ! » Il écumait de rage. Enfin, son aigreur apaisée, il prit au nord-ouest. La forêt apparut très vite, encerclant les temples d'Oudong, l'ancienne capitale du royaume et sépulture royale. Ensuite, sur la gauche de l'appareil, montèrent les lourds massifs du Kirirom puis des Cardamomes, ce dernier dressant une barrière haute par endroits de quinze cents mètres, uniformément couverte de la mer vert sombre des arbres et séparant les plaines alluviales du Tonlé Sap et du Mékong, à l'est, de la côte du golfe du Siam.

Ils survolèrent Battambang, laissant Siem Reap et Angkor à droite dans le lointain.

— Nous serons à Bangkok à neuf heures, cria Boudin, comme si cette constatation le remplissait personnellement de fureur. Et vous y serez à temps pour prendre l'avion de Saigon. Sauf si l'avion de Saigon s'écrase au sol en cours de route.

Visiblement, il espérait une péripétie de ce genre.

Le ciel était d'une clarté absolue, presque irréelle, comme toujours dans la première lumière de l'aube. Viendrait pourtant un moment où l'air se mettrait à trembler sous la chaleur ; la luminosité deviendrait alors diffuse, étale, calligraphiant les moindres ombres dans une blancheur d'acide.

— Le dernier arrivé au *Continental* paie à boire, dit Kutchaï.

Lara hocha la tête, le cœur serré par son amour fou pour ce pays. Peu d'hommes avaient aimé ou aimaient le Cambodge comme il l'aimait ; moins encore étaient capables autant que lui d'y survivre à tous les événements. Aucun n'était plus farouchement décidé à y demeurer quoi qu'il arrivât.

5

Le même jour, Lisa Kinkaird se trouvait à Saigon depuis la veille. Une semaine plus tôt, presque heure pour heure, elle annonçait à son grand-père Matthew Kinkaird son intention de partir pour le Vietnam. Elle n'avait, à compter de cette communication téléphonique, pas perdu la moindre minute.

Elle avait commencé son enquête par une visite à la rédaction du *Washington Post*, où les amis de son mari étaient nombreux et se souvenaient évidemment d'elle. Elle avait eu accès aux archives et elle avait durant une journée entière écouté deux journalistes lui faire le point sur les désertions dans les forces américaines au Vietnam.

Le Département d'Etat ensuite, puis le Pentagone, avec chaque fois les introductions nécessaires. Elle y avait consacré une journée supplémentaire.

Le troisième jour, dès son arrivée à Paris, elle avait déjeuné avec un journaliste, français celui-là, qui avait essayé de lui résumer en quatre heures ce que lui-même avait appris en vingt-cinq ans sur le Vietnam, sur Saigon, sur la guerre commencée en 1945 et qui n'avait pratiquement pas cessé depuis lors.

Le lendemain, elle avait pris l'avion de Tokyo. Elle n'avait passé que cinq heures en tout dans la capitale japonaise, le temps d'interroger un officier de la division Americal, qui avait personnellement connu le lieutenant que Jon Kinkaird était accusé d'avoir tué. « Pourquoi diable ressortir cette histoire? c'est déjà du passé. C'est arrivé ailleurs qu'à Anh Khé et ça aurait aussi bien pu m'arriver à moi. Ricket a engueulé ses hommes parce qu'ils dormaient et parce qu'ils étaient drogués. Il est ressorti du bunker et il a reçu cette grenade. On ne sait même pas qui l'a lancée. Trois des hommes qui étaient alors dans le bunker sont morts à présent, deux autres ont déserté. Un conseil : oubliez tout, laissez tomber. »

Ensuite, elle avait fait une dernière escale en Corée, où elle s'était rendue au camp Casey près de Séoul. Elle y avait parlé à deux blessés, l'un amputé des deux jambes, l'autre aveugle, et tous deux se souvenant de Jon Kinkaird. Mais aucun n'avait la moindre idée de l'endroit où le garçon pouvait être, n'avait le moindre nom à lui suggérer, la moindre piste et, visiblement, la moindre envie de parler davantage.

Et enfin, Saigon. Et en face d'elle, un fonctionnaire de l'ambassade des Etats-Unis au Vietnam, un fonctionnaire impeccablement habillé, blond et net, dans un bureau propre et non moins net, climatisé à en devenir glacial.

– Madame Trenton? J'ai connu un Robert Trenton au *Washington Post*.

– Il était mon mari.

Le fonctionnaire s'appelait Gaitskell.

– Je suis profondément désolé, dit-il. C'était un homme remarquable.

– Il est mort depuis cinq ans.

Il la contemplait, presque bouche bée, fasciné par ses yeux, par ce qu'il pouvait voir de ses jambes, par l'entrebâillement de son chemisier gonflé.

– Et vous êtes vous-même journaliste, comme l'était votre mari?

Elle dit : « Oui », dit aussi : « Non, pas pour le *Washington Post*. » Elle dit encore qu'elle travaillait pour United Press et un hebdomadaire de la côte ouest. Et c'était vrai sans l'être vraiment : elle avait effectivement obtenu une accréditation d'*UPI*, mais il était convenu que tous ses frais seraient à sa propre charge. Elle expliqua l'objet du reportage qu'elle était venu faire au Vietnam. Ce fut spectaculaire : le visage de Gaitskell se figea. La seconde précédente, il s'apprêtait manifestement à l'inviter à dîner; il se demandait à présent si c'était réellement une bonne idée, quelle que fût la beauté, saisissante, de cette jeune femme.

– Des déserteurs? Quelle idée extraordinaire! nous n'avons pas de déserteurs.

Il souriait, bienveillant avec un soupçon de condescendance. Après tout, elle n'était qu'une femme.

– Croyez-moi, madame Trenton, tous les garçons qui sont ici savent pourquoi ils s'y trouvent. Ils font du bon travail, vraiment du très bon travail. Je peux vous garantir que chaque soldat américain est animé d'un farouche esprit de combat.

Lisa se leva, écrasant sa cigarette dans le cendrier de cristal.

– Merci de votre accueil, dit-elle sèchement.

Elle marcha vers la porte, Gaitskell se hâtant pour la précéder.

– Vous venez d'arriver à Saigon?

Et il allait maintenant l'inviter à dîner. Elle le considéra avec presque de la fureur mais répondit simplement : « Oui, je viens d'arriver. » Elle franchit la porte et il marcha à côté d'elle dans le couloir, surpris par sa taille.

– Puis-je passer à l'heure du dîner? Nous pourrions au moins prendre un verre?

Elle ne tourna même pas la tête et s'en alla.

L'homme qu'elle rencontra ensuite était un colonel de l'entourage du commandant en chef des forces américaines au Vietnam. Celui-là était un Texan jovial. A l'aide d'une carte piquetée de petits drapeaux multicolores, il lui démontra que la guerre était irrémédiablement gagnée. Contre toute défense – le terme de bridge lui plaisait et il le répéta. « Des déserteurs? Où pourraient aller des déserteurs? » Il la ramena à la carte. Qu'elle veuille bien réfléchir : où iraient des déserteurs? Pourraient-ils se lancer à la nage sur la mer de Chine ou dans le golfe du Siam? ou prendre à pied la direction de la Thaïlande en traversant un Cambodge dont tout le monde savait qu'il était aux mains des Vietcongs manipulant un prince fantoche?

– On ne déserte pas au Vietnam, madame Trenton.

Tout simplement parce que la possibilité n'en existe pas. Physiquement, géographiquement, je veux dire. Seuls quelques exaltés...

– Justement, dit Lisa. Ce sont ces hommes qui m'intéressent.

– Vous êtes une femme, dit le colonel.

– J'avais remarqué, dit Lisa.

Le colonel éclata de rire.

– Et la plus jolie femme que j'aie jamais rêvé de rencontrer. Vous n'avez jamais pensé à faire du cinéma ? Mais ces exaltés dont je vous ai parlé trouvent parfois un abri, très momentané entendons-nous bien, dans l'un de ces établissements...

Il cherchait apparemment le mot.

– Des bordels, dit Lisa.

Nouvel éclat de rire, mais il se fit paternel :

– J'espère que vous ne songez pas à les visiter un à un.

– Qui les contrôle ? La police militaire ?

– Nous sommes dans un pays étranger. C'est l'affaire de la police vietnamienne. En étroite collaboration avec nos MP bien entendu.

– Je voudrais, dit Lisa, le nom du policier vietnamien directement chargé de ces contrôles.

Elle était non seulement, dit-il, la plus séduisante des jeunes femmes mais aussi la plus obstinée. Il finit cependant par céder. Il donna un nom, céda encore quand elle lui demanda de téléphoner pour prier M. Dieu – « Il s'appelle vraiment Dieu. Vous savez ce que veut dire Dieu en français ? » Oui, elle savait – pour prier M. Dieu de la recevoir.

Lisa sortit alors de son sac une feuille de papier de format 21 × 27 pliée en deux, et la tendit à l'officier.

– J'ai là cinq noms qui m'ont été communiqués à Washington. Pour ces cinq hommes, je connais les familles; dans chaque cas, j'ai rendu visite soit à leurs parents, soit à leur femme. Je voudrais savoir ce qu'ils sont devenus. Tous les cinq sont des AWOL[1] véritables; c'est-à-dire des déserteurs. Puis-je vous demander une enquête particulière à leur sujet?

Il promit, après qu'elle eut souligné que par son mari elle avait connu et connaissait encore les rédacteurs en chef du *Washington Post*, l'ancien secrétaire d'Etat Dean Rusk et une douzaine de sénateurs pour le moins. C'était un chantage qui ne prenait même pas les apparences de ne pas en être un. Le colonel lut les noms : John Paul Petit, Jon Kinkaird, Johnny Dee Williams, Harry Watson, Larry Menendez. Williams et Watson étaient des Noirs, l'un de New York, l'autre de Montgomery, Alabama, Menendez était un Chicano du Nouveau-Mexique, Petit un Louisianais et Kinkaird venait de San Francisco. Avait-elle remarqué que, de ces cinq hommes, deux seulement étaient des Blancs, et encore Petit portait-il un nom français? Oui, elle avait remarqué. Non, elle n'était pas libre pour dîner.

– Je vais faire copier votre liste, dit le colonel dont la jovialité fondait au fil de leur entretien.

– Gardez-la, dit Lisa. J'ai d'autres exemplaires. Je passerai vous voir dans quarante-huit heures.

– Il me faudra plus de temps.

Lisa sourit, les yeux froids.

– Dans quarante-huit heures.

Dehors la chaleur moite la fit chanceler, au moins

1. AWOL : littéralement *Absent Without Leave*, Absent sans permission. Administrativement, un soldat américain n'est considéré comme déserteur qu'après trente jours d'absence illégale. Cette désertion administrative devient un crime, susceptible d'entraîner la condamnation à la peine capitale en temps de guerre, quand une cour martiale décide, au-delà de tout doute raisonnable, que l'AWOL avait l'intention ferme de ne pas regagner son unité, quelle que soit la durée de son absence. Les chiffres officiels du Département américain de la Défense sont les suivants : sur 7 575 000 hommes susceptibles de servir ou ayant servi au Vietnam, il y eut au total 1 522 000 AWOL, dont 563 000 cas de désertion administrative. En réalité, 24 déserteurs seulement furent traduits en cour martiale. Aucune condamnation à la peine capitale ne fut prononcée.

autant que le véritable mur d'odeurs dominées par la puanteur de l'essence brûlée s'épandant en une brume bleue. Elle fit quelques pas sur le trottoir, immédiatement assaillie par des hordes de gosses, des mendiants de toutes espèces, des cyclo-pousses et des chauffeurs de taxi. Elle consulta sa montre, restée à l'heure de New York, et qui indiquait un peu plus de cinq heures du matin. Retournant sur ses pas, elle demanda l'heure à l'un des Marines stationnés près du portail : midi dix. Son rendez-vous avec le policier vietnamien était pour le lendemain à deux heures de l'après-midi. Elle monta dans un taxi et se fit conduire au *Continental*, dont le nom lui avait été donné par le journaliste rencontré à Paris : « Là ou au *Majestic*, vous aurez le plus de chances de croiser certains de mes confrères qui pourront peut-être vous aider. » Il lui avait indiqué des noms, français pour l'essentiel. « S'ils sont là. »

Dans la chambre, rien ne fonctionnait, à la suite, lui dit-on, d'une panne de courant. Rien, sinon la douche. Elle demeura longuement sous l'eau tiède, sans se soucier de ses cheveux, qu'elle coiffait toujours elle-même avec presque de l'indifférence, puis s'allongea nue sur le lit, cherchant un sommeil qui ne vint pas. Séchée en quelques minutes, elle repartit sous la douche et à son retour se mit à compter l'argent qu'elle avait. Elle s'attendait à devoir payer le policier vietnamien, ou l'un de ses collaborateurs, ou d'autres hommes et femmes. Vingt-cinq mille six cents dollars au total, plus environ une centaine de francs français qu'elle avait oublié de changer en quittant Paris. Et son billet d'avion. A son départ de New York, elle avait retiré tout l'argent qu'elle possédait sur son compte, un peu plus de dix-huit cents dollars, y avait ajouté les vingt-deux mille reçus de son grand-père et aussi les deux mille cinq cents représentant la vente précipitée de sa voiture. Elle étala machinalement les billets sur le lit, rangeant les coupures de façon à former un damier. Elle disposait donc de vingt-cinq mille dollars pour retrouver Jon, six cents dollars lui suffisant largement pour regagner New York. Elle n'avait aucune idée des prix pratiqués au Vietnam, ne savait même pas combien coûtait cette chambre où elle se trouvait.

Brusquement, elle se sentit observée, ou bien ce fut un léger bruit qui l'alerta. En tout cas, elle leva les yeux et aperçut un visage d'homme au travers de l'imposte vitrée de la porte sur le couloir. Elle se leva rapidement, sans se soucier du fait qu'elle était toujours nue. Elle marcha rapidement jusqu'à la porte, tourna la clef, tira le battant, se trouva face à face avec l'un des boys qui n'avait même pas eu le réflexe de sauter à bas du tabouret sur lequel il s'était juché.

– Allez-vous-en, dit-elle en français. Allez!

Il s'enfuit, tirant le tabouret derrière lui, ne cessant de s'incliner mais les yeux obstinément fixés sur ses seins. Elle finit par refermer la porte, s'y adossa, luttant contre la rage qui la secouait et sa brutale envie de pleurer. Plus tard, juste avant de sombrer dans le sommeil, elle se demanda ce qui avait en priorité retenu le regard du voyeur, de l'argent étalé ou de son corps nu.

– Je regrette, dit Dieu. Je ne peux rien faire.

Il était petit et paraissait gros, c'est-à-dire qu'il avait le visage rond et la main potelée. En fait, au tout début de leur entretien, quand il était debout, il avait paru mince et nerveux; à présent, il était calme et dévisageait avec un sourire amusé la grande Américaine assise en face de lui.

– Nous sommes un pays en guerre, madame Trenton, et je suis moi-même un homme très occupé. Par ailleurs, les déserteurs de l'armée américaine ne sont pas de mon ressort, à moins bien entendu qu'ils ne contreviennent aux lois de mon propre pays.

Il poussa de l'ongle la feuille de papier où était inscrit, avec quatre autres, le nom de Jon Kinkaird.

– Que je sache, ce n'est pas le cas de ces hommes.

– Ils ne sont pas recherchés?

– Pas par mes services.

– Je suis prête, dit Lisa, à récompenser financièrement quiconque m'aidera à retrouver ces hommes.

Il se renversa en arrière, s'accoudant sur les bras de
son fauteuil et joignant délicatement les extrémités de
ses doigts potelés. Il la dévisageait en souriant et elle
éprouva une courte seconde l'envie de se lever et de
partir.

– Je peux aller jusqu'à cinq mille dollars, dit-elle.

Immédiatement, elle comprit qu'elle venait de commettre une erreur. Aucun journaliste au monde ne
pouvait être prêt à payer cinq mille dollars pour la
simple satisfaction d'un reportage sur des déserteurs, à
une époque où ils se comptaient par milliers.

– Il semble, dit doucement Dieu, que ces hommes
aient bien plus d'importance pour vous que vous n'ayez
voulu le dire jusqu'ici.

Elle chercha désespérément une réponse qui explique-
rait tout mais ne trouva rien.

– Disons que j'en fais une question d'amour-propre.

– C'est tout à fait compréhensible, dit-il en continuant
à sourire.

Brusquement, il se redressa, ramassa sur le plateau du
bureau le papier où étaient portés les cinq noms. Il lut à
haute voix :

– Petit, Kinkaird, Williams, Watson, Menendez.
Lequel d'entre eux, madame Trenton ?

– Je ne comprends pas.

– Allons, vous me comprenez parfaitement. Il est
évident que ces cinq hommes ne vous préoccupent pas
au même degré. Lequel est le bon ?

Elle le fixait, ses grands yeux violets assombris par la
colère.

– Comprenez-moi bien, madame Trenton : cinq déserteurs au milieu de pas mal d'autres ne m'intéressent pas.
Je vous l'ai dit : je suis un homme fort occupé, et mes
collaborateurs sont surchargés de travail. Toutefois...

D'un tiroir, il retira un bloc-notes et un stylo à plume
en or massif dont il ôta le capuchon.

– ... Toutefois rendre personnellement service à une jeune et jolie femme recherchant son mari est autre chose.

– Aucun de ces hommes n'est mon mari.

Il secoua la tête d'un air navré.

– Nous perdons du temps, madame Trenton. Il ne me serait pas très difficile de découvrir ce qu'il y a de commun entre l'un de ces hommes et vous. Je suis policier et depuis longtemps. Je l'étais du temps des Français et je le serai après le départ de vos compatriotes. En outre, je suis l'homme le mieux placé pour faire rechercher un homme au Vietnam, en convainquant certains de mes collaborateurs de faire des heures supplémentaires.

– Kinkaird, dit Lisa vaincue et cédant d'un seul coup. Jon Kinkaird, mon frère.

Il acquiesça, satisfait, écarta les mains, l'air de dire : « N'est-ce pas mieux ainsi ? »

– Voudriez-vous me le décrire ? Je suppose que vous préférez que cette enquête ait lieu discrètement ? je veux dire en dehors des services officiels de votre pays ?

– Oui, dit Lisa.

Elle prit dans son sac deux photos de Jon, l'une en civil, l'autre en uniforme, y joignit une fiche signalétique.

– Les mêmes yeux que vous ?

– Les mêmes.

Dieu consulta un petit carnet :

– Six pieds et cinq pouces font environ un mètre quatre-vingt-quinze. Une taille de basketteur.

– Il jouait au basket avant son départ.

– Il connaît une autre langue que l'anglais ?

– L'espagnol et un peu de français, très peu.

– Et les femmes ?

– Aucune fiancée à ma connaissance.

– Mais il est normal ?

Il inclina la tête :

– Excusez-moi.

Il comparait les deux photos.

– Et la drogue?

– Non.

Elle soutint son regard et répéta avec force :

– Non.

– Quand avez-vous vu votre frère pour la dernière fois?

Cette fois, elle fut prise au dépourvu. Elle baissa la tête, contemplant ses doigts qui tremblaient.

– Il y a à peu près huit mois, répondit-elle enfin.

Ils s'étaient retrouvés au *Saint-Regis*, dans Powell Street, lui venant de l'autre côté de San Francisco Bay, elle arrivée deux heures plus tôt de New York. Elle avait vu surgir son frère dans le plein soleil de la place en face de l'hôtel, et avait presque hésité à le reconnaître, après plus de quatre années de séparation. Il avait énormément grandi et avançait avec cette démarche particulière aux basketteurs : de grands pas un peu glissés, comme s'il s'apprêtait à tout instant à s'élancer pour capter une balle au rebond. Elle retrouva au fond d'elle-même le sentiment exact éprouvé en cette seconde au *Saint-Regis* : la sensation d'être elle-même vieille d'un siècle, alors qu'elle n'avait que neuf ans de plus que lui, et un sentiment de culpabilité à l'égard de ce frère qu'elle avait abandonné à lui-même si longtemps.

– Comment est-il venu au Vietnam? demanda Dieu.

– Il a répondu à l'appel.

A San Francisco, ils n'avaient passé qu'une seule journée ensemble. Jon était trop jeune pour avoir droit à un cocktail avant le repas (cela aussi avait frappé Lisa : on jugeait son frère en âge d'aller tuer ou se faire tuer au Vietnam, mais dans le même temps on l'estimait trop jeune pour se faire servir une bière) et ils étaient directement allés déjeuner chez *Kan's*, à Chinatown, la meilleure façon, avait dit Jon en riant, de commencer à s'habituer à l'Asie. Tout au long du repas, Jon s'était montré d'une extraordinaire et presque invraisemblable gaieté, se lançant dans d'hilarantes imitations de tel ou tel de ses chefs ou dans d'extravagants récits de matches de basket-ball et, quoi qu'il en fût, semblant attendre son départ pour Saigon comme le début d'une excitante aventure. Il lui avait peut-être donné la comédie. Comment l'aurait-elle su ? Elle n'avait connu qu'un gamin qui avait douze ans lors de son mariage avec Bob Trenton, et à peine quatorze quand l'avion de Bob s'était écrasé. A la sortie du restaurant chinois, ils avaient remonté California Street à pied puis, juchés sur le marchepied du cable-car, ils avaient joué les touristes, s'offrant depuis Fisherman's Wharf un survol en hélicoptère d'Alcatraz et de Golden Gate, puis déambulant dans les étages de la Cannery et sur les gradins successifs de Ghirardelli Square, en admirant les évolutions d'une flotte de cerfs-volants. Le soir, ils avaient voulu aller dîner chez *Scoma's* mais, faute d'avoir réservé, ils s'étaient rabattus sur *Aliotto's*. Et, dans la nuit, Lisa avait raccompagné son frère jusqu'à la base d'Oakland, dans la voiture qu'elle avait louée en débarquant. « Dieu du Ciel, avait dit Jon, ne dis surtout pas que tu es ma sœur. Laisse-les croire que j'ai conquis la plus jolie fille de Californie. Ils vont tous en crever de rage. » Elle avait joué le jeu, l'accablant de câlineries sous l'œil narquois des gardes et des permissionnaires regagnant leur base et pour finir l'embrassant sur les lèvres, comme l'eût fait une girl-friend, soulevant une bordée de sifflets admiratifs, elle-même bouleversée par cet amour fraternel qu'elle redécouvrait d'un seul coup.

– Vous n'avez pas répondu à ma question, dit Dieu. Même un modeste policier de Saigon fait bien que la plupart sinon la totalité des cinq cent mille soldats des Etats-Unis qui sont venus combattre dans ce pays l'ont fait parce qu'ils y étaient obligés. Même un simple policier, même un drink, un slobe, un gook, un chien jaune comme nous appellent vos compatriotes, madame Trenton, sait que l'Amérique a surtout envoyé ici ses nègres et ses métis, ses Mexicains et ses analphabètes. Votre frère n'était pas...

– Ne parlez pas de lui au passé !

Elle se leva, ramassa son sac sur la table, marcha vers la porte.

– Je vais le retrouver, dit Dieu. Pas de problème.

La main de Lisa était sur la poignée de la porte mais n'acheva pas son geste.

– S'il est vivant, dit Dieu.

Elle s'immobilisa mais sans se retourner.

– Si votre frère est vivant, je le retrouverai sûrement, dit Dieu. Mais ensuite, que souhaitez-vous que je fasse ?

– Je veux lui parler.

– Simplement lui parler ?

Elle acquiesça et se retourna enfin, tête baissée pour dissimuler ses larmes. Dieu la considérait d'un visage impassible. Après un moment, il ouvrit un autre tiroir et en retira sept photos qu'il étala soigneusement sur le plateau du bureau.

– Regardez.

Elle releva la tête.

– Approchez, madame Trenton. Vous devez voir ces photos.

Elle s'approcha et eut un haut-le-cœur qui la secoua tout entière.

– Je vous prie de m'excuser, dit Dieu. Ces sept hommes sont des soldats de l'armée américaine. Leurs cadavres ont été retrouvés au cours des deux dernières semaines, quatre d'entre eux dans l'arroyo et donc en partie mangés par les crabes, ce qui explique leur état. Il s'agit de drogués qui ont été dévalisés et tués, ou qui sont morts d'overdose.

Elle se força à se pencher à nouveau sur les horribles clichés. Elle finit par se redresser, le visage blême.

– Aucun de ces hommes n'est Jon, dit-elle d'une voix sourde.

Il acquiesça.

– Je sais. Mais il sera peut-être sur une photo identique demain ou dans les jours à venir.

– Je voudrais être un homme pour vous casser la figure, dit Lisa.

Il haussa les épaules.

– Cela fait déjà vingt-quatre ans que l'on me casse la figure, madame Trenton, au propre et au figuré.

Il rangea les photos dans le tiroir, avec une étonnante dextérité.

– Cinq mille dollars ne suffiront évidemment pas. Et il y a des frais que je dois engager tout de suite.

Elle avait une liasse de cinq mille dollars toute prête. Les billets rejoignirent les photos et la liste de cinq noms.

– Et si je retrouve les quatre autres?

Elle haussa les épaules, demanda :

– Quand aurez-vous des nouvelles?

– Où êtes-vous descendue? au *Continental*. Inutile de revenir ici, je passerai personnellement ou plutôt l'un de mes adjoints passera à votre hôtel.

De retour dans la rue, elle fut un long moment incapable de faire autre chose que marcher droit devant elle, fendant une mer mouvante d'ao-daï et de tuniques blanches, jaunes ou violettes, d'hommes en chemise blanche et pantalon noir et soyeux ou bien en short et casque de liège, coulant sur les trottoirs à petits carreaux de ciment. Les chaussées étaient un enfer pétaradant et l'on apercevait çà et là les traces des combats lors de l'offensive vietcong en février de l'année précédente, le jour où Saigon avait bien failli tomber.

Boulevard Nguyen Hué, sans même réfléchir ni savoir d'ailleurs où elle se trouvait, elle entra dans le premier bar qui s'offrit, prit place sur un tabouret. Il lui fallut une vingtaine de secondes pour enfin remarquer le silence qui s'était fait autour d'elle. Levant la tête, elle découvrit les prostituées en minijupe et les soldats américains qui la considéraient avec une surprise gênée. Un master [1] s'approcha :

– Vous ne devriez pas rester ici, madame. Ce n'est pas un endroit pour vous.

Elle fouilla son sac, y prit un billet de cinq dollars qu'elle posa sur le comptoir.

– Je veux un whisky.

Toujours dans le silence, elle vida son verre d'un trait, ressortit. Après quelques pas, le master la rejoignit.

– Votre monnaie.

– Buvez-la.

Elle partit, le laissant planté sur le trottoir, aussitôt encerclé par une meute d'enfants qui avaient remarqué les billets dans sa main, et dressèrent le siège, tels des orques minuscules se lançant à l'assaut d'une baleine. Lisa avançait, toujours sans se soucier de la direction suivie. « Le salaud! », pensait-elle. Elle ne se faisait aucune illusion : Dieu lui prendrait jusqu'à son dernier dollar.

De petites mains crochèrent sa jupe, quêtant de la monnaie. Elle se libéra avec presque de la peur.

Elle se retrouva devant la terrasse du *Continental* tout à fait par hasard. A la réception, quand elle demanda sa clef, on lui dit qu'un homme appelé Lara l'avait demandée, de la part de M. Kinkaird. Et qu'il reviendrait à l'heure du dîner.

Il était un peu plus de six heures.

6

C'était un Corse de Saigon appelé Jean-Baptiste Morrachini qui faisait au plus haut point partie de ces Corses d'Indochine débarqués dans les années vingt ou trente pour évangéliser les populations locales dans le domaine des cercles de jeux, des bars, des restaurants, des hôtels,

1. Adjudant.

des dancings, de l'opium, des bordels. Il avait le ventre plutôt rond, l'œil doux et presque féminin, le parler nonchalant des Ajacciens. On lui aurait donné le Bon Dieu sans confession, ne serait-ce que pour éviter qu'il se serve lui-même.

Dans le quartier chinois de Cholon, il possédait de solides amis et deux établissements à la fois restaurants et dancings; et il venait tout récemment de revendre ses parts sur l'un des plus importants cercles de jeux, expédiant aussitôt en Suisse, *via* Hong Kong, le million de nouveaux francs ainsi recueilli, de façon à compléter les trois autres millions accumulés en trente années de dur et patient labeur. C'était un homme d'extrêmement peu de foi dans la nature humaine en général et les hommes et femmes en particulier, capable de vous fournir sur l'heure vingt jolies filles ou autant de jolis garçons, cent kilos d'opium, des fusils d'assaut, de la dynamite ou des mitrailleuses mais, dans le même temps, allant à la messe chaque dimanche et incapable de tromper sa femme qui était de Tourane et lui avait fait sept enfants.

– Arrête-moi si je me trompe, dit Jean-Baptiste Morrachini à Lara, mais tout ce que tu me demandes, c'est simplement de retrouver en quelques heures un Américain au milieu de centaines de milliers d'autres, disparu depuis environ quarante jours, dans un pays d'un million et demi de kilomètres carrés peuplé d'approximativement vingt-six millions d'autres types en train de s'écrabouiller les uns les autres, étant entendu que ton bonhomme peut parfaitement se trouver ailleurs, par exemple en Mongolie extérieure ou dans les faubourgs de Stockholm?

– Voilà, dit Lara. Tu as tout compris.

– Il est cinglé, dit Morrachini à Kutchaï.

Kutchaï approuva avec un enthousiasme suspect.

– Lui, y en a fou la tête, dit Kutchaï. Moi pauv' Khmer, c'est avoir beaucoup les chocottes. Et à part ça mon brave, comment vont les affaires?

– Ça va, dit le Corse, on fait les valises.

– Je serais surpris qu'il soit en Mongolie extérieure, remarqua Lara en souriant.

Morrachini hocha la tête.

– Mais il est peut-être dans les faubourgs de Stockholm. On m'a assuré que pas mal de déserteurs américains se réfugiaient en Suède d'où non seulement on ne les extrade pas mais où on les considère comme des héros.

– Il aurait fallu que Kinkaird ait quitté le Vietnam. Je ne crois pas qu'il l'ait fait.

– Certains de ces pauvres types s'adressent tout simplement à Air France. Et ils se font prendre.

– Il ne l'a pas fait. J'ai vérifié.

– Il y a aussi cette espèce de bonze à Mytho, dans le delta, qui cache des déserteurs.

– Négatif, dit Kutchaï. Je m'en suis occupé.

– Le curé de Giadinh ne l'a pas vu non plus. Pas plus que ce groupe d'enseignants français qui ont des slips et des soutiens-gorge aux couleurs du Nord-Vietnam, dit Lara.

Morrachini considéra les deux hommes qui lui faisaient face.

– Et vous n'êtes arrivés qu'au début de l'après-midi ? Vous n'avez pas perdu de temps.

Il fixait plus particulièrement Lara, qu'il avait connu enfant, au temps où Pierre et Nancy et leurs enfants descendaient au *Continental* à chacun de leurs séjours saigonnais. Il se souvenait d'un garçon mince et secret, qui semblait rêver éveillé, ses yeux clairs fixant presque sans ciller quiconque lui adressait la parole, parlant peu, d'un calme presque anormal pour un gamin de cet âge, mais souriant pourtant avec une douceur, une amitié véritablement confondantes. « Et Kutchaï était déjà avec lui, si je me souviens bien. Ils ont toujours été ensemble. » Morrachini se rappelait que c'était Kutchaï qui, lors de l'attaque de la plantation par Kamsa, avait aidé

66

son camarade de jeu à s'enfuir et à ressortir vivant de la forêt.

– Pendant un moment, dit Morrachini, il y a eu aussi cette soi-disant organisation pacifiste américaine qui avait organisé une filière pour permettre aux déserteurs de quitter le Vietnam. Il fallait se présenter près du pont de l'Arroyo, derrière le quai de Belgique. Tous ceux qui y sont allés sont maintenant au gnouf. Derrière la porte, il y avait les Mike Papas, les MP. Mais le truc ne marche plus.

Lara but une gorgée de cognac-soda, la même main tenant à la fois le verre et la cigarette.

– Nous savons donc où Kinkaird n'est pas, dit-il calmement. Tu peux faire le reste? Tes amis chinois?

– Tu as encore plus d'amis chez les Chinois que moi, dit le Corse.

– Ce ne sont pas les mêmes.

Le ton de Lara était courtois mais ferme. Le truand corse n'insista pas.

– Vous restez longtemps à Saigon?

– Je ne sais pas encore.

Lara interrogea Kutchaï du regard mais le Khmer haussa les épaules, avec une mimique signifiant qu'il s'en désintéressait complètement.

– Et si tu pars et que j'ai des nouvelles?

– Appelle Christiani à Bangkok, il transmettra.

Lara se leva, tenant toujours son verre à la main.

– Vous êtes sûr que vous ne voulez pas rester à dîner avec moi? ou bien on pourrait aller quelque part tous les trois?

– J'ai un rendez-vous, répondit Lara. Ses yeux avaient une expression pensive. A propos, la sœur de Kinkaird est à Saigon depuis hier ou avant-hier. Elle a déjà fait la tournée des fonctionnaires américains et surtout on m'a dit qu'elle était allée voir Dieu.

– Foutue idée. Il suffit que Dieu se mêle de quelque chose pour que tout aille de travers, sauf pour lui. Je n'ai jamais aimé les flics de façon générale, mais celui-là est le pire de tous.

Lara serra la main du Corse.

– Comment va Li?

– Elle est à Toulon avec les trois derniers. Elle m'a encore écrit hier pour me dire qu'elle apprend la bouillabaisse. Je crains le pire. Elle va trouver le moyen d'y mettre du nuoc-mam.

Li était la femme de Morrachini. C'était aussi une Annamite catholique sèche comme un mot de trop, aux allures furtives de souris timide mais armée d'un caractère à culbuter une division blindée.

– Elle ne s'arrange pas avec les années, soupira le Corse. Dans sa dernière lettre, elle m'ordonne de rentrer en France sous quarante-huit heures. Mais je ne peux pas partir comme ça. Remarque que j'en ai envie...

– Les enfants?

– Médecine pour Pierre et Dany, le bac pour Pascale. Michel ne fait rien, comme d'habitude, et les trois autres ont la rougeole.

Morrachini accompagna ses visiteurs jusqu'au portail du jardin. Il hésita puis demanda :

– Cette demoiselle Kinkaird, tu la connais?

– Pas encore, dit Lara.

7

Comme toujours ce fut Rover qui, le premier, capta le bruit du moteur de la voiture. Il se dressa et Tige l'imita. Matthew posa le sarcloir, traversa successivement les trois serres et la maison, et vit un homme d'environ trente-cinq ans, très élégamment vêtu, debout à côté d'une Lincoln noire.

– Jubal Wynn? Je suis Matthew Kinkaird.

Les deux hommes se serrèrent la main.

– J'ai hésité à venir si tôt, dit Wynn, mais vous m'avez tellement assuré que vous seriez debout avec l'aube... Et comme je suis moi-même un lève-tôt, surtout à la campagne...

Il jeta un coup d'œil autour de lui :

– Vous êtes merveilleusement tranquille ici. Et je n'ai eu aucun mal à vous trouver.

– Du café ?

Ils s'installèrent devant la cheminée où le feu brûlait, parfumant toute la maison. Le silence et le calme étaient extraordinaires.

– Vous êtes au bout du monde, remarqua Wynn.

– Oui.

Matthew Kinkaird passa une main dans ses cheveux blancs.

– Merci d'être venu. Surtout si vite.

– Deux jours de vacances au Colorado ne sont pas à dédaigner, même quand on habite San Francisco.

– Vous avez fait bon voyage ?

– Excellent. Jubal Wynn se mit à rire : Vous savez, nous ne sommes pas obligés de parler tout de suite de ce qui m'amène. J'ai tout mon temps. Et si nous devons d'abord passer des heures à fumer le calumet de la paix, à danser la danse des Esprits ou quoi que ce soit d'autre que vous fassiez dans ces montagnes avant d'en venir aux choses sérieuses, je suis d'accord.

Matthew lui rendit son sourire. L'homme lui plaisait.

– D'accord. Parlons de ce qui vous amène.

– Je suis avocat. Depuis quatre ans, je me suis spécialisé dans les sursis. J'ai mis au point une panoplie à peu près complète de toutes les échappatoires offertes à un jeune Américain désireux de ne pas aller se battre au Vietnam. A ce titre, je me suis occupé de votre petit-fils Jon Kinkaird.

– Combien... de cas avez-vous traités ?

– Des milliers. J'ai des assistants.

– Combien de vos clients sont partis pour le Vietnam ?

– Un. Jon Kinkaird. Parce qu'il a choisi de ne pas suivre mes conseils.

– Vous a-t-il dit pourquoi?

– Puis-je fumer? demanda Wynn.

Il prit son temps pour allumer une Gitane. Son regard brun et intelligent ne quittait pas Matthew.

– Quel âge avez-vous, monsieur Kinkaird?

– Soixante-dix ans.

– Avez-vous beaucoup voyagé?

– Non.

Il y avait eu ce voyage en Angleterre et en Ecosse mais c'était – « Mon Dieu! » – en 1923. Et depuis, il n'était pas allé plus loin que le Nouveau-Mexique ou San Francisco. Il dit à haute voix, assez vivement :

– Il n'est pas nécessaire d'avoir parcouru le monde...

Wynn leva une main, souriant.

– D'accord. Le garçon m'a dit que c'était son grand-père qui l'avait poussé à venir me voir. Le grand-père, c'était vous?

– Oui.

– Vous ne pensiez pas que votre petit-fils devait aller se battre au Vietnam, c'est ça?

– C'est une guerre indigne, dit Matthew.

Wynn émit un nuage de fumée.

– Vous pensez que les Etats-Unis devraient s'occuper de leurs propres affaires, rester chez eux, tout comme vous restez chez vous, au sommet de votre montagne, c'est ça?

– Je n'ai jamais dit une chose pareille, dit Matthew calmement.

Il se leva pour ajouter une nouvelle bûche.

– Vous m'avez demandé de venir pour deux raisons, dit Wynn. C'est en tout cas ce que vous m'avez dit au téléphone. La première raison, apparemment, est celle-ci : vous attendez de moi que je vous explique pourquoi votre petit-fils est actuellement au Vietnam. Je me trompe?

– Non, vous ne vous trompez pas.

– Il m'a parlé de son père, héros de la guerre du

Pacifique et tout et tout. Je m'en souviens très bien. Jon Kinkaird est mon seul échec, c'est une raison suffisante pour me souvenir de lui. Un garçon de très haute taille, avec des yeux étonnants, qui jouait au basket-ball, je crois? C'est ça. Vous voyez que je me souviens très bien de lui.

– Et il serait parti à cause de son père?

– Ne m'en demandez pas trop, dit Wynn en souriant.

Matthew revint s'asseoir. Il contempla le feu où la bûche qu'il venait de placer commençait à grésiller.

– Je ne sais rien de ces affaires de sursis, dit-il. Qu'aviez-vous conseillé à Jon?

– Oh! les solutions ne manquaient pas! Il pouvait s'inscrire à des cours préparant à l'enseignement, avec quatre-vingt-quinze pour cent de chances d'obtenir alors un sursis. Ou encore, l'objection de conscience, ou s'engager dans la Garde nationale, les garde-côtes. En tant que basketteur d'avenir, il y serait facilement parvenu. Ce genre d'interventions se pratique couramment. Indigné?

– Oui, dit Matthew.

– Mais vous m'avez envoyé votre petit-fils.

– Je sais.

Les chiens commençaient à s'agiter, manifestement désireux d'aller faire un tour.

– C'est l'heure où je vais me promener avec eux, expliqua Matthew. Que diriez-vous de déjeuner avec moi, au retour?

– J'en rêvais, dit Wynn.

– Connaissez-vous un acteur de cinéma nommé George Hamilton? Je l'ai vu récemment dans un film français en compagnie de Brigitte Bardot, *Viva Maria*. Il n'est pas parti au Vietnam parce que sa pauvre vieille mère est à sa charge, lui dont le revenu annuel atteint à peine deux cent mille dollars, le pauvre diable. Aux termes de la loi, la présence à votre foyer d'un parent à votre charge suffit à vous dispenser du service armé, pour peu que vous ayez un bon avocat.

Jubal Wynn marchait dans la forêt, sur les pentes du Blodgett, aux côtés de Matthew. Il releva la tête et regarda autour de lui :

– Voyons si j'ai bien compris. Ici, le ravin du Chat-Sauvage; devant moi la passe des Utes, derrière moi la Cuisine-du-Diable. Dieu Tout-Puissant, l'homme qui a inventé ces noms devait débarquer d'une agence de publicité new-yorkaise !

Il alluma une nouvelle cigarette et reprit :

– Ne croyez pas que j'en veuille personnellement à George Hamilton. La vérité est que depuis août 64, date de notre intervention militaire à grande échelle au Vietnam et, *grosso modo*, pour les dix années suivantes, le nombre des Américains mobilisables avoisine vingt-neuf millions. Sur ces vingt-neuf millions, vingt-sept ont échappé, échappent ou vont échapper au Vietnam, d'une façon ou d'une autre. Et sur ces vingt-sept millions, soixante pour cent n'ont pas fait ou ne feront même pas de service militaire. Soit parce qu'ils sont inaptes, soit surtout parce qu'ils ont su utiliser leurs connaissances, ou celles de leurs conseillers.

– Comme vous.

– Comme moi.

– Combien demandez-vous à chaque client ?

– En moyenne cinq cents dollars. Parfois mille, parfois rien. Mais je ne suis pas précisément seul dans mon cabinet : associés, stagiaires et secrétaires.

– Je comprends, dit Matthew. Vous êtes un philanthrope.

Wynn éclata de rire :

– Ne m'en parlez pas !

Il tomba en arrêt devant une fleur entre les rochers.

– Et celle-là ?

– *Dodecatheon, anciflorum,* famille des primevères. En grec, *dodecatheon* signifie « douze dieux », parce que les naturalistes l'ont jugé si belle qu'ils ont estimé qu'il avait fallu au moins douze dieux pour la créer. Mais on l'appelle aussi mayflower ou encore lèvres-de-vache.

– C'est nettement moins poétique. Monsieur Kinkaird, l'esquive devant la conscription a commencé dans ce pays au temps de la guerre de Sécession : un homme pouvait décliner l'invitation à rallier l'armée de la Confédération autant de fois qu'il avait de fois vingt nègres dans sa propriété; la fameuse loi des Vingt Nègres. Dans les deux camps, on pouvait s'acheter un remplaçant. De nos jours, on ne peut plus mais les moyens d'éviter la jungle vietnamienne sont bien plus variés...

Ils avaient avancé jusque-là, durant la dernière heure, en terrain presque découvert. Ils pénétrèrent sous les érables et s'enfoncèrent jusqu'aux chevilles dans une mer de violettes.

– Elles n'avaient pas encore éclos avant-hier, quand je suis venu ici, remarqua Matthew Kinkaird. Les blanches sont des violettes du Canada; la jaune est une *Viola nuutallii;* celle-là une *Viola adunca* qui est bleue. Il est rare de les trouver sous des érables. C'est un des seuls cas des montagnes Rocheuses.

– J'ai connu, dit Wynn, un garçon qui s'est fait réformer en soutenant devant la commission qu'aller au Vietnam gênerait sa mission, la mission qu'il s'était à lui-même attribuée : chef révolutionnaire. Plusieurs autres ont obtenu le même résultat en ouvrant leur braguette et en faisant pipi sur la table du président de la commission. Non, je ne plaisante pas, monsieur Kinkaird. D'autres se sont piqués pour faire croire qu'ils se droguaient régulièrement; certains ont été écartés pour avoir volé du bétail ou tué un aigle; certains parce qu'ils ont prétendu être homosexuels, ou parce qu'ils l'étaient vraiment. A Baltimore, un commando a incendié au napalm, en une nuit, des milliers de livrets militaires; certains encore se sont mariés avec la première fille venue; certains ont fait des enfants sans en vouloir vraiment; un joueur de football célèbre a mangé douze pizzas par jour pendant trois mois, si bien qu'il pesait cent cinquante kilos le jour de l'examen physique et il a été réformé; un autre s'est fait tatouer les pires obscénités sur tout le corps et les gardera à vie; sans parler des dizaines qui se sont volontairement mutilés, des milliers qui, dans les jours précédant leur dix-huitième anniversaire, ont passé la frontière canadienne; sans parler de ceux qui ont rallié les quakers, les témoins de Jehovah, les mennonites, les musulmans et autres sectes ou religions prêchant officiellement le pacifisme, ou de ceux qui ont entrepris des études pour devenir pasteur, curé, rabbin, iman ou Dieu sait quoi. Un jeune conscrit des îles Samoa a été réformé parce qu'il croyait que le dieu volcan de son île natale entrerait en éruption si lui-même tuait quelqu'un. Le nombre total de tous ces tricheurs est de seize millions.

– Belle plaidoirie, dit Matthew, sarcastique.

Wynn dressa plaisamment les mains au-dessus de sa tête, tel un champion saluant son public.

– N'est-ce pas?

Il se pencha sur une fleur blanche à étamine et pistil jaunes.

– *Fregaria virginiana,* dit Matthew. C'est une simple fraise des bois. Vous devriez sortir plus souvent, le dimanche. Et vous n'auriez pas dû la cueillir : elle ne portera plus de fruit.

– N'oubliez pas que la loi permet de choisir l'endroit où l'on va se présenter devant le conseil de révision. Dans mon cabinet, l'un de mes assistants tient constamment à jour une carte de toutes les commissions de sélection opérant sur le territoire des Etats-Unis. Cette carte est constellée de points allant du jaune au vert. Plus un point est vert, plus la commission de sélection qu'il représente accorde aisément le sursis. Le point le plus vert des Etats-Unis? Butte, dans le Montana. Le tri des commissions s'effectue essentiellement en fonction du rang social, des capacités économiques et culturelles. La proportion des élèves d'Harvard en âge d'être mobilisés et effectivement mobilisés est de un pour mille. Dans le Wisconsin, il n'y a pas eu un seul exemple de famille au revenu supérieur à cinq mille dollars par an dont le fils soit allé au Vietnam. Et cinquante-quatre pour cent des morts américains du Vietnam sont des Noirs, des Chicanos, des Indiens, des Portoricains, des Niseï, des Micronésiens, des Guamanites, voire des Aléoutiens.

– Comment voulez-vous votre steak? demanda Matthew.

– Bleu, dit Jubal Wynn. Vraiment saignant.

– Un de mes amis m'a apporté des bouteilles de cabernet de Californie. Je crois que c'est un vin rouge. Voulez-vous y goûter?

– Quel festin! Puis-je vous aider?

– Vous pouvez toujours essayer de déboucher la bouteille. Je n'ai pas de tire-bouchon.

Wynn se mit au travail avec un bowie-knife trouvé sur la cheminée, à côté d'une vieille Winchester.

– J'ai des chiffres sur les désertions au Vietnam, dit-il. Plus d'un demi-million de déserteurs. Le cas de votre petit-fils n'est pas précisément unique. Et rassurez-vous : dans toute l'histoire des Etats-Unis, on n'a fusillé qu'un seul homme pour désertion, en 1945.

Matthew revint avec les steaks.

– Mais combien de ces déserteurs sont accusés d'avoir tué un officier?

– Accusation n'est pas condamnation, dit Wynn. Dieu merci. A quoi serviraient les avocats?

Il goûta le vin, hélas glacé.

– Votre petit-fils a pu quitter le Vietnam, monsieur Kinkaird. En principe du moins. On connaît des cas de déserteurs, pas nombreux, qui ont réussi à s'embarquer à Saigon sur un avion d'Air France, après avoir réuni l'argent du billet et surtout de faux papiers.

– Si Jon n'était plus au Vietnam, il aurait repris contact avec moi.

Wynn acquiesça :

– Ça me semble évident. Ou bien avec son père. Ce qu'il n'a pas fait. J'ai vérifié, hier soir. La plupart des hommes qui ont effectivement réussi à échapper à l'armée américaine l'ont fait à l'occasion de la semaine de R & R, Repos et Récupération, quand on les a envoyés à Hawaii, Hong Kong, en Corée ou au Japon. Jusqu'ici, trois mille cinq cents garçons y sont parvenus. Pas Jon : il n'a jamais quitté Saigon officiellement.

Il attaqua son steak. Trop cuit, comme d'habitude.

– Monsieur Kinkaird, l'opinion de mes informateurs est que la disparition de Jon peut s'expliquer de trois façons : ou bien il se cache au Vietnam, chez une femme ou ailleurs; ou bien il s'est réfugié chez les Vietcongs...

– Non. Certainement pas.

– Ou bien il a été tué. C'est la troisième possibilité.

Rover, le plus puissant des deux terre-neuve s'était couché aux pieds mêmes de l'avocat. C'était une bête de quelque soixante-dix kilos, à la robe d'un noir de jais, l'œil intelligent et couleur de vieux bronze.

– Vous m'avez bien dit que votre petite-fille s'est rendue à Saigon?

– Lisa est là-bas, en effet.

– Seule?

– Ce n'est pas une enfant. Il s'en faut de beaucoup.

– Qu'attendez-vous de moi? demanda Jubal Wynn.

– Que vous aidiez Lisa et surtout, sitôt qu'elle aura retrouvé Jon, que vous défendiez Jon si vous le pouvez, de toutes les façons possibles. Légales ou non. Je paierai ce qu'il faudra. Je peux vous donner dix mille dollars tout de suite. J'ai mis en vente une maison que j'ai à Colorado Springs, je pense pouvoir en retirer trente à trente-cinq mille dollars.

Wynn le considéra un instant bouche bée. Puis il secoua la tête.

– J'ai enfin réussi à trouver quelqu'un pour me laisser

sans voix, dit-il en riant. C'est la première fois que ça m'arrive.

Il se leva et se mit à marcher dans le salon, caressant de la pointe de l'index le dos des livres entassés dans un savant désordre.

– Monsieur Kinkaird, vous ne m'avez pas demandé pourquoi j'ai choisi d'aider ces garçons à échapper au Vietnam. Je l'ai fait parce que je suis contre cette guerre, par tous les moyens. Et contrairement à ce que vous semblez croire, je gagne en ce moment moins d'argent, bien moins, que je n'en gagnais il y a quatre ans avec des clients ordinaires.

Il revint vers la cafetière placée contre les braises du foyer et reprit du café.

– A San Francisco, j'ai un bateau, un très beau ketch à coque noire. Il faut le voir quand il passe sous le Golden Gate dans le soleil couchant. J'ai une très jolie maison sur les hauteurs de Telegraph Hill; j'ai trois ou quatre voitures, un Claude Monet, un Pissarro et même un Andy Warhol pour me mettre de bonne humeur le matin quand je me lève. J'ai encore environ un ou deux millions de dollars en liquide ou en actions. Plus quelque argent qui me vient de mon père. Je n'ai jamais eu vraiment envie de me marier, quoique physiquement je préfère et de loin les femmes aux hommes, peut-être parce que je ne veux pas être responsable de l'entrée dans ce monde d'enfants que j'aurais faits.

Il leva la chope de porcelaine emplie de café.

– Sitôt que votre petite-fille aux fascinants yeux violets aura réussi à retrouver son frère, appelez-moi. Et je partirai pour Saigon par la première jonque.

8

Le boy d'étage était celui-là même qui l'avait guettée par l'imposte et vue pendant qu'elle était nue. Il bredouilla quelque chose en français.

– Je ne comprends pas, dit Lisa avec colère.

Elle parlait et comprenait généralement bien le français mais l'usage qu'en faisaient beaucoup de Vietnamiens la déroutait. Impassible, le garçon s'en alla, se retournant de temps à autre pour la dévisager avec son visage de dormeur pas encore vraiment sorti de son rêve. Lisa referma à clef la porte de sa chambre et repartit s'allonger sur le lit. Il était neuf heures moins dix du soir, et elle avait faim, mais la seule idée de descendre au restaurant au milieu de ces Français avachis sous les ventilateurs, qui ne cesseraient pas un instant de la déshabiller du regard...

Elle avait aussi horriblement chaud, presque jusqu'au malaise, elle subissait d'un coup les effets des tensions, des fatigues, des déceptions accumulées depuis des jours. Une sourde et amère détresse la prit, où se mêlaient les images de sa quête haletante de New York à Paris, de Paris à Saigon *via* Tokyo et Séoul, pour assembler les éléments de sa recherche de Jon, les visages et les voix de Gaitskell, du colonel d'état-major, de Dieu surtout; des souvenirs plus anciens remontaient, comme profitant des circonstances pour refaire surface : la mort de Bob Trenton et ce sentiment de culpabilité qu'elle éprouvait à l'égard de son frère. Mais elle n'était pas femme à s'abandonner très longtemps à ses humeurs dépressives; elle réagissait toujours et très vite, ordinairement avec presque de la violence. Moins de douze heures après avoir appris la mort de Bob Trenton, qu'elle avait aimé, elle s'était mise en quête d'un travail et quand on lui avait demandé sa situation de famille, elle avait simplement répondu : « Veuve » sans que son interlocuteur pût se douter un seul instant que ce veuvage lui faisait encore à cette époque envisager le suicide.

Cette fois encore, elle réagit. Elle ne s'était même pas plainte à la direction de l'espionnage dont elle était la victime, de la part du boy d'étage. Elle régla le problème par ses propres moyens, fixant une taie d'oreiller de façon à aveugler l'imposte. Sa détresse de tout à l'heure s'atténuait peu à peu, remplacée par une colère froide, contre cet hôtel, ce *Continental* tellement français, tellement marqué par la colonisation, cette colonisation qui avait entraîné une guerre, puis une autre et, pour finir, cette situation où Jon et elle-même se débattaient. Tout était lié. Elle se dévêtit et se réfugia sous la douche et s'y trouvait encore quand on frappa à la porte de sa chambre. L'insistance même que l'on mettait à frapper l'irrita davantage encore. Elle sortit de la salle de bain, enfilant un peignoir et alla ouvrir. Elle se trouva devant un Européen mince, aux yeux pâles, vêtu d'une chemise-veste au col relevé, dans les poches de laquelle il avait enfoui ses mains.

– Madame Trenton? Etes-vous Lisa Kinkaird?

– Qui êtes-vous?

Il sourit, ses yeux dans les siens.

– J'ai connu votre frère Jon. La dernière fois que je l'ai rencontré, c'était chez votre grand-père, à Colorado Springs. Mon nom est Lara.

Ses cheveux étaient encore très humides et elle se contenta de les torsader vaguement en chignon, qu'elle fixa avec un simple peigne d'écaille. Elle enfila une robe de toile de lin de couleur grège, qui se boutonnait par-devant sur toute sa hauteur et sous laquelle elle n'avait rien d'autre qu'un slip, la poitrine nue à son habitude et la naissance de ses seins s'ébauchant dans le décolleté droit. Elle ne portait aucun bijou et aucun maquillage. Elle se chaussa de sandales à talon plat et sortit. Il attendait dans le couloir, adossé au mur, et quand elle apparut, il ne bougea pas tout de suite, se contentant de la regarder de son air calme et pensif.

– Je n'ai pas dîné et j'ai appris que vous ne l'aviez pas fait non plus. Accepteriez-vous de dîner avec moi?

– Je croyais que nous devions simplement parler de

mon frère, remarqua-t-elle sur un ton plus sec qu'elle ne l'aurait souhaité.

– Nous parlerons la bouche pleine, dans ce cas. Et vous pourrez toujours m'expédier les assiettes à la figure.

Son flegme était exaspérant mais elle se mit à marcher à côté de lui, découvrant qu'ils étaient exactement de la même taille.

– Vous avez appris que je n'ai pas dîné... Etes-vous de la police ou bien vous contentez-vous de me faire espionner ?

– La seconde hypothèse est la bonne. J'ai des espions partout.

– Y compris celui qui me regardait pendant que je prenais ma douche, je suppose.

Il lui lança un regard un peu surpris, puis se mit à rire doucement et il dit de sa voix lente :

– Je n'aurais peut-être pas résisté à la tentation, moi non plus. Non, sérieusement, je viens dans cet hôtel depuis mon enfance et tout le personnel m'y connaît. Et c'est vrai qu'ils sont très bavards, sinon indiscrets.

Ils traversèrent le hall et il la fit monter dans une Mercedes noire dont il prit le volant.

– Voulez-vous manger français, vietnamien ou chinois ?

Elle haussa les épaules. Il allait lancer le moteur. Elle dit :

– Attendez.

Il interrompit son geste.

– Je ne dîne pas avec vous parce que j'en ai envie, dit-elle. Je veux dire : je n'ai pas envie d'être avec vous. Ni autour d'une table ni, moins encore, dans un lit. Suis-je claire ?

Il hocha la tête. Il rouvrit la portière qu'il venait de refermer, mit pied à terre, alla fourrager dans la malle arrière, revint avec quelque chose qu'il déposa entre les mains de Lisa.

– Qu'est-ce que c'est ?

– Une manivelle, dit-il, impassible.

Il l'emmena dans un restaurant chinois de Cholon. On les y accueillit comme si leur venue était espérée depuis trente ans. Il parla chinois avec plusieurs hommes, et Lisa et lui étaient les seuls Occidentaux dans la longue salle rectangulaire.

– Bon, dit-elle sitôt qu'ils furent assis, vous vous appelez Lara et vous avez rendu visite à mon grand-père dans le Colorado. Mais encore?

– Je pensais que mon nom vous était peut-être familier.

– Il ne l'est pas.

– Ma mère s'appelait Nancy O'Neill et, si j'ai bien compris, sa tante a épousé votre grand-père.

– Si bien que nous sommes parents, dit-elle glaciale.

– Pas vraiment. Pas du tout en réalité.

La table devant eux se couvrit de quantité de plats. Lisa avait faim et elle se mit à manger, se servant des baguettes sinon avec adresse du moins avec efficacité. Lara touchait à peine à la nourriture et la regardait.

– J'ai rencontré votre grand-père il y a onze ans, dit-il. Je suis allé dans ce qu'il appelle sa cabane, à Wildcat Gulch. Je me souviens des deux serres.

– Il y en a trois.

– A l'époque, il n'y en avait que deux.

Il parut se souvenir de quelque chose. De la poche de sa chemise, il retira la lettre de Matthew Kinkaird et la lui tendit. Elle la lut, remarqua :

– Il semble penser que vous pouvez être utile à Jon.

– Voilà, dit Lara.

Il la fixait de ses yeux pâles et calmes, avec une gravité déconcertante, la regardant, elle, comme si tout ce qui pouvait se dire n'avait à ses yeux aucune importance. Une émotion soudaine et inexplicable saisit Lisa. Elle baissa la tête.

– Et vous avez vraiment une chance?

– D'aider votre frère? Je peux essayer.

– Parce que vous habitez dans ce pays?

– Je n'habite pas le Vietnam mais le Cambodge. Je ne suis arrivé qu'aujourd'hui à Saigon.

– Uniquement parce que mon grand-père vous a écrit ?

– Uniquement.

Lisa avait relevé la tête et soutenait le regard de Lara. De nouveau, cette sensation troublante que leur conversation n'était pas l'essentiel, l'essentiel étant les yeux de Lara et les siens propres, qui ne parvenaient pas à se détacher les uns des autres. L'émotion ressentie quelques instants plus tôt l'envahit à nouveau, plus puissante encore. « Qu'est-ce qui m'arrive ? »

– Vous connaissez bien mon grand-père ?

– Je ne l'ai vu qu'une fois. J'avais pris quelques mois de vacances pour parcourir les Etats-Unis et l'Amérique du Sud. Quand je suis arrivé dans le Colorado, il m'a paru logique d'aller saluer ces Kinkaird dont ma mère m'avait parlé. Votre grand-père m'a merveilleusement reçu. C'est un homme qui dégage énormément de chaleur humaine.

– Et Jon était là.

Il acquiesça.

– Un jeune garçon rieur, mangeant glace sur glace, avec des yeux... Il hésita : Il y avait aussi un homme corpulent, moustachu, portant un nom espagnol...

– Pete Martinez.

– C'était ce nom, en effet.

Un silence. Elle reposa les baguettes qu'elle tenait encore.

– Un dessert ?

– Non, merci, dit-elle. Puis-je avoir un verre de ce que vous buvez vous-même ?

– Cognac-soda ?

– Cognac-soda.

Il leva un doigt dans un geste à peine esquissé. Le serveur chinois partit comme la foudre. Il dut lire quelque chose dans les yeux de Lisa car il sourit :

– Je sais, dit-il, le colon blanc obéi au doigt et à l'œil.

– Exactement, dit Lisa.

Elle fouilla son sac à la recherche d'une cigarette et fit semblant de ne pas voir la main de Lara lui offrant du feu, se servant de son propre briquet.

– Et parce qu'un homme que vous avez connu durant quelques heures il y a onze ans vous le demande, vous vous lancez dans la recherche d'un déserteur américain?

Il alluma à son tour une cigarette.

– Cet après-midi, vous êtes allée voir un policier appelé Dieu.

Il leva légèrement une main pour prévenir sa réaction éventuelle :

– Ne vous étonnez pas que je sois au courant. Je ne vous ai pas fait suivre ni rien de cela. Mais vous n'êtes pas passée précisément inaperçue au *Continental*. Observer les Longs Nez a toujours été l'occupation favorite du personnel. Et juste avant de vous rendre à votre rendez-vous, vous avez demandé l'adresse de Dieu.

– Et alors?

– Méfiez-vous de cet homme.

– Et seulement de lui?

Il eut à nouveau ce curieux sourire lent à se dessiner.

– Je regrette que mon grand-père ait écrit cette lettre, dit Lisa fermement. Je regrette que vous ayez pris la peine de vous déplacer. En fait, je pense que la police est mieux à même que quiconque de retrouver mon frère. Je ne lui demande rien d'autre que de me mettre en présence de Jon, qui se rendra alors aux autorités militaires de notre pays.

– Mais votre grand-père m'a écrit, dit doucement Lara.

– Il s'est trompé.

Il la considéra un moment en silence puis il se leva,

alla payer, revint vers elle. Et elle le suivit des yeux, luttant férocement contre l'attirance et presque la fascination que cet homme lui inspirait.

– Voulez-vous rentrer ?

Elle se leva pour toute réponse et le précéda vers la sortie.

Elle demanda :

– Pourquoi auriez-vous plus de chances de retrouver mon frère que la police ?

– Je n'ai rien dit de tel.

– Mais vous le pensez.

– Je pense avoir autant de chances que la police.

– Pourquoi ?

– Parce que je connais un certain nombre de portes.

– Qui êtes-vous ? Un trafiquant ?

Il roulait très lentement, presque au pas, comme s'il voulait retarder le plus possible le moment de leur retour au *Continental*. Le regard de Lisa quitta le profil de Lara, vint sur ses mains, fines et musclées.

– J'ai une petite plantation d'hévéas dans le nord du Cambodge, dit-il.

Il se mit à expliquer comment il vivait, comment il avait peu à peu au fil des années relancé la plantation qu'il tenait de son père mais qui en réalité avait été créée par son grand-père. Il raconta ce qui s'était passé en janvier 1946, l'attaque de l'exploitation, le massacre de ses parents et de sa sœur ; il le fit sobrement, la voix neutre, sans mots inutiles. Il dit aussi qu'il avait vécu à Hong Kong et à Singapour, surtout à Hong Kong où son grand-père O'Neill avait vécu quarante ans et était enterré.

La Mercedes stoppa devant l'hôtel.

– Quelle autre solution aurait mon frère ?

– Le monde est grand.

– C'est-à-dire ?

– Il pourrait quitter le Vietnam si quelqu'un l'y aidait.

– Vous?

– Si votre frère me le demande.

– Et où ira-t-il?

Il haussa les épaules.

– Au Cambodge d'abord et ensuite là où il souhaiterait aller.

Il s'était assis légèrement de biais, son épaule gauche contre le montant de la portière, son bras accoudé hors de la voiture.

– Ainsi, dit-elle, c'est là tout ce que vous avez à proposer? Faire de mon frère une sorte de vagabond international, à jamais incapable de regagner son propre pays?

– Il fera lui-même son propre choix.

– Si vous le retrouvez avant la police.

– Evidemment.

– Et rien de ce que je pourrais dire ou faire ne vous empêchera d'agir?

Il tourna la tête et son regard pâle l'examina.

– Si la police vietnamienne retrouve votre frère avant moi, il n'aura plus le moindre choix, dit-il. Dieu vous saignera à blanc, pour commencer et ensuite il livrera Jon aux MP. Vous êtes folle si vous pensez à une autre solution.

Elle ferma les yeux, tentant désespérément de se contenir.

– Et ensuite, quel autre service offrez-vous de rendre à Jon? L'initier à la contrebande d'opium ou au trafic d'armes?

– Vous oubliez la traite des Blanches, dit Lara de sa voix lente.

Il actionna la poignée de sa portière et descendit, contournant le capot pour venir vers elle mais elle mit pied à terre sans l'attendre. Elle gagna la terrasse de l'hôtel d'un pas rapide. Elle pénétra dans le hall et, là seulement, se retourna. Mais il ne l'avait pas suivie.

Contrairement à ce qu'elle avait craint. Ou espéré. Elle demanda et obtint sa clef. Au moment de pénétrer dans l'ascenseur capitonné de rouge, cependant, elle marqua une hésitation. Elle revint sur ses pas, lentement, poussée par un sentiment qu'elle ne comprenait pas, qu'elle ne voulait pas comprendre et qu'elle se reprochait. Elle marcha jusqu'aux abords de la terrasse. Lara s'y trouvait, debout face à un très grand et très massif Asiatique assis quant à lui à l'une des tables. Il dut sentir le regard qu'elle posait sur lui car il releva la tête et la fixa de même. Elle fit demi-tour et cette fois entra dans l'ascenseur.

Le grand corps puissant et noueux de Kutchaï semblait devoir écraser le fauteuil où le Jaraï était assis.

– Tu ne t'assois pas?

– Si, répondit Lara sans bouger.

Mais après un moment, il prit place sur le siège voisin. La terrasse était presque déserte.

– Ça y est, dit Kutchaï. Tous les Corses et tous les Chinois de Saigon sont sur la piste de notre copain. Une vraie chasse à l'homme.

Lara se taisait, jambes allongées, le menton sur la poitrine, l'œil dans le vague.

– Jolie femme, dit prudemment Kutchaï.

– Plus que cela, dit Lara.

9

Un peu avant onze heures, Ieng Samboth décida de faire halte. Il ne sentait plus ses jambes; il s'allongea à même la terre, à l'ombre d'un bosquet d'aréquiers, prêt à s'enfoncer dans un proche fourré plus épais en cas d'alerte. Il avait quitté Phnom Penh et l'appartement de Roger Bouès à trois heures du matin la veille, caché entre des caisses, sur la plate-forme d'un camion se rendant à Pursat. Dans cette dernière petite ville, le camion l'avait comme convenu laissé à proximité du terrain de sport du lycée. Il avait trouvé la paillote et, à l'intérieur de celle-ci, le couple chargé de l'héberger. Il avait passé la journée chez eux à contempler les élèves en train de disputer pieds nus d'interminables parties de football. A la nuit tombante, ayant revêtu des vêtements de paysan, il était parti, dans la direction de Phnom Leach, une petite localité à une vingtaine de kilomètres au sud-ouest; il avait contourné l'agglomération et en suivant le cours de la rivière, il avait progressé pendant une partie de la nuit, avait pris du repos, s'était remis en route.

Maintenant, il attendait.

Devant lui, dans le lointain, les Cardamones se hissaient par-dessus les cimes des arbres. Il était encore diablement loin de sa destination, ce petit village en pleine forêt où il avait choisi d'établir sa base. Si au moins Ouk pouvait ne pas trop tarder. Ieng avait faim et soif. Bien que d'une taille honnête, il ne pesait guère plus de cinquante kilos et, en dehors d'un peu de football joué pieds nus quand il était encore un gamin – sans grand talent d'ailleurs –, il n'avait jamais consacré beaucoup de son temps aux activités physiques. Il appuya sa tête contre le tronc de l'aréquier, se plaçant de façon à pouvoir surveiller la piste dans les deux sens. Il pensait que depuis son départ de la paillote, à côté du terrain de football de Pursat, il avait dû couvrir à peu près quarante kilomètres. Six mois plus tôt, il en aurait été totalement incapable; au cours des dix dernières années, il n'aurait même pas imaginé de traverser la rue sans faire appel à une voiture ou un cyclo-pousse, mais depuis son corps s'était durci, un autre Ieng était en train de naître.

Il ferma un instant les yeux, les rouvrit aussitôt. Il n'avait pas vraiment sommeil, ni les moyens de s'assoupir, c'eût été trop dangereux; et si son corps réclamait quelque chose en priorité, c'était surtout au niveau de l'estomac.

La forêt autour de lui était silencieuse si l'on ne tenait pas compte du constant bruissement des insectes. Pourtant, par-dessus les senteurs habituelles de la végétation, les narines de Ieng captaient l'odeur presque indécelable d'un feu de bois. Sans doute y avait-il une paillote dans les environs. L'image d'une famille cambodgienne sagement assemblée, vaquant aux séculaires travaux de la terre dans le respect des génies de la forêt et des traditions, cette image s'imposa à lui. Le seul vrai Cambodge est rural, pensa-t-il; c'est un peuple de paysans patients, ne demandant qu'à vivre libre, ce qu'il n'est sûrement pas. Une nouvelle fois, les mots fiévreusement ressassés lors des discussions parisiennes, des années plus tôt, lui revinrent en mémoire : « La société cambodgienne rurale n'a de chance de survie que dans la rupture totale, définitive, des liens économiques créés et imposés par l'étranger, par les Français évidemment, mais aussi par les Chinois depuis toujours, sans parler des visées expansionnistes de Vietnamiens et des Thaïs. Sous peine de mort, de disparition du peuple khmer, du Kampuchea de nos ancêtres, il n'y a pas d'autre solution que cette rupture. Il faut impitoyablement couper tous les liens avec le monde extérieur, il faut s'enfermer en soi-même, rejeter les contraintes et les exigences qu'on a voulu nous présenter comme fondamentales. Il n'est pas vrai que l'objectif ultime d'un pays, d'une nation, doit être de ressembler le plus possible aux pays occidentaux industrialisés. En réalité, c'est un leurre, un piège et si nous y tombons, nous perdrons notre identité, nous nous perdrons nous-mêmes. Il ne s'agit pas d'avoir honte d'être un pays sous-développé : il faut au contraire le rester et même le redevenir si besoin est. Il faut même se perfectionner en tant que tel. »

Dans son exaltation il faillit ne pas capter le bruit de pas.

Il se dressa à demi, en alerte. « Ouk. » C'était peut-être

Ouk qui arrivait. Ce ne pouvait être que lui. Pour un peu, Ieng aurait appelé. Une troupe approchait, composée d'une centaine d'hommes, arrivant sur sa gauche quelque part derrière le mur de verdure, à cent cinquante mètres de lui. Mais il se tut, rendu soudain à la prudence. En novembre 1966, sur l'initiative du premier ministre Lon Nol, la province de Battambang toute proche avait été envahie par ceux que l'on appelait les Khmers kroms, des Cambodgiens authentiques mais nés et vivant jusque-là en territoire vietnamien, depuis les temps lointains où l'empire khmer s'étendait jusqu'à la mer de Chine. Prétexte officiel de cette invasion : il s'agissait de donner un refuge à ces compatriotes de l'étranger fuyant le Vietnam en guerre. La réalité, pour Ieng, était tout autre : il avait vu dans cette implantation une manœuvre de Lon Nol et du clan pro-américain de Phnom Penh, autrement dit de la CIA. Les Khmers kroms de Cochinchine étaient pour la plupart violemment anticommunistes, et donc susceptibles de former des bataillons de choc capables de s'opposer aux Vietcongs basés sur le sol khmer, voire aux neutralistes cambodgiens, voire à la gauche cambodgienne. En fait, Ieng était certain que c'était là le prélude à une action plus importante encore, visant à supprimer cette neutralité khmère dans le conflit indochinois, une neutralité qui rendait fous les experts américains.

Le bruit de pas devint plus proche. « Il n'est pas possible que ce soit Ouk. » Les nouveaux arrivants étaient bien trop nombreux, ils faisaient surtout trop de bruit, ne prenaient pas assez de précautions, se conduisaient en fait comme si la forêt leur appartenait et ne pouvait leur réserver la moindre surprise. Ils marchaient comme des chasseurs et non comme du gibier. Ieng s'aplatit sur le sol, se coula au cœur du fourré, s'y tapit aussi profondément qu'il le put. « Mais un jour viendra où ils seront le gibier et où nous serons les chasseurs. » Lui parvinrent les mots d'une conversation à peine chuchotée, des rires. « Ce n'est pas Ouk. » La haine le faisait trembler au moins autant que la peur. Il s'intégra littéralement à la terre, faisant corps avec elle; il avait toujours clamé sa fierté d'être un paysan d'origine, son orgueil d'être un homme né dans la forêt mais au fond de lui-même il savait bien que ce n'était pas tout à fait vrai : on n'est pas député à Phnom Penh et surtout on n'est pas pendant des années étudiant en France et à Paris sans en être radicalement changé. En réalité, cette forêt où il s'enfouissait lui faisait peur, il y imaginait des serpents – d'ailleurs absolument pas imaginaires – et des grouillements d'insectes. Et il s'en voulait farouchement de cette faiblesse. Quel misérable guérillero il faisait !

La troupe passa à moins de vingt mètres de lui. Il attendit plus d'une minute après son passage et dans le silence lentement et progressivement revenu, il se hasarda enfin à se redresser. Une trouée entre les feuilles lui montra au loin sur la piste le dos des hommes en train de s'éloigner : ils étaient revêtus de tenues de combat bariolées de vert et de jaune et coiffés du casque américain. Il ne s'était pas trompé : c'étaient peut-être des soldats réguliers des FARKS[1] ou de la garde provinciale, ou pis encore des éléments khmers kroms comme l'on commençait à voir de plus en plus. Ieng s'imagina capturé par ces hommes. On l'aurait peut-être torturé, peut-être même exécuté sur-le-champ, à tout le moins férocement battu et jeté en prison. D'une certaine façon, la certitude et la réalité du danger qu'il venait de courir le réconcilia avec lui-même. Il n'était pas, pas encore, un guérillero averti et tant s'en fallait, mais au moins sa vie était-elle réellement en jeu.

Une heure plus tard, quelques frôlements presque imperceptibles l'alertèrent à nouveau, en même temps que de minuscules mouvements de feuilles et l'inexplicable sensation d'une présence humaine. Par deux fois, dans la forêt quasiment muette de cette mi-journée, le

1. Forces armées royales khmères.

signal convenu retentit : le frottement à quatre reprises de deux paumes l'une contre l'autre.

– Je suis là.

Il se leva et eut un sursaut en découvrant Ouk à moins de trois mètres de lui : « Je ne l'ai absolument pas entendu! Il aurait pu surgir dans mon dos et me trancher la gorge sans que je m'en rende compte! » Une fois de plus, il était sidéré par l'effarante aptitude du Jaraï à se déplacer sans le moindre bruit dans la forêt. « Marcher sans faire plus de bruit qu'une feuille qui tombe », disaient les Jaraïs des hauts plateaux de l'Est. Mais Ouk lui souriait :

– Tu les as vus passer?

– Oui. Mais eux ne m'ont pas vu.

– Heureusement, dit Ouk en riant. C'est toi qu'ils cherchent. Toi et Khieu Samphan.

Ouk avait le même rire silencieux et inquiétant, la même mâchoire de loup, les mêmes grands yeux noirs légèrement injectés de sang, le même air sauvage et presque animal que son frère aîné Kutchaï. Il était quand même moins colossal que ce dernier et ne présentait pas non plus cette troublante ambiguïté de Kutchaï, capable de parler et de penser comme un Barang derrière un visage de primitif tout juste sorti de sa forêt. Ouk leva un bras. Quatre autres hommes se matérialisèrent, surgissant de leur cachette à une dizaine de mètres de là.

– Mais vous n'êtes que cinq! s'exclama Ieng. Où sont les autres?

– Il n'y a personne d'autre, répondit Ouk en secouant la tête, riant pour masquer son embarras. Certains sont rentrés à Battambang ou à Pursat pour reprendre leurs études; beaucoup ont regagné leurs villages parce qu'ils ont des travaux à y faire. Leur famille doit être nourrie.

Durant quelques instants, Ieng se sentit accablé et submergé par le découragement : il lui avait fallu des semaines sinon des mois pour rassembler un à un une centaine d'hommes. Il était allé de village en village, souvent traqué, n'échappant parfois qu'au prix d'un miracle à la capture, portant la bonne parole et prêchant la révolution. Et voilà qu'après trois semaines d'absence à peine, tout s'était effondré. Il ne lui restait que cinq hommes. Cinq! Il se souvint du vieux proverbe que les coloniaux du *Continental* de Saigon ou du *Royal* de Phnom Penh aimaient à répéter sur le ton de l'ironie : « En Indochine, le Vietnamien plante le riz; le Cambodgien le regarde pousser, le Lao l'écoute pousser. » Un moment, la haine flamboya en lui. « Mais ces Khmers si nonchalants et si paresseux avaient édifié les cent temples d'Angkor et jadis dominé l'Indochine. Et nous recommencerons. »

– Ils reviendront, dit Ouk cherchant à atténuer sa déception. Ils reviendront dès que tu auras besoin d'eux.

Ieng se détendit.

– J'ai faim et j'ai soif.

– J'y ai pensé, dit Ouk en souriant.

Après deux heures de marche, la forêt sembla s'éclaircir devant les six hommes progressant en silence. L'odeur grasse et molle de la rizière s'insinua, mêlée à un parfum de fumée. Le mur vert s'ouvrit tout à fait et le village apparut, quatre ou cinq paillotes juchées sur leurs pattes de bois, en partie adossées à la montagne d'où dégringolait une cascade. Sur le devant la rizière s'allongeait, délimitée par les fûts graciles des thnots, les palmiers à sucre qui se dressaient en sentinelles avancées à la lisière des tecks. C'était un pauvre village et une bien petite rizière, d'à peine une vingtaine de raïs, un raï valant un peu plus de quinze cents mètres carrés. Ieng, ruisselant de sueur et dont les jambes s'alourdissaient à chaque nouveau pas, ne l'en découvrit pas moins avec un soulagement intense. Il aperçut deux buffles.

– Nous les avons volés, expliqua simplement Ouk. Il faut bien nous organiser.

A Phnom Penh, il devait être aux alentours de deux heures de l'après-midi. A Phnom Penh mais pas ici. Ici, le temps ne comptait pas. « Le temps est notre ami. Je suis au cœur de la forêt, avec une poignée d'hommes à peine armés, mais le temps joue pour moi, pour nous. » Ieng était absolument convaincu de leur victoire finale. Il était impossible qu'il en fût autrement.

Ouk parlait. En l'absence de Ieng, un court engagement l'avait opposé, lui et ses hommes, à une patrouille de la garde provinciale; ce n'avait pas été vraiment un combat, à peine un échange de coups de feu tirés un peu au hasard.

– Mais nous leur avons tué un homme et nous avons aussi récupéré un fusil.

Un homme et un fusil, que tout cela est dérisoire! pensa Ieng.

– Les ordres sont toujours les mêmes, dit-il d'une voix lasse. Nous devons refuser le combat. Notre rôle n'est pas de nous battre, pas encore. Nous devons être là, dans la forêt, à attendre tous ceux qui ne manqueront pas de nous rejoindre, les paysans chassés de leurs terres par les Khmers kroms et les étudiants qui veulent faire la révolution avec nous.

D'un coup, son imagination se déchaîna : il vit une armée d'ombres surgissant de la forêt, une armée d'hommes vêtus de noir, couleur des paysans, d'hommes durs, fanatiques, implacables – « et donc surtout des jeunes » – se répandant sur le pays khmer comme une crue du Tonlé Sap, extirpant jusqu'au dernier vestige de l'influence étrangère, de cette culture et de cette civilisation, de cette prétendue technologie qu'on avait voulu imposer au peuple cambodgien. « Et nous détruirons les villes. Elles sont peuplées de Chinois, de Vietnamiens et d'Européens, elles nous pourrissent. Nous les viderons et nous les raserons. Le Cambodge que nous allons créer n'a pas besoin de villes. » Hou Yuon et Khieu Samphan l'en avaient convaincu. Ils pensaient même qu'il faudrait, d'une façon ou d'une autre, éliminer ces Cambodgiens marqués trop profondément par la civilisation urbaine. Khieu allait même jusqu'à parler de les éliminer physiquement. Mais Khieu avait toujours été un peu exalté. Pour un peu, il aurait froidement envisagé l'élimination d'un Cambodgien sur trois ou sur quatre, d'un million et demi au moins de personnes. Ieng, bien entendu, ne pouvait le suivre jusque-là. Il était d'ailleurs impossible que Khieu parlât sérieusement.

Il rouvrit les yeux.

– Ouk, dit-il, un jour, nous détruirons les villes. Et nous sortirons de la forêt par milliers, par dizaines de milliers, nous les Khmers rouges.

10

La seconde guerre d'Indochine – la première étant celle conduite et perdue par les Français – avait officiellement débuté dans les premiers jours d'avril 1964. Des vedettes côtières nord-vietnamiennes avaient eu le front d'ouvrir le feu sur deux destroyers américains, le *Maddox* et le *Turner Joy*, alors que ceux-ci assistaient, « tout en étant étrangers au déroulement des opérations » selon les propres mots du général Westmoreland, à des attaques lancées contre le Nord-Vietnam par des commandos sud-vietnamiens, eux-mêmes placés sous les ordres du général Westmoreland précité. Le président Johnson avait alors demandé au Congrès l'autorisation de prendre toutes mesures militaires « pour la protection des Etats-Unis ». Autorisation accordée à la Chambre des Représentants à l'unanimité, au Sénat par quatre-vingt-huit voix contre deux.

Le 7 février 1965 avaient débuté les bombardements aériens au nord du 17e parallèle, c'est-à-dire sur le Nord-Vietnam, bombardements destinés à « traîner en six semaines et à genoux le Nord-Vietnam à la table des négociations ».

Au printemps de cette même année, les premiers

contingents des quelque cinq cent mille dollars américains étaient arrivés.

L'U.R.S.S. avait laissé faire, de même que la Chine où les partisans d'une intervention tels Liu-Chao-Shi et le chef d'état-major Lo Jui Ching s'étaient heurtés au veto de Mao et Chou en-Laï.

En janvier 68, le général Westmoreland avait demandé à Washington un renfort définitif de deux cent six mille hommes, « afin d'en finir ». « Le Vietcong était à bout. » Le 31 du même mois, au moment du Têt, le nouvel an sino-vietnamien, le Vietcong-à-bout était passé à l'attaque, investissant toutes les villes, pulvérisant toutes les défenses adverses, jusqu'à Saigon, jusqu'à l'ambassade des Etats-Unis, qui avait été elle-même occupée.

La contre-attaque américano-sud-vietnamienne était certes venue; elle avait repoussé l'ennemi. Mais quelque chose s'était brisé à Washington où, à la fin mars 68, Lyndon Johnson avait annoncé qu'il ne solliciterait pas un second mandat présidentiel, qu'il stoppait les bombardements hors d'une certaine zone dite des combats (entre le 7e et le 20e parallèle), qu'il acceptait enfin de négocier sans aucun préalable.

Les négociations s'étaient ouvertes le 13 avril 1968, avenue Kléber à Paris. Elles s'étaient même élargies en novembre, avec l'installation autour de la table des représentants du Front de Libération nationale, acceptant de discuter en échange de l'arrêt de toute espèce de bombardements. Elles s'étaient élargies au point que l'espoir de paix avait soudain grandi dans les derniers jours de 1968.

Pas longtemps. Et pour deux raisons essentielles : l'une étant l'obstination stupide des Nord-Vietnamiens, fous d'orgueil et donc convaincus de pouvoir amener l'Amérique à une véritable capitulation; l'autre étant l'élection de Richard Nixon à la présidence. C'était Nixon qui, du temps de sa vice-présidence sous Eisenhower, avait le plus ardemment prôné l'intervention militaire américaine au Vietnam. Du désengagement de plus en plus réclamé par son opinion publique, il avait une version très personnelle : ce désengagement devait avoir pour contrepartie la vietnamisation : pour chaque unité américaine retirée du combat, deux unités sud-vietnamiennes devaient monter en ligne, appuyées par l'omnipotente puissance de feu des forces aériennes et navales américaines.

Cette vietnamisation devait en outre être complétée par trois opérations jugées absolument indispensables : il fallait cadenasser les quarante-cinq kilomètres de frontière entre Nord et Sud-Vietnams; il fallait boucler hermétiquement la frontière du Sud-Vietnam avec le Laos, et ç'allait être l'objectif assigné à l'offensive de la plaine des Jarres en septembre 1969.

Il fallait enfin s'occuper sérieusement du Cambodge.

Et il n'y avait qu'une solution au Cambodge : un coup d'Etat chassant Norodom Sihanouk, aux commandes du pays khmer depuis vingt-huit ans.

Roger rêvait.

Et à sa grande surprise, il découvrit qu'il rêvait de femmes, ce qui ne lui était pas coutumier. Il n'avait jamais été tellement porté sur la galipette. Il fit un effort de mémoire, compta sur ses doigts et constata que sept mois pas moins s'étaient écoulés depuis la dernière fois qu'une femme et lui s'étaient trouvés dans un seul et même lit. « Diable. Comme le temps passe ! »

Du coup, par une assez logique association d'idées, il parvint à faire émerger de ses souvenirs le visage de sa propre femme, une Française épousée à Saigon pour ce qui avait dû être le mariage le plus bref de l'histoire de l'Indochine et des territoires avoisinants : trente et un jours, divorce compris. Un record. Le deuxième jour de leur lune de miel, consommée à Kep, sur les bords du golfe du Siam, s'étant absentée un quart d'heure pour aller prendre un verre au bar du bungalow en compagnie de quelques amis, revenu le lendemain à l'improviste, Roger avait retrouvé son épouse dans le lit très récemment conjugal en compagnie d'un grutier de Saint-Jean-de-Luz appelé Barnebougle, qui se trouvait passer par là dans des circonstances mal définies.

Roger avait projeté l'épouse par la fenêtre (sans mal, il n'y avait qu'un étage de hauteur et tout plein de bougainvillées en bas). Puis il avait tenté de défenestrer le grutier itou. « Fatale erreur. Il me faisait deux fois. » Le grutier avait d'une seule main réuni le couple maudit dans les bougainvillées.

Le téléphone sonna.

Ayant un certain temps contemplé l'instrument d'un œil torve, Roger finit par décrocher et reconnut presque aussitôt la voix de Christiani. Christiani était naturellement un Corse, mais de Bangkok, qui avait quitté le Cambodge une dizaine d'années plus tôt et s'était installé en Thaïlande afin de diriger une affaire d'import-export qu'il avait de part à deux avec Lara. Roger connaissait donc les liens unissant Christiani et Lara. Ou du moins croyait les connaître. Mais savait-on jamais ce que faisait Lara ?

– Roger, dit Christiani, j'ai un message pour vous.

Roger ne demanda pas de qui était le message ; ça ne pouvait venir que de Lara.

– Nous avons, dit Christiani, un ami qui voudrait visiter le Cambodge, peut-être même y passer quelque temps pour s'y reposer et visiter le pays. Il apprécie la tranquillité khmère.

– Je vois, dit Roger, qui traduisait en clair : « Un homme à cacher, venant peut-être du Vietnam. » Et il pensait : « Qu'est-ce que c'est que cette histoire ? »

– Nous pensions, reprit Christiani, qu'il aimerait chasser le tigre. Vous pourriez peut-être vous occuper d'organiser quelque chose. On m'a appris que vous étiez un spécialiste des tigres.

– Ben voyons, dit Roger ahuri.

– Et que vous en aviez même rencontré sur vos

chantiers. Vous pourriez nous organiser ça à l'endroit où vous en avez vu un pour la dernière fois.

– Ah? dit Roger.

De sa vie, Roger n'avait chassé le moindre tigre; il n'avait d'ailleurs jamais chassé, bien qu'il eût arpenté des kilomètres de forêt en suivant Lara et Kutchaï au temps où les deux hommes chassaient encore. En fait, ses seuls contacts avec un fauve plus grand qu'une mangouste avaient eu lieu... Il comprit soudain ce que le Corse essayait de lui dire.

– Je comprends parfaitement.

– Et notre ami voudra sans doute survoler le pays. Essayez de trouver un pilote privé. Boudin, par exemple. Boudin ferait très bien l'affaire. Je lui aurais bien téléphoné mais vous savez qu'il est difficile à joindre. Vous aurez probablement plus de chance. Le plus tôt sera le mieux.

– Je vois.

– Désolé de vous prévenir à la dernière minute. Vraiment à la dernière minute.

« Autrement dit, c'est très urgent. »

– Rien d'autre? demanda Roger.

– Rien d'autre.

Il raccrocha, pensif. On était un jeudi et il était trois heures de l'après-midi. « Ça va être juste. » Il partit en courant dans l'escalier. Quatre minutes plus tard, au volant de sa Studebaker de quinze ans d'âge, il roulait sur le boulevard Monivong. Il commença par se rendre chez Boudin, y trouva les deux femmes cambodgiennes du pilote, leurs huit enfants ainsi que divers neveux, nièces, grands-parents, oncles et tantes en train de papoter gaiement, mais de Boudin, point. Il décida de tenter directement sa chance à l'aéroport, ne se voyant vraiment pas faire le tour des innombrables endroits de Phnom Penh où Boudin pouvait se trouver. « Il travaille peut-être, ce fou. »

Boudin travaillait, le nez dans un moteur.

– Pas ici, nom de Dieu, dit-il sitôt que Roger eut fait mine de parler.

Il l'entraîna hors du hangar, jusqu'en bordure de la piste, à l'intérieur d'une Peugeot 404, qu'il passait une heure chaque jour à astiquer, la révisant entièrement deux fois par semaine et y étant sans doute plus attaché qu'au reste de l'humanité.

– Ça ne va pas non? vous êtes cinglé ou quoi? Parler devant tous ces types?

Boudin avait toujours fait les délices de Roger. L'éruptive Saucisse de Strasbourg l'enchantait par ses fureurs. Et il était si petit que pour apercevoir la route quand il conduisait, il était obligé de regarder sous le volant.

– Vous êtes au courant de quelqu'un qui doit venir au Cambodge, dans la discrétion?

– Evidemment.

– Si j'ai bien compris ce que vient de me téléphoner l'agent X 13 de Bangkok, c'est-à-dire Christiani, ce quelqu'un arrive aujourd'hui. Vous connaissez l'ancienne future plantation d'Ang Chan près de Kampot?

– Je connais.

– Ça se passera là, dit Roger. Je veux dire que l'inconnu arrivera là.

Dix ans plus tôt, le gouvernement cambodgien sans doute agacé de voir toutes les plantations d'hévéas sur le sol khmer entre les mains d'étrangers, essentiellement français, avait décidé de créer une plantation nationale. On avait choisi notamment un endroit près de Kampot, non loin de la frontière vietnamienne, et on avait commencé par édifier un superbe bâtiment pour abriter le directeur. C'était Roger Bouès qui avait été chargé de la conception. On avait mis en terre quelques centaines d'hévéas nains et on avait procédé à l'inauguration officielle, à grand renfort de chef d'Etat, de ministres, de secrétaires d'Etat, d'ambassadeurs et de consuls bâillant comme des huîtres, de quelques centaines de fonctionnaires et de l'inévitable brigade des acclamations spontanées, recrutée dans les villages voisins et chargée de prouver à Samdech-Père, l'étendue de l'amour de son peuple. Dès les premiers mots du premier des discours, un énorme tigre était soudain apparu et sur quatre cents mètres plat, le corps diplomatique s'était révélé nettement moins rapide que le gouvernement, le ministre de l'Information établissant en la circonstance un nouveau record du Cambodge. Roger s'était quant à lui directement réfugié dans les toilettes à la turque qu'il avait eu l'ingénieuse idée de prévoir dans son plan. Pour autant qu'il s'en souvînt, la plantation avait été ensuite abandonnée.

– Quel inconnu? rugit Boudin. C'est moi et mon zinc qui allons nous poser là-bas. A condition que le terrain s'y prête.

« Tout s'éclaire », pensa Roger, qui n'y comprenait plus rien.

– Le terrain s'y prête, dit-il. Enfin, je crois. Il y a un grand espace plat où l'on devait construire des baraquements mais, en principe, ils n'ont jamais été construits.

– Ça vaudrait mieux, dit Boudin d'un air menaçant. Ce que je ne savais pas, c'était le jour où ça devait se passer. Il a bien dit « à la dernière minute »? vous êtes sûr?

– Je le jure sur la tête de ma femme, répondit Roger. Et c'est tout? Je peux rentrer chez moi?

« Je n'aurais pas dû dire ça. » Boudin explosait.

– Comment ça, c'est tout? Vous allez filer là-bas et me préparer le terrain.

Le pilote consentit tout de même à expliquer ce qu'il convenait de faire : prendre une trentaine de bidons d'essence, les charger sur un camion, se mettre au volant dudit camion et amener le tout à Ang Chan. La, disposer les bidons et se tenir prêt à en allumer la mèche, évidemment qu'ils allaient avoir une mèche, crétin! et attendre. Et où trouver les bidons, l'essence et le camion? Tout était prévu, évidemment : Roger devrait s'arrêter au passage à Takeo et aller voir le Vietnamien tenant le garage sur la route de Chau Doc qui lui fournirait tout.

– Maintenant, écoutez, dit encore Boudin. Et tâchez de comprendre : vous entendrez d'abord mon moteur. Je suivrai la rivière en gardant les lumières de la ville au sud-sud-ouest. Je ferai un premier passage, très bas, à moins de cent mètres, tous feux éteints. Dès que vous m'entendrez, allumez un feu, un grand feu, en bout de piste. Ensuite, comptez jusqu'à cinquante et allumez les bidons. Vous avez compris ? Le feu, vous comptez jusqu'à cinquante et ensuite les bidons.

Roger considéra le petit homme avec une estime nouvelle. Il n'avait pas la moindre idée de ce qui se passait, mais il devinait des risques, dont la plus grosse part allait être assumée par l'Alsacien. « Mieux vaudrait ne plus lui poser de questions. Il serait capable de m'assommer avec le cric. » Il demanda tout de même :

– C'est Lara qui a organisé tout ça ?

Boudin ferma les yeux, comme quelqu'un qui refrène difficilement une envie de meurtre :

– Non, dit-il d'une voix curieusement douce. C'est Blanche-Neige. Puis il hurla, redevenu lui-même : Maintenant, foutez-moi le camp !

Un peu avant six heures et demie, Roger Bouès quitta la route asphaltée pour une piste ravinée par les pluies de la saison précédente, quelque peu rassuré par le fait que le sol ne portait aucune trace d'un autre passage de voiture. A l'évidence, l'endroit n'était pas des plus fréquentés. Derrière lui, sur la plate-forme, s'amoncelaient une quarantaine de petites cuves métalliques faites avec le fond de vieux bidons, et une demi-douzaine de jerricans, ceux-là pleins d'essence. Après une vingtaine de minutes, il déboucha sur un plateau où se dressait tristement le bâtiment qu'il avait conçu dix ans plus tôt, et qui depuis n'avait visiblement pas été occupé. Un peu plus loin quelques poutrelles rouillées rappelaient qu'on avait failli construire un hangar. Et sur les quelques centaines d'hévéas jadis mis en terre, deux ou trois douzaines à peine avaient poussé, sans que personne se fût apparemment jamais soucié de les saigner. Roger s'était inquiété tout en roulant, pour le cas où il aurait trouvé quelqu'un qui l'aurait poliment interrogé sur les raisons de sa présence. Mais ses craintes se révélaient vaines : le plateau était absolument désert et il n'y avait rien d'autre en vue que les pentes touffues de la chaîne de l'Eléphant et les silhouettes rondes de quelques phnoms isolés.

Il se mit au travail, délimitant ce qui lui parut être le meilleur axe possible pour une piste de fortune. Il aligna les cuves, une tous les vingt mètres, en deux rangées parallèles séparées par une distance identique. Il alla ramasser tout le bois qu'il put trouver et prépara un brasier suffisant pour brûler une douzaine de Jeanne d'Arc. Après quoi, il alla s'asseoir dans la cabine du camion, mangeant une banane ou deux à seule fin de passer le temps. Il se sentait solitaire, nu, sans protection, à la merci de n'importe quoi. Quelques années plus tôt, des pirates fréquentaient la région, s'attaquant parfois à des voitures isolées ou même à des autocars chinois. Et puis il y avait les Khmers rouges et les moustiques, les sangsues et les serpents.

Il se mit à attendre, consultant tour à tour le ciel qui s'assombrissait et sa montre, qui indiquait tout juste huit heures.

11

— Un coup de pot, dit Jean-Baptiste Morrachini. Ça aurait pu prendre l'éternité, il n'a fallu que quelques heures.

La Mercedes du Corse avait à présent contourné les pistes d'envol de Tan Son Nhut, aéroport de Saigon.

Dans le rectangle de son pare-brise s'inscrivit un monde au ras du sol, à perte de vue, d'une délirante anarchie, fait de cabanes accolées les unes aux autres, aux murs et aux toits de planches, de cartons d'emballage, de débris de voitures et de camions, voire d'avions ou de chars d'assaut, de boîtes de conserve et de bière fendues puis patiemment déroulées, de boue séchée servant de ciment. Cela grouillait et cela puait, dans la chaleur suffocante. Çà et là, de vraies maisons se dressaient, îlots assiégés, pointant même des toits de toiles au-dessus de cette mer de pourriture. Cent mille êtres humains croupissaient là et peut-être davantage.

– Les Américains appellent ça Soul Alley. Autrefois, on chassait, par ici. Ça a un peu changé.

Morrachini coupa le moteur au terme d'une lente approche par laquelle il était parvenu à faire glisser son véhicule jusqu'à une sorte de placette. Il s'était arrêté à côté d'une jeep de la police vietnamienne, elle-même à l'arrêt, montée par quatre hommes armés et casqués. Il alla discuter avec les policiers, fit enfin signe à Lara et Kutchaï de venir le rejoindre.

– Ce sont des amis. Ils me surveilleront la voiture.

Les trois hommes s'engagèrent dans ce qui était presque une ruelle, où pataugeaient des hordes de gosses cul nu aux yeux étincelants et rusés et des chiens aux côtes presque à vif, les uns et les autres fouillant des collines d'immondices avec une avidité identique. Des lames de rasoir brillaient parfois entre les doigts des enfants, certains âgés d'à peine cinq ou six ans, qui s'en servaient pour trancher les courroies d'une caméra ou pour fendre une poche gonflée par le portefeuille. La lumière était donnée, parcimonieusement, par de simples ampoules au bout de fils électriques accrochés à la diable, dans une installation à affoler n'importe quel électricien. Ces lampes dessinaient des halos mais aussi d'inquiétantes zones d'ombre. Et, passant des uns aux autres, avec une lenteur cérémonieuse, des Annamites surgissaient parfois au cœur d'une foule dépenaillée;

vêtus de leur tunique mandarine, du pantalon blanc et le front ceint par le serre-tête traditionnel de Hué, ils avançaient tels des fantômes d'un autre temps, murés dans une indifférence méprisante pour l'ignominie qui les entourait; le plus souvent ils étaient suivis, à la distance habituelle de trois pas, par leur épouse trottinante, écrasée sous un lourd chignon savamment agencé.

Devant Morrachini qui hésitait sur la direction à suivre, une femme surgit, fit un simple signe de tête qui invitait à la suivre. Elle précéda le trio dans un premier dédale où il fallait littéralement se couler, puis dans une sorte de terrier où transistors, chaînes stéréo, téléviseurs, appareils d'optique Akaï, Sony, Zénith, Canon ou Nikon voisinaient avec des climatiseurs, des machines à écrire, des collections réliées de *Play-Boy*, des pneus de voitures, des batteries, le tout en général flambant neuf.

Un arrêt. La femme fit un nouveau signe : « Attendre. » Elle disparut. Kutchaï, dans la pénombre, distingua trois ou quatre visages tournés vers eux. Mais personne ne bougeait.

– C'est à se demander comment il reste encore quelque chose sur les bases américaines, disait Morrachini, baissant la voix, sans doute lui-même impressionné par l'étrangeté du lieu. Le type que nous allons voir maintenant est lui-même un déserteur, un ancien sergent de carrière. Il a monté un immense réseau et sert lui-même d'intermédiaire entre ses copains restés sur les bases et ses acheteurs. Il est persuadé que le monde lui appartient, qu'il a tout compris, la guerre, les Vietnamiens et les Chinois; il a de l'argent, des femmes à volonté, toute la drogue que ses copains et lui peuvent avaler. Il croit à la fraternité des hommes de couleur, noirs et jaunes. Un pauvre type. Il est prisonnier à vie. Un jour viendra où les Chinois qui le font travailler et l'approvisionnent en drogue le laisseront tomber pour le remplacer par quelqu'un qui sera un peu moins grande gueule. Ou alors les flics qu'il paie en auront assez de le voir. De toute façon, tôt ou tard, quelqu'un le livrera aux Mike Pappas et c'est encore ce qui pourra lui arriver de mieux. Sinon, il se fera tout simplement trancher la gorge un jour où il sera camé à mort et on retrouvera son cadavre dans l'arroyo. Il n'a pas l'ombre d'une chance. Mais mieux vaut ne pas le lui dire.

La femme finit par revenir. Nouveau dédale. La chaleur, la puanteur de la nuit, devinrent épouvantables. On déboucha enfin, après quelques marches, sur une véritable pièce, dans une maison authentique, au plancher de bois recouvert de nattes, aux murs tapissés de photographies de femmes nues, à côté d'un agrandissement du Superdome, le stade couvert de La Nouvelle-Orléans et d'un portrait encadré du pasteur Martin Luther King, dont le visage intelligent était barré par le mot *sucker*[1] inscrit à l'encre rouge. Sur un panneau, il y avait encore d'autres photographies, celles-là représentant des équipes de basket-ball en maillot multicolore. Un Noir gigantesque se trouvait assis dans un fauteuil. Il se leva à l'entrée des trois hommes, qu'il considéra avec hauteur. Comme ses deux gardes du corps, pareillement noirs et visiblement armés, il arborait une longue robe bariolée de soie, des boucles d'oreilles et des bracelets de jade et d'or, un bandeau autour du front.

– Vous êtes chez moi, dit-il. Même la police ne peut rien pour vous ici.

– Parle-lui, dit en français Morrachini à Lara. Moi, l'anglais... Mais attention, il ne doit surtout pas être question de fric; je me suis arrangé avec Huong.

– Comment s'appelle l'homme que vous cherchez? demanda le Noir.

– Kinkaird. Jon Kinkaird.

Lara prit dans sa poche la petite photo d'identité trouvée dans la lettre de Matthew et la tendit. L'autre jeta un coup d'œil négligent sur le cliché, sans toutefois faire le moindre geste pour s'en saisir.

1. Poire, au sens argotique.

– Et vous, qui êtes-vous?

– Un de ses amis. Je m'appelle Lara. Je suis venu du Cambodge pour le voir et lui parler.

– Américain?

– Non.

– Qu'est-ce que vous lui voulez?

– Je vous l'ai dit : simplement lui parler.

– Ne te laisse pas embarquer dans une discussion d'affaires, dit Morrachini. Il sait où est le gamin, Huong en est certain. Tout ce qu'il a à faire, c'est de nous y conduire.

– Qu'est-ce qu'il dit?

Le Noir considérait Morrachini d'un air courroucé.

– Il me parlait de Huong, expliqua Lara.

– Kinkaird ne veut pas retourner dans l'armée, dit le Noir.

– Je m'en fous complètement, dit Lara. Je viens de la part de son grand-père.

Un silence. Le Noir le dévisageait, hostile. Il dit enfin :

– S'il y a un coup fourré, on vous flingue, vous et les deux autres.

Lara haussa les épaules.

– Venez, dit le Noir. Vous seul. Les autres restent là.

Kutchaï bougea.

– Ça va, dit Lara. Inutile de chercher la bagarre.

Il suivit le Noir qui venait d'ouvrir une porte. De l'autre côté, il y avait une autre pièce, meublée de ces lits de camp fournis par l'intendance américaine; deux jeunes femmes y étaient couchées, l'une d'entre elles complètement nue; l'autre était blanche et vêtue d'un sarong, elle suivit Lara des yeux, les prunelles étrécies par la drogue. Sur une très belle table laquée à Bien Hoa, se trouvait un plateau de métal contenant des seringues. Le Noir passa sans s'arrêter, sortit dans une venelle large d'un mètre à peine aux murs faits de tôle ondulée. Un peu plus loin, il entra dans une fumerie : de très jeunes soldats américains en uniforme, blancs et noirs mélangés, y étaient allongés, dans une atmosphère que la puissante odeur douceâtre de l'opium rendait extraordinairement pesante. Fumerie n'était d'ailleurs pas le mot exact : n'ayant sans doute pas la patience de le fumer, les garçons mâchaient et avalaient directement l'opium. Le Noir traversa, marcha encore sur une vingtaine de mètres, stoppa enfin devant une cahute en carton et tôle ondulée.

– S'il vous fait sauter la gueule, je n'y serai pour rien.

Aussitôt après, il tourna les talons et repartit, ses énormes épaules de basketteur occupant toute la largeur de la venelle.

Lara attendit qu'il eût disparu. Il jeta un coup d'œil autour de lui et découvrit à une dizaine de pas de lui un Vietnamien âgé, accroupi, qui l'observait d'un œil totalement dénué d'expression. Il demanda en vietnamien :

– Qu'est-ce qu'il y a à l'intérieur ?

L'autre ne broncha pas pendant une bonne dizaine de secondes, puis il haussa les épaules.

– Un homme avec une grenade.

– Merci, dit Lara.

Il s'approcha de l'espèce de porte qui n'avait naturellement ni chambranle ni serrure et n'était en fait qu'un simple panneau de carton. D'un geste d'une grande douceur, il écarta le panneau et entra. Il se trouva face à une obscurité cette fois pratiquement totale. Il s'accroupit sur les talons, attendant que ses yeux s'habituent à la pénombre. Il finit enfin par distinguer au fond du réduit une silhouette allongée, les pieds vers lui.

– Jon ?

Il ne reçut aucune réponse mais un changement dans le rythme de la respiration l'assura qu'il avait été entendu.

– Jon, mon nom est Lara. Il y a une dizaine d'années, je suis allé dans le Colorado, et je vous y ai rencontré chez votre grand-père. Vous et moi, nous nous sommes même promenés un long moment dans la forêt. Je vous ai montré comment les Moïs fabriquent une arbalète.

Silence.

– Je peux fumer? Je suis seul, naturellement.

Ne recevant pas de réponse, il retira lentement le paquet de Bastos de sa poche de poitrine, puis son briquet. La flamme jaillit, et la première chose qu'il vit, outre les yeux de Jon Kinkaird qui le fixaient, fut la grenade que le jeune homme tenait dans sa main gauche, contre sa poitrine.

La flamme s'éteignit.

– Vous vous souvenez de moi, Jon?

– Oui.

– Je peux vous sortir d'ici. Pas seulement de cet endroit, mais aussi du Vietnam. Vous pouvez venir avec moi au Cambodge. Là-bas, vous n'aurez pas besoin de voir qui que ce soit. Vous ferez ce que vous voudrez, vous irez où vous souhaiterez aller. Vous comprenez ce que je dis? Jon?

– Oui.

– Votre sœur est à Saigon. Elle vous recherche. Vous voulez la voir?

– Non!

La main de Lara, à force de courir sur le sol, finit par rencontrer le fil électrique; elle le remonta lentement...

– Je vois tout ce que vous faites, dit Jon. Vous avez vu la grenade. Je me fais sauter si vous allumez.

– D'accord. J'ai tout mon temps.

La voix de Jon Kinkaird était rauque, parfois sifflante mais très lente et comme ensommeillée.

– Je n'ai aucune intention de vous contraindre, reprit Lara. Surtout pas avec cette grenade. Si elle sautait, je sauterai avec elle. Vous n'avez aucune raison de me tuer. Je suis venu ici pour vous aider à quitter ce pays. J'ai tout préparé : un avion vous attend et vous emmènera au Cambodge. Vous pourrez prendre vous-même vos décisions. Vous savez bien que vous pouvez avoir confiance en moi.

Un long silence.

– Je vous préviens, dit Jon. Je ne lâcherai pas cette grenade. A aucun moment.

– D'accord, dit Lara. Dans ce cas, gardez-la. Mais tenez-la bien, s'il vous plaît.

– Je ne veux pas qu'on me touche, je ne veux pas qu'on s'approche de moi.

– Vous devriez parler à votre sœur. Au moins lui parler. Elle le mérite.

– J'ai dit non.

Toujours cette voix ensommeillée de zombi.

Lara se redressa avec lenteur. Il sortit à reculons. Le vieux Vietnamien était toujours là et continuait à le regarder de son œil vide.

– Allez, Jon, venez, dit Lara de sa voix douce.

Dans la pièce où Lara avait laissé Kutchaï et Morrachini, la situation n'avait pratiquement pas changé. La seule différence était que quelqu'un avait mis en marche la chaîne stéréo qui diffusait quelque chose de très doux par l'intermédiaire de ses quatre enceintes. En voyant revenir Lara, Kutchaï se détendit, mais le Corse ouvrit de grands yeux en découvrant la grenade dans la main de Jon Kinkaird, une main que le jeune homme tenait pressée contre son propre abdomen.

– Voilà, dit Lara au Noir.

Le regard du Noir alla de l'un à l'autre des deux arrivants. Le Noir demanda enfin :

– Vous l'emmenez ?

– Il vient avec moi, corrigea Lara. Il vient de sa propre volonté. Demandez-lui.

Se retournant tout en parlant, Lara vit réellement Jon Kinkaird pour la première fois : le garçon était à peine mieux qu'un cadavre; la barbe avait poussé et dévorait un visage émacié où les yeux seuls avaient encore trace de vie. Et Jon chancelait, aveuglé par la lumière, ses paupières clignotantes. Il était d'une saleté repoussante, couvert par endroits de vomissures et même de ce qui devait être ses propres excréments.

Le Noir s'approcha d'un pas souple et dansant, vint se planter devant Jon et demanda avec une surprenante chaleur :

— Tu veux vraiment aller avec ce type, Jonnie ?

L'étonnant regard violet de Jon Kinkaird apparut.

— Ça va, Harry, dit Jon.

— Tu n'es pas obligé de le suivre si tu ne veux pas. Moi et mes gars, on peut te défendre.

— Je sais, dit Jon. Ça va. Ça va très bien.

Le Noir hésitait. Il tourna la tête vers Lara.

— Ce garçon est un sacrément bon basketteur, dit-il, sur un ton où se mêlaient curieusement la menace et la fierté.

— Allons-y, Jon, dit Lara.

Au même instant, alors que lui-même se détournait pour marcher vers la sortie, il rencontra le regard de Kutchaï et y lut une tension, presque une alerte. Il demanda en khmer : « Qu'est-ce qu'il y a ? » Kutchaï secoua la tête : « Je ne sais pas. » Dehors, ils retrouvèrent la venelle sinueuse par laquelle ils étaient venus. Morrachini marchait en tête, suivi de Kutchaï et Lara fermait la marche, sur les talons de Kinkaird.

— Au moins, dit Lara, mettez la grenade sous votre chemise.

Ils traversèrent à nouveau le terrier aux allures de boutiques de prêteur sur gages et émergèrent enfin dans ce qui était presque une rue.

— La voiture n'est plus très loin, dit Morrachini. Bon Dieu, ça ne s'est pas si mal passé que ça après tout ! Lara, qu'est-ce que tu veux qu'on fasse, maintenant ? On peut aller chez Ferrari, ce n'est pas très loin.

— On va directement retrouver Boudin, dit Lara.

— Tu as vu dans quel état il est ? Il peut s'effondrer d'un instant à l'autre. Et ce qu'il a dans la main est une grenade défensive. S'il la lâche, ça va être un vrai carnage. On y passera tous.

– Il n'y a pas d'autre solution.

Une nouvelle fois, Lara chercha les yeux de Kutchaï. L'indéfinissable sensation de quelque chose en attente.

– Oui, dit le Khmer dans sa propre langue. Moi aussi.

– Vous jouez à quoi, tous les deux? interrogea le Corse, inquiet.

– Avance, dit Lara. Vite.

Mais à côté de lui, Jon Kinkaird se traînait, au bord de l'effondrement, les paupières de plus en plus lourdes, la bouche ouverte dans un appel d'air désespéré.

– Ecoutez, Jon. Je vais simplement prendre votre autre bras pour vous soutenir. Je ne ferai rien d'autre, simplement vous soutenir. D'accord? Du calme.

Il passa sa main sous l'aisselle droite de Jon Kinkaird, souleva le grand corps, l'obligea à marcher. La main tenant la grenade avait disparu sous la chemise. « Il est capable de la lâcher sans même s'en rendre compte. »

– On arrive, Jon. Tenez bon.

– La voiture, dit Morrachini.

La placette où ils s'étaient garés. La Mercedes était bien là, mais étrangement isolée : les quelques passants de tout à l'heure avaient disparu, de même que la jeep montée par les quatre policiers.

– Quelque chose ne va pas, dit Morrachini. Où sont passés ces salopards de flics?

– Monte devant, dit Lara à Kutchaï. Je m'occupe de lui.

– Je n'aime pas ça, dit Morrachini. Ça pue le coup fourré.

Lara prit place à l'arrière, tenant toujours le bras de Jon. Morrachini s'installa au volant, fit immédiatement ronfler le moteur. Cela arriva juste au moment où il embrayait, après avoir effectué sa marche arrière pour se dégager : des phares de voiture s'allumèrent, des policiers apparurent, criant des ordres. Lara plongea, bloquant la main de Kinkaird qui allait s'ouvrir, enfermant les doigts du jeune Américain dans ses deux mains serrées. Jon et lui roulèrent sur le plancher, entremêlés et luttant. Au même instant, la Mercedes bondit, les six cylindres donnant toute leur puissance. Un choc violent se produisit à l'avant. Des coups de feu claquèrent. La voiture dérapa, heurta à plusieurs reprises des obstacles inconnus, repartit en rugissant, passa sur quelque chose puis au travers de quelque chose. Et enfin, d'un seul coup ce fut le calme miraculeux et le son de l'asphalte sous les roues.

— Du calme, dit Lara à Jon. Tout va bien. Du calme. Relevez-vous. Doucement.

Il n'avait pas réussi à s'emparer de la grenade. Mais du moins était-il parvenu à l'empêcher d'exploser. Dans les passages successifs de l'ombre à la lumière, selon la progression de la voiture, les yeux du jeune Kinkaird, avec leur étonnante coloration violette, rappelaient ceux de Lisa de façon hallucinante.

— Relevez-vous. Doucement. Je vous lâche.

Lui-même se redressa. Il vit d'abord Kutchaï qui riait, sa mâchoire de loup étincelant dans la pénombre.

— On est carrément passé au travers de leurs bicoques! Carrément! C'est un tank, cette voiture!

Lara se retourna pour jeter un coup d'œil par la lunette arrière : la Mercedes avait effectivement tracé un énorme sillon au travers des misérables cahutes.

— On a blessé quelqu'un?

— Je ne crois pas, dit le Khmer. Mais tout est allé si vite.

Ce fut en revenant face à la route que Lara réalisa que Morrachini avait été touché. La tête du Corse s'inclinait de plus en plus vers l'avant; et les mains tombaient lentement, abandonnant le volant comme à regret.

— Jean-Baptiste!

Lara avança la main, toucha l'épaule, sentit quelque chose d'humide sous ses doigts. Kutchaï avait compris dans la même seconde : il se précipita, saisit le volant, coupa le contact en tournant les clefs. La Mercedes roula sur quelques dizaines de mètres puis stoppa, immobilisée par le frein à main. Lara dit à Jon :

– Surtout ne bougez pas !

Il jaillit hors de la voiture, en fit rapidement le tour, ouvrit la portière côté conducteur. Déjà Kutchaï allongeait Morrachini sur la longueur des sièges avant. Il leva la tête :

– Une balle dans la gorge. Il est foutu.

Le cœur brisé, Lara se pencha sur le Corse. Malgré le sang qui giclait, l'orifice d'entrée du projectile était parfaitement visible, juste sous l'oreille gauche. Et il y avait une autre blessure, celle-là juste au-dessus du cœur. Lara ferma les yeux. « Oh non ! » Le chagrin et la pitié l'envahirent. « Pas lui ! Il voulait simplement nous aider ! »

– Il est mort, dit Kutchaï, lui-même bouleversé par le visage de Lara. Il vaudrait mieux ne pas traîner davantage. Les hommes de Dieu ne vont pas tarder à rappliquer. Aide-moi.

Il tira Morrachini par les épaules, l'amenant sur le siège que lui-même occupait jusque-là à la minute précédente. Il se glissa au volant, remit le moteur en route. Lara ne bougeait pas, debout à côté de la portière que le Jaraï tirait doucement pour la refermer.

– Allez, dit Kutchaï avec douceur. Allez, monte. Ça ne sert à rien.

La Mercedes repartit. Sur la banquette arrière, Lara contemplait les lumières de Tan Son Nhut qui s'éloignaient et la nuit emplie de phalènes. L'air vibrait du grondement d'un avion-cargo en train de se poser.

– Tu as vu ce qui s'est passé ?

– C'était Dieu. Je l'ai bien reconnu, dit Kutchaï. Il nous a crié de sortir les mains en l'air. Morrachini a accéléré. A cause de cette foutue grenade, je suppose ; il a sans doute cru que nous allions tous sauter s'il s'arrêtait. Je n'ai rien vu d'autre, sauf qu'on passait à travers des maisons.

Lara était blême. Grâce au rétroviseur, Kutchaï jeta un coup d'œil sur Jon Kinkaird. Le jeune homme s'était rencogné à l'autre extrémité de la banquette, aussi loin que possible de Lara, ses étranges yeux violets perdus dans le vague. « Il ne s'est peut-être même pas rendu compte de ce qui s'est passé, pensa Kutchaï. En tout cas, il n'a pas lâché sa foutue grenade. »

Lara dit en anglais, d'une voix basse et dure :

– Cet homme qui est mort valait autant que vous. Et peut-être plus. Et c'était mon ami.

Ils roulèrent pendant quelques minutes en silence.

– Qu'est-ce qu'on fait ? demanda Kutchaï. Retourner à Saigon maintenant serait de la folie. Dieu est capable de lancer tous les flics à notre recherche. Et cette voiture est sacrément repérée.

– On va à Mytho, chez Ferrari. Il nous prêtera une autre voiture.

Kutchaï jeta un coup d'œil sur la pendulette du tableau de bord, vérifia que l'heure indiquée était la même que celle de sa montre : neuf heures cinquante.

– Et après, dit-il, il ne restera plus qu'à espérer que ce fou de Boudin sera là.

Toujours par l'intermédiaire du rétroviseur, il regarda en direction de Lara. Ce dernier se massait lentement l'épaule, ses yeux pâles emplis de tristesse.

12

Quelqu'un avait raconté l'histoire à Matthew Kinkaird en lui garantissant qu'elle était authentique : elle s'était passée à l'automne de 1968, sur le campus de l'université de Denver. Un homme d'une cinquantaine d'années, aux allures de vétéran de la guerre du Pacifique, allures confirmées par l'insigne à sa boutonnière, avait accosté un garçon de moins de vingt ans, avait un moment considéré en silence la manche vide.

– Perdu votre bras dans l'armée ?

– Oui.

– Au Vietnam?

Le garçon avait souri, timide, mais touché qu'on s'intéressât à lui :

– Oui. Ça c'est passé à Tam Ky. J'étais au 1er corps.

– Bien fait pour votre gueule, avait dit le vétéran de Guadalcanal ou d'Iwo Jima. Vous n'aviez rien à foutre là-bas.

Matthew, sur le moment, s'était refusé à croire que l'histoire fût vraie. Il l'avait répétée à Jubal Wynn, et l'avocat de San Francisco s'était déclaré convaincu sinon de la véracité, du moins de la vraisemblance de l'anecdote, ajoutant qu'il avait été le témoin de scènes à peu près semblables, ou l'auditeur de confessions identiques. Que la guerre du Vietnam fût en train de pourrir l'Amérique était pour Wynn une évidence.

C'était à tout cela que pensait Matthew Kinkaird en attendant que la voix suraiguë de la standardiste vietnamienne, à l'autre bout du monde, lui apprenne dans un anglais presque incompréhensible que sa petite-fille était enfin en ligne. Et puis le miracle se produisit et il entendit la voix de Lisa :

– Grand-père?

– Oh! mon Dieu! s'exclama Matthew soulagé, il y a des heures et des heures que j'essaie de te joindre. Je désespérais d'y arriver.

– Que se passe-t-il?

La voix de la jeune femme avait une intonation curieuse, mais c'était peut-être la distance.

– J'ai reçu un télégramme de Lara. Je ne crois pas que je t'aie parlé de lui mais...

– Un télégramme à quel sujet?

– Il a retrouvé Jon.

Silence. Puis la voix de Lisa d'un calme extraordinaire :

– Quand est-ce arrivé? Je parle du télégramme?

– Il y a trois heures. On me l'a téléphoné de Springs.

Nouveau silence.

– C'est bien, dit Lisa.

– Tu veux dire que tu ne le savais pas?

– Non.

– Je ne comprends pas. Je pensais que tu pourrais me donner des détails.

– Je ne sais rien, dit-elle. Rien du tout.

Ce fut au tour de Matthew de garder le silence durant quelques secondes. Puis il dit enfin :

– Lisa, que se passe-t-il? Quelque chose ne va pas. Je le sens dans ta voix.

– Ici il fait nuit et il est dix heures trente du soir, répondit la voix de la jeune femme, comme s'il l'avait vraiment interrogé sur le décalage horaire. Grand-père, j'ignore tout de ce qui se passe. Je ne sais pas où est mon frère. Je continue à le chercher.

– Lisa...

– Tout va bien, grand-père, ne t'inquiète surtout pas. Je te rappellerai sitôt que j'aurai des nouvelles.

– Lisa!

Soudain, enfin, il eut une intuition.

– Lisa, tu n'es pas seule, c'est ça?

– Oui.

– La police?

– Oui.

– Mais tout va vraiment bien?

– Oui. Je t'embrasse, au revoir.

Elle raccrocha la première. Elle se retourna et fit face à Dieu.

13

C'était un petit terrain tout juste bon pour le Cessna. Il avait été tracé vingt-cinq ans plus tôt pour desservir les deux plantations pratiquement côte à côte, mais au fil des années, la végétation l'avait envahi. En fait la voiture de Ferrari ne réussit même pas à rouler jusqu'à la piste.

– Je ne peux pas aller plus loin. Si je me souviens bien, la piste est à peu près droit devant nous. Derrière ces trois grands arbres qui sont là-bas.

Ferrari était un Corse d'une cinquantaine d'années, à l'accent rugueux, à tout jamais marqué par les vingt-cinq années d'infanterie coloniale; il était petit, maigre et dur, et faisait tout ce qu'il pouvait pour paraître plus dur encore qu'il ne l'était vraiment. Il n'avait pas bronché en découvrant le cadavre de Morrachini et il avait écouté sans un mot le récit que lui avait fait Lara, Lara expliquant comment les choses s'étaient passées. Ferrari connaissait peu Lara, il le connaissait surtout à travers ce que Jean-Baptiste Morrachini lui en avait dit et apparemment, cela lui avait suffi. « De toute façon, vous avez amené ce cadavre et cette voiture chez moi, il faut bien que je m'en occupe. Et je dois bien ça à Jean-Baptiste. Je m'occupe de tout. » Il avait refusé l'argent que Lara lui proposait. « Ce n'est pas une question d'argent. »

Ferrari se retourna vers Lara assis à l'arrière de sa voiture.

– Et vous êtes sûr qu'il y a là un avion prêt à décoller? Dans cette obscurité?

– Il devrait y être, répondit Lara.

Kutchaï mit pied à terre.

– Je vais faire un tour, annonça-t-il.

Il disparut dans la nuit, se déplaçant avec la totale absence de bruit qui lui était habituelle. Ferrari descendit à son tour, alla s'asseoir à une dizaine de mètres de là, probablement à cause de la grenade que Jon Kinkaird tenait toujours. Après un moment, Lara vint le rejoindre, respirant à grandes bouffées rageuses. Ferrari leva les yeux vers lui.

– Et si l'avion n'y est pas?

Lara haussa les épaules. Il y avait des nuages dans le ciel nocturne, mais la lune parvenait néanmoins à se montrer et à dispenser assez de lumière pour qu'on pût y voir à dix ou vingt mètres.

– Jean-Baptiste avait acheté une villa à Carqueiranne,

dit Ferrari en parlant très bas. Vous savez où c'est, Carqueiranne ?

Lara secoua la tête.

– C'est près de Toulon. Un joli coin. Jean-Baptiste voulait y prendre sa retraite. Il me racontait qu'il allait vivre là-bas et s'occuper uniquement de rugby. Il était fou de rugby. C'est marrant, un Corse d'Indochine qui ne rêve que de rugby. Il en était dingue.

– Vous devriez partir maintenant, dit Lara. Vous prenez des risques en restant ici.

– Et si l'avion n'est pas là ?

– Je vais faire sortir cet homme de la voiture, dit Lara.

Jon Kinkaird avait repris dans la Renault de Ferrari exactement la position qu'il occupait dans la Mercedes de Morrachini : enfoncé dans l'un des angles de la banquette.

– Descendez, dit Lara.

Le jeune homme ne bougea pas.

– Descendez ou je vous sors de là et tant pis si nous sautons tous les deux.

Kinkaird se décida enfin. Debout dans la nuit, il apparut réellement gigantesque. Ferrari revenait.

– Filez, lui dit Lara. Ne vous occupez plus de nous. Vous ne nous avez jamais vus. Merci. Je me souviendrai de ce que vous avez fait.

– Je ne peux quand même pas vous laisser comme ça.

– Partez.

Ils se serrèrent la main. Le Corse se mit au volant, fit marche arrière et s'éloigna, roulant au pas sans encore oser allumer ses feux. Après un moment le ronronnement de son moteur s'estompa et le silence revint. Lara s'assit à même le sol, alluma une cigarette en actionnant son briquet à l'abri de sa chemise puis en tenant la cigarette dans sa paume repliée.

– Je suis désolé.

La voix de Jon Kinkaird, curieusement plus ferme qu'elle ne l'avait été jusque-là. Mais elle résonnait dangereusement dans le silence de la nuit.

– Taisez-vous.

– Je n'ai demandé à personne de m'aider, reprit Jon. Mais je suis...

– Fermez votre gueule, dit Lara.

Il se releva, guettant le retour de Kutchaï au travers des hautes herbes mais en même temps repris par cette rage haletante qui l'avait déjà pris quelques instants plus tôt.

– Ecoutez, dit Kinkaird. Lorsque vous êtes arrivé...

Lara bondit. En deux pas, il fut sur Jon, lui saisit non plus la main qui tenait la grenade mais cette fois le poignet, qu'il écarta violemment du corps, obligeant Jon à allonger le bras.

– Allez! souffla-t-il. Lâchez-la! Allez! allez-y!

Le temps parut s'arrêter. Puis Jon Kinkaird secoua la tête.

– Je suis désolé, dit-il. Vraiment désolé.

Mais maintenant il chuchotait, les yeux fermés. Et après un moment, Lara se détendit. Le silence les enveloppa tous les deux. Kinkaird rouvrit les yeux :

– Nous allons vraiment au Cambodge?

– En tout cas, nous allons essayer.

Plusieurs minutes passèrent puis les hautes herbes frissonnèrent à trois mètres d'eux et Kutchaï surgit.

– On vous entendait gueuler à des kilomètres...

Il jeta un coup d'œil dans la direction prise par Ferrari en s'en allant. Il reprit :

– Boudin est là. Je suis tombé sur lui par hasard, en contournant une fourmi. Il a réussi à se poser en feuille morte juste à la tombée de la nuit et depuis il attend. Ce type est fou.

Il se rapprocha de Kinkaird et vérifia que la grenade se trouvait toujours dans sa main.

– C'est peut-être le moment de s'en débarrasser, non? Le père Boudin n'acceptera jamais ça dans son supersonique.

– Jetez-la, dit Lara en anglais.

Les yeux violets le fixèrent.

– Jetez-la ou nous vous laissons ici.

Il dut lui-même aller prendre la grenade, dénouer un à un les immenses doigts crispés. Et il dut aussi plaquer Jon pour l'entraîner au sol au moment de l'explosion.

Il leur fallut marcher sur plus de quatre cents mètres avant de retrouver Boudin. Et le petit Alsacien surgit devant eux comme s'il sortait de terre, trouvant le moyen de hurler sans faire plus de bruit qu'un chuchotement :

– Non, mais ne vous pressez pas! ne vous pressez pas! Vous croyez peut-être que je suis à votre disposition? Est-ce que vous croyez que je suis à votre disposition? Vous croyez que je fais ça pour mon plaisir, atterrir dans l'obscurité et décoller en pleine nuit? Vous croyez ça?

Tout en sifflant sa fureur, il les poussait et les tirait vers un bosquet d'arbres qui se révélèrent être des frangipaniers et ce que l'on aurait pu prendre pour une branche régulièrement verticale se transforma d'un coup en une aile d'avion.

Kutchaï était parti en courant.

– Montez, nom de Dieu, hurla Boubin en chuchotant. Je vous ai demandé quelque chose? C'est mon avion. Kutchaï est parti allumer un feu. Sans ça, comment est-ce que je saurais où est cette putain de piste?

Il s'agitait en tous sens avec des brusques trottinements de souris affolée. Enfin, il prit place aux commandes et son visage rond contracté par la fureur fut éclairé par les petites lampes du tableau de bord.

– Qu'est-ce que c'était cette explosion, il y a un instant?

– Rien d'important, dit Lara.

Une grande ombre apparut. Kutchaï se hissa à bord. A cinq ou six cents mètres devant, un feu brûlait.

– Vite, dit-il. Il ne va pas tenir longtemps.

– Je t'emmerde, dit Boudin.

Il mit le contact. Malgré le feu rougeoyant dans le

lointain, la nuit était noire et rien ne s'y dessinait. Il semblait impossible de lancer une machine à cent soixante-dix kilomètres à l'heure.

– Boudin, dit Boudin, qu'est-ce que t'es con! vraiment trop con! Il faut être con comme Boudin pour faire un truc pareil!

Il regarda Kutchaï d'un air féroce tandis que le moteur grondait de plus en plus fort.

– Hé! je n'ai rien dit! dit Kutchaï. C'est ton avion.

Le Cessna vrombit, hurla, partit, prit peu à peu de la vitesse, s'arracha enfin au sol, au ras des flammes rougeoyantes du feu marquant la fin de la piste. D'un seul coup, il fut en l'air, minuscule cellule à peine éclairée par la lueur rougeâtre des cadrans et suspendue dans un vide absolu.

– Bordel de merde, dit Boudin. Qu'est-ce que je déteste l'aviation!

Roger, qui les guettait depuis près de cinq heures, les entendit d'abord comme un ronronnement, quelques minutes avant une heure du matin; il crut même les distinguer sous la forme d'un point sombre survolant les petites lumières et le pont vaguement éclairé de Kampot. Le ronronnement se tut puis, après un silence, éclata en grondement, tandis que le Cessna surgissait, ses feux rouges et verts allumés, quasiment à lui frôler le crâne.

– Un, deux, trois, quatre, cinq, six...

A cinquante, il se rua sur les mèches et les enflamma.

Un peu plus tard, il interrogea Lara :

– Ça s'est bien passé?

– Non, dit Lara.

Roger découvrit le jeune Américain qui semblait, surtout dans la nuit, avoisiner les deux mètres. Ils montèrent dans le camion et gagnèrent Takeo. Là, ils échangèrent le camion pour la Studebaker. Il était deux heures et demie du matin quand ils arrivèrent à Phnom Penh.

Boudin n'avait, quant à lui, même pas coupé son moteur et il était reparti seul, vers Pochentong où il s'était posé soixante-dix minutes plus tôt, en fait un peu avant une heure trente.

14

Dieu considérait Lisa.

— Vous n'êtes pas obligée de me dire qui vous appelait, bien entendu.

— Mon grand-père, qui me téléphonait des Etats-Unis. Il s'inquiète.

La porte de la chambre de Lisa sur le couloir était ouverte. Dieu soupira.

— Comment dois-je vous appeler, madame Trenton ou madame Kinkaird?

— Comme vous voudrez.

— Nous avons failli retrouver votre frère, dit Dieu. En réalité, nous l'avons manqué de fort peu. Quelqu'un l'a enlevé juste sous nos yeux. Nous avons évidemment pu identifier la voiture des ravisseurs : il s'agit du véhicule d'un Corse bien connu à Saigon, que nous ne devrions pas tarder à retrouver. Est-ce que le nom de Jean-Baptiste Morrachini vous dit quelque chose?

— Absolument rien.

— J'ai personnellement reconnu Morrachini au volant de sa voiture. Mais Morrachini n'était pas seul : trois autres hommes se trouvaient avec lui : deux Occidentaux dont votre frère et un Asiatique qui pourrait bien être cambodgien. Vous n'avez toujours aucune idée?

— Aucune, dit Lisa.

— A qui d'autre que moi avez-vous demandé de l'aide pour retrouver votre frère?

— Personne.

La silhouette de Gaitskell, le fonctionnaire de l'ambassade, se profila dans l'encadrement de la porte.

– Je suis venu dès que j'ai pu, dit-il à Lisa.

Il se révéla qu'il n'était pas seul : un autre Américain l'accompagnait, ainsi qu'un Vietnamien. Gaitskell, ses deux compagnons et Dieu ressortirent tous quatre dans le couloir où ils discutèrent un long moment à voix basse. Puis Gaitskell revint, seul :

– L'histoire que vient de me raconter Dieu est assez incroyable. Pourquoi ne m'avoir pas dit dès le début que vous recherchiez votre frère ?

Lisa haussa les épaules. Sa montre-bracelet indiquait deux heures quarante du matin, heure de Saigon.

– Ne soyez pas ridicule, dit Lisa. Je ne suis pour rien dans toute cette affaire. A New York, je travaille dans la publicité, pas comme chef de commando de la Maffia.

Gaitskell se balançait d'un pied sur l'autre, se grattant de temps à autre le front à la racine des cheveux, à l'aide de l'ongle de son petit doigt.

– Une histoire incroyable, vraiment incroyable.

Il fit mine de repartir vers le couloir, puis se ravisa :

– Ecoutez, si vous savez quelque chose, dites-le-moi. C'est une affaire qui va aller jusqu'à l'ambassadeur.

– Je ne sais absolument rien, dit Lisa. Et je voudrais dormir. Et vous et l'ambassadeur et n'importe qui pourriez m'interroger pendant des jours et des semaines, je ne pourrais rien vous dire de plus que : je ne sais rien.

Elle s'assit sur le bord du lit.

– Et si vous ou quelqu'un d'autre se trouve encore dans ma chambre dans une minute, il aura le plaisir de me voir nue. Parce que j'ai bien l'intention de me déshabiller et de me coucher.

Si bien qu'ils finirent tous par s'en aller.

Le lendemain matin vers neuf heures, elle fut réveillée par la sonnerie du téléphone. Elle décrocha et on lui apprit que quelqu'un la demandait depuis Bangkok. Le quelqu'un en question ne se nomma pas et quoique parlant très correctement l'anglais, il était manisfestement français. Il s'agissait simplement d'un message qu'il devait transmettre. Le message lui conseillait de se rendre à Phnom Penh. Rien d'autre.

Elle s'habilla, ne sachant pas exactement ce qui l'emportait en elle, de la colère ou du soulagement. Le téléphone sonna à nouveau et cette fois c'était Gaitskell qui voulait simplement savoir comment elle allait et si rien n'était survenu depuis le moment où il l'avait quittée. Elle répondit que la situation n'avait absolument pas changé.

Elle descendit boire un café à la terrasse, contemplant sans le voir vraiment le spectacle de la rue puis, par une décision soudaine, alla droit à la réception :

– Est-ce que je peux téléphoner aux Etats-Unis ?

Comme toujours le Vietnamien dit oui, mais il était évident qu'il n'avait pas compris un traître mot de la question posée en anglais. Elle répéta en français et puis, changeant brusquement d'idée, demanda où se trouvait l'agence d'Air France. On lui indiqua l'adresse. Elle s'y rendit et y apprit que pour gagner Phnom Penh, il lui faudrait passer par Bangkok, en raison de l'absence de relations entre le Sud-Vietnam et le Cambodge. Elle acheta un billet, qu'elle paya en liquide.

De retour à l'hôtel, elle commença une lettre à l'intention de Matthew Kinkaird, dans laquelle elle racontait tout ce qui s'était passé, l'intervention de Lara et les conséquences que cette intervention avait d'abord sur elle-même, puis sur Jon qui, à en croire Lara, devait maintenant se trouver au Cambodge, où elle-même allait essayer de se rendre si la police vietnamienne ne s'y opposait pas. Et elle était en train de rédiger les dernières lignes quand on frappa à sa porte. Elle alla ouvrir et se trouva devant Dieu.

– Entendons-nous, bien, dit Dieu. Hier soir, l'un de mes hommes a été grièvement blessé par la voiture de ce Corse dont vous affirmez tout ignorer. Je vous ai dit que les déserteurs américains ne m'intéressaient pas, dans la mesure où ils ne contrevenaient pas aux lois de mon pays. Mon collaborateur a une jambe cassée et un enfoncement de la cage thoracique. Voilà qui me donne toutes les raisons d'intervenir.

Le policier jeta un coup d'œil sur la chambre et son regard s'arrêta sur la valise que la jeune femme avait presque achevée.

– Autre chose, dit-il. Vous venez me voir pour que je vous aide à retrouver votre frère. Hier soir, au moment où j'allais exaucer votre souhait, survient cette affaire que nous connaissons. Et quelques heures plus tard, que se passe-t-il? Vous vous rendez à l'agence d'Air France pour y prendre un billet d'avion à destination de Bangkok et Phnom Penh.

– Vous ne pouvez pas m'empêcher de partir, dit Lisa.

– A long terme, sûrement pas. Mais je peux considérablement retarder votre départ.

Il sourit :

– Vous pouvez me croire sur parole.

Lisa haussa les épaules et, pour preuve de son parfait sang-froid, alla reprendre place devant la lettre de son grand-père, qu'elle acheva, tandis que Dieu la considérait en souriant toujours. Elle signa, ajouta les petites croix signifiant autant de baisers et mit la lettre dans une enveloppe. Elle colla celle-ci et esquissa le mouvement de se lever.

– Lara, dit Dieu.

Elle s'immobilisa.

– Vous avez dîné avec lui avant-hier soir, dans un restaurant chinois dont je ne connais pas le nom; mon informateur n'a pas été précis à ce point. Par contre, beaucoup de gens connaissent M. Lara dans cet hôtel. Lara et le grand Cambodgien qui l'accompagne toujours, chaque fois qu'il vient à Saigon. Et tout le monde sait que M. Lara vit au Cambodge.

Dieu joignit ses petites mains potelées. Il jeta au

passage un coup d'œil sur sa montre de poignet, un chronomètre en or.

– Votre avion part dans un peu moins de trois heures.

Lisa baissa la tête puis la releva. Elle allongea le bras et prit son sac posé à côté d'elle sur la table. Elle l'entrouvrit.

– Dix mille dollars.

– Pour une jambe cassée et un enfoncement de la cage thoracique ?

Il secouait la tête. Elle renversa carrément le sac et tout le contenu se répandit sur la table.

– Comptez vous-même, dit-elle. Vingt mille et une centaine de dollars. C'est tout ce qui me reste.

Il fit un pas en avant.

– A une condition, dit Lisa. Vous m'amènerez vous-même, personnellement, jusqu'à mon avion. Et je ne vous remettrai ces vingt mille dollars qu'au moment où je franchirai les contrôles.

Il hocha la tête, amusé :

– Cela reviendra à me compromettre considérablement.

Elle plaça les vingt billets de mille dollars dans une autre enveloppe.

– Exactement, dit-elle.

Elle débarqua à Bangkok le 16 avril 1969 en fin d'après-midi, pour découvrir que le prochain avion pour Phnom Penh, un vol de Royal Air Cambodge, ne partait que le lendemain matin. Après avoir un moment envisagé de passer la nuit à l'aéroport, elle rencontra un équipage de la TWA qui l'emmena en ville, à l'hôtel *Erawan*, où elle partagea une chambre avec une hôtesse qui était du Wyoming.

Elle ne s'embarqua pour Phnom Penh que le jour suivant, le 17, n'ayant plus que soixante-dix dollars sur elle. Et cent francs français.

DEUXIÈME PARTIE

LA PLANTATION DE PREAH VIHEAR

1

CE matin-là, comme d'ordinaire, comme des milliers d'autres matins précédents, Charles et Madeleine Korver quittèrent ensemble leur villa qui se trouvait à Phnom Penh dans une petite rue très calme, envahie par les tamariniers, derrière le Phnom et l'ancienne ambassade de France. Comme chaque jour, ils partirent à pied. Et ils commencèrent par suivre sur quelques centaines de mètres le trottoir gauche de la Mona Vithei Barang Sès, l'avenue des Français; il était onze heures.

Charles et Madeleine Korver habitaient Phnom Phenh depuis le 18 septembre 1933. Ils se souvenaient l'un et l'autre très précisément de la date de leur emménagement pour cette raison très claire que le 18 septembre était à tous deux leur jour de naissance, en même temps que la date de leur mariage. Charles Korver avait soixante-treize ans et Madeleine soixante et onze; il était né à Shanghai, elle à Hanoi et c'était dans cette dernière ville qu'ils s'étaient rencontrés, au cours du bal annuel donné par les Charbonnages du Tonkin, aux bénéfices desquels émargeait puissamment chacune de leurs deux familles.

De premier jour de leur union, passé les effusions immédiates, ils avaient fait leurs comptes et constaté que leurs fortunes additionnées, pour peu qu'elles fussent gérées avec la méticuleuse rigueur des Alsaciens d'origine qu'ils étaient (leurs aïeuls à tous deux étaient arrivés pratiquement ensemble au Tonkin, au lendemain de la guerre de 1870, après avoir hésité entre l'Extrême-Orient et l'Algérie), que ces fortunes allaient leur permettre d'abord de ne rien faire, ensuite de satisfaire leur passion commune : la collection d'objets d'art chinois et indochinois; et d'y consacrer l'essentiel de leur temps même si Charles Korver, qui avait nonchalamment achevé d'excellentes études de droit, acceptait parfois de donner des consultations. Mais à quelques exceptions près, dont la constitution du Cambodge, qu'il avait personnellement rédigée, on ne suivait généralement pas ses avis : comment accorder sa confiance à quelqu'un qui refusait tous honoraires en prétendant qu'il n'avait pas besoin d'argent ?

En cinquante et une années de mariage, ils avaient scrupuleusement rempli leur contrat : ils s'étaient uniquement préoccupés d'art et de voyages, au point d'ailleurs d'en oublier de faire des enfants. Quand leur villa de Phnom Penh avait commencé à déborder, ils avaient subséquemment empli de trésors une grande maison qu'ils avaient en France, dans le Bordelais et, naturellement, ils avaient projeté d'aller y finir leurs jours. En 1959, ils étaient même partis, embarquant avec eux pas loin d'une tonne de bibelots, de porcelaines, de poteries, de meubles, de mille choses toutes plus précieuses les unes que les autres. Ils avaient acquitté les quelque onze millions de francs de l'époque dus au titre des taxes d'importation mais, après seulement quatre mois de vie française, ils avaient été saisis par une identique nostalgie de l'Indochine et ils avaient regagné Phnom Penh, rapportant l'essentiel de leurs collections. Et Phnom Penh avait retrouvé leurs deux frêles et minuscules silhouettes marchant chaque matin à petits pas sur le boulevard Norodom, main dans la main, éternellement souriants et aimables, complices à ne faire qu'un, l'un commençant une phrase que l'autre finissait.

Ils débouchèrent sur l'esplanade du Phnom, au sortir de l'avenue des Français, et ils la traversèrent de façon à passer devant le palais du Gouvernement dont l'archi-tecture néo-gréco-indienne avec un zeste d'Exposition universelle de 1900 les mettait toujours de joyeuse humeur.

Ce matin-là était apparemment un matin comme les autres, sauf qu'il y avait quelques nuages dans le ciel, à l'ouest et aussi, prétendit Madeleine, une sorte de fré-missement dans l'air chaud, dont la température devait avoisiner les vingt-neuf degrés centigrades. « Je ne suis pas intelligente », disait d'elle-même Madeleine Korver, « je ne suis pas aussi intelligente que Charles, qui sait tout, mais je suis comme les chats : je sens les raz de marée, les épidémies, les séismes et les fuites de gaz; et je sentirais, j'en suis sûre, les révolutions qui se fomen-tent si par hasard une révolution se fomentait. » A quoi Charles répondait immuablement par un « Miaou » sarcastique.

Ils parvinrent en haut du boulevard Norodom, ayant contourné l'esplanade du Phnom par la gauche. Made-leine huma l'air, tapota délicatement du bout de ses doigts ses cheveux bleu azur, dont l'ordonnance n'avait pas changé depuis 1925, avec raie sur le côté et large ondulation plaquée sur la tempe droite; elle dit de sa voix de petite fille :

– Charles, je crois qu'une révolution se fomente.

– Vraiment, ma chérie? dit simplement Charles.

Lui contemplait le boulevard Norodom et n'y décou-vrait rien que de très ordinaire : des voitures peu nombreuses, nonchalantes, quelques camions, un auto-bus, des cyclo-pousses pédalant d'une jambe, tout en mâchonnant un morceau de canne à sucre, des flâneurs sur les trottoirs; somme toute la Phnom Penh coutu-mière, parfumée, bienveillante, paisible; aimable à n'y pas croire, d'une douceur languissante. Charles Korver savait son Cambodge sur le bout des doigts; il en connaissait chaque tête pensante ou se croyant capable de penser. Familier de la plupart des ministères et surtout du Palais où il avait encore ses entrées, de par sa vieille amitié avec la Reine-Mère, il assistait depuis toujours au numéro de funambule de Monseigneur-Père et l'appréciait en connaisseur, éprouvant de la sympathie et presque de la tendresse pour le petit chef d'Etat anciennement roi. Il l'avait vu lutter désespérément pour maintenir son pays hors des combats, et essayer de l'amitié avec tout le monde; il avait été le témoin de l'écrasement sanglant du coup d'Etat tenté par la droite financée par la CIA, en 1959, puis de la répression non moins brutale d'un complot venu cette fois de la gauche. Pourtant, depuis quelque temps, Charles Korver avait le sentiment que Samdech Sihanouk n'était plus dans sa meilleure forme. Quand cela avait-il commencé? En 1965, quand s'étaient produites la rupture des relations diplomatiques avec les Etats-Unis et la mise à sac de leur ambassade? En 66, lors des élections, dont Sihanouk s'était curieusement désintéressé, lui qui, jusque-là, régentait tout, arbitrant les matches de football, écrivant la musique des films dont il était aussi le producteur, le scénariste, le metteur en scène, voire le principal inter- prète? Ou bien en 67? En 67 il y avait eu cette disparition, vraisemblablement ce repli dans la forêt des quatre députés de gauche, pourtant régulièrement élus mais qui, pourchassés par la police de Lon Nol, avaient choisi l'action clandestine. « Et parmi eux, ce fou de Ieng Samboth, avec ses théories incendiaires. Brave garçon au demeurant, très lié à Lara. Peut-être que le grand air lui remettra les idées en place... » Charles Korver ne croyait guère que les quatre gauchistes pus- sent constituer un danger réel pour le régime; pas aussi longtemps que Sihanouk demeurerait aux commandes. Et justement... C'était également en 1967 que les diver- gences entre Sihanouk et Lon Nol avaient commencé à transparaître clairement, aux yeux des initiés; c'était encore en 67 qu'avait commencé sur le sol cambodgien l'installation des réfugiés khmers de Cochinchine, les Khmers kroms anticommunistes, dont il était évident qu'ils pouvaient constituer une arme, voire une armée, pour la droite de Lon Nol; en 67 toujours qu'avaient véritablement débuté les bombardements américains sur les villages khmers accusés d'héberger des Vietcongs – « ce qui d'ailleurs est certainement vrai » – et les premières violations de frontière par les troupes de Saigon exerçant leur prétendu « droit de poursuite ». Autant d'éléments qui ne laissaient pas d'être inquiétants.

– Charles, dit Madeleine de sa petite voix, je vous assure que quelque chose se fomente. Ce n'est pas pour aujourd'hui, ni pour les jours suivants. Mais ça se fomente...

– Je vous crois, mon amour. Vous savez bien que je vous crois toujours.

– Vous dites cela pour me faire plaisir.

– Je vous jure que non.

Ils marchaient sur le boulevard Norodom à présent, suivant ce même chemin qu'ils suivaient depuis environ vingt-cinq ans et n'auraient pas plus imaginé d'en changer qu'ils n'auraient songé à divorcer.

L'année suivante, c'est-à-dire en 1968, le succès très inattendu de l'offensive vietcong sur Saigon, le presque effondrement des armées américaines sud-vietnamiennes avaient – Charles en était convaincu – sauvé le Cambodge d'un coup d'Etat de Lon Nol, lui-même poussé par Sirik Matak, le prince ami de la CIA. Mais ce n'avait été qu'un sursis : l'installation de Richard Nixon à la Maison-Blanche, en janvier, trois mois plus tôt, la détermination proclamée par le nouveau président de maintenir la présence américaine au Vietnam, fût-ce par le biais de la vietnamisation, avaient sans aucun doute rassuré les comploteurs. En fait, très vite, la lente et implacable progression vers une élimination de Sihanouk avait repris. Et ni l'intensification des bombardements américains sur le Cambodge du Sud, ni même l'arrosage aux défoliants de certaines plantations khmères d'hévéas, soupçonnées de dissimuler les troupes vietcongs, n'avaient empêché le rétablissement des relations diplomatiques entre le Cambodge et les Etats-Unis, ce mois d'avril 1969. « Autant dire que le déclenchement du coup d'Etat ne devrait plus tarder. Dans combien de temps ? Six mois ? un an ? »

Toujours main dans la main, les Korver passèrent devant les flamboyants du ministère de l'Education nationale, qu'à Phnom Penh on appelait le Minéducanal, avec cet amour des sigles et des abréviations qui tournait à la manie.

– Et pourtant, dit Madeleine, Phnom Penh est si merveilleusement calme. Ils ne vont tout de même pas nous changer notre ville ?

– Phnom Penh ne changera jamais.

Ils tournèrent à gauche, dans la rue Khemarak Phoumin, puis aussitôt à droite, dans la rue Yakanthor et ils eurent dès lors, droit devant eux, la terrasse et le balcon du restaurant *Taï-San*, qui était leur but.

« Un an », pensait Charles Korver. « Il leur faudra au moins un an. A condition que Sihanouk les laisse faire. » Il semblait impossible de croire que Sihanouk pût être dupe, pût ne pas voir ces préparatifs.

Ils prirent place à la terrasse du *Taï-San*, un restaurant chinois qui avait pour principal mérite d'être au cœur de la ville. Charles et Madeleine le préféraient à la *Taverne*, trop française à leur gré. Ils commandèrent des cafés-au-lait-glacés-dans-un-grand-verre et les commandèrent en chinois, *sur café naï li pouï*, bien que leur connaissance du cantonais n'allât guère plus loin.

A la table voisine se tenait un magistrat cambodgien, gros homme ventripotent et aimable, qui présidait l'un des tribunaux phnom penhois, en théorie du moins, nul ne l'ayant jamais vu à l'œuvre, et qui avait surtout pour principale originalité une curieuse perversion : il portait toujours en guise de pochette un mouchoir parfumé aux excréments humains et, de temps à autre, en humait avec délices les effluves. Il sourit aux Korver, qui lui rendirent son sourire.

En vérité, ce qui troublait le plus Charles Korver dans

la situation du Cambodge en ce printemps 1969, ce qui allait le troubler plus encore dans les mois suivants, était l'attitude même de Sihanouk. Les services de renseignements français, de la même façon qu'ils avaient contré la tentative de coup d'Etat pro-américain de 1959, avaient alerté Samdech quant à la possibilité d'un coup de force de la part de Lon Nol et Sirik Matak; les Australiens et les Chinois avaient fait de même. Outre cela, les signes n'avaient pas manqué : ainsi du versement, qui était presque de notoriété publique, de quelque trois millions de dollars à Sirik Matak; versement effectué par l'entremise d'un prétendu banquier venu de Bangkok, un certain Song Sak; ainsi encore de ces voyages effectués, en novembre 68 et janvier 69, par des officiers de Lon Nol en Indonésie – afin d'y étudier la technique du coup d'Etat ayant permis de renverser Soekarno. « Et que fait Sihanouk ? rien. Lassitude du joueur ? Trop grande confiance en lui ? » Charles Korver ne comprenait pas.

On apporta les cafés au lait glacés et il se détendit, considérant sa femme, la trouvant un peu fatiguée. Cette promenade qu'ils faisaient tous les matins devenait peut-être un peu trop longue pour elle. Un instant, il s'abandonna à la tendresse et à l'amour qu'il lui portait depuis plus d'un demi-siècle. Autour d'eux, la terrasse du *Taï-San* s'emplissait de Chinois et de Cambodgiens s'attroupant pour le cognac-soda de midi. Des policiers passèrent à bicyclette, débraillés et aussi peu martiaux que possible, d'une touchante maladresse sur leurs engins d'un autre âge. Et puis une voiture aux couleurs familières apparut et Charles Korver reconnut la Studebaker bleu ciel et blanche de Roger Bouès. Mais le bon Roger n'était pas seul. Lara l'accompagnait. Lara qui mit pied à terre et, de sa curieuse démarche lente, massant sa vieille blessure, vint vers les Korver.

2

– Attention, souffla Ouk.

Tout le groupe s'écrasa au sol, doigt sur les détentes. Après une vingtaine de secondes, le bruit qui avait alerté le grand Jaraï leur parvint : une troupe approchait. A nouveau, Ieng ressentit la peur. Mais déjà Ouk se relevait, souriant de toutes ses dents.

– Les nôtres.

Des silhouettes courbées par la pente apparurent, sept hommes au total, le visage émacié par l'effort fourni. C'était le détachement que Ieng avait laissé derrière lui en décrochant, afin de retarder ou de dévier la poursuite, au terme de cet engagement dont Ieng avait, sans succès, tout fait pour l'éviter.

– Ils ont un prisonnier. Un officier.

Le sourire d'Ouk s'élargit jusqu'à l'impossible. Ieng lui-même se sentit parcouru par un frisson de joie féroce, cette joie du gibier longtemps pourchassé et qui tient soudain le chasseur à sa merci.

Le détachement franchit la crête, se coula à l'abri des rochers, souffla. Le prisonnier tomba à genoux, mains libres mais les avant-bras rejetés et liés dans le dos. A la mode jaraïe, on lui avait passé une cordelette autour du cou, qui lui enserrait la gorge par un nœud coulant : il suffisait de tirer pour que l'homme fût étranglé. Ieng s'approcha :

– Où es-tu né?

– Phom Penh.

– Il ment, dit une voix haineuse. C'est un Khmer krom. Je l'ai vu brûler un village.

Le paysan qui venait de parler s'avança, balançant un coupe-coupe.

– Attends, ordonna Ieng, avec une précipitation qu'il se reprocha la seconde d'après.

« Je devrais donner des ordres plus calmement. Une autorité tranquille. »

Il se mit à interroger le prisonnier, un lieutenant qui pouvait avoir vingt-cinq ou vingt-six ans, et qui répondit sans la moindre difficulté avec une sorte d'indifférence morne, même pas méprisante. « Il sait bien que nous allons le tuer. »

Le lieutenant dit que son unité était basée depuis quelques jours à Phnom Leach, à une vingtaine de kilomètres au sud-ouest de Pursat. Il donna des indications sur les effectifs, à peu près deux compagnies, sur l'armement, sur la partie du dispositif dont il avait connaissance. Son regard soutint celui de Ieng :

– C'est vous que l'on recherche, dit-il en français. On sait que vous êtes dans cette région. Ieng Samboth, l'ancien député.

– On a promis de l'argent pour moi ?

– Dix mille riels.

Aux questions suivantes, il répondit avec la même facilité, décrivant l'organisation des recherches. Il comprit très vite où Ieng voulait en venir :

– Si vous voulez vous diriger vers l'est, vous ne passerez pas. Toutes les routes sont gardées.

Le plan de Ieng était effectivement de conduire son groupe dans les provinces de l'Est, vers les hauts plateaux laotiens. La manœuvre, qui avait pour but de rapprocher les éléments guérilleros d'un éventuel ravitaillement en armes par la piste Ho Chi Minh, avait été décidée plusieurs jours plus tôt, lors de la réunion de Phnom Penh. « Si cet homme dit vrai, nous ne passerons effectivement pas, pensa Ieng, du moins pas sans combattre. » Il résolut de tenir pour vraies les informations qu'il venait de recueillir ; c'est-à-dire qu'au lieu de suivre une route plein est, il allait, dès la nuit prochaine, faire route d'abord au nord, puis au nord-est, de façon à contourner par le haut le grand lac Tonlé Sap. Avec un double obstacle à franchir : la route Pursat-Battambang et celle, plus au nord, reliant Kompong Thom à la frontière thaïe, *via* Siem Reap. Il dévisagea le lieutenant, dont il avait achevé l'interrogatoire :

– Tu es vraiment khmer krom?

– Non.

Le paysan se trompait peut-être : l'homme n'avait pas l'accent particulier des Cambodgiens vivant en Cochinchine.

– Il avait ça sur lui, dit Ouk en tendant un sac de toile plastique transparent. Ieng fouilla le sac, y trouva, outre des papiers d'identité, quelques photos représentant une jeune femme et deux enfants; il y avait aussi des lettres, un peu d'argent.

– Ta famille?

– Oui.

– Elle est française?

La jeune femme était blonde, courtaude, pas très jolie, portant des lunettes à verres épais.

– Oui, dit le lieutenant.

– Où est-elle?

– En France.

Voilà qui allait le tuer plus sûrement que les accusations du paysan. Ieng quitta des yeux le visage du prisonnier et laissa son regard courir sur les hommes qui l'entouraient. Un inexplicable sentiment de pitié l'envahit. Il n'avait, jusqu'à ce point de sa vie, jamais tué personne, n'avait en fait jamais seulement vu mourir un être humain. Il se contraignit à relever le canon de son Kalachnikov, à le pointer sur le lieutenant, sachant dans le même instant qu'il n'aurait probablement pas le courage d'actionner la détente.

– Pas de coup de feu, dit Ouk. Trop de bruit. Mais tu peux l'étrangler, si tu veux.

Accroupi sur ses talons, maintenant son équilibre par la crosse de son fusil d'assaut fiché en terre, l'immense Jaraï le considérait d'un œil impassible. Il tendit à Ieng la cordelette passée autour du cou du prisonnier.

– Tire un grand coup, dit-il, de sa grosse voix rauque si peu khmère. Le mieux serait que tu l'allonges. Tu poses ton pied sur sa figure et tu tires, d'un coup sec. Sauf si tu veux qu'il souffre.

Son visage presque animal ne reflétait rien. S'il y avait la moindre intention de sarcasme ou de pitié dans son ton, elle ne paraissait pas.

Ieng haussa les épaules, vaincu.

– Fais-le toi-même.

Ouk eut un éclat de rire silencieux. Pendant quelques secondes, il hocha la tête en riant en silence, tout en jouant à enfoncer dans le sol, en traces parallèles, la crosse de son arme, mettant dans ce geste une attention extrême, comme si rien n'eût été plus important que de graver toute une série de ces empreintes qu'il faisait. Il finit par relever la tête :

– Je ne tue que ce qui est au bout de mon fusil, dit-il enfin.

– Je vais le tuer.

Rath, l'ancien instituteur, s'avança, sortant du groupe des hommes jusque-là figés. C'était un petit homme massif aux joues rondes, aux cheveux coupés très court, en brosse, avec quelque chose de chinois dans le visage, en dépit de son teint sombre. De tous les hommes regroupés autour de Ieng, il avait été dès le début celui posant le plus difficile problème. Rath venait de Kampot ou de Kompong Speu, Ieng avait oublié, en tout cas du sud-est du Cambodge. Instituteur, Rath avait fait partie de ces enseignants progressistes torturés et généralement massacrés sur ordre personnel de Sihanouk – lequel s'était d'ailleurs officiellement vanté de ces exécutions. Certains professeurs avaient été liés par deux ou trois et jetés au bas de la grande falaise de Bokor, d'autres avaient été plus simplement égorgés. Rath était l'un des rares qui fût parvenu à échapper au massacre et depuis il avait couru la forêt jusqu'au moment où, quelques semaines plus tôt, il s'était joint de lui-même au détachement de Ieng, y prenant aussitôt une place particulière, en quelque sorte celle de lieutenant de l'ancien député, bien que ce dernier n'eût jamais pris la moindre disposition en ce sens. Ieng, à certains égards, ne pouvait regretter l'arrivée d'une telle recrue : Rath était taciturne, froid, mais efficace; à ce jour, il était le seul du détachement à avoir effectivement soutenu le feu ennemi, à y avoir aussi répondu. Mais ses silences, son regard, toute son attitude suggérait que s'il acceptait pour l'instant l'autorité de Ieng, ce n'était et ne pouvait être que provisoire. Ieng se sentait constamment jugé, jaugé, pesé; il en ressentait une irritation qui confinait parfois à la rage mais parfois aussi se découvrait honteux de sa propre colère, qu'il assimilait à du mépris, mépris de l'intellectuel qu'il était, vétéran de la résistance, envers un simple instituteur qui n'avait sans doute même pas son brevet élémentaire et sans doute également même pas vingt-cinq ans.

A des moments plus rares encore, Ieng ne parvenait pas à se cacher que Rath lui faisait peur.

Rath prit la cordelette entre les doigts d'Ouk, puis sembla se raviser, une esquisse de sourire sur sa bouche minuscule. Il considéra le sac de plastique tombé sur le sol, qui avait contenu les effets personnels du lieutenant, et le ramassa. Il en coiffa soudain le prisonnier, élargit une seconde le nœud coulant de la cordelette puis le serra à nouveau, bouchant le sac à la hauteur du cou, pas assez pour étrangler, suffisamment pour empêcher l'air de pénétrer. « Non! » hurla silencieusement, intérieurement, Ieng, horrifié.

Rath s'écarta, s'accroupit. Tous les regards se portèrent sur le visage du lieutenant. On vit la bouche s'ouvrir, mais sans le moindre bruit. Les yeux s'écarquillèrent, affolés. Brusquement, le prisonnier se jeta à terre, y rampa tout en frottant son visage contre le sol, dans l'espoir de déchirer le plastique qui l'étouffait. Pendant deux ou trois minutes interminables, il se tordit et se débattit, les yeux à présent exorbités, bavant, criant visiblement toujours mais sans que le moindre de ses cris perçât à aucun moment l'espèce de cagoule transparente qui lui collait au visage et rendait celui-ci plus effrayant encore.

Enfin, il se raidit, sur une ultime succession de spasmes. Ieng, qui avait fini par fermer les yeux, les rouvrit pour rencontrer le regard brillant de Rath. Aucun des trente hommes ne bougeait autour d'eux.

Rath se redressa. Il se pencha sur le cadavre, dénoua la cordelette, retira le sac. Il le montra à Ieng.

– Pas de bruit, dit-il, de sa très particulière voix flûtée, à l'articulation précise d'enseignant. Pas de bruit. Et le même sac peut resservir. On peut tuer des milliers d'hommes et de femmes avec le même sac. Des milliers.

3

– Savez-vous qu'une révolution se fomente? demanda Madeleine Korver à Lara.

– Excellent, dit Lara. J'espère bien profiter des circonstances pour vous enlever et m'enfuir avec vous dans une île déserte. Vous savez bien que je n'attends qu'une occasion.

Madeleine rit, enchantée, tapotant gracieusement sa mèche bleue.

– Je cours acheter un revolver, dit Charles. Vous me montrerez comment ça marche.

– Est-ce que nous vivrons nus sous les palétuviers? demanda Madeleine, prenant l'air extasié.

– Voilà, dit Lara.

Son regard cherchait celui de Charles Korver qui dit à sa femme :

– Excusez-nous quelques instants, voulez-vous? Nous vous laissons Roger. Tenez-vous bien.

– Et vous Roger, vous savez que ça se fomente?

– Je suis un expert en matière de révolutions, dit Roger. Posez toutes les questions que vous voulez.

Lara et Charles Korver s'étaient levés; ils se mirent à marcher sur le trottoir, passant devant des boutiques chinoises dont le propriétaire attendait le chaland en équilibre sur un minuscule tabouret de bois, vêtu en tout et pour tout d'une culotte de toile blanche parfois tout à fait indiscrète.

– Voilà, dit Lara. Cette nuit, j'ai ramené du Vietnam un jeune déserteur américain. Evidemment, il est ici en situation irrégulière : il n'a pas le moindre papier d'identité. Mais ce n'est pas tout : c'est un drogué, il mange de l'opium et prend probablement d'autres saloperies. En tous les cas, il nous a fait une crise dans la voiture en rentrant à Phnom Penh, après son atterrissage. Nous avons eu du mal à le maîtriser, au point que nous avons dû le conduire chez Cheng pour une piqûre. Cheng ne croit pas que la crise se reproduise, il pense qu'elle avait surtout des causes psychologiques. Et il est vrai que ce garçon a dû passer par pas mal de choses. Il s'appelle Jon Kinkaird en trois lettres, J.O.N.

Sur le trottoir, les croisant, passèrent successivement une Martiniquaise aux formes suprêmement épanouies, qui tenait un magasin de modes sur le boulevard Norodom; elle était accompagnée de son amant portugais, qui partageait équitablement son temps entre la sieste et l'amour à sa modiste. Derrière le couple marchait Mueller le Petit Suisse, arpentant le pavé de ses deux mètres, lui-même précédant sa concubine d'un mètre cinquante et trente-huit kilos qui trottinait fébrilement pour tenir la cadence, tout le haut de son corps cependant parfaitement immobile. En serre-file de la procession, enfin, venait Boudin le pilote, qui se contenta d'un coup d'œil furieux en direction de Lara. Tous se dirigeaient vers le bar *Zigzag*, à deux pas de là dans la rue Dekcho Damdin, pour l'apéritif, la viande boucanée et les brochettes d'Albert Vandekerkhove, le tenancier du bar susdit.

– Et qu'attendez-vous de moi? demanda Charles à Lara, quand tout le monde se fut éloigné.

Charles Korver était obligé de lever la tête, presque de la renverser en arrière, pour dévisager Lara. Il avait toujours éprouvé une affection quasi paternelle pour cet homme mince et secret, dont la constante douceur dissimulait presque parfaitement une violence dans les passions qui était presque terrifiante. Charles Korver avait connu Lara dès son plus jeune âge : c'était chez les Korver que le jeune garçon s'était tout d'abord réfugié, en janvier 48, après le massacre de ses parents et de sa sœur. Réfugié n'étant peut-être pas d'ailleurs le mot juste. « Personne ne peut prétendre avoir jamais vu Lara s'apitoyer sur lui-même. Disons qu'il s'est arrêté un moment chez nous. » En fait, près de cinq semaines s'étaient écoulées entre le jour où les Korver avaient appris la mort de Pierre et Nancy Lara et de leur fille, et le jour où le gamin avait surgi à la porte du jardin de leur villa, à Phnom Penh, se traînant littéralement, dans un épouvantable état de maigreur, une sorte d'emplâtre puant sur son horrible plaie au cou et à la nuque, mais refusant farouchement jusqu'au moindre geste de sollicitude et de consolation. Il avait raconté la boucherie survenue sous ses yeux avec un calme inhumain, sans faiblir à aucun moment. Il avait donné tous les détails de sa fuite, de la poursuite dont il avait été l'objet, de la façon dont il avait réussi à échapper aux tueurs, aidé par un garçon du même âge que lui, une espèce de grand diable de Jaraï noir appelé Kutchaï. Après des jours et des jours, les deux jeunes fugitifs étaient parvenus à gagner Kompong Thom, où il y avait un poste de militaires français, où, curieusement, ils ne s'étaient même pas fait connaître. « Pourquoi ? – Parce que ça n'aurait servi à rien. Je n'avais pas besoin d'eux. Mes parents et ma sœur étaient morts. »

Le jeune garçon était resté à peu près trois mois chez les Korver, reprenant des forces avec une incroyable rapidité et s'efforçant de se conduire en tout point comme un hôte ordinaire, parlant vietnamien avec les domestiques, cambodgien avec les cyclo-pousses, disparaissant des journées entières, traînant sans doute sur les marchés, dans la ville des paillotes, retrouvant parfois son ami jaraï avec lequel visiblement il entretenait la plus étroite des complicités mais aussi, dans le même temps, lisant, interrogeant, s'intéressant à la collection des Korver. Il avait l'intelligence vive, abrupte, presque sèche et, à l'époque, une sorte d'agressivité, de nervosité dans le regard et le geste. Peu à peu, pourtant, au fil des semaines, les Korver l'avaient vu lutter contre lui-même et réussir à lentement maîtriser cette violence qu'il portait en lui.

Et puis un jour il avait disparu tout à fait, laissant en évidence quelques mots écrits d'une écriture petite et régulière : « Je pars rejoindre mon oncle à Hanoi. Ne vous inquiétez pas. Merci. » Quatre années s'étaient ensuite écoulées sans qu'il donnât le moindre signe de vie, même si les Korver, grâce à des amis qu'ils avaient au Tonkin, avaient pu avoir de ses nouvelles et apprendre notamment qu'il avait quelque temps repris ses études dans la capitale tonkinoise, qu'il avait même présenté et passé son baccalauréat, qu'il s'était ensuite engagé et avait en compagnie de l'inévitable Kutchaï pris part aux combats contre le Vietminh, dans la région de la rivière Claire.

La quatrième année, enfin, il avait brusquement resurgi, flanqué de son Jaraï mais aussi d'un Corse massif au poitrail de gorille : « L'homme qui a assassiné mes parents et ma sœur s'appelait Kamsa. Il est mort et nous avons repris la plantation en main. Voici Kutchaï et Oreste Marccaggi, qui sont tous deux mes associés. Nous travaillons maintenant ensemble, tous les trois. Je suis très heureux de vous revoir. »

En quatre années, il avait grandi, quoiqu'il fût toujours aussi mince; le combat contre lui-même, pour se maîtriser totalement, ce combat avait été manifestement gagné : il avait dès lors toutes les apparences de la douceur et sa mue était achevée. Il avait embrassé Madeleine au point que celle-ci avait tout bonnement éclaté en sanglots et que Charles lui-même en avait eu la larme à l'œil. « Vous m'avez manqué. J'aurais dû vous écrire. Pardonnez-moi de ne pas l'avoir fait. J'ai pourtant pensé à vous, très souvent. » Il avait tendu quelque chose maladroitement enveloppé dans du papier d'emballage : « Nous ne sommes pas très forts pour faire les paquets, tous les trois tant que nous sommes. J'espère que ça vous plaira. Le marchand de Hong Kong m'a juré que c'est une assiette à armoiries K'ien Long qui a été fabriquée en 1685, l'année même où le premier des Lara est arrivé dans ce pays. J'ai cru comprendre que vous aimiez l'art ancien. » Et de sourire. Et bien entendu, l'assiette était authentique.

Sur le trottoir de la rue Yukanthor, à l'angle de Dekcho Damdin, après la modiste et son Portugais, après Mueller et le petit Boudin, défilaient maintenant des marins philippins petits et querelleurs, un journaliste anglais, un autre qui était néo-zélandais, un Français, officiellement dans l'import-export et consul de Monaco, et qui en réalité vivait des charmes de deux ou trois filles qu'il faisait venir de France par roulement – trois mois à Phnom Penh, six à Saigon, trois à Bangkok, à l'intention des notables chinois amateurs de chair blanche. Il affecta de ne pas voir Lara, qui lui avait dans le temps cassé deux ou trois dents.

– Qu'attendez-vous de moi ?

– Que vous hébergiez Jon Kinkaird pendant quelque temps.

– C'est-à-dire que je le cache.

– Voilà.

– Je suis sûr que Madeleine serait folle de joie si on nous mettait en prison, elle et moi.

– J'en suis sûr, dit Lara.

Sur la façade du cinéma Kampuchea, de l'autre côté de la rue et presque en face des deux hommes, des employés étaient en train de changer les affiches extraordinairement grandes et bariolées d'un film chinois de Hong Kong et les remplaçaient par l'annonce de *Quand la Marabunta gronde* avec Charlton Heston. « Ils l'ont déjà passé », pensa Charles avec ennui. Il adorait le cinéma.

– Je n'ai pas le choix, reprit Lara. Je ne peux pas

l'emmener à la plantation, elle n'est pas précisément confortable et d'ailleurs je ne pourrais pas y être en permanence. Roger a proposé de le prendre chez lui mais vous connaissez Roger : on ne peut pas lui demander de jouer les gardes-malades. Il ne s'agit que de quelques semaines, le temps qu'il se rétablisse, qu'il puisse voyager et que je lui procure des papiers.

– Et vous êtes allé le chercher au Vietnam?

Lara acquiesça.

– Comment est Saigon?

– Epouvantable.

Charles Korver cherchait le nom de la partenaire de Charlton Heston dans le film. Une superbe rousse... Il le retrouva au moment même où il apparaissait sur l'affiche : Eleanor Parker. Il demanda :

– Vous avez la même idée que moi sur ce qui risque d'arriver au Cambodge?

Le regard pensif de Lara croisa le sien.

– Je veux parler de Sirik Matak et de Lon Nol, expliqua Charles.

Lara haussa les épaules. Charles se retourna légèrement, ayant la terrasse du *Taï-San* en vue directe. Madeleine riait aux éclats, tandis que Roger Bouès racontait quelque chose, à grand renfort de gestes, et une nouvelle fois, Charles s'émerveilla de la façon dont sa femme accueillait la vie.

– Vous avez vu Ieng récemment?

Il sentit l'irritation de Lara. « Oui », dit enfin celui-ci. Ce fut alors que, dans le lointain, par-dessus le ronronnement de la circulation dans les rues de Phnom Penh, une sorte de grondement commença à emplir l'air. Cela venait du sud de la ville, du Monument de l'Indépendance tout en haut du boulevard Norodom, à l'endroit où le Tonlé Sap et le Mékong s'unissent; c'était rythmé comme une respiration énorme.

– Lara, dit Charles Korver, il y a une question que je brûle de vous poser depuis des mois, sinon depuis plus longtemps encore. Je vais vous la poser et, comme toujours, vous n'y répondrez que si vous le voulez bien...

Il marqua un temps, écoutant le grondement qui grandissait avec régularité.

– Lara, dit Charles, est-ce que vous aidez Ieng et ses amis, Khieu Samphan et les autres ?

– Ieng est mon ami.

– Hier soir, nous avions ce journaliste australien, Walter Brackett, à dîner. Vous le connaissez : toujours prêt à cracher feu et flammes contre l'impérialisme américain. Il jure que les Américains s'apprêtent à faire sauter Sihanouk. Il affirme que ce n'est qu'une question de mois, à présent. Qu'en pensez-vous ?

– Je ne m'intéresse pas à la politique.

Le grondement se décomposa en clameurs scandées.

– J'ai un étrange pressentiment, dit Charles. Une appréhension, en fait, pour ne pas dire une peur. Imaginons Sihanouk chassé, imaginons un Lon Nol et un Sirik Matak aux commandes... Que feraient Ieng et ses amis ?

– La guerre.

– Et ils sont suffisamment nombreux et armés pour cela ?

– Pas pour le moment.

Par-dessus les clameurs monta le piétinement d'une foule en marche.

– Mais vous pensez qu'ils pourraient l'être ?

– Peut-être, répondit Lara de sa voix calme, et il ajouta : Venez. Mieux vaut ne pas rester dans la rue.

Il prit le bras de Charles Korver et l'entraîna vers la terrasse du *Taï-San*. Roger et Madeleine s'étaient eux-mêmes dressés, comme tous les autres consommateurs.

– Ça se fomente, hein ? dit Madeleine d'un air de triomphe.

– Le mieux serait d'aller chez toi, dit Lara à Roger.

Qui acquiesça. Ils pénétrèrent tous quatre dans le restaurant lui-même, traversèrent la cuisine et gagnèrent une cour étroite, tout en longueur où, sur des billots de bois, des aides désossaient les futurs canards laqués. Ils se faufilèrent sous cinq étages de linge en train de sécher, puis dans un couloir sur leur gauche et Charles Korver un instant désorienté reconnut enfin l'escalier conduisant chez Roger Bouès. En haut, en dépit de l'épaisseur des murs, on percevait plus encore le grondement de la manifestation qui approchait. Ils entrèrent dans la pièce unique et gigantesque qui constituait tout l'appartement de Roger et les Korver, comme toujours, se figèrent devant l'apsara au regard d'aveugle sur son socle de marbre noir.

– J'espère, dit Roger, que ces manifestants ne me brûleront pas ma voiture. Mon assureur me hait, sous prétexte que je ne le paie pas.

Déjà Lara se glissait dehors, sur le toit plat auquel on accédait par une petite échelle de fer et où les armatures métalliques supportant les néons du cinéma Lux faisaient comme un garde-fou au travers duquel on découvrait la ville. Charles Korver le suivit, s'étonnant de sa propre agilité. Il se pencha sur le boulevard Norodom tout en bas et découvrit la foule, environ quatre à cinq mille personnes, essentiellement des hommes, essentiellement jeunes. Mais les meneurs, quoique en civil, avaient l'air de militaires. Il écouta les mots d'ordre scandés, en cambodgien et aussi, plus curieusement, en anglais.

– Après qui en ont-ils?

Charles lui-même dut crier : le cortège se trouvait à ce moment-là à la hauteur du carrefour du boulevard et de la rue Dekcho Damdin.

– Hanoi, les Nord-Vietnamiens, les communistes. Ils réclament l'évacuation du Cambodge par les Vietcongs. Vous avez remarqué les pancartes et les banderoles?

Sur le moment, Charles ne comprit pas. Puis il sut ce que Lara voulait lui dire : pancartes et banderoles étaient rédigées presque uniquement en anglais, au lieu du cambodgien ou à la rigueur du français, seconde langue du royaume. « Elles sont directement et uniquement destinées aux photographes américains. Il s'agit de faire clairement comprendre à l'Amérique, dont les services d'ambassade viennent de revenir après quatre ans d'absence, que le Cambodge, s'il est encore officiellement neutre, ne le sera peut-être plus très longtemps. Ceci n'est rien d'autre qu'une mise en scène. » Il demanda :

– Où est Ieng ?

– Dans la forêt.

– Est-ce qu'Hanoi les aide, Khieu Samphan et lui ?

– Pas vraiment.

Le flot des manifestants roulait vers le Phnom. Lara alluma une cigarette.

– Je n'arrive pas à y croire, dit pensivement Charles Korver. Je n'arrive pas à croire que quelqu'un, qui que ce soit, puisse rêver de mettre ce pays à feu et à sang, pour n'importe quelle raison. Walter Brackett, en bon marxiste, parle du sens de l'Histoire, de nécessité historique. Mon Dieu, j'ai horreur de ce charabia !

– L'Histoire n'existe pas, dit Lara. Ce n'est qu'un chaos, sans forme, sans signification. Prétendre y lire l'avenir ou en tirer des règles de conduite est stupide. Votre Brackett est un imbécile.

Charles le considéra, stupéfait. En vingt ans ou presque, il ne se souvenait pas d'avoir jamais entendu Lara donner dans l'abstraction et la discussion philosophique. Il se mit à rire :

– Savez-vous que nous sommes exactement du même avis ?

Lara lui retourna son sourire :

– Alors, pourquoi discuter ?

La foule des manifestants s'éclaircissait de plus en plus, n'ayant déjà plus derrière elle que des gosses vociférant comme on chahute. La chaleur montait sur ce toit en plein soleil de midi. Charles Korver s'écarta du spectacle du boulevard, esquissa le mouvement de redescendre.

– Je crois, dit Lara, je crois que le Cambodge sera tôt ou tard un pays en guerre.

Charles s'immobilisa.

– Ceux qui se battent au Vietnam étendront leur combat ici, reprit Lara. Et ils perdront – je parle des Américains. Madeleine et vous devriez songer à partir.

Charles ouvrit la bouche, sidéré. Au même instant, Roger apparut, escaladant à son tour la petite échelle.

– Quelqu'un veut-il boire quelque chose ?

– Où est cet Américain dont vous m'avez parlé ? réussit enfin à dire Charles Korver.

– Chez vous, évidemment, répondit Lara. Vous n'imaginez tout de même pas que je vous croyais capable de refuser ?

– J'ai du rosé de Provence, dit Roger. Pas très frais, évidemment : mon réfrigérateur me hait, lui aussi.

– Nous descendons, dit Charles.

Roger acquiesça, repartit. Charles Korver considérait Lara :

– Et vous ? vous partiriez ?

Plus tard, il devait se souvenir du regard de Lara à cet instant.

– En aucun cas, dit Lara. Personne ne me fera jamais quitter ce pays qui est le mien.

Un court instant, il parut s'absorber en lui-même, massant doucement de sa grande main maigre la cicatrice de son cou. Puis il releva la tête et son lent et chaud sourire réapparut.

– Venez, dit-il à Charles, le spectacle est terminé. De toute façon, ce n'était qu'un prologue. Et Madeleine finirait par croire que nous ne l'aimons plus.

Pour faire plaisir à Roger, ils burent tous un peu de son vin rosé, qui était plus que tiède. Après quoi, ils sortirent. En bas, la rue Dekcho Damdin était déserte au moment où ils émergèrent de l'immeuble mais à peine y avaient-ils fait quelques pas que des froissements de métal retentirent : d'un même mouvement, ils se retournèrent et virent les commerçants chinois, souriant comme à l'ordinaire, en train de remonter les rideaux de fer qu'ils avaient baissé le temps du passage des manifestants. De ceux-ci, il ne restait rien, sinon une sourde rumeur provenant du nord, quelque part vers le palais du Gouvernement et qui allait d'ailleurs en s'atténuant peu à peu, et une banderole déchirée, piétinée, au milieu de l'asphalte du boulevard Norodom. Deux petits cireurs de chaussures passèrent, échangeant des propos nonchalants, faisant claquer par habitude leur brosse sur leur boîte de bois. Il y avait dans l'air une odeur de fumée couvrant par bouffées irrégulières la senteur légère des tamariniers. Hors de cela, rien que de très normal. Le calme était revenu et Phnom retrouvait son visage de tous les jours. « Et rien ne changera jamais », pensa Charles Korver.

4

Dans la nuit du 16 au 17 avril, Ieng Samboth et son détachement réussirent à franchir, d'un même élan, la route et la voie ferrée reliant Phnom Penh à Battambang et la frontière de Thaïlande.

Vers trois heures du matin, ayant atteint la pointe nord-ouest du grand lac Tonlé Sap, ils trouvèrent enfin un sol plus ferme et ils suivirent durant quelques kilomètres une route directement au nord, jusqu'à rencontrer le Stung Seng, une rivière couleur de rouille qui descend de la chaîne des Dangrek en s'arrondissant par l'ouest, de façon à contourner Siem Reap. Ils remontèrent le cours d'eau. A l'aube, ils parvinrent aux abords d'un village perdu dans la forêt, guère plus important que celui d'où la garde provinciale les avait expulsés deux jours plus tôt : il ne comportait que cinq ou six paillotes regroupées autour d'une modeste sala khum, la maison communale. Il y avait là une demi-douzaine de familles, vivant de la cueillette du kapok et surtout du pire des travaux qui fût en pays khmer : la récolte du sucre des palmiers. Ieng s'y était essayé, étant enfant, mais avait très vite renoncé. Grâce soit à une ascension le long du tronc qui vous déchirait le ventre et les cuisses, soit à une échelle de bambou de près de vingt mètres de long et qui nécessitait des talents d'équilibriste, il fallait parvenir tout en haut du plumet de l'arbre. Là, avec des pinces rondes s'il s'agissait de fleurs mâles, plates si c'étaient des femelles, on écrasait les fleurs, on en coupait l'extrémité et l'on mettait en place un ampong, un bambou creux qu'il fallait changer matin et soir sous peine de le voir s'obstruer. On obtenait alors, avec de la chance, quinze à vingt verres de jus par arbre. On pouvait boire ce jus, mais c'était là un luxe que les paysans pauvres ne se permettaient pas; ils en faisaient plutôt du vin ou bien, après l'avoir fait cuire dans des marmites et roulé dans des palmes, du sucre que l'on pouvait vendre pour quelques riels. Dans l'absolu, au temps de la prime jeunesse de Ieng, trois jours d'un travail harassant et dangereux permettaient de recueillir assez de sucre pour pouvoir acheter un poulet. En réalité, les palmiers à sucre n'appartenaient que très rarement à ceux qui s'en occupaient et ils étaient le plus souvent la propriété de notables et de Chinois.

Le village où Ieng et ses hommes arrivèrent au matin du 17 avril était presque riche : on y avait des canards, trois cochons, du prahoc fait par des pêcheurs vietnamiens du Tonlé Sap, plusieurs jarres de vin de palme, des graines de lotus, du riz. Le maire, le Chausangkat, était un homme aux cheveux blancs qui prétendait avoir été autrefois soldat chez les Barangs, puis maquisard contre eux, quelque vingt ans plus tôt. L'irruption de cette trentaine de guérilleros dépenaillés, armés de quatre ou cinq Kalachnikov, de trois vieux fusils Garand, d'un Colt et de coupe-coupe, ne sembla pas l'affoler. Il dit à Ieng que la plus grande partie des provisions qu'ils avaient accumulées dans le village était destinée aux bikhous, aux bonzes de la pagode voisine, en fait à une heure de marche de là, mais que si lui, Ieng et ses hommes, voulaient bien se contenter de riz arrosé de prahoc, ainsi que de pastèques, il pourrait nourrir toute la troupe sans que les vénérables bonzes eussent à en souffrir. C'était façon d'exprimer que les visiteurs devaient accepter et non prendre. « Il me suffirait d'en donner l'ordre et ce village tout entier disparaîtrait, pensa Ieng avec lassitude, et il ne faudrait pas longtemps pour que la forêt en digère les ruines. » Mais avant même qu'il eût choisi sa réponse, Rath s'était avancé. Il se mit à parler :

– Nous sommes des Khmers rouges, dit-il, nous ne sommes pas des bandits. Nous ne faisons pas la guerre aux paysans. Au contraire, nous combattons en leur nom. Nous n'allons pas voler votre riz ni vos cochons, nous ne toucherons pas vos femmes.

Il continua à parler ainsi, dans un khmer lent et simple, volontairement simple, sans élever la voix, comme s'il eût été dans sa classe en train de s'adresser à des enfants. « Et on l'écoute. » Les villageois s'approchaient en effet, rassurés par cette voix. « Est-ce qu'ils m'auraient écouté de la même manière ? Encore aurait-il fallu que je pense à leur dire ces choses si simples. » Comme toujours, plus que jamais, le sentiment de culpabilité qu'il éprouvait depuis des années revint l'habiter, en même temps que la désespérante et accablante sensation de ne pouvoir réellement communiquer avec ses compatriotes des rizières et de la forêt, auxquels il sacrifiait sa vie, mais dont, lui semblait-il, tout le séparait. Il jeta un coup d'œil vers Ung et Suon, les deux anciens étudiants de Battambang : eux aussi écoutaient Rath, leurs yeux brillaient.

Il croisa le regard du maire, qui avait été soldat dans les rangs de l'armée française, et il y lut une sorte de complicité qui l'irrita, comme si le fait de s'être, le Chausangkar et lui-même, à ce point frottés d'Occident, suffisait à les réunir et à les placer hors de la communauté formée par Rath et les villageois, sans espoir de retour.

Rageur, il s'avança et vint se placer aux côtés de Rath. La seconde avant celle-là, il avait pensé s'établir pour deux ou trois jours dans ce village, y prendre du repos. Mais il coupa l'ancien instituteur avec une brutalité voulue :

– Nous repartons, dit-il. Immédiatement. Et nous n'avons pas besoin de leur riz.

Ils auraient pu contourner Siem Reap et les temples d'Angkor par le sud, en longeant le Tonlé Sap. C'eût été prendre le risque de traverser les multiples villages de pêcheurs vietnamiens établis sur les rives du lac, le risque aussi de s'approcher dangereusement de la route Kompong Thom Siem Reap fréquentée par les colonnes de soldats. Mais l'itinéraire aurait été plus court.

Au lieu de cela, Ieng choisit la route du nord et fit remonter à sa troupe le cours du Stung Seng en direction des Dangrek, dans un paysage vallonné, de forêt claire le plus souvent, constamment hérissé des silhouettes de phnoms formant comme des îlots couronnés de verdure. Cela représentait un parcours de près de deux cents kilomètres et ils l'effectuèrent en six jours, se nourrissant de riz sec et de racines, buvant l'eau des mares. Bien plus qu'aucun des hommes qui l'accompagnaient, qui étaient tous plus jeunes et moins éloignés de la nature que lui-même, Ieng se ressentit de cette marche forcée, sachant de surcroît qu'elle n'avait d'autre raison que celle qui le poussait à se punir lui-même. Rath marchait le plus souvent à ses côtés et il était devenu parfaitement clair que cette position simultanée des deux hommes à la tête de la colonne impliquait un double commandement.

Parti en éclaireur avec trois hommes, Ouk réapparut un après-midi, chargé de riz et de poissons séchés. Il annonça que la région – le détachement se trouvait alors à la limite des provinces de Preah Vihear et de Siem Reap – était vide de soldats, bien que l'on fût tout près de la frontière thaïe, et aussi que la pagode abandonnée qui était le lieu de rendez-vous n'était plus qu'à deux heures de marche. C'était là, selon le plan d'opérations conçu à Phnom Penh, que le détachement de Ieng devait opérer sa jonction avec un groupe venu de Stung Treng, là que Ieng devait commencer de mettre en place une sorte d'organisation des maquis, en ralliant à lui non pas le maximum de recrues mais seulement les futurs cadres de l'armée révolutionnaire.

– Il y a un village pas loin, dit Ouk. Ils ont un poste de radio. D'après un villageois, il y a une manifestation à Phnom Penh. On a défilé dans les rues en réclamant le retour de Lon Nol au gouvernement et surtout le départ des Vietcongs. On a aussi réclamé la mort de Khieu Samphan, celle de Hu Nim et de Hou Youn. Et la tienne.

Ieng acquiesça, indifférent. A soixante ou quatre-vingts mètres de là, déjà, Rath s'éloignait, tirant la colonne étirée derrière lui, la colonne qui elle-même commençait à prendre ses distances. Ieng emboîta le pas du dernier de ses hommes, Ouk marchant à ses côtés.

– Tu es fatigué, remarqua le grand Jaraï. En tout cas, tu as l'air fatigué. Pourquoi as-tu marché si vite ? Rien ne nous presse. Je suis allé jusqu'à la pagode : les autres ne sont pas encore arrivés et ils n'y seront que dans trois jours. Nous avons tout le temps.

Ieng haussa les épaules.

– Je n'aime pas Rath, dit encore Ouk. Je ne l'aime pas du tout. Je n'ai pas aimé la façon dont il a tué cet officier.

– Il fallait le tuer toi-même.

Ouk se mit à rire, hochant la tête, encensant à la façon d'un cheval. D'un sac de toile qu'il portait à l'épaule, il retira une mangue et une papaye.

– Tiens, c'est pour toi.

La piste qu'ils suivaient s'éleva brusquement, s'infiltra au milieu d'un véritable mur de verdure. L'odeur fade de moisissure exhalée par la forêt agressa littéralement leurs narines.

– Il y a des soldats à Kompong Thom, dit Ouk. A peu

près cent cinquante hommes. Ils ont des camions et deux automitrailleuses.

– Pourquoi ne l'as-tu pas dit avant?

– C'est toi qui commandes. Pas Rath. Maintenant, tu le sais et pas lui.

– Tu as une idée de ce que vont faire ces soldats?

– Non.

La végétation s'épaissit, la forêt claire se faisant jungle. L'humidité grandit soudain tandis que la lumière verdissait. La piste était de plus en plus abrupte.

– Mais il n'y a plus beaucoup à monter, dit Ouk. On va redescendre très vite. Ce ne sont que de grosses collines, les unes derrière les autres, et ensuite le plateau en pente douce, avec l'arroyo que tu connais.

Les derniers mots du Jaraï furent pour Ieng une révélation. Comment n'y avait-il pas pensé plus tôt? Il sortit sa carte, d'ailleurs sommaire, qui datait du temps des Français, avec des orthographes souvent fantaisistes, retranscrites phonétiquement par des cartographes ignorant tout de la langue khmère.

– Eh oui, dit Ouk en riant. C'est bien ça : la plantation est juste derrière ces collines, à dix ou douze kilomètres de nous. Mais je ne sais pas si Lara et mon frère s'y trouvent. Peut-être qu'Oreste y est seul.

5

Presque à sa descente d'avion, à Pochentong, aéroport de Phnom Penh, Lisa avait été accostée par un grand diable de Cambodgien, d'indigène en tout cas – elle n'avait jamais vu de Cambodgien jusque-là – qui mesurait presque deux mètres et lui avait dit venir de la part de Lara. Plus tard, elle devait mieux connaître Kutchaï. Sur le moment, elle l'avait trouvé inquiétant; par ses traits sauvages, par son rire silencieux et quasi permanent. « Qui me prouve que vous venez réellement de sa part? » Eclat de rire : « Rien. Sauf que je sais que votre nom, le vrai, pas celui sous lequel vous voyagez, que ce nom est Kinkaird, et que vous venez à Phnom Penh pour y rencontrer votre frère. Venez, je vais vous conduire à lui. Il va bien, il va aussi bien que possible. » Il parlait un français très pur et, selon elle, sans le moindre accent, en tous les cas parfaitement compréhensible. Comme bien d'autres avant elle, elle avait été d'ailleurs saisie par le contraste entre les traits, la silhouette, le regard d'homme des bois de Kutchaï et la stupéfiante facilité avec laquelle il s'exprimait en français. C'était comme dans ces films de cow-boys des années trente à cinquante où des chefs indiens n'ayant jamais vu de Blancs leur répondaient néanmoins dans un anglais d'Harvard; le décalage était le même : une erreur de post-synchronisation. « Vous travaillez pour M. Lara ? – Je travaille avec lui. » Ils étaient tous deux montés dans une Land-Rover maculée de boue jaune à bord de laquelle ils avaient gagné puis traversé la ville. Lisa avait à peine regardé Phnom Penh. Elle allait retrouver Jon et cela seul comptait. Elle s'enfiévrait. La voiture s'était enfin arrêtée devant une grande et belle villa, à deux étages, au jardin luxuriant de bougainvillées, de flamboyants mais aussi d'hibiscus, de jasmins, de cannas jaunes et rouges hauts de plus d'un mètre. « M. Lara habite ici ? – Non. – Mais il habite Phnom Penh ? – Pas Phnom Penh. » Sitôt la Land-Rover stoppée, un couple était sorti du jardin et elle avait fait la connaissance des Korver, Charles et Madeleine Korver, si également petits par rapport à elle. Elle les avait à peine vus, les avais salués et, avec cette instantanéité que seuls semblent ordinairement permettre les rêves, elle s'était enfin retrouvée devant Jon, qui lui dit :

– Tu n'aurais pas dû venir.

Il était assis dans un fauteuil d'une chambre au premier étage. Il portait une robe de chambre chinoise en soie, un peu petite pour lui quoique neuve et visiblement achetée à sa seule intention, dont les larges manches ne parvenaient pas tout à fait à dissimuler les bandages dont son bras droit était enveloppé.

– Tu es blessé ?

– Non.

– Pourquoi ces pansements ?

Leurs yeux se rencontrèrent, chacun d'entre eux éprouvant la même vieille sensation de voir un autre soi-même. Il eut ce regard qu'il avait toujours eu, étant enfant, quand elle le forçait à confesser une bêtise qu'il avait faite.

– J'ai le bras plein d'abcès.

Sur le moment, elle ne comprit pas et il s'en aperçut.

– Je me suis drogué, dit-il. Et les aiguilles n'étaient pas toujours propres.

Il y eut un silence, après lequel Jon eut un petit rire grinçant, désagréable. Son regard fixa à nouveau Lisa pour quelques secondes, puis s'écarta brusquement, partit vers la fenêtre qui n'avait pas de vitre mais une simple moustiquaire, revint enfin sur sa sœur.

– Sur le moment, j'ai bien cru que tu allais me flanquer une gifle. Ce ne serait pas la première : tu avais la main plutôt leste, dans le temps.

– Tu la mériterais, dit-elle, la voix rauque et contractée par l'émotion.

– Tu es la seule personne à m'avoir jamais frappé.

– J'ai toujours été une sœur épouvantable.

Il acquiesça.

– Et comment.

Silence.

– Je mériterais cette claque, dit Jon. Et même pire. Mais j'ai eu mon compte, ces temps-ci.

Sa voix se brisa sur les derniers mots et il baissa la tête, s'absorbant dans la contemplation de ses mains posées sur ses genoux. Jusque-là, Lisa était demeurée à l'entrée de la chambre. Elle céda soudain et vint s'agenouiller près de son frère, plaçant une de ses mains sur celles de Jon et son autre bras autour du cou du garçon. Elle l'embrassa sur le front, tandis qu'il pleurait doucement, sans bruit, comme un enfant. Elle lui caressa doucement les cheveux et le prit contre elle, le consolant comme elle ne l'avait sans doute pas fait depuis plus de quinze ans, « comme je ne l'ai probablement jamais fait ». Elle cherchait en vain dans sa mémoire le souvenir d'un instant où elle avait pareillement pris son jeune frère dans ses bras et ne trouvait rien. Il y avait à New York au moins dix hommes dont elle connaissait mieux le caractère et la vie, dont elle s'était davantage préoccupée.

Ils se mirent à parler du Colorado, de San Francisco, de New York. Elle lui raconta quelques histoires sur les milieux new-yorkais de la publicité et évita même toute allusion aux conditions dans lesquelles elle avait effectué son voyage à Saigon, puis à Phnom Penh. Ce fut lui, le premier, qui prononça donc le nom de Lara et malgré la torpeur qui le gagnait peu à peu, il nota le brusque raidissement de sa sœur.

– Qu'est-ce qu'il y a?

Elle lui expliqua le différend qui, à Saigon, l'avait opposée à Lara; différend qui, à présent que Jon se trouvait au Cambodge, prenait évidemment une acuité nouvelle. Elle considérait évidemment que le fait que Jon se fût réfugié au Cambodge, au lieu de se rendre immédiatement aux autorités américaines du Vietnam, allait compliquer singulièrement les choses.

– Grand-père avait même trouvé un avocat spécialisé dans ce genre d'affaires et qui acceptait de te conseiller. L'intervention de Lara...

– Oh non! dit Jon. Tu te trompes. C'est bien moi qui ai voulu venir ici. Moi et personne d'autre. Tout est de ma faute.

Il finit par se décider, non sans une dernière hésitation, à lui raconter l'affaire de la grenade et la mort de cet homme, un Corse ami de Lara, qui les avait aidés.

– De cela aussi, je suis responsable.

Ses yeux se fermaient sous l'effet des calmants qu'il avait pris. Elle l'aida à regagner son lit, le soutenant, atterrée par sa maigreur et sa faiblesse. Il s'allongea. Sous la robe de chambre, il portait un sarong à la mode asiatique. Elle le couvrit d'un drap.

– Lisa ce Lara est un type extraordinaire. Il fallait l'être pour venir me chercher comme il l'a fait. Est-ce que tu sais qu'il est venu au Colorado quand j'avais sept ans ? Je me souviens très bien de lui à cette époque.

Jon avait maintenant du mal à articuler :

– Je me souviens...

Il se tut brusquement et elle le crut déjà endormi. Mais il réussit à rouvrir les yeux à demi et dit encore, d'une voix étonnamment claire :

– Lisa, n'essaie pas de me convaincre de retourner là-bas. N'essaie pas de me convaincre de me rendre. Jamais.

Elle lui caressa le front.

– Nous en parlerons plus tard. Dors.

– Jamais, dit Jon. Jamais.

Charles Korver, quand il la vit redescendre l'escalier, pensa sans en être tout à fait sûr qu'elle avait probablement dû pleurer, à un moment ou un autre. Mais il l'avait entendue, au moment où elle sortait de la chambre de Jon, faire une courte halte dans la salle de bain attenante et elle s'était manifestement passé de l'eau fraîche sur le visage. Il la trouva en tout cas d'une beauté stupéfiante. Déjà, il avait été frappé par cette beauté quand elle était sortie de la voiture pilotée par Kutchaï.

– Il va dormir, dit Lisa. Je crois même qu'il dort déjà.

Elle s'exprimait en français, ne se souvenant pas si ses hôtes parlaient anglais. Les Korver lui arrivaient tout juste à l'épaule. « Miss Gulliver. »

160

– Le médecin lui a prescrit toutes sortes de calmants. C'est un très bon médecin, qui a l'habitude...

Charles Korver hésita.

– Des drogués, dit Lisa.

– De ce genre de choses, des soldats blessés et choqués, dit Charles Korver en souriant. C'est un ancien médecin militaire qui était à Dien Bien Phu. Quant à votre frère, ne vous inquiétez pas : il va se rétablir rapidement, c'est l'affaire de quelques jours, deux semaines au plus. Voulez-vous du thé ?

Les Korver, en fait, parlaient tous deux anglais et le parlaient même remarquablement. Ils s'étaient assis côte à côte sur l'un des canapés, ils étaient tous deux frêles, délicats, d'une courtoisie un peu précieuse mais attachante et pleine de grâce, qui évoquait des siècles passés; ils se tenaient la main tout en souriant à Lisa, se conduisant avec elle comme s'ils l'avaient toujours connue et si elle était une jeune amie leur faisant la merveilleuse surprise d'une visite, comme si sa simple présence les comblait.

– Merci, dit Lisa, brusquement émue. Merci infiniment.

– Tut, tut, tut, dit Madeleine Korver. Mais peut-être préférez-vous de l'orangeade ? Ti Aï fait de très bonnes orangeades. Dieu sait ce qu'elle y met. Peut-être des oranges. Pourquoi pas ? Elle est capable de tout. A moins que vous ne vouliez de l'alcool ? un cognac ? ou du whisky ?

– Je prendrai volontiers de l'orangeade, dit Lisa souriante, et découvrant qu'elle mourait de soif.

Une domestique vietnamienne au superbe et lourd chignon, pieds nus sur le marbre du sol, apparut et disparut en un éclair.

– Etes-vous déjà venue au Cambodge ?

Elle répondit évidemment non et les Korver se mirent eux-mêmes à parler des Etats-Unis, où ils s'étaient rendus à cinq ou six reprises, la première fois dans les premières années vingt. L'un des grands regrets de

Madeleine Korver était de n'avoir pas pu échanger quelques mots avec Al Capone, qu'elle avait néanmoins eu la chance d'apercevoir, comme je vous vois ma chère enfant à peine moins près j'aurais presque pu le toucher, au moment où il sortait du *Hawthorne Hotel* de Chicago en compagnie de ses gardes du corps.

– Il m'a regardée, dit Madeleine. Là, dans les yeux...

De son index et son majeur, elle forma une sorte de fourche, qu'elle dirigea vers ses propres orbites.

– Comme ça. Il avait un regard fascinant.

Charles Korver riait, ses yeux brûlants d'intelligence ne quittaient pas Lisa.

– Ma femme ment, dit-il. En fait, une borne d'incendie nous dissimulait aux regards.

Et puis il enchaîna, avec un naturel parfait :

– Votre chambre est prête. Mais oui, bien entendu, vous êtes notre invitée. Vous imaginiez-vous que nous allions vous laisser partir ? Nous sommes si heureux de vous avoir. Et puis vous serez ainsi tout près de votre frère.

Le souci de son argent disparu revint hanter Lisa mais cette invitation réglait tout, du moins dans l'immédiat. Ensuite, dès le lendemain, elle aviserait. Elle remercia avec chaleur, but de l'orangeade et pour la première fois depuis son arrivée chez les Korver, regarda véritablement autour d'elle. Elle découvrit trois ou quatre grandes pièces luxueusement meublées, décorées et emplies presque jusqu'à l'absurde par des objets d'art chinois, japonais ou d'autre provenance dont elle ignorait tout. Visiblement, il y avait là des fortunes et le résultat de longues et patientes recherches.

– Quelle merveilleuse maison.

– Mais nous n'y entrerions plus un dé à coudre. Nous sommes un peu fous, Madeleine et moi, dès qu'il s'agit de ces choses.

Elle apprit que les Korver avaient des invités pour le dîner du soir, des Français de l'ambassade, des Cambodgiens qui venaient tout juste de rentrer de New York où ils représentaient leur pays aux Nations Unies et enfin un couple d'Australiens de la mission d'aide, annoncés comme des boute-en-train, mais dont le séjour au Cambodge s'achevait. Vers sept heures, Lisa gagna sa chambre, s'allongea quelques instants. A aucun moment, Charles ou Madeleine Korver n'avaient prononcé le nom de Lara et elle ne croyait pas que ce fût par hasard, surtout de la part du Français, qui semblait lire à livre ouvert sur son visage. Elle aurait dû après tout poser tout simplement la question, il aurait été normal qu'elle le fasse. Lara était quand même celui qui avait sauvé Jon, et cela au prix de la mort de l'un de ses amis. Elle n'avait pu s'y résoudre, sans comprendre exactement pourquoi.

En s'allongeant, elle avait craint de céder à sa fatigue et de s'endormir mais elle se découvrait en fait bien trop tendue pour perdre conscience. Elle se leva, passa dans la chambre voisine, celle de Jon, constata que son frère dormait paisiblement, tel qu'elle l'avait laissé, mains allongées, avec pourtant sur son visage émacié un air de dureté, de maturité qu'elle ne lui avait jamais vu. Elle revint dans sa propre chambre, où l'on avait eu la délicatesse de déposer quelques livres en anglais; elle se mit à feuilleter l'un d'entre eux, édité à Calcutta en 1955, titré *Angkor Empire* et signé par un certain George B. Walker. Les illustrations en étaient atroces et semblaient représenter des temples éboulés photographiés par un épais brouillard à l'aide d'un appareil qu'on avait oublié de régler. Le texte d'accompagnement ne valait guère mieux mais elle en lut néanmoins quelques pages, y apprit qu'à en croire l'auteur, les Khmers étaient arrivés sur les bords d'un certain lac Tonlé Sap aux environs du Ve siècle avant le Christ – « le matin ou l'après-midi ? » – que leurs ancêtres étaient peut-être mongols, ou négroïdes, ou proto-malais, ou bien scythes, sumériens, voire aryens ou grecs. Et pourquoi pas new-yorkais ? pensa Lisa qui commençait à s'amuser. Vers huit heures trente des voitures arrivèrent et elle se hâta de se changer et de descendre.

Les invités français parlaient beaucoup, avec assurance; ils avaient tout vu, tout lu, tout entendu, ils étaient intarissables et caustiques, ils prenaient un visible plaisir à dire du mal de tout le monde, avec cet amour du sarcasme qui avait tant agacé Lisa lors de son premier séjour en France. Mais ils réussissaient souvent à être drôles. Les Cambodgiens étaient timides, aimables et s'efforçaient avec courage de baragouiner un anglais assez hésitant; ils dirent à Lisa que ce qu'ils préféraient à New York était la patinoire de Rockefeller Center et la pizza d'un restaurant de la Trente-Huitième Rue.

Les Australiens s'appelaient Peter et Ronda Soames. Ils avaient de l'humour à revendre, déjà la nostalgie du Cambodge qu'ils allaient quitter et ils manifestaient presque du désespoir à la seule perspective de devoir ensuite regagner Canberra pour au moins deux ans, Canberra qui selon eux avait le charme exubérant et la folle gaieté, en toute saison, d'un cimetière écossais sous la pluie de novembre. Ils firent rire Lisa en lui racontant leurs démêlés avec leur boy qui, prié de faire « la soupe au chien », en l'espèce un sombre bâtard ramassé dans les rues de Phnom Penh mais qui avait l'œil enjôleur et répondait quelquefois au nom de Trafalgar, avait effectivement fait la soupe mais AVEC le chien. Ils parlèrent des temples d'Angkor, qu'ils adoraient, et conseillèrent à Lisa de ne surtout pas manquer la visite du ravissant petit édifice de Banteaÿ Sreï, véritable bijou rendu célèbre en 1923 par un certain André Malraux, lequel, pour y avoir volé des bas-reliefs, s'était retrouvé dans une prison cambodgienne.

– Depuis les pierres ont été remises en place par les archéologues français, remarqua Charles Korver. Mais vous devez voir aussi le Bayon, bien entendu, et Angkor Vat, et le Prah Palilaÿ, le Phimeanakas, les Kleangs et les Prasats, le Neak Pean, le Phom Bakheng, le Tep Prahnam, Roluos, Banteaÿ Samré...

– Il en oublie, dit Madeleine.

Les noms avaient une consonance musicale et sauvage tout à la fois.

Il devait être minuit et demi quand les invités se retirèrent. Madeleine Korver s'éloigna quelques instants pour aller conférer avec les domestiques vietnamiens qui rentraient chez eux sous la houlette de M. Bê, chauffeur officiel et majordome effectif. Si bien que pour la première fois, Lisa se retrouva en tête à tête avec Charles Korver. Elle se mit à marcher dans la plus grande des pièces-salons, s'arrêta devant un objet dont elle ne devinait pas la nature.

– Une châsse du Bouddha Cakyamuni, dit doucement le vieux Français, en réponse à son interrogation muette.

– Est-ce de l'or?

– Simplement du bronze doré. Mais elle ne vaudrait guère plus si elle était faite d'or pur. Ce n'est pas le matériau qui en fait la valeur. Comme beaucoup de choses. Les hommes et les femmes par exemple. Encore que pour les femmes...

Lisa se retourna pour lui faire face, elle allait parler. Il leva un index, ses yeux pétillants de gentillesse et de malice.

– Je sais, dit-il. J'ai lu la question sur vos lèvres toute la soirée. Mais je vous assure que j'ignore où il est.

Il pencha la tête. Il avait l'air d'un oiseau très gentil, ou d'un chat plein de sagesse. Il pensa au Chat de Chester, dans *Alice au Pays des Merveilles*, dont le sourire flottait encore dans l'air longtemps après qu'il eut disparu. Il demanda :

– Puis-je vous appeler Lisa?

– Vous auriez dû le faire depuis longtemps.

Il rit :

– Nous autres Français d'il y a cent ans, nous sommes assez formalistes.

– J'adore votre femme, dit Lisa.

– Moi aussi.

Nouveau sourire, mais il se fit soudain un peu plus grave :

– Et j'ai, nous avons Madeleine et moi, beaucoup d'affection pour Lara.

Elle comprit aussitôt ce qu'il essayait de lui dire. Elle secoua la tête :

– Mon frère m'a tout expliqué. Et je sais aussi qu'un homme est mort pour avoir aidé Jon.

Il haussa les sourcils, surpris.

– Alors, vous en savez plus que moi.

– Vous n'étiez pas au courant ?

– Lara n'est pas des plus expansifs... A vrai dire, nous l'attendions ce soir. Nous pensions qu'il assisterait à ce dîner. Il aura été retenu.

Elle reprit sa lente déambulation dans le salon, s'arrêtant parfois devant une pièce.

– Il y a encore quelque chose qui vous préoccupe, remarqua Charles Korver. Je veux dire : outre l'absence de Lara.

Elle acquiesça :

– Le fait que vous l'appeliez Lara et non par son prénom.

– Nous l'avons toujours appelé ainsi. Et pourtant, nous l'avons vu naître. Autre chose ?

Elle mentit :

– Non, rien d'autre.

Mais il y avait autre chose. En voyant Lara pour la première fois, à son assurance impassible, à son évidente et parfaite connaissance du pays indochinois, elle avait cru se trouver en présence de l'un de ces trafiquants généralement corses, dont le journaliste français, à Paris, lui avait parlé. Les liens manifestement étroits de Lara et des Korver la troublaient, dans la mesure où ils n'entraient guère dans le schéma qu'elle s'était tracé.

Madeleine Korver revint.

– Charles, au lieu de flirter, vous devriez être au lit, à une heure pareille. Quant à vous...

Elle s'approcha de Lisa, lui tourna autour, dressant

parfois le nez, à la façon d'un amiral inspectant un porte-avions dans une forme de radoub.

– Vous avez des yeux admirables, Lisa Kinkaird. Et le reste est dans l'ensemble tout à fait ravissant. Je serais un homme, je vous aurais déjà enlevée. Avec un palan. Pourquoi diable êtes-vous si grande?

– C'est parce qu'elle mange du pop-corn, expliqua Charles. Si nous allions tous nous coucher?

A peu près une heure plus tard, on frappa légèrement à la porte de la chambre de Lisa. Elle abandonna George B. Walker et ses élucubrations. Elle alla ouvrir.

– Je sais, dit Lara. Ce n'est vraiment pas une heure et c'est la deuxième fois, j'ai vu votre lumière. Ne m'en veuillez pas trop. Ou alors ne criez pas trop fort : vous allez réveiller Charles et Madeleine.

Dans la pénombre du palier, au premier étage de la maison parfaitement silencieuse, ses yeux parurent à Lisa plus clairs encore qu'à Saigon. Il semblait las et même un peu triste, et se tenait appuyé par une épaule au chambranle de la porte. Il dit encore :

– Nous pouvons descendre dans l'un des salons. Ou bien vous pouvez m'accompagner. Ma voiture est dehors.

Il sourit :

– Je vous prêterai ma manivelle.

Elle baissa la tête, violemment partagée entre une irritation rageuse et le soulagement de le voir là. Elle se redressa.

– Je m'habille.

Il conduisait lentement, une main sur le volant, l'autre sur le levier de vitesses, assis un peu de côté, son épaule gauche légèrement surélevée et touchant la portière. Elle nota qu'il portait une cicatrice en forme de i grec sur le dos de sa main droite. Depuis qu'ils avaient quitté la maison des Korver, il n'avait pas prononcé le moindre mot. La nuit sur Phnom Penh était extraordinairement silencieuse et paisible. Aucune autre voiture ne parcourait les rues et les seuls êtres vivants semblaient être deux cyclo-pousses fantomatiques, dégingandés, en short de toile et chemise bâillant sur la poitrine, la tête couverte par un drôle de petit bonnet rond tout cabossé; ils pédalaient d'une seule jambe, l'autre posée sur le guidon, nonchalants, avançant l'un derrière l'autre. Le vélo de l'un d'eux produisait un léger grincement qui se renouvelait à chaque tour de pédalier.

Lisa contemplait les arbres des avenues et l'espèce de colline pointue, surmontée d'une pagode, dont la voiture faisait lentement le tour.

– Où sommes-nous?

– Le Phnom. En khmer, un phnom est une colline. Celle-ci appartenait à une madame Penh. D'où le nom de la ville : le phnom de madame Penh.

– Passionnant, dit Lisa, sarcastique. Je suis subjuguée.

– N'est-ce pas?

Sa main droite retira un paquet de cigarettes de la poche de poitrine de sa chemise, le tendit à Lisa, qui refusa d'un signe de tête. La claquement du briquet et la faible odeur de l'essence brûlée. La voiture s'engagea dans une rue assez étroite, bordée de ce qui semblait être des bâtiments administratifs. Le fleuve apparut, et Lisa le sentit plus qu'elle ne le vit vraiment. En fait, elle ne distinguait pas l'eau elle-même, le cours en était trop bas mais elle apercevait la rive opposée, au fil de l'horizon, hérissée d'arbres noirs, avec par endroits ces formes aiguës, tranchantes, des graphismes de Burne Hogarth dessinant les décors de Tarzan.

– Le Mékong, je suppose?

– Le Tonlé Sap. Le Mékong le rejoint un peu plus loin. Ce que vous avez en face de vous est en réalité la presqu'île de Chrui Chang War.

– Je croyais que le Tonlé Sap était un lac, dit Lisa, qui se souvenait de sa lecture de George B. Walker.

– Il est les deux. Et il coule tantôt dans un sens, tantôt dans l'autre. Le lac monte ou descend selon les saisons, selon qu'il se remplit ou qu'il se vide. Quand il se remplit, il s'étale. Et les serpents montent aux arbres pour éviter d'être noyés. Alors les paysans arrivent en barque, attrapent les serpents à la main, les fourrent dans un sac et vont les vendre.

Elle tourna la tête et le dévisagea, ahurie. Mais il était impassible.

– Et ce n'est pas tout, dit-il. Aux basses eaux, à partir d'octobre, le lac se vide. Pas complètement mais tout de même pas mal. Et quand il se retire, les poissons n'ont pas toujours le temps de suivre le lac dans sa retraite. Si bien qu'ils courent après le lac. On en voit qui traversent les routes. A pied, si j'ose dire. Beaucoup finissent dans de simples mares, dont la surface boueuse sèche sous le soleil. Et vous savez comment on les pêche?

– Non, dit Lisa.

– A la pioche, dit Lara imperturbable. La pioche. C'est ce qu'il y a de mieux.

Sur le fleuve, des lumières bougeaient, se déplaçaient avec lenteur. Bientôt Lisa découvrit les sampans qui portaient ces lumières et glissaient sans le moindre bruit, mus par des silhouettes poussant sur des perches. Certains sampans étaient surmontés de cases, d'autres n'étaient que de simples pirogues effilées, très basses sur l'eau, ayant le plus souvent sur chacune de leurs pointes un homme et une femme en pantalon noir vietnamien et coiffés de chapeaux coniques.

– Comment va votre frère?

– Il est très faible.

– Il se remettra rapidement.

La voiture ralentit encore, stoppa. Tout au bord de l'eau, à la lueur d'ampoules électriques accrochées par leur fil à des bâtons plantés dans le sol, des hommes s'activaient malgré l'heure avancée de la nuit, chargeant à bord d'une sorte de longue barge rectangulaire des jarres, amphores un peu plus allongées que les méditerranéennes, de couleur jaune. Une puissante et presque insoutenable odeur de poisson s'en dégageait, dominant jusqu'à l'annuler presque la senteur fade du fleuve. « L'Asie est avant tout une odeur, pensait Lisa. Mille odeurs, plus fortes que les lignes et les couleurs. » Mais les odeurs du Cambodge étaient sans aucun doute celles de la paix.

— Peut-être arriverez-vous à convaincre votre frère d'aller se rendre à l'ambassade des Etats-Unis, dit Lara. Peut-être pas. Vous croyez pouvoir y parvenir? Moi-même, je lui ai posé la question, je dois dire sans succès.

Lisa hésita.

— Je n'ai pas encore renoncé.

Il hocha la tête.

— Le contraire m'aurait surpris.

Il se pencha brusquement sur elle, presque à la toucher, et ouvrit la portière. Lui-même descendit de son côté, alla contourner le capot. Il contemplait les débardeurs aux prises avec les jarres, et la lumière crue arrivant de la berge accusait les traits nets de son visage maigre, le contour particulier de sa bouche. Elle le rejoignit. Ils étaient pratiquement de la même taille.

— En tout cas, dit-il, si Jon veut quitter le Cambodge par ses propres moyens, autrement que par la voie officielle, je crois avoir trouvé une solution.

Il laissa tomber à ses pieds sa cigarette terminée, en alluma immédiatement une autre.

— Il aurait pu partir par avion, mais les contrôles sont relativement stricts, encore qu'il y ait toujours moyen de s'arranger.

— Le trafic.

— Voilà, dit Lara. Je pourrais aussi le faire embarquer sur l'un des cargos qui descendent le fleuve vers la mer de Chine, mais en route ils traversent le Vietnam et ils sont très surveillés. J'ai donc plutôt pensé au port cambodgien sur le golfe du Siam : Sianouk-ville, également appelé Kompong Som. Dans à peu près trois semaines, un bateau de commerce norvégien devrait y faire une escale. Jon pourra y embarquer, s'il le souhaite.

– Pour aller où ?

– En Suède. J'ai appris que les Suédois non seulement ne refusent pas les déserteurs américains du Vietnam, mais encore les accueillent presque comme des héros.

Une vague de colère secoua Lisa. Déjà, elle se retournait vers Lara mais à la toute dernière seconde, elle parvint à se maîtriser. Accepter l'idée que Jon aille se réfugier en Suède revenait à accepter l'idée d'en faire un réfugié à vie. Mais cet homme à côté d'elle n'était pas responsable de ce qui était arrivé. Elle dit simplement :

– Pourquoi pas le Canada ? Mon grand-père et moi paierons ce qu'il faudra.

– Je me suis renseigné : le Canada ne reçoit pas les déserteurs, il les remet à la justice américaine. Il n'accepte les jeunes Américains que s'ils ont moins de dix-huit ans, et les considère alors comme des immigrants appelés à prendre la nationalité canadienne. Jon a plus de dix-huit ans et c'est un déserteur.

En bas, les débardeurs les avaient aperçus. L'un d'eux fit une réflexion en ce qui était sans doute du khmer. Lara y répondit, dans la même langue, déclenchant une tornade de rires parmi les hommes qui s'esclaffèrent, s'assenant de grandes claques sur les cuisses.

– Venez, dit Lara.

Elle ne bougea pas. Il dit doucement :

– Voudriez-vous venir, s'il vous plaît ?

Elle finit par reprendre place dans la voiture, se sentant ridicule, furieuse de l'être, furieuse contre elle et cet homme, contre Jon. Et la terre entière. « Si j'étais une homme, je pourrais au moins casser la figure à quelqu'un. »

– Et je suppose, dit-elle, que c'était à mon sujet, cette intense rigolade?

– Qui d'autre?

Il lança le moteur, demanda :

– Voulez-vous que je vous ramène?

Elle tourna la tête, soutenant son regard un long moment puis revenant sur les quais où un cargo battant pavillon japonais était accosté. Elle ne répondait toujours pas. Elle dit enfin :

– Je ne pourrais pas dormir, de toute façon.

Ils passèrent devant le Casino, suivant le quai Sisowath jusqu'à la hauteur du Palais royal, en dépassant tout le centre de la ville. Ils finirent par stopper devant une porte marquée Club Nautique. Tout y était obscur mais un gardien surgit dès qu'ils s'approchèrent de la porte. Il s'apaisa sur quelque mots de Lara qu'il reconnut, leur ouvrit. Ils marchèrent jusqu'à un embarcadère où étaient amarrés des canots à moteur.

Il la regarda :

– D'accord?

– Pour quoi faire?

– Un simple tour sur le fleuve.

« Je suis folle. »

– D'accord, dit-elle.

Il lança très vite le canot à pleine puissance et immédiatement il y eut quelque chose d'extraordinairement grisant dans cette ruée sauvage au cœur de la nuit. Mais on y voyait juste assez pour distinguer les berges de part et d'autre, d'autant qu'un peu partout des lumières scintillaient. Sur sa gauche...

– Nous remontons le fleuve ou nous le descendons?

– Nous le remontons.

... Sur sa gauche, Lisa reconnut les lampes jaunes, rectangulaires, des avenues et des rues en étoile autour de la pagode de Phnom; elle crut même pouvoir situer à peu près la villa des Korver. Plus loin, sur la même rive se dressa encore l'indiscutable silhouette du clocher d'une église chrétienne, surmonté d'une croix bleue, éclairée.

La rive opposée, en revanche, était plus sombre; on y distinguait pourtant des lampes et leur halo blanc exposait des intérieurs de paillotes où des gens dormaient, allongés en chien de fusil sur des nattes et un plancher noir à claire-voie. L'impression générale de paix, de douceur de vivre, était saisissante, à même pas cent kilomètres de la guerre vietnamienne.

– Et où allons-nous?
– Nulle part.

Il lui montra le volant.

– Si ça vous tente? Droit devant.

Elle se glissa aux commandes, accéléra. Les cent cinquante chevaux du moteur rugirent, la double lame du sillage s'élargit et gagna en hauteur. Après deux ou trois minutes, pourtant, Lisa ralentit progressivement et réduisit le grondement du moteur.

– Le bateau est à vous?
– Oui.
– Je suppose que vous possédez la moitié du Cambodge?
– Un peu plus. Combien de temps allez-vous rester?
– Je ne sais pas encore. Cet homme qui est mort à Saigon, qui était-il?
– Un ami.
– C'est horrible.

Il allumait une nouvelle cigarette.

Les lumières de Phnom Penh s'estompaient et le fleuve devenait de plus en plus sombre, privé des habitations éclairées sur ses berges.

– Je suis désolée, dit Lisa. Plus que cela.
– Rentrons, dit-il.

Il reprit les commandes pour effectuer le demi-tour puis, laissant le canot emporté par le courant, il coupa carrément le moteur, cédant la place au chuintant silence du fleuve. Lisa, au lieu de retrouver son siège, alla s'asseoir sur la petite banquette arrière. Elle fixait

Lara, décontenancée. A quoi s'était-elle attendue? Il ne se retournait même pas, exactement comme s'il eût été seul à bord. L'église au clocher éclairé réapparut, cette fois sur leur droite et ensuite l'enfilade des lumières du quai. De la musique arriva, provenant de l'un des dancings installés sur la rive qu'ils longeaient doucement, lentement, au gré du courant paresseux.

Ils retrouvèrent l'embarcadère du club puis la voiture.

— Voulez-vous boire un verre quelque part?

— Je préférerais rentrer maintenant.

Il acquiesça sans autre commentaire. Il la ramena devant la villa des Korver. Elle n'attendit pas qu'il lui ouvrît la portière cette fois et mit pied à terre.

— Merci pour la promenade. Merci pour Jon.

Il la fixa de son regard pensif.

— Essayez de ne pas quitter trop vite ce pays.

Elle hocha la tête, se détourna et pénétra dans le jardin de la villa. Il dut attendre qu'elle eût allumé la lumière de sa chambre car ce ne fut qu'à ce moment-là qu'elle l'entendit partir.

6

Le capitaine Kao, chargé de la sécurité et de la police de l'aéroport de Phnom Penh, était un homme d'à peu près quarante ans, osseux et dur, aux fortes pommettes saillant par-dessus des joues creusées. Militaire de carrière, il avait été sergent dans l'armée française. Il avait le goût des armes et la passion de la chasse et, dans cette dernière activité, ne recherchait jamais qu'un seul gibier à l'exclusion de tout autre : le chevreuil, qu'il tuait toujours de la même façon : à l'aide d'une mitrailleuse de 12.7, dont il avait fait fixer le trépied sur le capot de sa jeep personnelle, de façon à tirer sans pratiquement quitter son siège, derrière le volant, une fois le pare-brise abaissé. Le résultat, quand il touchait la bête, ce qui lui arrivait à peu près à chaque fois, n'était pas brillant : un véritable massacre. Mais c'était sans doute cela qu'il recherchait avant tout, cette destruction totale, écrasante d'une vie gracieuse, bien plus que le douteux plaisir de ramener un gibier dont il n'avait que faire.

Peu de choses se passant sur l'aéroport lui échappaient. Il avait assisté au départ de Boudin dans son Cessna, avec Lara et Kutchaï à son bord, prétendument pour un banal voyage d'affaires à Bangkok. Prétendument : il n'avait pas cru au prétexte invoqué; le vol n'avait pas été prévu, avait été manifestement improvisé et les affaires de Lara dans la capitale thaïe, pour ce qu'il en connaissait, n'étaient pas urgentes.

Ensuite, il avait vu revenir Boudin. Seul.

Interrogé amicalement, le petit Français avait comme d'habitude éclaté en imprécations. Le capitaine Kao n'avait pas insisté. Puis, deux jours plus tard, Boudin était reparti, à la nuit tombante, toujours seul, affirmant aller à Siem Reap mais revenant le lendemain matin sans le moindre passager, en hurlant devant qui voulait l'entendre qu'il avait eu des problèmes d'alimentation, que son avion était une ordure, que le moteur en était pourri jusqu'à la moelle, que le fuselage tombait en morceaux, qu'il fallait être cinglé pour prendre l'air dans un engin pareil et enfin que lui, Boudin, assommerait illico quiconque aurait l'audace d'être de son avis.

En d'autres circonstances, Kao aurait donné libre cours à sa curiosité; il aurait demandé à Boudin sur quel terrain de fortune il s'était posé, aurait ensuite fait vérifier si le terrain en question portait bien les traces d'un tel atterrissage, s'il y avait eu des témoins et si ce terrain était fait de la même terre rouge, caractéristique des plantations, dont les roues du Cessna portaient les traces. Il l'aurait certainement fait tout en sachant que cela n'eût servi à rien, puisque l'affaire, manifestement, concernait Lara. Et Kao, outre qu'il était convaincu que Lara entretrenait des relations étroites avec le Palais – il n'en avait pas la preuve – avait de surcroît pour le planteur de la province de Preah Vihear un respect certain et presque de la sympathie. Lara, en fait, l'avait toujours impressionné.

En d'autres circonstances, donc, Kao aurait mené son enquête. Il ne le fit pas pour cette raison que depuis quelque temps autre chose, et de plus grande importance à ses yeux, occupait ses pensées et son temps libre. Kao était l'un des hommes de base qui, en ce printemps 1969, préparaient l'élimination de Norodom Sihanouk.

Ce n'était pas la conséquence d'une décision brutale que cet engagement dans une entreprise aussi grave et aussi spectaculaire – Sihanouk était monté sur le trône cambodgien en 1941, à dix-huit ans, et n'avait pas quitté les commandes depuis lors, obtenant l'indépendance de son pays dès 1953, soit un an avant les Accords de Genève, sans le moindre conflit armé avec les Français; en outre, il était vénéré dans les campagnes à l'égal d'un dieu. En réalité, pour Kao, cet engagement datait déjà de dix ans. Alors sous-lieutenant, il avait été de l'affaire Dap Chhuon.

Cela s'était passé en 1959. Dap Chhuon était à l'époque gouverneur de la province de Siem Reap, celle-là même où se trouvent les temples d'Angkor, au nord du lac Tonlé Sap. Sorte de potentat local entouré de sa garde personnelle, il avait été contacté par la Central Intelligence Agency américaine d'Allen Dulles et les services secrets sud-vietnamiens. Objectif de la manœuvre : mettre en œuvre un coup d'Etat qui aurait fait basculer le Cambodge dans le camp des Etats-Unis, aux côtés du Sud-Vietnam, de la Thaïlande, de la Corée du Sud et autres pays regroupés dans le cadre de l'Organisation du Traité de l'Asie du Sud-Est. Le coup avait raté, essentiellement grâce aux informations transmises à Sihanouk par les services de renseignements français (Kao pensait que Lara avait joué un rôle personnel dans ces informations) qui avaient d'enthousiasme contré leurs collègues américains.

On avait recupéré deux cent soixante-dix kilos d'or pur, en lingots d'une livre portant l'estampille de Fort-

Knox, empilés sur des feuilles de bananier au milieu d'une clairière de jungle. On avait saisi des armes et des postes de radio; on avait arrêté des officiers sud-vietnamiens en civil que l'on avait allégrement découpés en rondelles. Dap Chhuon avait été abattu, en fait littéralement et sauvagement déchiqueté; quelques-uns de ses adjoints avaint été de même égorgés et leurs photos à tous, après le massacre, des photos assez écœurantes, avaient été épinglées sur les murs de bois de toutes les sala khum, les maisons communales. La grande majorité des complices de Dap Chhuon était pourtant mystérieusement passée au travers des mailles du filet tendu par l'officier supérieur que Sihanouk avait envoyé de Phnom Penh pour châtier les coupables.

Cet officier supérieur était alors colonel et s'appelait Lon Nol.

Pour sa part, Kao était basé à Kompong Thom. Il avait été mis dans le secret du complot six mois plus tôt et il avait accepté d'y prendre part. La nuit où, en voyant débarquer les troupes de Phnom Penh, il avait découvert qu'il venait de jouer la mauvaise carte, avait été l'une des pires de son existence. Durant quelques instants, il s'était vu perdu. Il n'était à l'époque qu'un jeune officier subalterne, intelligent certes, ambitieux sans aucun doute (au point de suivre des cours du soir d'anglais et d'histoire auprès des enseignants français du lycée de Kompong Thom), admirablement dénué de scrupules mais, hélas, sans protections particulières. Autant dire condamné, car il ne manquait pas d'ennemis parmi ses propres hommes. Pourtant, il s'était très vite ressaisi. L'un de ses camarades de la petite garnison de Kompong Thom, également sous-lieutenant, s'appelait Ung Sath; c'était un brave type affligé de huit ou neuf enfants, bienveillant et doux, d'ores et déjà convaincu qu'il avait avec ce grade obtenu son bâton de maréchal et s'en montrant fort satisfait. Kao était certain, absolument certain qu'un Ung Sath n'avait jamais, de près ou de loin, trempé dans le moindre complot, ni même simplement imaginé de s'opposer à Monseigneur-Père. Kao s'était rendu chez Ung, alors que les camions arrivant de Phnom Penh commençaient à débarquer leurs troupes sur la place du marché; il avait attiré Ung dehors et l'avait froidement abattu d'une balle entre les deux yeux. Après quoi, il lui avait coupé la tête et avait apporté son trophée au quartier général de Lon Nol :

– J'ai abattu personnellement l'un des traîtres complices de l'ignoble crapaud bavant séide de l'impérialisme américain. Il avait osé me demander mon aide pour s'enfuir et aussi bien l'indignation que la colère m'ont aveuglé.

Bien entendu, le colonel Lon Nol n'avait pas cru un seul instant Kao et Kao de son côté avait immédiatement su que Lon Nol savait. Mais les deux hommes s'étaient compris. Kao avait été félicité pour son zèle; il s'était vu nommer sur-le-champ lieutenant, avec droit de prise sur celle des possessions terrestres de Ung Sath qu'il convoitait le plus : son scooter Vespa avec une antenne radio sans radio au bout.

Et maintenant Kao était capitaine, en passe d'être nommé commandant, il conduisait sa Peugeot 404 personnelle, rachetée à un enseignant français; il possédait son appartement avec salle de bain dans un immeuble neuf de la rue Pasteur à Phnom Penh; il avait encore tout récemment déposé vingt-cinq mille dollars dans une banque de Hong Kong, portant ainsi à quatre-vingt-huit mille dollars US le montant de ses petites économies. Ses fonctions à l'aéroport de Pochentong lui rapportaient à peu près cinq ou six fois ce qu'il eût gagné comme ministre, avec notablement moins d'inconvénients. Evidemment pas grâce à son traitement, qui n'aurait pas suffi à alimenter un fakir suivant un régime. Kao percevait des impôts à usage personnel sur à peu près tout, y compris bien entendu le trafic de l'opium auquel se livrait le gang des Corses et Chinois Associés, sur le décollage et l'atterrissage des avions, ou du moins sur presque tous, sur les bénéfices du bar et du restaurant et même sur les toilettes. Il revendait à son bénéfice les marchandises confisquées sous les prétextes les plus farfelus, prélevait une dîme raisonnable sur les colis expédiés à leur famille en Chine par les Chinois du Cambodge, approvisionnant enfin un magasin de la rue Prey Nokor, près du Marché-Central, avec les bagages prétendument égarés.

Certains jours, aux heures où il se penchait sur lui-même, il rêvait avec une poignante mélancolie à ce qu'un homme de sa trempe eût pu faire à la tête d'aéroports vraiment importants tels Chicago O'Hare, New York Kennedy ou Paris-Orly.

Il rêvait encore, mais croyait-il avec plus de chances de voir son rêve réalisé, il rêvait encore de devenir colonel, voire général.

D'où sa part dans le complot.

Le coup d'Etat qui se préparait était tout autrement conçu que la folklorique tentative Dap Chhuon avec ses centaines de lingots d'or aux allures de bananes oubliées. Le capitaine Kao en était sûr. Cette fois, c'était le grand jeu et les hommes qui tenaient les cartes faisaient, estimait-il, le poids. A leur tête le prince Sirik Matak, ancien ambassadeur de sang royal à Washington, à Pékin et à Tokyo, qui pensait en toute modestie qu'il eût fait un bien meilleur roi du Cambodge que n'importe qui d'autre. Derrière, mais aussi en quelque sorte devant, puisque ce gros homme lent et lourd qui croyait au ciel et aux étoiles et à leur influence sur le destin des hommes, servait en fait de pare-chocs, en second rang donc, le général Lon Nol, dont on ne savait jamais ce qu'il pensait (sans doute parce qu'il ne pensait pas souvent), qui consultait ses astrologues personnels dès son lever, qui rêvait de constituer une grande fédération des peuples d'Indochine non vietnamiens, tant il craignait l'expansionnisme aussi bien de Hanoi que de Saigon, le premier lui paraissant pour l'heure bien plus dangereux que le second, qui enfin, de par ses origines chinoises, était fortement et familialement lié aux milieux d'affaires chinois et subissait donc leur pression avec une certaine bienveillance.

Lon Nol avait été impressionné par les coups d'Etat réussis en Birmanie, en 1962, par Ne Win et surtout par celui de Suharto en Indonésie, en octobre 1965. Il avait dépêché auprès des généraux vainqueurs certains de ses fidèles, dont le capitaine Kao lui-même, afin de connaître leur recette. Avec une patience d'archiviste ou de joueur de mah-jong, il avait lentement avancé ses pièces, ne manquant cependant pas une occasion de proclamer son indéfectible dévotion pour Samdech Sihanouk. L'implantation sur le sol cambodgien des réfugiés khmers kroms de Cochinchine, farouchement anticommunistes, représentait l'une de ces pièces. Il disposait ainsi de quelques milliers d'hommes auxquels, le moment venu, pourraient s'ajouter les partisans de l'ancien premier ministre – au temps de l'occupation japonaise – Son Ngoc Thanh, réfugié en Thaïlande. Au total, dix à douze mille combattants, que les unités spéciales américaines et les Bérets verts sud-vietnamiens entraînaient.

Quant à l'argent, de ce côté-là aussi, Kao était tranquille. Charles Korver ne s'y était pas trompé : on avait vu arriver à Phnom Penh un homme d'affaires de Bangkok, le dénommé Song Sakd, qui avait fait briller les yeux de beaucoup en vantant les mérites d'investissements judicieux, des investissements d'ailleurs pour lesquels il n'était même pas besoin d'engager son propre argent, l'obligeant sino-thaïlandais se chargeant de tout. « Vous me rembourserez sur les bénéfices », avait-il dit à, notamment, Kao. Que Song Sakd ait eu partie liée avec la CIA sautait aux yeux. Un peu trop même. Menacé d'arrestation, heureusement prévenu à temps, le banquier avait fini par s'enfuir – Kao l'avait personnellement escorté jusqu'à son avion – en emportant par distraction quatre cents millions de riels, soit neuf millions de dollars de l'époque, appartenant à la Banque royale khmère. Les emportant officiellement, du moins. En réalité, une bonne partie de l'énorme somme était demeurée dans certaines poches.

Ce matin-là vers huit heures du matin, le capitaine Kao quitta son appartement de la rue Pasteur, davantage pour fuir sa femme que pour se précipiter à son travail. A l'horizon bleu azur et rose de Kao, Nuba, sa femme légitime et unique, était le seul nuage. Nuba était d'une jalousie féroce, pathologique. Par deux fois déjà, elle avait fait irruption dans son bureau de Pochentong en brandissant la première fois un couteau à découper, la seconde un 38 Smith & Wesson qu'il avait commis l'erreur d'oublier sur l'armoire de leur chambre à coucher. Les deux balles qu'elle avait tirées avaient fracassé une vitre et s'étaient heureusement perdues dans la nature sans blesser personne mais Kao avait dû assommer son épouse avec une chaise. Depuis cet incident, leurs rapports étaient un peu tendus. Le plus curieux était que Kao n'avait pas et n'avait jamais eu, en dépit des véhémentes assertions de Nuba, la moindre maîtresse, ni même la plus petite liaison. Il lui était certes arrivé de prendre part à quelques agapes en compagnie d'un ministre ou deux, de hauts fonctionnaires et de jeunes femmes hospitalières, mais sans plus, et uniquement pour des raisons professionnelles : il n'était en aucune façon un homme à femmes. Plus surprenant encore, il aimait la sienne, quoiqu'il l'eût préférée moins démonstrative. En fait, toutes les absences et les retards auxquels Nuba attribuait de coupables raisons s'étaient produits à l'occasion de réunions confidentielles. Le capitaine Kao n'était pas loin de se considérer comme un martyr de la politique.

Il avait une autre de ces réunions confidentielles ce matin-là, précisément. Il était prévu qu'il y rencontrerait un Sud-Coréen, un Philippin et probablement aussi un Chinois de Formose qui voyageait ordinairement avec un passeport malais et une couverture de spécialiste en climatisation des aéroports et autres bâtiments publics. L'organisateur de cette réunion, un Américain que Kao connaissait sous le nom de Price, ne serait sans doute pas là. D'abord parce qu'il s'agissait d'une rencontre de routine, au cours de laquelle on commencerait à étudier les mesures à prendre pour le jour J, ensuite parce que Price, avec une délicatesse touchante, préférait abandonner le plus souvent possible la direction des opérations à ses camarades asiatiques. « Débrouillez-vous entre vous », disait-il avec un bon sourire. Ce « entre vous » agaçait Kao. Comme si un Coréen, un Philippin, un Chinois et un Cambodgien avaient forcément quelque chose en commun...

Dans la boîte à gants de sa 404, Kao avait un Lüger 9 mm allemand, l'une de ses armes de poing préférées. Et sous la banquette arrière, dans une cache spécialement aménagée, se trouvait l'un de ses bijoux : une toute récente carabine d'assaut Beretta 70.223, sortie d'usine depuis deux mois à peine. Recevant des chargeurs de trente cartouches, elle tirait la bagatelle de six cent soixante-dix coups/minute. Son calibre, qui la plaçait dans la dernière génération des armes du même type, en dépit d'une conception somme toute classique, était de 5,6 mm. Kao n'avait même pas eu l'occasion de l'essayer et se demandait si elle valait l'Armalite 18 américaine, pour laquelle il avait un faible. Il consulta sa montre : huit heures vingt-cinq. Le Formosan déguisé en Malais devait atterrir à onze heures quarante et la réunion ne commencerait pas avant midi. Il se laissa tenter : il allait trouver un coin tranquille sur la route de Takéo et vider quelques chargeurs.

Malheureusement sur un arbre. Dommage qu'il n'y eût rien d'autre sur quoi tirer. Rien de vivant.

7

Lisa passa à ne strictement rien faire les trois jours qui suivirent la promenade nocturne sur le Tonlé Sap. Bien entendu, elle s'occupa de Jon et elle eut avec son frère de longs, d'interminables bavardages, qui leur rappelaient à tous deux les vacances passées, étant enfants, dans la cabane de Matthew Kinkaird. Du moins jouèrent-ils à se rappeler. En réalité, au temps de leur première jeunesse, ils n'avaient eu l'un avec l'autre que des rapports assez lointains. Neuf années ou presque les séparaient, et c'est un monde quand on a quinze ans, *a fortiori* quand on en a six. Ils se recréèrent une adolescence commune, à la façon de voyageurs ayant contemplé le même paysage dans des trains différents et même, par cette couleur et ce relief imaginaires que l'on parvient à donner aux souvenirs pour peu qu'on s'en donne la peine, ils réussirent à retrouver dans leurs mémoires nombre de journées ensoleillées, voire des motifs de fous rires. Ils redevenaient frère et sœur.

Jon se rétablissait de façon spectaculaire, c'est-à-dire qu'il reprenait du poids et des forces. Ses crises subsistaient, quoique s'espaçant et devenant moins violentes au fil des jours, chaque fois que l'état de manque provoqué par la brutale suppression de la drogue – il avait mélangé opium et méthédrine – le précipitait dans des spasmes où il perdait conscience. Un après-midi, le médecin auquel Charles Korver avait fait appel dès l'installation de Jon Kinkaird chez lui, dut même accourir précipitamment et faire une série de piqûres pour le calmer, les cachets n'y suffisant pas. C'était un ancien médecin militaire, de taille moyenne mais solidement bâti, le crâne dégarni et la trogne incendiaire, qui avait été des dernières heures de Dien Bien Phu et y avait acquis une notoriété largement justifiée. Il déshabilla littéralement Lisa du regard, regrettant manifestement que ce ne fût pas à elle qu'il eût à prodiguer ses soins.

– Vous êtes sûre que tout va bien?

– Certaine, dit Lisa en riant. Désolée.

– Pas tant que moi.

A aucun moment, Jon et Lisa ne parlèrent entre eux de ce qui s'était passé au Vietnam, Lisa parce qu'elle jugea que le moment n'en était pas encore venu, Jon parce qu'il semblait bel et bien avoir tout effacé de sa mémoire. L'atmosphère générale de la maison des Korver, l'attitude surtout de Charles et Madeleine, leur chaleureuse amitié, presque leur tendresse, la sensation d'avoir habité là depuis toujours, contribuaient d'ailleurs à prolonger cette trêve. Lisa s'abandonnait volontiers à l'insouciance, pour la première fois depuis des années, sans doute depuis la mort de Robert Trenton, quatre ans plus tôt. Tout l'y poussait. Le troisième soir après son arrivée, elle accepta même d'accompagner ses hôtes à une soirée donnée par l'ambassadeur d'Australie pour les adieux de Peter et Ronda Soames.

Mais au matin du 22 avril, elle s'éveilla, dans tous les sens du terme. En dépit des véhémentes protestations des Korver, qui semblaient croire qu'elle était chez eux pour les dix ou vingt années suivantes, elle constata qu'il lui était impossible de continuer à vivre ainsi. Il lui fallait d'abord résoudre le problème d'argent. S'en ouvrir à Charles et Madeleine serait revenu, elle en était par avance persuadée à se voir immédiatement offrir toute somme à sa convenance. Elle pensa naturellement à téléphoner aux Etats-Unis.

– Je voudrais, dit-elle à Charles, rassurer mon grand-père.

– Je serais curieux de voir la tête de la standardiste cambodgienne quand vous lui demanderez de vous passer Colorado Springs. Il lui faudra trois ou quatre jours pour s'en remettre.

Ce fut lui qui lui proposa de passer par l'ambassade des Etats-Unis. Curieusement, elle n'y avait pas pensé, habituée qu'elle était à tout obtenir par ses propres moyens.

– Je ne suis pas surpris que vous n'y ayez pas pensé, remarqua Charles, se méprenant. Votre ambassade n'est pas rouverte depuis si longtemps. En fin de compte, maintenant que j'y songe, vous avez de la chance : vous seriez arrivée un peu plus tôt, le mois dernier, vous auriez trouvé porte close.

Elle le dévisagea, stupéfaite :

– L'ambassade fermée ?

– Vous l'ignoriez ?

– On parle très peu de Phnom Penh, sur Madison Avenue.

– Les relations diplomatiques entre le Cambodge et les Etats-Unis ont été suspendues en mai 65; elles ne sont rétablies que depuis quelques jours.

– Et il n'y avait aucun Américain au Cambodge pendant tout ce temps ?

– Officiellement, non. Je vais dire à Bê de sortir la voiture et de vous conduire à l'ambassade.

Quand Bê, le chauffeur, ne dormait pas allongé sur la banquette arrière, on le trouvait en général en train de sommeiller sur le siège avant. S'il avait les yeux ouverts, il décrivait des cercles majestueux autour de son véhicule, avec les allures nobles d'un matador sévillan pénétrant dans l'arène.

– Est-ce si loin ? demanda Lisa.

– Le temps de traverser Central Park par un beau jour d'été, à hauteur du Réservoir.

Lisa partit à pied. Ce fut son premier et réel contact avec la capitale cambodgienne, à la lumière du jour et seule. Elle la trouva belle et plus que cela séduisante. « Plus propre que New York, ce qui n'est guère difficile. » Elle vit une ville qui, dans le quartier qu'elle traversa tout au moins, n'avait à peu près d'asiatique, découpée en larges avenues bordées d'arbres superbes, surabondamment fleurie, où le temps comptait visiblement peu, où régnait une paix nonchalante et douce. Sur le boulevard Norodom, qu'elle identifia comme tel, elle aperçut un éléphant caparaçonné d'or et de pourpre comme dans les films, dont elle estima qu'il était blanc, ou peu s'en fallait. « Un éléphant sacré, pas moins. Il ne manque plus que les Thugs étrangleurs. Mais je dois confondre avec un autre film. » L'éléphant, sacré ou pas, portait un cornac rigolard qui gesticulait à l'intention de ses admirateurs sur les trottoirs, et il était précédé d'une jeep où trônaient quatre policiers. Il n'avait qu'une défense, l'autre étant brisée presque à la racine; il soufflait d'un air courroucé en promenant ses petits yeux en vrille sur les voitures qui s'empressaient de lui céder le passage. Un peu plus loin sur le boulevard, elle tourna sur sa droite et découvrit en effet, comme annoncé par Charles Korver, la bannière étoilée et les inévitables Marines en baudrier blanc et chemise empesée, avec leur casque de parade.

– Si vous en avez le courage, poussez jusqu'au Marché-Central, avait dit Charles Korver. Ne vous laissez pas rebuter par les odeurs, qui sont puissantes, ni par la foule, qui sera amicale ou, au pis, indifférente. Vous y serez plus en sécurité que sur la Cinquième aux environs de neuf heures du soir. Le spectacle en vaut la peine et, pour un début, il vous affolera moins que le Psa-Tia, le Vieux-Marché, dont les senteurs culbuteraient un chacal non entraîné.

Il était à peine neuf heures et demie et elle savait d'expérience que le corps diplomatique n'était pas fait de lève-tôt. Au bout d'une rue garnie de magasins à l'européenne, beaucoup tenus par des Occidentaux ou des Indiens, se dessina la curieuse coupole, constituée de gradins de béton successifs, que lui avait décrite Charles. Soixante mètres plus loin, ayant débouché sur la place, les odeurs lui sautèrent littéralement à la gorge. Elles étaient comme un mur invisible, qui devenait plus épais à chaque pas, elles collaient à la peau, étourdissantes, elles écœuraient et, dans la seconde suivante, grisaient comme un alcool.

On trouvait tout au Marché-Central, dans un brouhaha de grande gare au moment des départs en vacances. Des fruits : mangues, mangoustans, sapotilles, papayes, oranges à la peau verte, bananes dites à cochon, farineuses et immangeables sinon par les animaux domestiques, petites bananes très jaunes, délicieuses, d'à peine quelques centimètres de long, noix de coco, citrons verts, letchis. Tous les légumes connus et d'autres qui l'étaient moins, des noix d'arec et des feuilles de bétel à mâcher; de la menthe, du poivre vert de Kampot s'écrasant sous la langue, le meilleur du monde, des pousses de soja ou de bambou fraîchement cueillies, des piments et du gingembre; des bicyclettes d'occasion qui avaient dû connaître les débuts du Tour de France, des casseroles made in Germany et des calebasses qué-bât vietnamiennes, de la droguerie et des vanniers, des sandales samaras japonaises concurrençant les empilages de boîtes de lait concentré sucré Nestlé, des sarongs bicolores à restangles le plus souvent bleus et blancs, ou rouges et blancs, des sampots noirs. On trouvait des ortolans et des grillons grillés enfilés sur des baguettes de bambou, des œufs couvés enfouis sous la cendre, des piments rouges baignant dans l'huile, du riz gluant ou sec, mais cuit, à consommer tout de suite et que l'on emportait roulé dans un boudin de feuille; de la viande boucanée ou fraîchement découpée, crue, en étalages sanguinolents recouverts d'une toison de mouches brillantes. Les bouchers étaient nus sauf un caleçon, leurs avant-bras pleins de sang jusqu'aux biceps, et ils avaient l'air de Jack l'Eventreur hilares et basanés. Un peu partout, des poulets, toujours vivants, mais parfois vivants et plumés à l'exception de la tête et du cou et qui exposaient une chair rose à couper l'appétit d'un légionnaire. A côté, du poisson, bougeant encore ou séché, jouxtant des jarres du nuoc-mam de Phu Quoc ou Phan Tiet, et de prahoc du Tonlé Sap.

Lisa avait atteint le cœur du bâtiment, curieusement mieux organisé que ses abords. La chaleur y était proprement suffocante. Elle repartit, un peu au hasard, joyeusement interpellée par des marchands guère plus hauts que leurs éventaires et leurs étals. Elle souriait en retour et répondait en français :

– Je n'ai pas d'argent.

Et elle écartait les mains en signe d'impuissance, comme elle l'avait vu faire aux chalands du marché en plein air du cours Lafayette, à Toulon, qu'elle avait visité avec Bob Trenton, lequel adorait le midi de la France. Elle finit par retrouver l'air libre. Dehors, des femmes en sampot noir, le torse serré dans des corsages colorés, étaient accroupies, vendant à même le sol de ciment de dérisoires petites pyramides de riz, ou un morceau de poisson, un ananas unique; leurs orteils nus étaient spatulés et ils s'aplatissaient sur le béton à la façon de ventouses. Il y avait encore des marchands de soupe chinoise à la saveur insurpassable qu'aucun restaurant ne pouvait offrir, des marchands de jus de canne et de vin de palme, de chum, d'alcool de riz dans des récipients de bambou. Lisa, à qui manquaient un peu les ice-creams américains, s'arrêta sans même en avoir conscience devant un plateau d'aluminium où étaient alignées des pâtisseries chinoises. Le marchand se précipita, fou de joie. Il choisit l'un des gâteaux, le plaça sur une demi-feuille de bananier, lui tendit le tout avec des délicatesses de lettré.

– Je n'ai pas d'argent, dit Lisa, souriante et secouant la tête.

L'autre insista, le cheveu gris fer taillé en brosse, sympathique et laid, trente-cinq kilos de peau et d'os, dont sept ou huit dents en or.

– Pas d'argent, dit Lisa en français.

– Manger aujourd'hui, payer sahec, payer demain, dit le marchand avec une gentillesse accablante.

Autour de Lisa et de lui, un petit attroupement se formait et tout le monde commençait à rire, estimant sans doute que la scène était d'une irrésistible drôlerie.

Lisa prit le gâteau. Comme elle aurait pris un cobra vivant.

– Manger, manger, dit le marchand. Payer sahec.

Lisa mit le gâteau dans sa bouche, Socrate avalant sa ciguë.

– Beaucoup bon, dit le marchand.

– Mmm, beaucoup bon, dit Lisa, en essayant de décoller ses mâchoires.

– Madame beaucoup belle, dit le marchand.

Lisa sourit :

– Merci. Merci beaucoup. Je reviens demain pour payer.

Le Khmer se frappait dans les mains, frappait ses cuisses, pleurant de rire. « Qu'est-ce qu'il m'a fait manger, ce monstre ? » Elle s'éloigna au milieu des rires, riant aussi sans trop savoir pourquoi. Elle retraversa la place, ayant par miracle débouché exactement en face de la rue par laquelle elle était venue. Sur sa langue, le gâteau était horriblement sucré, il avait un goût de menthe, d'anis, de noix de coco, il lui faisait la bouche pâteuse. Mais brusquement, en dépit de la chaleur qui montait, de cette mer d'odeurs qui l'entourait encore, elle se sentit légère et gaie. A l'ombre des arcades où s'amoncelaient et s'étalaient leurs rouleaux de tissus, des Indiens malabars aux yeux de femme caressèrent ses hanches et ses seins de leurs regards insistants. Elle leur sourit, pour toute vengeance. Et elle éprouva un indéfinissable sentiment de regret en franchissant, après une courtoise mais ferme discussion avec les Marines, le seuil de l'ambassade des Etats-Unis.

Mais c'était le 22 avril, et ce fut le jour où elle fit la connaissance de Thomas d'Aquin O'Malley.

8

L'agent de comptoir d'Air France s'appelait Hubrecht. Il regarda entrer Roger Bouès dans son agence comme il aurait regardé entrer le fantôme de Santos-Dumont.

– Que le diable me patafiole, dit Hubrecht. Je croyais qu'il était dix heures du matin.

– Il est dix heures du matin, dit Roger, d'un ton sinistre. Ne fais pas le malin, s'il te plaît. Je suis un client.

– Ne mes dis pas que tu veux acheter un billet d'avion.

– J'envisage effectivement d'acheter un billet d'avion. Je ne plaisante pas. Je ne plaisante jamais à dix heures du matin. A dix heures du matin, je dors.

– Pour où?

– La France. Ça coûte combien?

Hubrecht reposa lentement le stylo à bille qu'il tenait.

– La France?

– La France. Douce-France-cher-pays-de-mon-enfance – Ah!-les-P'tites-femmes, – les p'tites-femmes-de-Paris – Oh-là-là,-c'est-l'amour-et-tout-le-tremblement. La France.

– Aller et retour?

– Aller simple, dit Roger impassible.

– Trois mille six cent quarante-cinq francs. Toutes taxes comprises.

Roger hocha la tête.

– Merci mon brave, dit-il.

– Trois cent soixante-quatre mille cinq cents francs, en anciens francs.

A nouveau, Roger hocha la tête. Il tourna les talons et sortit. Il fit quelques pas sur le trottoir puis Hubrecht le rejoignit ayant contourné son comptoir.

– Ça ne va pas, Roger?

– Ça va très bien. Je suis dans une forme étincelante. Je pète le feu.

– Je t'offre un verre.

Roger sourit.

– Une autre fois, mon brave.

Il adressa un petit au revoir désinvolte de sa main gauche à l'employé d'Air France et se mit à marcher, droit devant lui, sans se soucier de sa direction. Il avait dans l'œil l'affiche, l'une des affiches apposées sur un mur de l'agence : elle représentait un château de la Loire, Chenonceaux. Il se souvenait d'être allé à Chenonceaux, comme il était allé à Chambord, à Blois, à Amboise, à Cheverny, Azay-le-Rideau, Valençay. Il se souvenait de ce printemps 43, de la traction-avant Citroën qui les emmenait, son père, sa mère et lui-même, lui assis à l'arrière et écoutant sa mère parler, parler sans cesse, si l'on pouvait appeler ça parler, de sa voix sourde, presque virile, dure, impitoyable. Il se souvenait des mains fines de son père sur le volant, du regard malicieux et complice de son père dans le rétroviseur, des silences de son père, de cette énorme et déchirante bouffée de bonheur, à broyer le cœur, qui l'avait envahi à un certain moment quand la main de son père s'était posée sur son épaule, lors de cet arrêt au bord d'un chemin, non loin de Semblançay, de la voix de son père disant : « Ne lui en veux pas. C'est de ma faute, je devrais être là plus souvent. Quand la guerre sera terminée... »

Trois mille six cent quarante-cinq francs. En anciens francs, ceux dont il avait eu autrefois l'usage : trois cent soixante-quatre mille cinq cents.

La voix de sa mère, sa mère tenant le récepteur de téléphone sans penser à le reposer, dans le hall d'entrée de la maison des allées de Morlaas à Pau, dans le hall sentant la cire, sombre, froid, sa mère le fixant de son œil d'épervier et lui disant, ce jour de septembre 1944 : « Il s'est tué. Ton imbécile de père vient de se tuer. »

Il longea les jardins de l'hôtel *Raja*, allant vers la rue des Orfèvres aux abords du Palais royal. Trois cent soixante-quatre mille cinq cents francs, en anciens francs comme disait Hubrecht, la somme paraissait carrément grotesque. « Même si je vendais ma voiture. Et d'abord, qui en voudrait ? Elle est malheureusement encore un peu trop récente pour intéresser un musée, il s'en faut de quelques années. Roger, du calme. D'abord, tu n'as même pas de revolver. Et tu te raterais. D'ailleurs, admettons. Imaginons. Tu es à Paris, tu marches sur les

Champs-Elysées, tu n'as même pas de veste convenable, sans parler de la cravate. Quel restaurant digne de ce nom te recevrait sans cravate ? Tu vois bien. »

Il s'arrêta devant la boutique d'un orfèvre, qui vendait des bijoux d'argent et d'or, des statues de jade et d'ébène, certaines venant du Laos et représentant des têtes de femmes aux chignons diaboliquement contournés, portant sur les lèvres un sourire auprès duquel celui de la Joconde avait la clarté et l'absence d'artifice d'un matin de printemps sur la campagne tourangelle. Des années plus tôt, Lara et lui étaient venus dans cette même boutique et y avaient acheté l'une de ces têtes en bois noir, sculptées à la demande par un artisan lao de Saravane. Lara l'avait emportée avec lui et, pour finir, en avait fait cadeau à un ami américain, dont Roger n'avait jamais su le nom.

Trois mille six cent quarante-cinq francs : cela semblait effectivement moins cher en francs nouveaux.

Il se remit en marche, revenant sur ses pas, longeant cette fois le Vieux-Marché dont le fumet ne s'améliorait guère avec les années. Il retrouva la rue Dekcho Damdin en ayant sur sa gauche la pagode Onalom. Sur le trottoir en bordure de l'édifice religieux, des dentistes opéraient en plein air, avec pour tout appareillage une pince, un couteau, une lame de rasoir Gillette Bleue pas forcément de première main pour fendre les gencives, et des dents en or prêtes à servir, soigneusement étalées à même le pavé, sur des mouchoirs à carreaux. Un peu plus loin un coiffeur ambulant : une chaise, un rasoir, des ciseaux, un miroir de poche accroché par un clou au tronc de l'arbre le plus proche. De jeunes bonzes en robe safran, l'air dédaigneux, attendaient leur tour pour se faire raser le crâne. Le grand rasoir-coutelas raclait la couenne, non seulement à l'endroit des cheveux mais aussi sur le front, entre les sourcils, tranchant pour finir d'un ample mouvement, avec la précision d'un scalpel, les poils éventuels poussant dans les oreilles.

Roger passa devant l'entrée du *Zigzag* sans s'arrêter,

résistant avec presque de la fureur à l'odeur des brochettes que Vandekerkhove commençait à préparer pour l'apéritif. Il avait faim, n'ayant, pour autant qu'il s'en souvînt, rien mangé depuis la veille.

Quelques pas plus loin, il croisa le Portugais qui le salua.

– Tu es levé bien tôt ?

– Du travail, dit Roger. Je suis débordé.

– Ça va ?

– En pleine forme.

– A tout à l'heure, dit le Portugais, qui se rendait au *Zigzag* afin d'y attendre sans doute sa modiste.

Roger lui sourit. Il avait de la sympathie pour se Portugais. « Y a-t-il d'ailleurs quelqu'un que je n'aime pas ?

« A part moi, bien sûr. » Les personnes présentes étant toujours exceptées. Il gravit les trois étages et rentra chez lui. Il alla fouiller le réduit qui lui tenait lieu de cuisine, finit par mettre la main sur trois ou quatre morceaux de sucre, que l'humidité avait rendus un peu poisseux. La boîte de Nescafé était vide, sauf quelques traces dans le fond. « Et si j'ajoutais de l'eau et faisais bouillir le tout, boîte comprise ? » Il revint dans l'immense pièce, mit un disque sur l'électrophone avant de se souvenir que le saphir était définitivement hors de combat. Il alla s'asseoir par terre, près de la porte, dos au mur, exactement en face de l'apsara de pierre, sur son socle de marbre noir. Il n'avait pas le droit de la vendre, elle appartenait à l'Etat cambodgien et il n'aurait même pas pu l'emporter avec lui en quittant le pays; il aurait dû alors la restituer au Musée national. Tout au plus en avait-il la garde, en quelque sorte l'usufruit.

– Tu n'aurais pas trois mille six cent soixante-cinq francs à me prêter, par hasard ? En nouveaux francs ?

9

Les coups de feu s'espacèrent, puis cessèrent tout à fait. Le silence revint sur la forêt, un silence total dans lequel même les insectes et les oiseaux se taisaient, un silence irréel et angoissant. Après peut-être une trentaine de secondes, Ieng Samboth se souleva précautionneusement de quelques centimètres et risqua un œil alentour. Là où devait se trouver l'ennemi, à deux cent cinquante mètres en face, on ne distinguait rien, sinon un énigmatique mur de verdure dont pas une feuille ne bougeait. Le regard de Ieng courut sur les deux côtés, où se tapissaient ses propres hommes, et il en aperçut beaucoup, tous étrangement figés comme dans un film dont le déroulement des images vient tout à coup de s'interrompre.

Au rendez-vous de la pagode abandonnée, une vingtaine d'hommes avaient fini par arriver, se joignant à son propre détachement, en portant l'effectif de celui-ci à une cinquantaine de combattants. Combattants était façon de dire : la plupart des nouveaux venus n'avaient pas d'armes, cinq d'entre eux seulement portaient des fusils de chasse datant des années trente. Mais presque tous arboraient autour du cou la Krama, l'écharpe rouge sur laquelle on avait inscrit des invocations et des prières, et que les bonzes avient bénie, de sorte qu'elle avait la propriété de protéger des balles ou des coups de l'ennemi ceux qui la portaient, et non seulement eux mais aussi leurs camarades de combat.

D'autres hommes transportaient quant à eux une petite statuette représentant Bouddha ou bien, plus simplement encore, un caillou ou un morceau de bois tirant leur valeur de ce qu'ils avaient été ramassés par leur propriétaire tout près de la vieille souche desséchée représentant le Neak Tâ, l'Esprit de la Forêt de leur village natal. Deux ou trois guérilleros, enfin, étaient même vêtus de chemises magiques, dûment bénies, et qui étaient encore plus efficaces, s'il était possible, que n'importe quelle Krama.

Ieng cracha silencieusement les débris de canne à sucre qu'il était en train de mâchonner. L'existence de ces superstitions, la place exorbitante tenue par les bonzes dans la vie cambodgienne, surtout rurale, étaient autant de problèmes qu'il faudrait bien régler un jour. Le problème des bonzes notamment, ces bonzes que Ieng abominait pour ce qu'il estimait être leur morgue, leur paresse, leur avidité. « On se rase le crâne, on enfile une robe jaune safran et il ne vous reste plus qu'à vivre aux crochets de ces pauvres types qui se ruinent et s'endettent pour vous enrichir. » La haine qu'éprouvait Ieng à l'encontre des bonzes était d'autant plus violente qu'il se souvenait des gestes de respect qu'il avait lui-même eus, de l'émotion puissante jadis ressentie face à ce vénérable de Phnom Penh qui l'avait béni avant son départ pour l'Europe. « Celui qui croyait au ciel et celui qui n'y croyait pas », le vers d'Aragon, le poète que Khieu Samphan et lui-même préféraient, ce vers lui revint en mémoire. Il n'était pas tout à fait sûr d'être l'un ou l'autre; Ieng était trop intelligent, et surtout trop observateur de lui-même, pour ne pas reconnaître dans sa véhémente hostilité envers les religieux une de ces haines d'apostat souffrant de s'être renié.

Il regarda Rath, accroupi à quelques mètres de lui. Rath n'avait sûrement pas de ses angoisses métaphysiques, Rath trapu et dur, infatigable, Rath capable de vivre des jours avec une poignée de riz, Rath sûr de lui et des raisons de son combat, et en qui les paysans se reconnaissaient bien mieux qu'ils ne se reconnaissaient en Ieng. Rath qui tuait comme on respire.

La veille encore, il avait exécuté trois personnes, dans ce petit village annoncé par Ouk, trois exécutions commises de la même façon, grâce à son sac de plastique. Les victimes avaient été un Chinois Teo Chin propriétaire d'une plantation de kapokiers, et ses deux complices cambodgiens qui le représentaient sur place, faisant en outre office d'usuriers, le mari et la femme, le mari étant maire. Curieusement, c'était la femme qui s'était débattue le plus longtemps. Durant un temps incroyable, elle avait rampé sur le sol, entre les jambes de ses anciens administrés et les rires s'étaient déclenchés, tandis qu'on s'écartait sur le passage de la suppliciée. Mais les rires en pays khmer n'étaient pas forcément toujours provoqués par la gaieté : ils pouvaient aussi signifier parfois l'embarras, l'incapacité où l'on était d'exprimer autrement son émotion, voire sa peur.

Rath lui faisait des signes, demandant une décision. Ieng hésita, non pas à ordonner – il avait pris sa décision – mais à ordonner à Rath précisément. Au même instant, comme s'il avait senti la nécessité de sa présence, Ouk surgit, silencieux comme une ombre, coulant son grand corps entre les branches.

– On peut contre-attaquer, chuchota-t-il. Je ne crois pas qu'ils soient très nombreux. Pas plus que nous en tout cas. Ce sont des Kroms et ils ont des Thaïs avec eux. Ils ont une mitrailleuse lourde là-bas sur la gauche, au pied de l'aréquier qui est couché. Mais je peux les surprendre par-derrière avec quelques hommes.

Ieng secoua la tête. Ne jamais accepter le combat, le refuser autant de fois que cela était possible, ne frapper l'adversaire que lorsque celui-ci était indubitablement inférieur, par surprise et dans un seul et unique but : s'emparer du maximum d'armes, dont on se servirait plus tard, le moment venu. En attendant, survivre. Tels étaient les ordres reçus, des ordres à l'élaboration desquels il avait lui-même participé.

– On décroche. On se replie en direction des ruines de Preah Khan.

Donc au nord-ouest et à une dizaine de kilomètres de là, dans le prolongement de la petite route reliant Siem Reap et le bourg de Phnom Rovieng. Ouk acquiesça, repartit, « sans faire plus de bruit qu'une feuille qui tombe ». Ieng chercha à nouveau le regard de Rath, leva la main droite, index et majeur dressés, leur fit exécuter un mouvement circulaire, conclu par un geste sans équivoque du pouce. « On décroche. » Rath acquiesça à son tour. Au moins, il obéissait et ne posait pas, de ce point de vue, des problèmes particuliers. Pour l'instant.

Il vit Rath quitter son poste, ramper en arrière sur quelques mètres, disparaître. A gauche et à droite, les guérilleros se repliaient, avec une étonnante dextérité, se départant de leur immobilité de chasseur à l'affût à mesure que l'ordre de décrocher parvenait. Tout semblait se passer parfaitement. « Ils ne se sont rendu compte de rien, en face. » Au même instant, bien entendu, la mitrailleuse lourde, d'autres armes automatiques entrèrent en action. « C'était trop beau », pensa Ieng en se rencognant derrière un tronc d'arbre. Il entendit autour de lui, dans la terre grasse, les impacts des balles et la peur habituelle l'envahit. Mais il trouva le courage de relever le canon de son AK 47 Kalachnikov et pressa doucement la détente. Il aperçut dans un coup d'œil rapide sur sa droite deux des hommes du groupe d'arrière-garde, chargés de protéger le décrochage, qui tiraient comme lui-même, visages tendus et luisant d'une fine sueur ne devant rien à la chaleur. « Cinq minutes et nous filons nous aussi. » Il consulta sa montre-bracelet, qui lui avait été offerte par le gouvernement de la République démocratique allemande, lors du deuxième voyage qu'il avait fait à Berlin-Est. « Aux nègres et aux Indiens, autrefois, on offrait des colliers en verroterie. A nous, une montre automatique avec calendographe... »

Quatre minutes.

Il enclencha un nouveau chargeur, pris parmi ceux qu'il transportait dans un sac de toile verte suspendu à sa ceinture. Il lâcha deux ou trois rafales, attentif à ne pas laisser son doigt se crisper sur la détente. Puis il s'abrita aussitôt. « Et si, au lieu de Berlin-Est, j'étais allé à Washington, que m'y aurait-on offert ? Une Cadillac ? » Sans doute une autre montre. Ieng n'était pas spécialement antiaméricain. Il n'était anti-rien, ni pro-quelque chose. Je veux être cambodgien. Rien d'autre. » Pourquoi ne pouvait-on être cambodgien comme on peut être suisse ?

Une minute.

Un fusil lance-grenades opérait quelque part sur sa gauche, à environ quatre cents mètres de lui, mais les projectiles tombaient avec une belle régularité plus loin encore, dans un endroit où il doutait fortement qu'il pût y avoir quelqu'un.

Vingt secondes.

Il changea rapidement de chargeur, bien qu'il restât quelques balles à tirer dans le précédent.

« Bon, j'y vais. »

A son tour, la peur au ventre, il rampa, son fusil d'assaut reposant à la saignée du bras, avançant sur ses coudes écartés et l'intérieur des genoux. Après sept ou huit mètres, engagés dans la broussaille, il décida de se relever. Il se mit peu à peu à courir, tête rentrée dans les épaules, jambes à demi pliées. Il fit vingt mètres, peut-être trente. Il vit ses camarades courir parallèlement à lui, certains déjà bien plus avancés que lui dans le tréfonds de la futaie. La première balle le toucha à l'arrière de la cuisse droite, le fit tournoyer à moitié et trébucher. Il reçut la seconde au moment où il était précisément en l'air, sans plus aucun contact avec le sol, et cette balle-là l'atteignit quelque part vers la nuque. Il eut la sensation d'un énorme coup lourd et mou qu'on lui aurait assené sur les épaules et la tête. Il avait perdu conscience avant même de rejoindre la terre à l'odeur de pourriture.

Et puis il y eut la voix de Lara, lente et grave même quand Lara s'exprimait en cambodgien, dont les intonations réclamaient plutôt des notes hautes. La voix de Lara perça la brume et lui parvint :

– Il ne devrait plus tarder à se réveiller, maintenant.

Cela étant bien entendu la traduction, instinctive, en

français, des mots prononcés en khmer, ce dernier ne se prêtant guère aux nuances, du moins tel qu'il était parlé couramment. « Il n'y a pas que nos temples qui sont des ruines. Notre langue aussi. » Il ouvrit les yeux.

– Salut, dit Lara en français. C'est fini, cette sieste?

Ieng voulut se redresser, sentit les pansements en travers de sa poitrine et de son crâne.

– Qu'est-ce que j'ai?

– Une balle dans la cuisse, une dans l'épaule, une autre qui t'a fait un vague trou dans la tête. Pas de souci : pour ce qu'il y a dans ta tête, les risques sont minimes. Qu'est-ce que tu faisais donc? Tu marchais à quatre pattes?

– Il cherchait peut-être des champignons, commenta une grosse voix rauque.

– Qui m'a ramassé?

– Ouk.

– Il s'en est tiré?

– Ouk pauv' Khmer immortel, lui c'est petit flèle Kutchaï, c'est du pareil au même, dit l'autre voix.

Et Ieng n'eut même pas besoin de tourner la tête pour la reconnaître : Kutchaï.

– Qui d'autre? Puisque Lara est là.

Son regard passa au-dessus de l'épaule de Lara, identifia les longues étagères garnies de livres, faites du même bois noir et mat que le mur contre lequel elles étaient apposées. Il demanda :

– Il y a longtemps que je suis chez toi?

– Depuis hier.

– Tu as vu des soldats?

– Pas encore.

– Et les autres?

Il dit « les autres » pour ne pas avoir à dire « mes hommes », formulation qui le gênait.

– Ils se sont d'abord regroupés à une dizaine de kilomètres à l'ouest de Phno Rovieng, un peu au-dessus des ruines du Preah Khan. Mais ils ont été de nouveau attaqués cette nuit par une autre colonne venue de Siem

Reap et ils ont décroché. Je ne sais pas où ils sont actuellement. Peut-être pas très loin d'ici. Il y a eu des fusillades dans le lointain, au cours de la matinée.

– Tu étais là à mon arrivée ?

– Phnom Penh. Oreste m'a prévenu quand Ouk t'a amené.

– Des soldats à Kompong Thom ?

– Oui.

– A Phnom Rovieng ?

– Aussi.

– Tu prends des risques.

– Mais oui, dit Lara. Mais oui.

Iengt ferma les yeux.

– Colonialiste.

Il réussit à sourire. Au temps où il vivait à Paris, il s'était une fois rendu chez un dentiste qui, avant de lui arracher une dent, lui avait fait une piqûre : il retrouvait la même sensation de rigidité, d'absence, mais cette fois étendue à une bonne moitié de son corps. Et il y avait aussi cette impression de légèreté, presque d'ivresse, qui allait s'accentuant.

– Je ne souffre pas.

– Lui gland chef Kmel louge pas douillet poul deux longs, dit la grosse voix de Kutchaï, si semblable à celle de son frère cadet.

« Mais Ouk n'est pas un pitre. » Ieng n'avait jamais éprouvé de véritable sympathie pour Kutchaï, qui l'avait toujours inquiété par cette parfaite coexistence, chez l'aîné des deux frères jaraïs, d'un humour agressif et insolent, et d'une sauvagerie latente, capable de tout, qui se devinait à son regard parfois un peu trop fixe, souvent injecté de sang, presque animal, et même à son rire si particulier; et puis Kutchaï était par trop lié à Lara, semblait à certains moments ne faire qu'un avec lui. Bien que les connaissant depuis plus de vingt-cinq ans, Ieng n'avait jamais entendu Lara et Kutchaï échanger de l'un à l'autre plus de dix mots à la suite, comme si les mots étaient entre eux parfaitement inutiles et leurs modes de pensée en tout point identiques. D'ailleurs, peu de Cambodgiens parlaient français comme Kutchaï. Quasiment tous avaient un léger accent, Sihanouk le premier. Même lui, Ieng, qui avait pourtant passé des années en France, avait conservé cet accent, ce rythme un peu syncopé, cette façon de buter sur certains mots, ces brusques notes grêles dans la voix. Et Ieng possédait des diplômes que Kutchaï n'avait pas.

— Opium et kellène, dit Lara de sa voix calme. Je n'avais rien d'autre. Mais ça ne va pas durer. Essaie de dormir.

Docile, Ieng ferma les yeux. Il pensait toujours à Kutchaï, géant sauvage sorti de sa forêt natale et s'exprimant s'il le voulait comme un intellectuel né en Touraine. « C'est un monstre, en fin de compte. » Il s'enfonça dans le sommeil.

10

Elle éclata de rire :

— Thomas d'Aquin O'Malley ? ne me dites pas que c'est votre vrai nom !

Il regarda à droite puis à gauche, se pencha par-dessus le bureau et chuchota, confidentiel :

— Je suis ici sous un pseudonyme. Tout est réglé. Même mon passeport porte ce nom. Etes-vous X 23 ?

— 24, dit Lisa. 23 avait la grippe.

Elle lui raconta une histoire d'argent disparu, entre Bangkok et Phnom Penh. Elle mentit, prétendant qu'elle ne s'était pas aperçue du vol avant son arrivée au Cambodge, où elle venait effectuer un reportage, non pas sur la situation politique ou militaire, elle n'avait qualité pour cela, mais sur la population elle-même.

— Je ne suis pas attachée à un journal en particulier, dit-elle. Je suis free-lance, journaliste indépendante. Je voyage à mes frais.

— De la famille, alors ?

Elle hésita encore, comprenant bien qu'elle devait donner d'elle-même une curieuse image.

— Mon grand-père qui vit dans le Colorado. Et aussi mes parents qui sont à San Francisco.

Il la considérait d'un air pensif, amical, mais avec dans le même temps au fond des prunelles cette lueur particulière de tout fonctionnaire à qui l'on vient parler d'argent.

— Dites-moi tout sur vous.

Il portait l'un de ces costumes légers à fines rayures bleu ciel et blanches qui constituent apparemment l'uniforme du personnel diplomatique américain en pays tropical, et un nœud papillon à pois roses et noirs. D'une poche intérieure, il retira un petit bloc-notes et un stylo argenté marqué du trèfle irlandais.

— Je dois prendre quelques notes. Rien de grave, ni d'officiel.

— J'habite New York. Je travaillais dans une agence de publicité de la Troisième Avenue mais je les ai quittés, même s'ils ne le savent pas encore. En réalité, je suis partie sur un coup de tête.

Ses explications devenaient de plus en plus acrobatiques, à mesure qu'elle s'enfonçait dans son mensonge. Mais il ne broncha pas.

— J'ai également une accréditation de United Press.

— C'est plus qu'il ne m'en faut.

Il releva le numéro du passeport et divers autres renseignements.

— Voilà. Nous allons certainement pouvoir vous dépanner. Combien souhaiteriez-vous ?

— Mille dollars.

Il rit :

— Pourquoi pas ? En attendant que tout soit en règle, voulez-vous cent dollars ?

Ils déjeunèrent ensemble le lendemain, mercredi 23 avril, au restaurant de l'hôtel *Royal*, à peu près en face du Club sportif où Lisa était allée la veille, pour un cocktail auquel l'avaient conviée les Français venus dîner avec les Soames et le couple cambodgien, le soir de son arrivée. Ce fut seulement vers le milieu du repas – avocats au crabe et gigot de chevreuil – qu'entre deux délirantes anecdotes sur son précédent séjour au Maroc, il revint à la situation de la jeune femme.

– Quelqu'un nous a parlé de vous, Lisa. Un certain Sussmann.

– Le directeur de mon agence de publicité.

– Pour lui, vous êtes en vacances. Mais il se fait du souci à votre sujet. D'abord parce que vous avez quitté New York comme une fusée, ensuite parce que vous lui manquez. Vous êtes paraît-il son meilleur chef de publicité, si c'est bien là votre titre.

– C'est cela.

– C'est important ?

– Assez. Pas vraiment, surtout vu de Phnom Penh.

Il lui retourna son sourire, hocha la tête.

– Vous m'avez raconté des histoires, n'est-ce pas, Lisa Kinkaird ?

Il ne lui laissa même pas le temps de répondre.

– Non, ne dites rien. Et Sussmann n'y est pour rien. Selon les renseignements que j'ai reçus, votre frère Jon Kinkaird se trouve au Vietnam. Où il a déserté. Il semble même avoir une sale histoire sur les bras : il aurait lancé une grenade sur l'un de ses officiers... Enfin, on n'est pas tout à fait sûr que ce soit lui, plusieurs hommes sont soupçonnés de l'avoir fait. Ne me dites pas que vous l'ignoriez.

– Je n'ai aucun détail, dit Lisa, cette fois sincère.

– Vous êtes allée à Saigon ?

– Oui.

– Vous y avez vu votre frère ?

– Non.

Elle soutint son regard, avec une assurance qui l'étonna elle-même. Et maintenant O'Malley allait lui demander si elle savait où était Jon et pourquoi, ayant traversé la moitié du monde, pourquoi c'était au Cambodge, précisément, qu'elle était venue. Et elle ne se croyait pas capable de mentir plus longtemps. Et puis au lieu de cela, il dit :

– Ecoutez, je suis attaché culturel. Mon grand-père était dans la police de New York, et mes deux oncles aussi. J'ai l'impression d'avoir passé mon enfance dans un commissariat et j'ai tellement vu d'uniformes autour de moi quand j'avais six ans que lorsqu'on m'a demandé ce que je voulais faire plus tard, j'ai répondu : naturiste. Les policiers m'horripilent, les agents secrets m'exaspèrent, les diplomates me hérissent le poil et l'administration en général me donne des boutons. Hier soir, notre premier secrétaire a eu au téléphone un type nommé Dieu, qui est un grand policier de Saigon. Dieu vous a rencontrée et il affirme que vous n'avez pas rencontré votre frère sur le sol vietnamien. Il le jure, sur son propre nom. Amen. L'affaire est classée. Cela dit, vous avez les yeux violets les plus fantastiques que le monde ait connus. J'ai envie en les voyant d'aller m'accrocher aux pales de ce ventilateur au-dessus de nos têtes et de hurler comme un coyote. Combien de temps ce reportage que vous avez en cours vous fera-t-il rester au Cambodge ?

« Le cargo norvégien fera escale dans deux ou trois semaines », avait dit Lara. Lara qu'elle n'avait pas revu une seule fois depuis leur promenade sur le Tonlé Sap et dont même les Korver n'avaient aucune nouvelle. Elle dit :

– Quelques semaines, je ne sais pas au juste.

Il sourit à s'en décrocher la mâchoire.

– Plus de temps qu'il n'en faut pour vivre une inoubliable histoire d'amour.

– Largement.

Il la contemplait, émerveillé.

– Vous parlez français, je crois ?

– A peu près.

– Où l'avez-vous appris ?

– A Paris. J'y ai étudié l'histoire de l'art pendant deux ans.

Et c'était à Paris qu'elle avait rencontré Robert Trenton.

Il écarquilla les yeux, levant les bras au ciel :

– Et vous ne me disiez rien! Mais c'est fantastique!

Le soir même, il trouva le moyen d'arriver chez les Korver à l'heure traditionnelle du cognac-soda, essayant sans le moindre succès de prendre l'air confus. Il séduisit sur-le-champ Charles et Madeleine en leur racontant une histoire à dormir debout dont son arrière-grand-père avait, disait-il, été le héros au cours de ses rondes de policier aux alentours de Prospect Park. Il fit une cour effrénée à Madeleine qui avait quarante ans de plus que lui. Il parvint enfin à obtenir un tête-à-tête avec Lisa et proposa à la jeune femme de devenir son assistante à l'ambassade. Il avait, expliqua-t-il, la possibilité de recruter du personnel sur place, en principe autochtone. Et Lisa était autochtone en diable, cela crevait les yeux. Il ne savait pas combien elle serait payée, sans doute pas très cher et après tout elle pourrait partir quand elle le voudrait et ce serait vraiment extraordinaire de travailler avec elle et les mille dollars qu'elle empruntait seraient ainsi en partie remboursés, peut-être même totalement si elle restait assez longtemps, ce qui arrangerait tout le monde...

Elle accepta, étourdie par ce déploiement d'arguments péremptoires, et il fut convenu qu'elle commencerait à travailler le lundi suivant, avec un contrat souple renouvelable de semaine en semaine par tacite reconduction. Le lendemain jeudi, il vint dîner chez les Korver et il parla d'art chinois qu'il connaissait assez bien, tout en prétendant n'en rien savoir. Et ils se virent encore le samedi quand ils se rendirent en voiture, en compagnie d'un couple d'Américains de l'ambassade, Bert et Shirley Staltman, aux monuments funéraires d'Oudong, où sont enterrés les anciens rois khmers.

Et le lundi 28, Lisa prit effectivement son travail dans

un petit bureau à côté de celui de Thomas d'Aquin O'Malley. Il y avait alors dix jours qu'elle n'avait pas vu Lara et, en dépit d'elle-même, elle s'irritait et s'inquiétait tout à la fois de ce silence, dont même Charles Korver ne pouvait plus dissimuler qu'il le trouvait anormal.

11

Vers trois heures du matin, Kutchaï fut éveillé par un inexplicable sentiment de danger. Du moins ne cherchat-il pas à se l'expliquer : il avait pour ces choses un instinct quasi animal.

C'était au cours de la deuxième nuit ayant suivi l'installation de Ieng blessé chez Lara et lui.

Il n'alluma évidemment pas. La nuit était d'ailleurs suffisamment claire pour qu'il fût possible de distinguer une silhouette à dix mètres. Il sortit sur la véranda, y vit Lara qui s'y trouvait déjà et qui lui adressa un signe de tête, l'air de dire : « Oui, moi aussi. »

Kutchaï avait un sarong autour des reins mais Lara, qui dormait toujours nu, ne portait rien, sinon un paquet de cigarettes Bastos et un briquet à essence dans la paume de sa main gauche. Pendant quelques instants, les deux hommes côte à côte écoutèrent en silence, fouillant la nuit de leurs prunelles écarquillées. Et c'était sans doute cela qui les avait pareillement éveillés : l'absence de bruits. La forêt était muette. Ils ne captaient que le ruissellement familier de la cascade toute proche, sous laquelle ils avaient l'habitude de prendre leur douche. Puis autre chose les frappa, qui était un grondement de moteur tournant au ralenti, lointain, quasi imperceptible. Kutchaï regada Lara :

– Oreste ?

Il forma le mot sans le prononcer vraiment. Lara acquiesça. Kutchaï partit en courant vers la paillote traditionnelle, à cent mètres de là, où le Corse s'était installé dès son arrivée sur la plantation, vingt ans plus tôt. Il y trouva Marccaggi qui dormait avec ses trois femmes, telle une énorme baleine échouée sur une plage en compagnie de ses baleineaux. Il le toucha au pied :

– Nous avons besoin de toi, Napoléon.

Avec un superbe à-propos, les innombrables chiens du village des saigneurs, à quelques hectomètres de là, se mirent à aboyer.

– Soldats, dit Oreste, qui bouclait sa ceinture-cartouchière tout en essayant de courir. Des soldats approchent.

– Merci du renseignement, dit Kutchaï. Et il riait à s'en décrocher la mâchoire, ses grands yeux injectés de sang semblant presque phosphorescents dans la pénombre.

Dans la maison, Lara avait enfilé un sarong, glissé le paquet de cigarettes et le briquet dans le pli de ceinture. Il ne semblait pas avoir bougé de la véranda. Il regarda arriver les deux hommes.

– Et que ça saute, employés.

Dans la maison, sur une table basse, il avait pourtant disposé trois fusils de chasse, un sac de cartouches, des lampes électriques équipées de bandes de tissu servant à les fixer au front, une musette contenant quelques vivres, les vêtements de Kutchaï.

– Tu t'habilleras en route.

– Oui, Bwana, dit Kutchaï en rigolant.

Ils allongèrent les fusils et tout l'équipement sur le brancard où reposait Ieng, toujours inconscient, le brancard dont Oreste et le Jaraï saisirent les montants. Lara regarda les deux hommes disparaître, portant le blessé. Il vérifia que tout était en ordre dans la maison. Il retourna s'allonger, attendant.

La maison de Lara, telle qu'elle existait en avril 1969, ne ressemblait plus guère au bâtiment qu'avait découvert Oreste Marccaggi à sa première visite, quand il était venu affronter Kamsa en combat singulier. Les lignes en avaient changé, elle était ou paraissait plus grande, plus basse, ses conceptions mêmes avaient été modifiées. La quasi-totalité des cloisons déterminant les pièces avaient été ôtées, la plupart de ses ouvertures avaient été élargies, comme s'était considérablement développée la véranda qui courait maintenant sur les quatre faces du rectangle et était uniformément couverte de latanier. Lara avait partout fait mettre à nu le bois noir et lisse, semblable à de l'ébène, qui constituait charpente et murs extérieurs. Le résultat était une construction d'une légèreté presque irréelle, entièrement noire, composée pour l'essentiel d'une pièce de presque quinze mètres sur dix encore prolongée par la véranda, avec quelque chose de japonais dans la façon dont elle s'ouvrait de tous côtés à la végétation environnante, et qui se complétait de deux chambres étroites, à simple bat-flanc de bois, sans cuisine ni salle de bain.

Très rares étaient les Occidentaux à l'avoir vue. Roger Bouès était de ces élus et il avait trouvé la maison d'une beauté stupéfiante, qui l'avait bouleversé.

Il y eut les bruits de pas de plusieurs hommes. On appela. On frappa avec le talon d'une crosse de fusil sur le plancher noir de la véranda. On appela encore. Lara se leva enfin. Il sortit et se trouva en face d'une quinzaine d'hommes en uniforme des FARK, les Forces armées royales khmères, avec à leur tête un commandant.

– Vous ne nous avez donc pas entendu arriver ?

Lara bâilla.

– Avec le bruit que font ces chiens...

– Nous cherchons un homme, l'ancien député Ieng Samboth. Il a été blessé en attaquant l'un de nos détachements et il s'est enfui.

– Je serais surpris que vous le trouviez ici, dit Lara.

L'officier inclina la tête sur le côté, cherchant à mieux distinguer le visage de son interlocuteur.

– Vous êtes monsieur Lara ?

– Voilà.

– J'ai entendu parler de vous.

– On a dû vous dire que je ne me mêlais pas de politique.

Jusque-là la conversation s'était déroulée uniquement en français.

– Ieng Samboth n'est pas recherché pour des raisons politiques. C'est un criminel, remarqua l'officier avec sévérité.

– Il me semble que l'information pouvait attendre jusqu'à demain matin, dit paisiblement Lara. Vous savez l'heure qu'il est ?

Du village des saigneurs, arrivèrent soudain des hurlements et même un coup de feu. Lara s'avança d'un pas, ses yeux pâles brusquement devenus glacés.

– Ces gens là-bas n'ont rien à voir avec l'homme que vous cherchez. Je vous tiendrai pour responsable de tout ce qui leur arrivera.

– Nous les interrogeons.

– Contentez-vous de cela, je vous prie.

Un piétinement. Un autre groupe déboucha par le sentier venant du village; il était fort d'une vingtaine d'hommes traînant au bout de cordes trois prisonniers totalement vêtus de noir, aux visages tuméfiés. L'un des prisonniers portait un krama rouge autour du cou.

– Vous les connaissez, monsieur Lara.

– Je ne les ai jamais vus. Ils n'appartiennent pas à notre communauté.

– Ils disent que le criminel Ieng Samboth est venu ici.

Lara appuya sa nuque sur le poteau de bois derrière lui, renversant ainsi sa tête légèrement en arrière, son regard coulant sous les paupières aux trois quarts baissées.

– Je ne crois pas qu'ils aient dit cela, dit-il de sa voix calme. Mais vous pouvez fouiller la maison.

Il s'écarta de deux pas, libérant en quelque sorte

l'accès de la véranda et, un air d'indifférence sur le visage, alla cette fois s'adosser à la cloison, une main entre son dos et la paroi. Son autre main, agissant comme si elle était indépendante, retira une Bastos du paquet dans la ceinture du sarong, puis l'alluma, jouant ensuite lentement avec le couvercle du briquet. Dans la semi-pénombre, il paraissait plus grand qu'il ne l'était vraiment. Son buste et ses bras étaient minces mais les muscles y étaient d'une sécheresse spectaculaire, extraordinairement ciselés; il émanait de son corps une impression de tension durement contrôlée, de force nerveuse latente à tous moments capable d'exploser; le visage, maigre et beau, était parfaitement impassible, troué par les yeux pâles perdus dans le vague.

L'officier revint, après quelques minutes.

– On m'a parlé d'un Français nommé Oreste et d'un employé nommé Kutchaï.

– Kutchaï n'est pas mon employé mais mon associé, dit Lara fixant toujours la nuit. Ils sont à la chasse.

– En pleine nuit ?

Lara tourna la tête, sourit :

– Ils ont des lampes, je suppose.

Un cri s'éleva. L'un des prisonniers tomba à genoux mais presque aussitôt fut rejeté en arrière par la corde qui l'étranglait. Un des soldats le frappa à nouveau, d'un coup de crosse au bas-ventre. L'officier s'assit sur les marches. Il avait l'air fatigué mais ses bottes de parachutiste de l'armée américaine luisaient, impeccables, dans la lueur des lampes éclairant la véranda. Il portait autour du cou un foulard blanc, soigneusement noué, et ses cheveux étaient coupés court. Il alluma une Lucky Strike.

– Vous parlez cambodgien ?

– Oui, dit Lara.

Un silence. Le commandant examinait Lara.

– Et vous vivez seul ici ?

– Je ne suis pas précisément seul.

– On m'a raconté que votre famille a été autrefois

massacrée dans cette maison où nous sommes. Votre père, votre mère et votre sœur. Torturés et massacrés. Vous ne craignez pas que la même chose vous arrive un jour?

Le regard de Lara.

– Non.

– Pourquoi? Qu'est-ce qui vous donne cette confiance? Cette région où vous habitez est très souvent traversée par des bandes de Khmers krahams, de Khmers rouges, qui sont les amis des Vietcongs. Les Khmers rouges sont des sauvages, des communistes qui veulent livrer le Cambodge à l'impérialisme nord-vietnamien. Ils n'aiment pas les Européens, ils pourraient vous tuer vous aussi.

Tout en parlant, l'officier sortit de l'une de ses poches un petit rectangle de suédine et s'en servit pour faire disparaître de ses bottes la moindre trace de terre.

– N'importe qui pourrait vous assassiner dans votre maison, monsieur Lara, et personne ne saurait jamais rien de ce qui s'est passé vraiment. Personne ne saurait qui vous a tué. A Phnom Penh, on croira naturellement que ce sont les Khmers rouges. Moi-même, si quelque chose devait vous arriver, je ne pourrais faire qu'un rapport et je ne pourrais rien dire de plus que ça : M. Lara a été tué par les Khmers rouges et nous sommes arrivés trop tard, malheureusement pour le sauver, nous avons simplement retrouvé son corps torturé. Horriblement torturé. Je vous l'ai dit : ces Khmers rouges sont des sauvages. Vous comprenez le danger que vous courez?

Il allongea simultanément ses deux jambes, de façon à juger de l'effet produit par ses bottes, qui brillaient superbement. Il releva les yeux vers Lara et sourit :

– Vous comprenez?

D'autres soldats arrivaient sans cesse à présent, envahissant la clairière autour de la maison et aussi l'esplanade plus grande qui s'étendait aux alentours de la petite usine, derrière le rideau épais de citronniers et de santals émergeant d'une mer de bougainvillées. Ils étaient pour le moins une centaine et étaient équipés de matériel américain : carabines M 1, fusils d'assaut M 16, fusils lance-grenades M 39 et aussi des fusils automatiques M 14 dont les chargeurs étaient assemblés tête-bêche avec du sparadrap, pour permettre un approvisionnement plus rapide. Et une troupe d'une importance peut-être égale devait se trouver au nord de la maison, dans le village des saigneurs.

L'accent de tous ces hommes ne laissait aucun doute sur leur origine : tous ou presque tous étaient des Khmers kroms, importés de Cochinchine. Ils avaient des visages durs et émaciés d'hommes entraînés au combat, des gestes sûrs, et ils respectaient visiblement la discipline qui leur était imposée. Un Vietnamien sous l'uniforme a presque toujours quelque chose d'enfantin, de déguisé, surtout s'il est du Sud, mais même aussi s'il vient du Tonkin, question de taille; un Cambodgien, au contraire, en général plus grand et souvent plus massif, trouve presque instinctivement les gestes du guerrier, ses attitudes et ses réflexes. Les Français des années cinquante l'avaient su qui, lorsqu'il s'agissait de garnir les miradors jalonnant les routes, y associaient volontiers Khmers et Vietnamiens, dans la proportion d'un Khmer pour trois ou quatre Vietnamiens, assurés ainsi que nul ne dormirait au lieu d'assurer la garde. Les Français savaient la haine ancestrale que se portaient les deux races et surtout la peur viscérale, physique, atavique, qu'éprouve, homme contre homme, le Vietnamien pour le Khmer. Mais il y avait, dans l'ex-Indochine française, quarante millions de Vietnamiens pour quarante millions de Khmers.

— Quand vos amis doivent-ils rentrer de leur chasse? demanda le commandant.

— Ils n'ont pas d'heure. En principe à l'aube, mais quelquefois ils restent plus longtemps.

— Vous ne les avez pas accompagnés?

– Je ne chasse plus depuis quinze ans, dit Lara avec indifférence.

– Vous voulez dire : par principe?

– Voilà.

Trois autres officiers d'un grade moins élevé s'approchèrent. Le commandant se releva avec souplesse, alla à leur rencontre et les attira un peu plus loin. Pendant une minute ou deux, les quatre hommes conférèrent à voix basse. Puis le commandant revint vers Lara :

– Mes hommes ont marché toute la journée et une partie de la nuit. Si vous n'y voyez pas d'inconvénients, nous allons établir notre camp juste à côté de chez vous. Peut-être même resterons-nous quelques jours.

Il fixait Lara dans les yeux. Il ajouta :

– Cela me permettra sans doute de faire la connaissance de votre associé et aussi du Français qui est avec vous. On m'a également raconté, à Siem Reap, comment il a récupéré votre plantation, autrefois. Un homme pas ordinaire, paraît-il.

Lara bâilla, se décolla enfin de la cloison. Il marcha vers la pièce centrale. Au moment d'y pénétrer, il se retourna, souriant et demanda :

– Cognac ou café?

Sur quoi, il s'écoula plus de deux jours pendant lesquels ni Kutchaï ni Oreste Marccaggi ne réapparurent.

Dans la nuit qui avait suivi sa promenade sur le Tonlé Sap, en compagnie de Lisa Kinkaird, Lara avait pris en voiture la direction du nord. Son intention était à ce moment-là, sans doute, de ne passer que deux ou trois jours à la plantation puis de reprendre la route de Phnom Penh, peut-être pour y retrouver la jeune femme. L'appel d'Oreste Marccaggi, l'avertissant de l'arrivée de Ieng blessé, l'atteignit d'ailleurs alors qu'il venait tout juste d'arriver à la *Taverne*. Il avait aussitôt fait demi-tour.

Ieng Samboth fut blessé vraisemblablement dans la matinée du 22 avril, soit à peu près au moment où Lisa Kinkaird rencontrait pour la première fois Tom O'Malley, où Roger Bouès constatait, sans surprise excessive, qu'il n'avait pas, qu'il n'aurait probablement jamais, les moyens de payer lui-même un billet d'avion pour la France, qu'il n'avait pas revue depuis vingt-trois ou vingt-quatre ans.

– Oreste Marccaggi est un homme qui ne vit vraiment que dans la forêt, dit Lara. C'est un Corse, évidemment. Dans l'île où il est né, il m'a raconté qu'il avait passé toute son enfance et sa jeunesse en pleine montagne. Il a probablement appris à se servir d'un fusil de chasse avant de savoir marcher; c'est en tout cas ce qu'il prétend. C'est un tireur exceptionnel, un tireur-né, d'instinct. Le meilleur que j'aie jamais vu.

Lara sourit :

– N'engagez pas de pari avec lui sur ce sujet. Vous perdriez.

– Je n'essaierai pas, dit le commandant.

La plus grande partie des soldats étaient partis. Ne restaient plus autour de la maison qu'une vingtaine d'hommes et l'officier. Ce dernier, utilisant la plantation comme une base de départ, avait expédié en tous sens diverses patrouilles, dont aucune n'était encore rentrée. Il aurait fallu être naïf pour ne pas discerner, dans cette façon dont le commandant s'était débarrassé d'une bonne centaine de témoins – ses propres soldats – en ne gardant auprès de lui que des hommes de confiance, le signal d'un danger réel. Lara n'était pas naïf : il s'était su désormais à la merci de l'officier khmer krom, qu'il estimait parfaitement capable de commettre un meurtre de sang-froid.

– Vous avez une propriété importante.

– Non. Elle est au contraire très modeste. La plantation de Chhuup est mille fois plus grande que la mienne

214

avec ses huit millions d'hévéas. Il n'y a pas de comparaison possible. Je ne suis qu'un artisan.

Le commandant s'était également déclaré surpris de l'extrême rusticité de l'équipement de la maison. Il imaginait autrement la demeure d'un planteur. En dehors de quelques centaines de livres, d'un tourne-disque ancien et d'une soixantaine de disques, de quelques meubles en rotin, de deux hamacs, il n'y avait rien. Un hangar abritait deux voitures : une Land-Rover et une Peugeot 504, en même temps que le groupe électrogène. Et dans les chambres, de véritables cellules, les lits, en fait les bat-flanc qui en tenaient lieu, ne comportaient même pas de moustiquaire.

— Comment dites-vous, en français : spartiate ?

— Voilà.

— Et vous êtes associé à ce Cambodgien ?

— Oui.

— A parts égales ?

— Oui.

— Depuis quand ?

— 1949.

— Vous n'étiez qu'un enfant, à cette époque.

— La plantation m'appartenait par héritage.

Les trois prisonniers khmers rouges avaient été torturés. Au cours de la première nuit qu'il passa en tête à tête avec le commandant, Lara les entendit hurler et il devait plus tard apprendre que si l'on s'était contenté de brûler lentement les deux premiers, on avait, pour le troisième, fait appel à davantage de raffinement : celui-là, on avait entrepris de le peler, au sens propre de lui enlever sa peau et, une fois la chair mise à vif sur des centimètres carrés, d'étaler sur cette chair à vif un mélange de sel et de piment rouge. Ce fut peut-être celui-là qui parla et qui révéla que Ieng Samboth, blessé, avait été emmené sur un brancard que transportait notamment, un Européen.

— Cet homme appelé Oreste, dit le commandant.

— Non.

– Monsieur Lara, il n'y a pas tellement d'Européens dans cette région du Cambodge.

– Il y en a à Kompong Thom et à Siem Reap.

– Des enseignants ou des archéologues.

– Ce n'était pas Oreste Marccaggi. Il est à la chasse avec Kutchaï.

Au cours de la seconde nuit, d'autres hurlements furent perçus par Lara, venant cette fois du village des saigneurs, et ils furent suivis de tirs d'armes automatiques. Lara voulu sortir et se rendre sur place mais les soldats l'en empêchèrent, braquant leurs armes sur sa poitrine.

– Du calme, monsieur Lara. Soyez assuré d'une chose : je ne quitterai pas cette région avant d'avoir tiré cette affaire au clair.

A l'aube, Lara découvrit une colonne de fumée montant à la verticale du village. Et vers neuf heures du matin, Kutchaï réapparut, encadré par des soldats, couvert de plaies et de sang, titubant, le visage creusé par la fatigue.

Mais il était seul.

Le commandant conduisit lui-même l'interrogatoire. Une seule fois, il se laissa emporter par la colère et il frappa Kutchaï en plein visage, lui déchirant la joue avec le canon de son pistolet. Mais Kutchaï ne varia à aucun moment dans ses déclarations : il était parti à la chasse avec Oreste Marccaggi aux alentours de l'endroit où le Stung Sen, qui arrose Kompong Thom avant de se jeter dans le Tonlé Sap, fait une boucle orientée est-ouest; dès la première nuit, le Corse et lui étaient tombés sur un parti de Khmers rouges qui avaient ouvert le feu, croyant sans doute avoir affaire à des soldats les pourchassant; Kutchaï et Oreste Marccaggi avaient riposté avec leurs armes de chasse et ils étaient parvenus à s'enfuir; mais leur fuite précipitée les avait séparés, ils s'étaient perdus l'un l'autre; Kutchaï n'avait pas revu

Marccaggi depuis, bien qu'il eût longuement battu la forêt à sa recherche, une fois le calme revenu. Quant à lui, il avait fini par se retrouver dans un petit village appelé Phnom Pnong. Les habitants l'y avaient soigné et restauré. Après quoi, il était rentré. Et il avait été stupéfait de voir des soldats lui sauter dessus au moment où il allait arriver en vue de la plantation.

Ses blessures étaient incontestablement réelles. Une balle lui avait traversé le bras gauche, heureusement en séton, et il portait encore une dizaine de coups de coupe-coupe, ainsi qu'une plaie à la tête.

Le commandant consulta sa carte : Phnom Pnong se trouvait à une quarantaine de kilomètres au nord-ouest de la plantation.

– Quand y étiez-vous ?

Il avait commencé par tutoyer Kutchaï. A présent, il lui disait vous. L'interrogatoire avait lieu en français, langue que l'officier krom maîtrisait mieux que le khmer.

– J'ai quitté le village avant-hier en fin d'après-midi, répondit Kutchaï.

Lara le regardait sans comprendre où il voulait en venir. L'officier allait inévitablement vérifier.

– Nous allons vérifier vos dires, et votre présence là-bas, dit le commandant.

Kutchaï ne parut même pas entendre. De la pointe de ses doigts englués de sang, il tâta précautionneusement sa plaie à la joue. Son visage avait la couleur de la cendre et les coups de crosse qu'il n'avait cessé de recevoir au cours des trente dernières minutes lui avaient ôté jusqu'à la force de se relever. Il était écroulé sur le sol, juste devant la plus basse des marches de la véranda. Il était impossible qu'il jouât l'épuisement à ce point, Lara le connaissait trop pour en douter. Kutchaï était réellement à bout.

– J'irai à Phnom Penh, dit Lara d'une voix que la rage faisait trembler. J'y parlerai de vous et de vos méthodes. J'irai voir Monseigneur et le général Lon Nol.

Quelques minutes plus tôt, il s'était débattu, rendu à demi fou par le spectacle de Kutchaï que l'on était en train de battre à mort, et il avait reçu un coup de crosse dans l'abdomen. Mais le rythme des coups portés au Jaraï avait ralenti, puis cessé.

Le commandant hocha la tête, remettant avec soin son pistolet dans le holster de cuir sur sa hanche. Il y eut un bruit sourd : Kutchaï venait de s'écrouler tout à fait, évanoui.

– S'il est grièvement blessé, je vous jure que vous aurez affaire à moi, dit Lara.

L'officier s'écarta, contemplant ses bottes où une goutte de sang avait giclé. Il essuya le cuir. Il dit à Lara :

– Je vais me rendre personnellement à Phnom Pnong pour y vérifier que cet homme ne m'a pas menti. S'il a dit la vérité, on devrait m'y confirmer son passage et la présence dans la région de ces Khmers rouges que nous recherchons. Et nous retrouverons peut-être aussi votre ami corse.

Il arrangea le nœud de son foulard blanc.

– Il vaudrait mieux pour lui et pour vous qu'il ne m'ait pas menti. Bien entendu, vous restez ici. Je laisse des hommes pour assurer votre... protection.

Lara écarta les canons des pistolets mitrailleurs braqués sur lui. Il descendit les marches et releva Kutchaï. Personne ne fit un geste pour l'aider. Il souleva les cent et quelques kilos du Jaraï et le porta jusque dans l'une des chambres, l'étendit sur le bat-flanc. Puis il alla chercher de l'eau et se mit à laver les plaies, nombreuses mais toutes superficielles. Sauf si Kutchaï avait quelque chose de cassé à l'intérieur, après tous ces coups de crosse assenés à la volée.

A peu près un quart d'heure plus tard, les deux half-tracks du commandant et de son groupe se mirent en marche. Restèrent seuls autour de la maison une quinzaine d'hommes aux ordres d'un sergent, dont aucun ne mit le pied sur la véranda. Le bruit des moteurs venait de s'éteindre quand Kutchaï rouvrit les yeux. Il regarda Lara.

– Tu peux parler, dit Lara.

– Oreste est à Preah Khan. Tu te rappelles cette petite douve où nous avons autrefois trouvé l'apsara que tu as donnée à Roger? Il est là, avec une balle dans le ventre. C'est l'adjoint de Ieng qui a tiré, un dénommé Rath, un fou. Celui-là, je le retrouverai un jour.

– Pourquoi es-tu si fatigué?

– Je suis allé à Phnom Pnong, d'accord avec Ieng. Il fallait bien y attirer ce Krom pourri.

De la plantation au Preah Khan, du Preah Khan à Phnom Pnong, puis de Phnom Pnong à la plantation, il avait donc couvert plus de cent vingt kilomètres, dont une partie en portant un homme sur une civière, à travers la forêt et sur un terrain accidenté. Et cela malgré ses blessures...

– Qui t'a flanqué ces coups de coupe-coupe?

– Les hommes de Rath.

... Et cela malgré ses blessures. Son épuisement s'expliquait et il fallait être Kutchaï pour avoir réalisé un exploit aussi ahurissant.

– Et Ieng?

– Il s'en tirera. Plus résistant qu'il en a l'air, ou qu'il le croit lui-même. Il t'avait parlé de Rath?

– Oui.

– Une ordure. Je le retrouverai.

– Mais oui. Je veux être sûr que tu n'as rien de grave.

Le Jaraï réussit à secouer la tête, ses longs cheveux noirs collés par le sang qui séchait. Il sourit, ses yeux se fermant.

– Kutchaï pauv' Khmer en pleine folme, bredouilla-t-il. Occupe-toi d'Oreste.

Il dormait déjà à moitié. Lara sortit. Dehors il fit venir le sergent commandant le petit détachement assigné à sa garde.

– Je dois aller à Kompong Thom pour téléphoner.

L'autre secoua la tête.

– Cinq mille riels.

– Até. Non.

– Dix mille. Cinq maintenant, cinq au retour. Tu peux venir avec moi et emmener des hommes. Tu n'auras pas besoin de me quitter des yeux.

Il se mit au volant de la Land-Rover, le sergent à ses côtés, trois soldats assis derrière. Il se rendit d'abord au village : le silo empli de riz qu'il avait fait construire n'avait pas été découvert mais plusieurs paillotes et la maison communale avaient été incendiées et surtout il y avait huit morts et une douzaine de blessés sérieux, aucun toutefois véritablement en danger. Le petit dispensaire était, en revanche, intact et le couple d'infirmiers, homme et femme, qu'il payait de sa poche, se trouvaient au travail. Ils expliquèrent qu'on leur avait interdit d'aller jusqu'à la maison et que les soldats venaient tout juste de partir. La tuerie avait été provoquée par le viol de plusieurs femmes. La réserve de sulfamides et de pansements était suffisante. Lara repartit. Il traversa l'arroyo et prit la piste de Kompong Thom.

A la douzième sonnerie, Roger Bouès décrocha.

12

La première lettre expédiée par Lisa du Cambodge arriva le 28 à Matthew Kinkaird. Jusque-là, Matthew n'avait eu aucune nouvelle précise, sinon un télégramme curieusement transmis par le Département d'Etat, rien de moins, et non moins curieusement ayant Phnom Penh pour origine, alors que Matthew croyait sa petite-fille encore à Saigon. (Il ne reçut jamais la lettre écrite par Lisa juste avant de quitter l'hôtel *Continental*, dans laquelle elle annonçait son départ pour la capitale khmère.) Le télégramme disait : « Tout va bien. Ai réglé tous mes problèmes. Tendresses. Lisa. » Le « ai réglé tous mes problèmes » faisait évidemment allusion à Jon.

En principe. La lettre élucida ce point, et quelques autres. Mais elle développa d'autres mystères.

De sa petite écriture régulière, Lisa lui apprenait que Jon était à Phnom Penh, sans toutefois s'expliquer sur les circonstances qui avaient conduit là le garçon. Lisa écrivait que Jon allait bien, tout comme elle-même, et qu'il n'y avait aucune raison de s'inquiéter à leur sujet à tous deux. La jeune femme semblait avoir pesé chacun des mots qu'elle avait utilisés et d'ailleurs, à aucun endroit, n'avait effectivement écrit le nom de Jon. Elle disait simplement « il » ou « lui », sans autres précisions. Mais elle avait estimé nécessaire, à la fin de ce premier paragraphe, de répéter combien elle tenait à rassurer son grand-père. « Tu n'as plus désormais qu'à t'occuper de tes fleurs dans tes serres et à surveiller ta ligne. Tu sais à quel point la cuisine mexicaine de Ruth Martinez te fait grossir. En dehors de ces deux points, je ne vois rien, absolument rien, dont tu doives désormais te préoccuper. »

« Elle me croit complètement gâteux, ma parole, pensa Matthew. J'avais compris que Jon est en sécurité. »

Il prit le temps de caresser Rover et Tige, lesquels s'étaient une fois de plus glissés subrepticement dans la serre. Puis il reprit sa lecture et la deuxième partie de la lettre de sa petite-fille le laissa pensif. Elle y parlait de son séjour à Phnom Penh, y annonçait qu'elle y avait trouvé du travail – apparemment elle comptait passer là-bas quelques années – comme assistante de l'attaché culturel, lequel répondait au nom ridicule de Thomas d'Aquin O'Malley. « Mais Tom est adorable, écrivait Lisa, c'est un Irlandais plein d'humour, gentil et cultivé, qui de surcroît n'a strictement rien à faire, si bien que mon emploi du temps, puisque je l'assiste, me laisse pas mal de temps libre. » Elle décrivait ensuite le Cambodge, ce qu'elle en avait vu, parlait d'amis français qui l'hébergeaient par pure gentillesse, qui avaient une grande maison et beaucoup de place – « donc Jon est chez eux » – qui étaient encore plus adorables que le célèbre Thomas d'Aquin O'Malley.

Puis elle parlait de Lara.

Elle était, à son sujet, remarquablement laconique : « C'est un homme peu banal, comme je n'en ai jamais rencontré. Il a fait ce que peu d'hommes auraient fait. » Elle n'en disait pas plus. Et ce laconisme même intrigua Matthew, qui n'arrivait pas à déterminer, tant la phrase était ambiguë, si ces choses qu'avait faites Lara étaient glorieuses ou, au contraire, épouvantables. Matthew n'avait jamais réussi à comprendre sa petite-fille. Il la savait intelligente, très intelligente même et capable au plus haut point, à son avis du moins et surtout par comparaison avec lui-même, de déterminer sa vie et de l'organiser; il la jugeait décidée et volontaire – il suffisait de se rappeler comment elle s'était reprise aussitôt après la mort de Bob Trenton, se trouvant seule un emploi et y obtenant très vite le succès; il la croyait même assez autoritaire, pas exactement froide, mais en tous les cas peu coutumière des grands abandons du cœur. Enfant, elle avait déjà le don de créer autour d'elle une zone de calme où peu d'adultes s'aventuraient. Matthew éprouvait pour elle une profonde affection mais avait toujours été un peu interloqué par ces yeux violets, si semblables apparemment à ceux de Jon et pourtant si différents, qui vous fixaient presque sans ciller d'un air grave et parfois moqueur.

Il relut deux ou trois fois la lettre puis, allant chercher un atlas, il l'ouvrit et chercha Phnom Penh. Il se demandait à quoi diable pouvait ressembler un Cambodgien.

A Pete Martinez qui travaillait dans la serre chaude, Matthew montra la lettre, du moins la première page. Pete fut, mais ce n'était pas une surprise, du même avis que lui :

– Jon s'en est tiré. Je vous l'avais dit. Il est parti de ce pays de Chinois et il est maintenant sous les palmiers en train de danser avec des filles nues. A votre place, je ne m'inquiéterais plus. Du moins pas pour Jon. Pour les filles, oui. Il va leur montrer comment on est, dans le Colorado.

Puis, dans l'après-midi, après le départ du Chicano et de sa femme, Matthew appela Jubal Wynn à San Francisco. L'avocat l'écouta sans l'interrompre lire le premier paragraphe et résumer la suite.

– Qu'en pensez-vous? demanda Matthew.

Wynn usa à peu près des mêmes mots que Pete Martinez.

– C'est clair : par un moyen que j'ignore et qui personnellement me stupéfie, il a réussi à franchir la frontière du Cambodge et du Vietnam, et non seulement à gagner Phnom Penh mais encore à y trouver un refuge sûr. Ou il a des amis extraordinairement adroits ou il a lui-même du génie. Dès qu'il montera sur le trône du Cambodge à la place de Sihanouk, prévenez-moi : j'enverrai des fleurs.

– Qui est Sihanouk?

Wynn le lui dit. Matthew demanda encore :

– Quel conseil donneriez-vous à mon petit-fils?

– Au point où il en est, certainement pas de se rendre. Je crois que je lui dirais de filer en Suède par n'importe quel moyen. Encore que le Cambodge et la Suède, ça ne soit pas précisément la porte à côté.

– Se rendre à l'ambassade américaine à Phnom Penh serait une telle folie?

– D'abord, l'ambassade en question vient juste de rouvrir. Ils y ont autant besoin d'un déserteur que de la fièvre jaune. Ensuite, toute la presse s'emparera de son cas : le seul déserteur américain qui ait réussi à passer au Cambodge. On lui offrira des milliers de dollars pour raconter sa vie, et les juges militaires, parce que les journaux auront parlé de lui et parce qu'ils voudront faire un exemple, lui quadrupleront la dose. La publicité se paie. Sans compter qu'en se rendant, il risque de mettre dans l'embarras, le mot est faible, ceux ou celle qui l'ont aidé. Il prendra le maximum.

– Même avec vous pour le défendre ?

– Même avec Abraham Lincoln à ses côtés. Non, croyez-moi, la Suède. C'est joli, Stockholm, en été.

Matthew remercia, raccrocha. Pourquoi la Suède et pas le Canada ? Il n'avait pas osé poser la question, de crainte de paraître tout à fait ignorant. Vieux crétin. En dehors des problèmes que posait l'utilisation d'un cours d'eau par des cultivateurs de betteraves...

Il fixa la page colorée de l'atlas, lut ces noms étranges : Phnom Penh, Siem Reap, et Sway Rieng, et Kompong Thom, et le Mékong...

Mais Jon et Lisa ne risquaient rien. *Time Magazine* qu'il avait lu chez le dentiste l'avait récemment écrit : le Cambodge était un pays en paix. Les mots exacts étaient : une oasis de paix.

13

En se rendant à l'Agence d'Air France pour s'enquérir du prix d'un billet pour Paris, Roger Bouès n'avait pas exécuté une démarche longuement mûrie. Il avait en réalité obéi à l'impulsion du moment. Enfin, peut-être. Il n'était pas très sûr. Il estimait que son geste pouvait être la conséquence d'un travail subconscient, à l'intérieur de lui-même, depuis des semaines et des mois, voire depuis plus longtemps encore. Roger ne croyait pas aux plans élaborés dans le calme, aux projets à long terme, sinon pour les petites choses et de cela il avait toujours été incapable; en revanche, il avait l'absolue conviction que chaque grand tournant d'une existence est pris par une impulsion brutale, irraisonnée; Roger pensait que l'on prend davantage le temps de réfléchir pour choisir son menu dans un restaurant, ou une cravate, que lorsqu'il s'agit de se marier, de quitter son emploi, sa famille, de partir pour l'Australie. Ou pour l'Indochine; pour lui les grandes décisions, celles qui engagent toute une vie, découlent toujours d'un coup de tête, d'une rencontre impromptue, d'un mot de trop ou de moins, d'un cor au pied.

En tous les cas le montant du billet pour la France dépassait jusqu'à l'ironie ses possibilités financières. « J'ai de quoi régler les taxes d'aéroport. » Et encore. Bien sûr, il aurait pu emprunter de l'argent à Lara ou Charles Korver. L'un et l'autre des deux hommes lui auraient sans hésiter avancé la somme et plus que la somme, et ils l'auraient fait sans, non seulement exiger, mais même encore imaginer qu'il la leur rendît. Mais il aurait préféré regagner Marseille à la nage plutôt que s'adresser à eux. De toute sa vie, Roger n'avait emprunté le moindre centime à un ami; les seules dettes qu'il ait jamais contractées l'avaient été auprès de gens qu'il trouvait antipathiques, simplement grotesques ou tout bonnement ridicules. Il considérait alors, en quelque sorte, qu'il leur faisait payer rançon pour leur stupidité, leur insignifiance ou leur laideur; et qui aurait l'idée de restituer une rançon sans y être forcé?

Malheureusement, personne au Cambodge n'était stupide, insignifiant ou laid au point de lui prêter trois cent soixante-quatre mille cinq cents francs. Anciens.

Il n'empêche que durant le sommeil interrompu par le coup de téléphone de Lara, il avait pour la première fois depuis des années rêvé qu'il était en France. Il s'était vu non pas à Paris ou sur les bords de la Loire mais à Pau; il descendait la rue Serviez, goûtait un canougat de Josuat, puis aussitôt, avec la superbe incohérence des rêves, une andouille au poivre de chez Biben; il déambulait majestueusement, Savorgnan de Brazza revenant au pays le Congo conquis, rue Guichenné ou rue Maréchal-Foch et partout on s'émerveillait sur son passage, on lui ouvrait les bras et les cœurs, on le pressait sur les poitrines basco-béarnaises, on lui offrait vivre et couvert, on l'aimait et on l'entourait.

– Il va encore falloir que tu fasses appel à Boudin, disait notamment Lara à l'autre bout du fil.

Dans l'action, Roger Bouès avait parfois, quand il le

voulait vraiment, la redoutable efficacité des paresseux d'expérience, pour ainsi dire professionnels. En un éclair, il rallia autour de lui le médecin de Dien Bien Phu et le volcanique petit Boudin (qui jura mais un peu tard qu'il abattrait Roger à vue la prochaine fois qu'il le verrait). A deux heures trente de l'après-midi, ils furent tous trois à Siem Reap. Un quart d'heure plus tard, Boudin boudant près de son aéroplane, Roger et le médecin traversaient les temples d'Angkor, ils saluaient le Bayon au passage et roulaient à l'est dans une fourgonnette empruntée à la Conservation, auprès de l'administrateur français, à qui Lara avait aussi téléphoné. Ils mirent quatre-vingts minutes pour couvrir les quelque cent vingt kilomètres séparant l'enceinte orientale d'Angkor Thom du petit groupe isolé des temples du Preah Khan, à une heure de marche de Phnom Rovieng, tandis que le médecin de Dieu Bien Phu, que l'équipée rajeunissait, secoué par les cahots comme un bouchon sur la vague, hurlait que ses flacons de plasma n'allaient pas y tenir.

Sur place, à l'endroit indiqué, Roger ne trouva d'abord que le silence oppressant et lourd de la forêt sous le soleil. Il mit pied à terre, s'orienta, se récitant comme une litanie les explications données par Lara, les narines envahies par l'omniprésente odeur de pourriture que la jungle dégageait. A force de tourner, il finit par trouver une douve, ce qui semblait bien être une douve, un rectangle de pierre depuis des siècles vidé de son eau et dont le fond était tapissé de mousse, quand il n'était pas envahi et dévoré par la végétation. On aurait pu cacher là un peloton de chars, à plus forte raison un homme. « Si Oreste est inconscient, appeler sera inutile et Dieu sait ce qu'il y a autour de nous. » Il se sentait épié, il sentait des présences, mais ce n'était peut-être que pure imagination. Il hésita, submergé par un sentiment d'impuissance et son éternelle et lancinante certitude de son incapacité à agir.

— Oreste ! Oreste, c'est moi, Roger.

De longues secondes de silence, et puis quelque chose bougea. D'un seul coup, deux hommes apparurent, des Cambodgiens vêtus entièrement de noir, le visage sombre et maigre mangé par des yeux extraordinairement brillants. Ils étaient armés de sortes de fusils hérissés de crosses et de chargeurs – Roger ignorait tout des armes, qu'elles fussent de chasse ou de combat. Les deux apparitions dévisagèrent Roger et prononcèrent quelques mots en khmer.

– Pas comprendre, dit Roger. Et il se demandait pourquoi on appelait Khmers rouges des hurluberlus qui s'habillaient en noir.

Ils répétèrent et cette fois il saisit au vol le mot « barang ».

– Barang? où est le Barang?

Il les suivit sous un véritable tunnel, à certains endroits à demi comblé par les pierres éboulées. Il déboucha enfin dans une sorte de cave qu'un trou en haut éclairait à la façon d'un soupirail, dispensant une lumière verte.

– T'as apporté de la bière? demanda Oreste.

– Espèce de Corse analphabète, dit le médecin de Dien Bien Phu, ce n'est pas encore cette fois qu'ils auront ta peau. Tous mes espoirs sont anéantis.

– C'est quoi, un analphabète? demanda Oreste inquiet.

– Un type qui tue les sangliers d'une seule balle entre les deux yeux, dit Roger. Et si tu fermais un peu ta grande gueule?

Aidés par les deux hommes de Ieng Samboth, ils avaient élargi le trou au-dessus de la cave et ce fut par là qu'ils ramenèrent Oreste Marccaggi à la surface. Ils transportèrent le blessé jusqu'à la camionnette, où ils l'allongèrent sur deux matelas, que Roger avait également empruntés, mais cette fois à l'*Auberge des Temples*. Ils ne virent pas les deux guérilleros khmers rouges partir. Simplement, à un moment, ils ne furent plus là, évanouis sous le couvert sans le moindre bruit, et plus rien ne subsista de leur passage. « Impressionnant. » L'ancien médecin militaire fit deux piqûres de quelque chose à Oreste, qui ne tarda pas à s'endormir, et fixa les flacons de plasma. Il dit à Roger :

– Ce n'est peut-être pas la peine de disputer le Rallye de Monte-Carlo, sur le chemin du retour. Mollo, mollo, s'il te plaît.

Depuis le petit aéroport de Siem Reap, ils regagnèrent Phom Penh et là, l'hôpital français où Oreste Marccaggi fut immédiatement opéré. A dix heures du soir, Roger s'entendit confirmer que le Corse était tout à fait hors de danger.

– On lui a enlevé cette balle. Quel âge a-t-il? Plus de soixante ans? Il a une ceinture abdominable tellement musclée que pour un peu nous aurions utilisé une perceuse électrique.

Roger passa à son garage préféré, rue Khemarak Phoumin, les menaça effectivement de venir sous peu en redécorer la façade avec ses couleurs favorites : bleu marine et violet, plus une troisième dont même lui ne pouvait déterminer exactement la teinte. Cédant au chantage, à l'amitié et aussi à l'impression que la situation n'était pas ordinaire, le directeur français lui accorda son plein d'essence plus deux bidons de vingt litres. Il quitta Phnom Penh vers onze heures du soir. Au téléphone, Lara, appelant du bungalow de Kompon Thom et donc probablement devant des oreilles indiscrètes, avait simplement parlé d'un accident de chasse. Evidemment, Roger n'en avait rien cru. « Tu ne peux pas y aller toi-même? – Pas pour le moment. – Tu n'es pas blessé? – Je n'ai rien. Et Kutchaï non plus. » C'était cette remarque à propos de Kutchaï qui avait le plus fait pour alerter Roger. Ensuite, Oreste avait parlé, raconté l'affaire de Ieng blessé, de Ieng recueilli par Lara et Kutchaï, des soldats surgissant en pleine nuit sur la plantation, de leur fuite, Kutchaï et lui, de cette espèce de tueur appelé Rath qui avait tiré sur eux et les aurait sans doute achevés si Ieng, ranimé, n'était pas intervenu.

« Je m'occupe d'Oreste et j'arrive, avait dit Roger à Lara. – Justement, je comptais t'inviter pour le weekend. On se sent parfois seul, ici. »

Tout en roulant sur la route surélevée au milieu des rizières, sous la lune, Roger retrouva alors ce même sentiment prémonitoire de catastrophe qu'il avait déjà éprouvé sur la plage de Kep. Et cette fois, quelque chose se passait vraiment.

« Du moins, c'est mon opinion. Et je la partage. Entièrement. »

Mais il n'arriva pas tout de suite à la plantation. L'un de ses pneus, qui n'était pas des plus neufs, creva à une dizaine de kilomètres avant Kompong Thom, au bas de l'une des très rares dénivellations que comporte dans cette région l'ancienne Route coloniale n° 1. Il jura dans le silence de la nuit et mit en place la roue de secours. Laquelle rendit l'âme moins de deux kilomètres plus loin. Après avoir sans trop d'espoir attendu au beau milieu de la route, il partit à pied, atteignit vers deux heures et demie du matin le bungalow d'où Lara avait téléphoné la veille. Lara bien entendu ne s'y trouvait plus, mais les chambres, en revanche, contenaient une dizaine de coopérants français, tous enseignant au lycée local. Roger réveilla l'un d'eux, un certain Cornet, qui était de Marseille et qui, en dépit d'un œil un peu chassieux, avait l'air presque intelligent, pour un coopérant du moins. Roger n'adorait pas les coopérants; il n'avait jamais discerné l'intérêt de transmettre, à des pays baptisés sous-développés, une technologie et surtout une civilisation qui ne lui paraissaient pas avoir, dans les pays où elles étaient nées, réalisé tant de miracles; surtout au prix d'une audodestruction de cultures originales, qui en valaient d'autres.

Passé un premier quart d'heure de vociférations indignées, Cornet accepta de bonne grâce de servir de chauffeur à Roger et de l'aider à extirper de sa natte un mécanicien capable de réparer deux chambres à air ou, à défaut, d'en fournir d'autres à peu près neuves.

– Mais je n'ai pas d'argent, remarqua Roger d'un air suave. J'aurais oublié mon portefeuille quelque part.

Cornet accepta encore de mettre la main à la poche. Il reconnut qu'il avait en effet vu Lara la veille, à l'heure du déjeuner. Lara était arrivé en Land-Rover avec quatre soldats qui ne l'avaient pas lâché d'une semelle et il avait donné deux coups de téléphone, pour repartir aussitôt après. Comment se conduisaient les soldats? Ils avaient l'air de le protéger ou de le garder. Oui, des soldats des FARK.

– Vous n'allez pas repartir en pleine nuit. Vos pneus ne tiendraient pas sur la piste. Couchez au bungalow et demain je vous amènerai là-bas. Entre nous, je serais curieux de jeter un coup d'œil chez Lara, comme nous tous ici.

– Ça, dit Roger, ça peut s'arranger.

« On se sent parfois seul, ici », avait dit Lara et Roger traduisait : « Viens avec du monde. » Il dormit peu cette nuit-là et à l'aube, tira Cornet de son lit, avec l'aide du Marseillais, il éveilla en fanfare le reste du corps enseignant, qui comportait deux femmes, et annonça à la cantonade que tout un chacun était invité à déjeuner et à dîner chez Lara, à la plantation. Puisqu'on était samedi et qu'il n'y avait pas cours. Il les pressa d'avaler leur café-crème et ils atteignirent l'arroyo quelques minutes avant neuf heures du matin. Ils le franchirent pour être aussitôt stoppés par des soldats en casque de combat bucoliquement décoré de feuillages, qui leur intimèrent l'ordre de ne pas faire un mètre de plus. Roger négocia. Un sergent finit par arriver, qui parlait le français couramment.

– Nous sommes des amis de M. Lara, qui nous a invités.

Le convoi des trois voitures parties du bungalow vint

enfin se ranger devant la maison, à côté de la Land-Rover et d'un camion militaire. Et le premier homme que vit Roger fut Lara, assis sur la plus haute marche de la véranda et fumant.

– Tu as oublié les majorettes, dit Lara.

– Il a été opéré et se porte comme le cap Corse. Il réclame de la bière. Et attention à l'enseignante de gauche, c'est une vorace.

Roger fit les présentations. Lara souriait, avec son calme habituel, comme si la présence chez lui de dix enseignants, de quinze soldats et d'une mitrailleuse en batterie sur le toit du hangar était la chose la plus naturelle du monde.

– Je serais heureux, dit-il, si vous acceptiez tous d'être mes hôtes. Il y a deux chambres et le reste d'entre nous pouvons dormir dans des hamacs ou sur des nattes.

Roger comprit alors qu'il ne s'était pas trompé, et que ses appréhensions, après tout, n'avaient pas été vaines.

Sur le moment, il ne comprit rien d'autre. Du moins jusqu'au dimanche, le lendemain. Kutchaï fit son apparition, marchant avec des raideurs d'automate, un pansement sur la joue, des bandages autour de la poitrine et d'un bras.

– Un autre accident de chasse? interrogea Roger.

– La jeep s'est renversée sur moi en passant un ravin, expliqua Kutchaï.

Il avait plutôt l'air d'avoir été piétiné par des éléphants.

Lara prit Roger à part :

– Nous ne pouvons pas parler maintenant. Retiens seulement que je t'ai appelé pour te demander d'intervenir auprès de Lon Nol, parce que l'un de ses officiers me cherchait des histoires. Pour Oreste, tu as appris sa blessure et tu es intervenu quand Faber, l'administrateur de la Conservation d'Angkor, t'a téléphoné juste après moi.

– Mais je n'ai même pas vu Faber!

– Je sais. Pour le reste, tiens-t'en à la vérité.

Le sergent ne les quittait pratiquement pas. Les enseignants français non plus, mais eux avaient l'air enchantés. Lara leur fit visiter la petite usine, leur expliqua la fabrication du latex et du crêpe mais, contrairement à ce qu'il faisait d'habitude, il n'emmena pas ses visiteurs jusqu'au village des saigneurs. Roger le remarqua et s'en étonna, sans aller jusqu'à interroger Lara, de la même façon que les coopérants notèrent l'absence d'Oreste Marccaggi, qu'ils connaissaient bien pour avoir bu quelques bières avec lui, quand il allait à Kompong Thom acheter le riz des saigneurs.

Et le dimanche après-midi, une forte colonne motorisée de soldats apparut. L'officier, un commandant, eut l'air stupéfait devant cette concentration d'Européens qui le conviaient aimablement à partager leur cognac-soda. Ce qu'il fit dans les premières minutes, après lesquelles il s'éloigna en compagnie de Lara pour une discussion qui dura près d'un quart d'heure, l'officier présentant tous les symptômes d'une colère rentrée. Lara au contraire aussi froid qu'à l'ordinaire. Pour finir, Roger fut appelé à les rejoindre et il y alla, le cœur battant, craignant d'en dire trop, ou pas assez. Mais les questions que lui posa le commandant furent étonnamment simples et peu nombreuses, comme si l'officier s'acquittait d'une tâche à laquelle il ne croyait plus.

— M. Lara m'apprend qu'Oreste Marccaggi est hospitalisé à Phnom Penh, grâce à vous ?

Roger raconta en peu de mots sa mission de sauvetage.

— Et c'est quelqu'un de la Conservation qui vous a prévenu, si je comprends bien. La blessure est grave.

— Une balle dans le ventre, répondit Roger, qui n'osait pas regarder Lara.

— Marccaggi ne vous a rien dit sur les circonstances de sa blessure ?

— Il était à peu près inconscient et souffrait beaucoup.

Et ce fut tout. Peu de temps après, les soldats remontèrent dans leurs camions et la colonne prit le départ, bientôt suivie par les enseignants français regagnant leur bungalow. Si bien que les trois hommes, Lara, Kutchaï et Roger se retrouvèrent seuls en l'espace de quelques minutes, sur le parquet de bois noir de la véranda, avec l'ombre trottinante et muette du cuisinier qui déjà préparait le repas du soir et, dans le ciel, les premières chauves-souris regagnant leur base.

– Viens, dit Lara à Roger.

Ils s'embarquèrent tous deux dans la Land-Rover, en direction du village des saigneurs. La nuit tombait.

– Je voudrais tout de même..., commença Roger.

– Plus tard. Tu es sûr, pour Oreste ? Il s'en tirera ?

– Sans problème, a dit le chirurgien.

Lara hocha la tête, menton sur la poitrine, conduisant d'une main, l'autre massant sa nuque. Ils arrivèrent dans le village et Roger vit les paillotes incendiées et les cadavres alignés. Il fut horrifié. Il n'aurait pas pensé que les choses étaient allées jusque-là. Et sur le chemin du retour, il s'exclama :

– Et ça va se passer ainsi ? Des morts, des blessés, des femmes violées. Kutchaï qui a été à moitié tué ! Et toi, que vas-tu faire ?

– Rien.

– Je n'arrive pas à te croire.

– Il n'y a rien à faire. Le Cambodge est en train de changer. Beaucoup de choses sont en train de changer.

– Toi, le premier.

Lara acquiesça.

– Moi, le premier.

Il enchaîna immédiatement sur toute l'affaire Ieng Samboth, l'expliquant à Roger comme s'il cherchait à se l'expliquer à lui-même. Roger secouait la tête.

– Et pourquoi ce commandant a-t-il brusquement tout laissé tomber ?

– Parce qu'il est allé jusqu'au village de Phnom Pnong, qu'il y a découvert que Kutchaï y était effectivement passé et que quelques heures seulement après Kutchaï, un détachement de Khmers rouges transportant Ieng Samboth blessé avait été vu en effet par les villageois. Du coup, l'histoire inventée par Kutchaï tenait debout. Et il a laissé tomber parce qu'Oreste a bel et bien été blessé par une balle qu'il ne s'est quand même pas tiré tout seul. Le commandant sait que ce ne sont pas ses hommes qui ont blessé Oreste. Donc, ce sont les Khmers rouges. A partir de là, il ne peut plus accuser Oreste d'être leur complice. Ni moi non plus ni Kutchaï. Et comme il n'avait pas la moindre envie de poursuivre Ieng dans une zone où il y a peut-être même des Vietcongs, il a préféré rentrer à Siem Reap, où il ramènera un billet de victoire écrasante : les trois Khmers rouges qu'il a pris et torturés, plus ces sept pauvres diables de saigneurs : il a tué dix ennemis. C'est un grand chef, un seigneur de la guerre.

— Qui est ce Rath, qui a tiré sur Oreste ?

— Je ne le connais pas.

« Ou bien il le connaît et ne veut pas m'en parler », pensa Roger. Il y avait toujours eu chez Lara, même pour lui, une part qui lui échappait. Ce dimanche soir, c'était flagrant. Ce qui stupéfiait le plus Roger était le calme avec lequel Lara accueillait tout ce qui venait de se passer; Lara se conduisait comme si des aventures de ce genre étaient banales, quotidiennes. « Et après tout, qu'est-ce que j'en sais? » Vivant à Phnom Penh, ne circulant que sur les grands axes, Roger n'était jamais venu à la plantation qu'à la façon dont un citadin vient passer la fin de semaine à la campagne.

Ils réintégrèrent la maison et s'installèrent dans les fauteuils-paons en rotin, buvant, Roger du thé glacé, ses deux compagnons du cognac-soda. C'était en apparence une soirée comme ils en avaient connu des centaines d'autres, des années durant. A une vingtaine de mètres de là, le cuisinier se penchait sur les braises rougeoyantes du four en plein air, alimenté au charbon de bois. Il y avait dans l'air un parfum de viande grillée, se mêlant au parfum des frangipaniers, et un silence de commencement du monde.

Ou de fin du monde.

– Que voulais-tu dire quand tu m'as dit : « Beaucoup de choses sont en train de changer. »

– Parlons d'autre chose, dit Lara.

Il leva son verre.

– Merci.

– Merde, dit Roger.

Kutchaï allongea ses jambes, contemplant ses orteils comme s'il les retrouvait au terme d'une longue absence.

– Les plus jolis pieds du Cambodge.

– D'Indochine, dit Lara.

Ils passèrent à table, emportant leurs verres.

– Je ne partirai pour Phnom Penh que jeudi ou vendredi, dit à un moment Lara d'une voix lente, presque endormie. Il faut bien que quelqu'un remplace Oreste et puisque ce type – il montrait Kutchaï – semble décidé à se faire dorloter... Tu veux rester jusque-là ?

– Ma voiture est à Kompong Thom, dit Roger. Deux crevaisons l'une sur l'autre. Foutue bagnole.

Il lui fallut un moment pour se rendre compte qu'il n'avait pas répondu à la question de Lara. Il considéra les deux hommes qui lui faisaient face. Il leur découvrit tout à coup une sorte de ressemblance, qui lui avait toujours échappé jusque-là et qui n'était évidemment pas physique : « Ils ne font qu'un. Kutchaï est la moitié khmère de Lara. » Il se gratta la tête : « Je suis complètement fou. »

– Non, dit-il à haute voix. Je n'attendrai pas jusque-là. Tu n'auras qu'à me déposer à Kompong Thom.

Lara acquiesça. Il s'était complètement enfoncé dans un fauteuil, appuyant sa nuque sur le dossier, totalement insensible aux moustiques qui tournoyaient dans la lueur des lampes. Il faisait des ronds de fumée en contemplant la forêt de plus en plus sombre de ses yeux clairs, les prunelles légèrement écarquillées.

– Et tes affaires?

– Ça va, dit Roger. Mieux que certaines fois.

– Tu sais que si tu as besoin de quelque chose...

– Je sais, dit Roger en souriant. J'y penserai.

Le cuisinier apporta le gigot de chevreuil parfumé à la menthe. Ils mangèrent pratiquement en silence, le tourne-disque donnant *Petite Fleur* de Sidney Bechett.

Roger quitta le lendemain matin la plantation. Et la suite se déroula de telle sorte qu'il ne devait plus jamais la revoir.

14

Le nom de Khmers krahams, Khmers rouges, était une invention de Norodom Sihanouk. Le mot était apparu pour la première fois en 1968, au détour de l'un de ces discours-fleuves qu'il affectionnait.

Il était facile, au Cambodge, de se perdre dans les multiples appellations de sectes, de clans, de partis, de minorités ethniques se succédant ou le plus souvent s'additionnant les unes aux autres sans que jamais la nouvelle vînt annuler la précédente. Déjà, quant à l'origine des Khmers, les spécialistes n'avaient pas l'imagination de George B. Walker qui avait fait sourire Lisa Kinkaird. Ils demeuraient sur une réserve prudente : les Khmers, disaient-ils, étaient un peuple mongoloïde fortement teinté d'hindouisme aux plans religieux, culturel et même racial, arrivés dans la péninsule indochinoise (ils ne disaient pas exactement d'où) en même temps que les Chams du Vietnam et les Mons de Thaïlande. Ces deux derniers peuples avaient perdu au fil des siècles leur identité ethnique, sous l'effet de migrations étrangères. Pas les Khmers.

L'affaire se corsait quand on entrait dans le détail. Car si l'on était tout bonnement khmer et rien d'autre, pour peu que l'on soit né depuis mille ou deux mille ans dans les plaines alluviales du Tonlé Sap ou du Mékong, on devenait déjà « khmer loeu » – d'en haut – dans la montagne et plus généralement « khmer pnong » – sauvage – en vivant à la fois en montagne et en forêt. Dans ce cas on pouvait fort bien être khmer brao, kuy, jaraï, suoch ou pear, selon la région habitée. A moins que l'on ne fût khmer islam, si l'on avait la fantaisie d'être venu de Malaisie en étant musulman.

Et la politique s'en était mêlée. Dès le début de la guerre contre les Français, une sorte de résistance était apparue dans la forêt cambodgienne. Elle n'avait pas eu pour origine le Cambodge lui-même mais le Vietnam du Sud, c'est-à-dire la Cochinchine. Un certain Nguyen Thanh Son y avait créé le Nambo, rival et pendant de l'organisation dirigée par Ho Chi Minh au Nord, c'est-à-dire au Tonkin. Parmi les adjoints de ce Nguyen Thanh Son se trouvait le dénommé Sieu Heng, Vietnamien d'origine cambodgienne, qui était devenu le chef des Khmers issaraks – « libres ». Le terme avait fait fortune, au point qu'on en était arrivé, en 1950 et 1960, à distinguer pas moins de trois sortes de Khmers issaraks : les uns d'obédience communiste et inféodés au Viet-minh; les autres curieusement devenus de droite et pris en main par Bangkok, où s'était réfugié l'ancien premier ministre cambodgien du temps des Japonais, Son Ngoc Thanh; les troisièmes enfin qui étaient purement et simplement des bandits (on disait des pirates), vivant de rapine et de racket (Kamsa et sa bande en faisaient partie). Après les Accords de Genève de 54, les premiers avaient été dissous, plusieurs de leurs cadres allant à Hanoi pour y faire parfaire leur instruction, et les troisièmes avaient été purement et simplement éliminés, à la faveur de la paix retrouvée. Les Issaraks de droite antisihanoukistes avaient survécu, se transformant plus tard en Khmers sereïs, sereï signifiant libre, comme issarak. C'étaient eux que, dans le cadre de la préparation de leur complot et sous prétexte d'union nationale,

Sirik Matak et Lon Nol venaient en cette année 1969, de réintégrer aux FARK, Forces armées royales khmères, en même temps que les Khmers kroms venus du Sud-Vietnam.

Quant aux Khmers krahams, ils n'utilisaient pas en fait ce vocable pour se désigner eux-mêmes. Ils préféraient se présenter comme des Khmers rondoms, rondom étant un troisième mot pour signifier libre...

Les premiers Khmers rouges, même si personne ne les appelait encore ainsi, étaient apparus en avril 1967, dans la province de Battambang. C'étaient de simples paysans, ulcérés de voir leurs meilleures terres données aux « rapatriés » du Sud-Vietnam. Une révolte avait éclaté, qui avait été férocement noyée dans le sang par des troupes expédiées de Phnom Penh à cet effet. Les plus agressifs des survivants avaient obéi au très ancien réflexe khmer : ils avaient pris la forêt comme on prend le maquis en Corse, pour ce qui était devenu peu à peu une véritable jacquerie. Même cause et mêmes effets dans les provinces de Stung Treng, de Ratanakiri et de Mondolkiri, qui étaient essentiellement peuplées de Khmers sauvages d'en haut, autant dire des Cambodgiens de second ordre. Mais ceux-là, outre l'avantage d'un terrain boisé et montagneux qu'ils connaissaient à merveille, détenaient un atout supplémentaire, et de taille : la proximité immédiate des divisions vietcongs, l'arme au pied en attendant de passer un jour à l'attaque sur Saigon et le delta. Un atout pour l'heure purement potentiel : soucieux de ne pas provoquer une violente réaction américaine, Hanoi avait commandé à ses troupes de ne pas intervenir au Cambodge...

... Aussi longtemps du moins que Sihanouk serait au pouvoir à Phnom Penh.

Une sorte de jacquerie donc, mais pas encore vraiment politisée, pas encore vraiment organisée, même si quelques étudiants, des lycéens le plus souvent, jouaient dans la forêt une version cambodgienne de Robin des Bois. L'expulsion de la vie politique officielle khmère, par Lon Nol, de Khieu Samphan, Hu Nim, Hou Youn et Ieng Samboth, la fuite de ces hommes dans la forêt, avaient eu pour principale conséquence de fournir aux croquants les chefs qui leur manquaient.

La marche effectuée par Ieng Samboth en avril 1969, depuis les contreforts des Cardamomes jusqu'au nord de la province de Preah Vihear, constituait en réalité la première tentative d'union et de collaboration des maquis de l'Ouest avec ceux de l'Est, ceux-là adossés aux armées vietcongs. En trois semaines, Samboth avait vu passer les effectifs sous ses ordres de cinq à cent hommes.

Le 9 juin, après quelques jours de repos dans une paillote se trouvant à une quinzaine de kilomètres au sud-est des temples de Preah Vihear, qui avaient fait l'objet, treize ans plus tôt, de violentes disputes et presque d'une guerre entre le Cambodge et la Thaïlande, il pénétra dans sa province natale de Stung Treng.

Le 14, il franchit le Mékong, de nuit. Cent vingt-sept hommes l'accompagnaient, un tiers seulement d'entre eux étant porteur d'armes de guerre.

Rath était parmi ces hommes, commandant en second.

15

O'Malley et Lisa avaient fait des projets pour le week-end suivant : O'Malley devait se rendre dans la petite ville de Kompong Cham en compagnie d'un représentant du ministère des Affaires culturelles du Cambodge et il avait proposé à Lisa de se joindre à eux. « Belle occasion de voir du Cambodge autre chose que Phnom Penh et ses environs. Et en attendant d'avoir un peu plus de temps pour nous rendre à Angkor. » La jeune femme avait accepté. En peu de temps, son amitié pour l'Irlandais de New York avait fait des progrès étonnants, mais leur cohabitation aux heures de bureau, la gaieté permanente et l'humour d'O'Malley, sa culture aussi et sa façon de ne surtout jamais se prendre au sérieux, son extrême gentillesse enfin, y étaient évidemment pour quelque chose. La parodie par Thomas d'Aquin de la pièce du dramaturge irlandais Synge *Deirdre des Sept Douleurs* était hilarante. Mais il était vrai que s'il connaissait la presque totalité des répliques de Deirdre et du *Baladin du monde occidental*, O'Malley pouvait tout aussi bien citer Whitman ou Villon et il s'accrochait à son travail d'attaché culturel avec passion, dans des circonstances pourtant difficiles. Peu de choses au monde auraient été, au Cambodge et à cette époque, plus inutiles qu'un attaché culturel des Etats-Unis : il le savait mais n'en laissait rien paraître; au contraire, il déployait des efforts surhumains, sans jamais céder au découragement, avec une bonne humeur miraculeuse. Et si Lisa devinait chez lui les signes avant-coureurs de sentiments plus tendres à son égard, elle préférait les ignorer, loin d'être fixée sur elle-même. Au cours de ses presque cinq années de veuvage, elle s'était une seule fois laissée aller à une aventure, à New York et avec un jeune industriel client de son agence, avec qui elle avait accepté de passer trois jours dans le traditionnel hôtel des Bahamas. Dès le retour, elle avait rompu, gentiment mais fermement, en dépit des supplications de son partenaire, qui n'eût pas demandé mieux que de l'épouser. La rupture n'avait rien dû à un quelconque respect pour la mémoire de Robert Trenton, respect d'ailleurs réel : elle s'estimait de ce point de vue aussi libre qu'un homme l'aurait été à sa place. Elle n'avait pas davantage vocation pour le célibat : dès les premiers jours de leur mariage, Bob Trenton, qui avait quinze ans de plus qu'elle, s'était révélé un amant expérimenté et adroit et, avec sa franchise habituelle, elle ne s'était jamais dissimulé le plaisir purement physique qu'elle avait pris à leurs étreintes. Et maintenant le climat de l'Indochine, sa touffeur émolliente et sensuelle agissaient sur elle. Elle le constatait, sans désarroi excessif mais cependant sans surprise; c'était comme sortir d'un sommeil.

Il était convenu qu'O'Malley passerait la prendre en voiture, à neuf heures trente du matin chez les Korver. Elle se leva avec l'aube, éveillée par la lumière des fenêtres sans volets ni rideaux. Elle prit sa douche, prépara un petit sac de voyage contenant une autre robe, un pantalon pour le cas où il faudrait marcher, deux maillots de bain pour le cas où il y aurait une piscine. Et si, le soir même, O'Malley lui proposait de partager la même chambre? C'était la première fois, depuis qu'ils se connaissaient, qu'elle se trouverait affranchie de la tutelle, évidemment légère, en fait hypothétique, des Korver. Elle joua en souriant avec l'idée d'un O'Malley devenu son amant mais elle était sûre, par avance, qu'elle refuserait, avec toutes les précautions et la gentillesse d'usage, pour cette même raison qui lui avait fait refuser de revoir, du moins dans un lit, l'industriel new-yorkais : elle n'en avait pas vraiment envie.

Du rez-de-chaussée, en dépit de l'heure matinale, elle percevait un faible bruit de conversation. Mais Charles et Madeleine Korver dormaient peu et Lisa commençait à bien connaître leurs habitudes qui les faisaient se lever aux premières lueurs du jour, pour jardiner côte à côte dans la relative fraîcheur du matin, et ensuite s'attabler devant les archives de leurs collections.

Elle finit par descendre et ce fut dans l'escalier, avant même de le voir, qu'elle identifia Lara par sa voix.

Elle eut un frisson qui, une seconde, la figea sur la marche où elle se trouvait. Elle acheva de descendre.

– Bonjour, dit-il en la voyant apparaître. J'étais venu vous proposer une baignade dans le golfe du Siam. Voulez-vous venir?

Et, bien entendu, elle accepta.

16

– Je sais peu de choses de mes ancêtres, dit-il. Du moins du côté de mon père. Je sais tout de même que le Lara qui a débarqué dans la baie de Tourane – l'actuel Da-Nang – avec un neveu de Dupleix, venait des Indes. Et qu'il ne débarqua pas par hasard : un autre Lara était déjà venu en Cochinchine, son grand-père sans doute, vers 1685, sous les ordres d'un dénommé Véret et sur un navire de la Compagnie française des Indes. J'en conclus que des Lara étaient aux Indes déjà au XVIIᵉ siècle mais ne me demandez pas où ils se trouvaient avant d'arriver à Pondichéry. D'Europe, bien entendu, cela semble évident, mais j'ignore jusqu'au pays dont ils étaient originaires.

Elle le voyait de profil et était presque fascinée par le dessin de ses lèvres.

– Ce qui fait combien de générations?

– De Lara en Indochine? Sept.

– Plus que ma propre famille aux Etats-Unis.

– Voilà.

Il sourit :

– Deux cent quatre-vingt-trois ans. On s'attacherait à moins.

– Sans jamais retourner en Europe?

– Pour y faire quoi? Est-ce que les Kinkaird sont jamais retournés en Europe?

– C'est différent.

– En quoi? Où est la différence? Ou plutôt si, il y en a une : les Kinkaird et les Johnson et les Cabot et les Lodge ont fait leur ce pays où ils s'installaient, qui désormais leur appartient. Les Lara se sont installés en Indochine en faisant en sorte de s'y intégrer. Le Cambodge ne leur appartient pas, c'est eux qui lui appartiennent. Nous n'avons jamais eu, dans la famille, le souci du drapeau, ou de la nationalité. Je suis cambodgien.

– Vous n'en avez pas l'air.

Il rit.

– Un général cambodgien s'appelle Sosthène Fernandez, il a du sang portugais. A partir de quel laps de temps devient-on un colonisateur ? Les Khmers, à leur arrivée dans la péninsule indochinoise, s'y sont probablement fait une place les armes à la main. Les Arabes ont conquis tous les rivages sud de la Méditerranée au VIIᵉ siècle, les Turcs se sont emparés de la Turquie, les Russes de la Sibérie. Les exemples sont innombrables. Que reprocher aux Lara ? de n'être pas venus assez nombreux pour exterminer les locataires précédents ? A quel moment devient-on un autochtone, un indigène ? Prenez l'Algérie. Avant Mahomet, elle était berbère, souvent chrétienne, souvent romaine. Elle est aujourd'hui arabe, et musulmane, et convaincue de l'avoir toujours été. Quand a-t-elle basculé ?

Lisa se prit comiquement le visage entre les doigts.

– Mon Dieu, dit-elle, au prochain pique-nique, je réviserai mon histoire du monde.

– Je vous ennuie ?

Leurs regards se croisèrent.

– Vous me surprenez, dit-elle.

– Mon numéro est au point, n'est-ce pas ?

Elle rit à son tour.

– Pas mal, je dois dire.

– Mon grand-père n'est allé qu'une fois à Paris, pour l'Exposition universelle. Quarante ans plus tard, il riait encore au souvenir du pavillon du Cambodge que les Français avaient bâti. Quant à mon père, il n'est jamais allé plus loin que les Philippines et le Japon. Et, bien entendu, Hong Kong, où il a connu ma mère.

– Je sais, dit Lisa en souriant. Nous sommes cousins.

– Pas tout à fait. Heureusement.

Brusquement, le double mur de verdure s'ouvrit et la mer apparut. La voiture roula quelques mètres encore sur la piste rouge brique, ravinée et cahoteuse, puis s'immobilisa. Lisa vit une plage de sable, une eau d'une absolue limpidité et au large la ligne irrégulière d'un archipel vert sombre. Lara coupa le moteur et le crissement des insectes de la forêt alentour envahit aussitôt la cabine.

– Bon, dit-il de sa voix lente. Je voudrais maintenant vous demander quelque chose. Nous avons le choix. Nous pouvons passer la journée sur cette plage et y pique-niquer. J'ai dans le coffre à l'arrière de quoi nourir douze Américaines affamées. Et dès que la nuit menacera de tomber, j'opérerai une de ces marches arrière savantes dont j'ai le secret et nous reprendrons la route de Phnom Penh, où vous serez à temps pour souper.

Il avait posé ses grandes mains brunies et maigres sur le volant gainé de cuir et déployait puis refermait lentement ses longs doigts, son regard fixé sur les îles à l'horizon du golfe du Siam. Le pouls de Lisa s'accéléra soudain. Elle demanda, presque à voix basse :

– Et quelle est l'autre proposition ?

Il alluma une cigarette, après lui en avoir offert une, qu'elle refusa.

– En continuant par cette même piste, à droite, à quelques centaines de mètres d'ici, nous trouverons un minuscule village de pêcheurs malais. Ils pêchent le requin et en récoltent les ailerons pour le compte des gourmets chinois. Ils ont de grandes pirogues noires, effilées, à une seule voile triangulaire, qui filent comme le diable. Nombre d'entre eux sont mes amis. Il ne fait pas de doute qu'ils accepteront de nous transporter sur l'une de ces îles en face de nous. Toutes sont désertes, du moins les plus petites. Une seule de celles-ci porte une espèce de maison. Il y a une source. J'ai construit cette maison il y a une douzaine d'années, mais personne n'y a habité, jamais. J'y viens quelquefois, quand j'ai envie d'être seul.

Un silence. Elle interrogea :

– Et quand ces pêcheurs reviendraient-ils nous chercher ?

Il la regarda.

– Quand nous leur demanderons de le faire. Demain, par exemple.

La pirogue était effectivement effilée et noire, large de même pas un mètre cinquante mais bordée, longue de dix. Elle fendait les vagues bien plus qu'elle ne les chevauchait, sa voile blanche se confondant parfois avec le bleu pâle du ciel. Lisa s'accrochait au mât, seul endroit qu'elle avait pu agripper, à la fois terrifiée et enivrée par la sensation de vitesse extrême et aussi de déséquilibre que lui donnait parfois le pont étroit quand il s'inclinait par trop. Mais elle vit l'île grandir peu à peu et sitôt que l'embarcation eut dépassé un petit cap rocheux allongé comme une langue dans la mer, l'eau devant l'étrave devint immédiatement d'un calme miraculeux. Et le pont reprit la position de tout pont honnête : horizontale.

– Nous y sommes. Mais le danger n'était pas si grand. Vous ressembliez au capitaine Carlssen dans ses derniers instants à bord. Vous n'avez donc jamais fait de voile ?

– Sur un vrai bateau, dit Lisa. Pas sur ce truc.

Les pêcheurs riaient aux éclats, de confiance, bien que ne comprenant pas un traître mot. Ils étaient trois dont un garçonnet de dix ans, et ils portaient les coiffes noires des Malais de religion islamique.

L'étrave s'enfonça comme un poignard, en chuintant, dans le sable d'une plage, au fond d'une crique, s'immobilisa enfin.

– Votre île, dit Lara en souriant.

Lisa hésita. Elle aurait pu, en marchant jusqu'à la pointe extrême du pont, gagner la plage à pied sec. Mais elle préféra ôter ses sandales et sauta dans l'eau, prenant un plaisir primitif et enfantin à tremper le bas de sa robe de toile blanche. L'eau aussitôt lui monta jusqu'à mi-cuisse et elle était tiède. L'un des pêcheurs lança une plaisanterie et les Malais éclatèrent de rire, imités même par Lara.

– Et ils se paient ma tête, en plus.

– Il dit que s'il était un requin, il serait déjà là. C'est un compliment.

Elle ne bougeait plus, yeux clos et la tête légèrement renversée en arrière pour mieux sentir le soleil sur son visage, toute à son plaisir de la terre retrouvée, sentant le sable fin fondre et couler entre ses orteils nus.

– Il n'y a pas de requins, dit-elle béatement.

– Non? Il y en a un juste derrière vous.

Elle se retourna sans y croire un seul instant. Elle aperçut une forme noire, allongée, qui bougeait. La seconde suivante, elle était sur le sable. Les Malais pleuraient de joie.

– Du calme, dit Lara. Ce n'est qu'un requineau d'à peine cinquante centimètres. Il a eu bien plus peur que vous. Surveillez davantage ce que vous appelez en anglais les Hommes de Guerre portugais, les méduses.

Lisa s'assit sur le sable, à l'ombre des arbres tout près de l'eau. Elle s'étira.

– Et je suppose que l'île regorge littéralement de serpents, de scorpions et de tigres? Sans parler des cannibales qui viennent tous les vendredis pour le breakfast?

– Même pas un moustique. Et pas davantage de boumaques.

Il expliqua que les boumaques étaient de petits insectes, noirs et blancs, de la taille de moustiques, qui s'abattaient parfois sur les côtes, selon le régime des vents et piquaient en provoquant de très irritantes démangeaisons.

– Mais pas ici. Il n'y en a jamais eu. Ne me demandez pas pourquoi.

– Des raisons politiques? proposa Lisa. Qui affronterait sept générations de Lara?

– C'est sûrement ça.

Les Malais achevaient de débarquer le chargement de la pirogue et ils s'enfoncèrent sous les arbres. Le silence vint, écrasant, rompu finalement par Lisa, que mettait presque mal à l'aise le regard de Lara, qui ne la quittait pas des yeux. Elle venait de prendre conscience qu'ils allaient bientôt être seuls.

– Où sommes-nous ?

– Nous venons de quitter la presqu'île de Cheko. Nous en sommes à peu près à quatre kilomètres. Cette grande île là-bas dans le lointain s'appelle Rong. Elle ferme la baie de Kompong Som où se trouve le seul port cambodgien sur le golfe du Siam. Ces montagnes au loin sur votre gauche sont le massif des Cardamomes. En face, le massif du Kirirom. A droite, la chaîne de l'Eléphant. Et cette île où nous nous trouvons s'appelle Sré.

– Elle est à vous ? Je parle de l'île.

Il secoua la tête.

– Oh non ! dit-il en riant. Il se trouve simplement que très peu de Cambodgiens aiment aller sur la mer. Les seuls pêcheurs à fréquenter ces eaux sont malais et ils sont à peine une trentaine. Voulez-vous voir la maison ?

Il n'y avait même pas de chemin tracé. Simplement on escaladait une suite de rochers plats, chauffés par le soleil, puis, en se glissant au travers d'un épais rideau de pariétaires, on débouchait sur une palmeraie minuscule adossée à l'unique sommet, un cône de terre et de rocs planté, comme la presque totalité de l'île, d'une mangrove faite de palétuviers pour les couches basses, au ras de l'eau, de fougères, d'eucalyptus, de palmiers de toutes sortes à mesure que l'on gagnait en hauteur. La partie la plus élevée de l'îlot devait approcher les trente mètres. Ce que Lara appelait la maison était une plate-forme de bois où une vingtaine de poteaux soutenaient un toit de latanier. Le principe était en fait le même que celui appliqué à la maison de Preah Vihear.

– La source coule directement dans ce qui serait directement la cuisine ou la salle de bain, s'il y avait une cuisine et une salle de bain.

Aucun meuble, sinon deux longues planches, épaisses de plusieurs centimètres, servant de table, et flanquées d'autres planches, faisant office de bancs. Pour le reste de l'ameublement, d'épaisses couches de caoutchouc mousse venant de la plantation; les Malais étaient en train de les recouvrir de sampots colorés. Gênée, Lisa s'approcha de la source, plaça une main sous l'eau qui dégringolait juste au-dessus de sa tête : elle était presque fraîche. Lisa s'humecta les tempes et les lèvres où la traversée en pirogue avait laissé un léger goût de sel. Elle entendit Lara parler aux pêcheurs, dans ce qui était peut-être du khmer, puis ceux-ci s'éloignèrent.

– Avez-vous très faim ou voulez-vous vous baigner d'abord?

Elle se retourna. Lara découvrait de grands paniers de rotin.

– Me baigner, dit Lisa.

Il acquiesça, contemplant, l'air absorbé, l'extrémité de sa cigarette.

– Il y a dans l'île plusieurs plages où nous pouvons aller. Sans compter celles qui donnent sur le large, mais mieux vaut les éviter : de ce côté-là, les vrais requins s'aventurent parfois, alors que le fond est insuffisant sur la côte en face du continent. Je vous propose celle où nous avons débarqué. Je vous laisse mettre votre maillot. Je vous attends en bas.

Elle attendit qu'il se fût éloigné puis ouvrit son propre sac de voyage qui contenait, outre les vêtements préparés pour son voyage à Kompong Cham, deux tenues de bain, l'une à peu près normale, l'autre si exiguë qu'elle tenait dans le creux de sa main. Mais, après une hésitation, ce fut celle-là qu'elle choisit, bien qu'elle ne l'eût jamais portée depuis le jour où elle l'avait achetée, il y avait près de deux ans, dans cette boutique de Saint-Tropez, sur la Côte d'Azur française. Elle doutait de pouvoir simplement en fixer les très fines attaches, doutait que ces ridicules triangles puissent même dissimuler ses seins. « Et en plus, comme cette chose est blanche, elle deviendra transparente sitôt que je sortirai de l'eau... »

Elle dut se contorsionner, saisie par un fou rire nerveux qu'elle parvenait mal à contrôler. Elle retrouvait cette extraordinaire sensation de légèreté et presque d'ivresse éprouvée à sa sortie du Marché-Central de Phnom Penh.

Elle abandonna même ses sandales et partit, se sentant à peu près nue – la différence était tout à fait mince – et dans tous les cas d'une totale indécence, bien trop consciente de ses seins, dont la pointe se dressait. Sitôt traversé le rideau de fougères, en vue de la mer et de la plage, elle aperçut le fuseau noir de la pirogue malaise, déjà à plusieurs centaines de mètres de là.

– Où êtes-vous?

La mer à quelques pas d'elle était fabuleusement translucide et l'on y distinguait les coraux multicolores qui en tapissaient le fond, de part et d'autre de la langue de sable prolongeant la plage sous l'eau. Lara n'était nulle part en vue. Et puis une ombre glissa sous la surface et Lara émergea. Elle vit qu'il portait une sorte de sarong.

– Vous venez? les requins m'ont juré qu'ils vous laisseraient tranquille.

Il lui apprit à plonger. Non pas à se jeter dans l'eau en provoquant un maximum de bruit et d'éclaboussures, mais au contraire à s'immerger avec douceur, presque sans une ride, et à descendre sous la surface, ce qu'elle n'avait jamais fait jusque-là sans élan. Au début, comme elle ne parvenait pas à réussir ce cassé du corps coordonné avec la poussée sur les bras juste nécessaire, il l'aida, la tirant par une main ou la poussant, posant ses doigts sur les hanches de Lisa.

Elle finit par s'affaler sur le sable, hors d'haleine; elle s'allongea sur le ventre, son corps à demi léché par les vagues tièdes. Elle devina qu'il venait prendre place à côté d'elle mais ne releva pas la tête. Elle avait posé sa joue sur son bras et gardait les yeux clos, respirant l'odeur du sable chaud, parfumée par la mer et les senteurs plus âcres de la végétation. La chaleur l'enveloppait comme une chape et l'air était totalement immobile.

– Cigarette?

Elle secoua la tête. Le tabac vint s'ajouter aux autres odeurs. Une minute coula dans un silence total. Puis Lara dit doucement :

– Si vous n'étiez pas venue au Cambodge, je serais retourné à Saigon. Je serais même allé jusqu'à New York.

Elle ne répondit pas, haletante. Une extraordinaire sensation de bien-être et de certitude l'envahissait, en même temps qu'elle attendait, sans impatience, goûtant au contraire chaque seconde de cette attente.

– Vous devriez enlever cette chose qui vous serre la poitrine, dit-il avec plus de douceur encore. Je vous prêterai un sampot, tout à l'heure.

Elle attendit encore, pour son seul plaisir, n'ayant aucun doute sur ce qu'elle allait faire. Enfin, sans un mot, elle se souleva, décollant à peine son buste du sable et elle sentit les doigts de Lara qui dénouaient délicatement les attaches du soutien-gorge. Il tira lentement et les ridicules petits morceaux de tissu libérèrent ses seins, dont les pointes durcies, brûlantes, revinrent au contact du sable frais.

– Je n'ai pas pu venir plus tôt, dit Lara. Je n'ai pas pu. D'un autre côté...

Il creusait un trou dans le sable. Il y enfouit sa cigarette.

– ... D'un autre côté, ces quelques jours où j'attendais de vous revoir...

Il n'acheva pas sa phrase. Les lèvres de Lisa s'entrouvrirent et son souffle brûla la peau de son bras. Elle lécha sa peau, enduite de sel. Elle avait envie de gémir très doucement.

– Vous aviez d'autres projets pour le week-end, n'est-ce pas?

Elle acquiesça, incapable de parler. Il y eut un nouveau et long silence. La main de Lara se posa sur son épaule et un doigt caressa lentement la trace laissée par le soutien-gorge. Alors, avec une lenteur extrême et délibérée, elle se retourna et vint sur le dos. Lara était tout près d'elle, appuyé sur un coude. Son regard courut sur les seins nus puis vint rencontrer le sien et elle y lut une tendresse qui la bouleversa, dans cet étonnant mélange de violence et de douceur, de force et de quelque chose de désarmé, qu'elle n'avait vu chez aucun homme avant lui. Elle s'allongea, les bras au-dessus de sa tête dans le prolongement de son corps et elle s'étira. Ensuite, elle referma les yeux et prenant entre ses doigts la main de Lara, elle la guida pour l'amener au contact de l'un de ses seins.

Elle dit :

– Et je ne serais jamais rentrée aux Etats-Unis sans vous avoir revu. Il fallait que je sache.

– Et vous savez ?

– Je crois. Oui, je crois.

Il se pencha et l'embrassa légèrement sur les lèvres, enfermant presque le sein dans sa paume puis promenant doucement cette paume au-dessus du mamelon, effleurant la pointe. Elle se souleva à nouveau pour qu'il pût faire glisser sur ses cuisses le bas de son maillot, qu'elle finit par expédier dans la mer d'un mouvement de jambes.

Il dit dans un souffle :

– Maintenant ?

Elle rouvrit les yeux, lui sourit.

– Mmmm.

Elle leva une main et caressa l'horrible bourrelet de chair à l'endroit de la vieille cicatrice. Puis, se redressant sur les coudes, elle l'embrassa sur la poitrine, sur la cicatrice elle-même, sur la joue, sur la bouche enfin, en une lente et presque cérémonieuse succession de baisers à peine ébauchés, respirant l'odeur de sa peau, lui mordillant gentiment la lèvre inférieure. Et ce fut elle qui dénoua son sarong, le mit nu et l'attira sur son propre corps.

Ils déjeunèrent sur les rochers, parfaitement nus, hanche contre hanche et durent même interrompre leur repas quand resurgit une fois encore la terrible et farouche envie qu'ils avaient l'un de l'autre. Cette fois, ce fut presque un combat et ils en sortirent presque meurtris, les lèvres dures et le souffle court. Ils retournèrent dans la mer et nagèrent sans jamais cesser de se chercher, avidement, s'entremêlant une fois réunis et s'enfonçant sous l'eau si claire qu'elle en était invisible, survolant les coraux rouges, jaunes et bleu-violet, au cœur d'incroyables armées de poissons de toutes formes et de toutes couleurs qui s'approchaient, comme pour les renifler, les touchant même avec une totale absence de crainte.

Ils passèrent tout le reste de cet après-midi à effectuer le tour de l'île, qui n'avait jamais que trois hectomètres de long, avec une côte faite de criques minuscules se succédant sans trêve, pour la plupart garnies d'un sable corallien d'un blanc éclatant qui blessait les yeux et qui était si chaud qu'il était impossible d'y marcher pieds nus, hors de l'ombre des arbres ou entre les racines des palétuviers. Au sud, leur île s'achevait en un promontoire bas, fait de sable constellé de millions de microscopiques coquillages argentés, où venaient s'unir les vagues venues de la baie et celles arrivant du golfe. Si, sur la gauche, la mer était peu profonde, hérissée de chenaux de corail fantastiquement colorés, elle était au contraire, sur le côté du grand large, beaucoup plus sombre, d'un bleu nuit somptueux et inquiétant, où il était impossible de distinguer le fond.

– Et tout au fond, en face, la Malaisie, dit Lisa, la voix endormie, sa tête sur l'épaule de Lara.

– Votre géographie...

Elle lui mordit l'épaule.

– *Say it in french*. En français !

– Ta géographie me semble terriblement rudimentaire.

– Je m'en fiche, dit Lisa. J'aime ce mot : la Malaisie.

– La Malaisie est bien plus au sud. Ce que nous avons en face de nous est la Thaïlande...

– Je croyais que c'était le Siam.

– C'est la même chose. Et si ce n'est pas la Thaïlande, c'est la Birmanie. Et il y a tout de même quatre cents kilomètres.

– *I love you*, dit Lisa. Je t'aime.

Elle lui ôta d'entre les doigts son inévitable cigarette, en aspira une bouffée qui la fit tousser.

– Tu fumes trop.

– Ça commence, dit Lara en souriant.

Sans plus de raison, le fou rire les prit, les secoua puis s'interrompit aussi soudainement qu'il avait commencé, tandis qu'ils se regardaient d'un air grave. Main dans la main, parfaitement nus et totalement seuls, ils avancèrent sur le promontoire de sable aussi loin qu'ils le purent, jouant avec le danger réel d'être aspirés par le sol mouvant et gorgé d'eau. Ils durent pour finir s'allonger dans quelques centimètres de vague et même ils se hasardèrent, yeux dans les yeux, comme par défi ou pour se prouver la confiance qu'ils avaient l'un dans l'autre, ils se hasardèrent en eau profonde, survolant un vide noir et inconnu, d'où à tout instant pouvait surgir l'ombre tranchante d'un requin.

Le même soir, ils s'endormirent devant un feu de bois, et, d'un commun accord, ne s'habillèrent pas pour dîner.

Dans l'après-midi du lendemain dimanche, la pirogue malaise réapparut, un peu avant la tombée du jour, à l'heure prévue, et ils atteignirent le continent en même temps que le soleil se couchait sur la mer. De retour à Phnom Penh, où ils arrivèrent vers dix heures, après avoir effectué tout le trajet sans pratiquement échanger un seul mot, ils eurent un instant l'idée d'aller dîner et danser dans un établissement au bord du Tonlé Sap mais, très vite, ils se rendirent compte de leur erreur et, cédant à leur besoin de solitude, ils allèrent passer la nuit dans une chambre de l'hôtel *Raja*.

Le lundi, Lisa annonça de vive voix à Jon et par lettre à Matthew Kinkaird, son intention d'épouser Lara.

Ce qu'elle fit, le 2 juillet 1969.

17

Thomas d'Aquin O'Malley n'assista pas au mariage, qui fut prononcé devant le consul à l'ambassade de France et simultanément enregistré au Cambodge et aux Etats-Unis.

Il y avait été invité par Lisa mais, après avoir accepté, dans la stupeur du moment, il changea d'avis et prit prétexte d'un voyage qu'il devait faire à Bangkok et Rangoon, voyage qu'il aurait pu remettre, pour n'être pas à Phnom Penh dans les premiers jours de juillet. A Bangkok, seul dans sa chambre de l'hôtel *Erawan*, il prit la plus fantastique cuite de sa carrière et assurément la plus solitaire, lui qui s'était toujours vanté de ne jamais boire seul.

Kutchaï n'y assista pas davantage.

– Tu sais bien que je n'aime pas les cérémonies, dit-il à Lara.

Il soutint le regard de son ami.

– Du calme, dit-il. Ne va pas te faire des idées. Cette Lisa Kinkaird est une femme extraordinaire. Elle est belle comme les temples d'Angkor quand le soleil se lève et elle est la meilleure chose qui pouvait t'arriver.

– Alors pourquoi ?

– Ce n'est pas ma place.

Il ne voulut pas en démordre. D'ailleurs, expliqua-t-il, il fallait bien que quelqu'un s'occupât de la plantation, puisque Oreste, revenu mais encore convalescent, n'était pas en état de le faire. A tous les arguments de Lara, il opposa le même entêtement et le même rire chaud et amical. Et il n'y eut, à aucun moment dans son attitude, la moindre prise pour une dispute, que Lara aurait sans doute été prêt à déclencher, qui aurait été en tous les cas la première en trente et quelques années.

– Vous n'avez pas besoin de moi, Lisa et toi. En fait, vous n'avez besoin de personne. Surtout pas d'un consul.

Il rit :

– Je ne t'ai pas demandé de venir à tous mes mariages.

A la connaissance de Lara, mais même Lara ne savait pas tout de Kutchaï, celui-ci avait au moins trois femmes, disséminées un peu partout, et un nombre impressionnant d'enfants.

Charles et Madeleine Korver furent là, de même que Roger Bouès.

Pour Roger Bouès, ces premiers jours de juillet 1969 marquèrent le début d'une nouvelle période de sa vie. Tout s'était joué lors d'une discussion d'après-boire, dans un bar appelé le *Saint-Hubert* et tenu par un Français replié d'Hanoi. Roger s'y était mis à parler photo avec quelqu'un dont la photographie était précisément le métier, un reporter professionnel travaillant notamment pour *Paris-Match* et qui avait perdu un pied en sautant à la fois sur Dien Bien Phu encerclée et sur une mine. Roger avait toujours plus ou moins pratiqué la photo, en principe comme violon d'Ingres mais il lui était arrivé de vendre quelques clichés, en particulier au moment du départ des dernières troupes françaises d'Indochine. Cela remontait à des années, en vérité, et cela avait pris fin quand, pressé par des besoins d'argent, Roger avait un jour vendu non plus des photos mais l'appareil lui-même.

Le journaliste lui suggéra de reprendre son activité.

– Je n'ai plus d'appareil, dit Roger.

– J'ai justement un Rolleiflex et un Canon en double. Ils sont à toi.

Roger éclata de rire :

– Je n'ai pas non plus d'argent.

– Qui a parlé d'argent? dit l'autre, qui s'appelait Legros. Je te les prête. Avec assez de film pour tenir six mois.

– Je vois ce que c'est : tu es encore beurré, comme d'habitude.

Mais il était tenté. Et Legros, pour une fois, n'avait pas bu grand-chose; on le connaissait, au Cambodge et ailleurs, pour sa capacité remarquable à ingurgiter de l'alcool : il avait un jour parié de boire à la suite, sans temps mort, quarante whiskies alignés sur le comptoir du *Zigzag*, et il les avait bus, se tenant encore debout en fin de parcours, à cela près qu'il s'était mis à fracasser les verres vides à coups de poing et qu'il avait fallu l'emmener à l'hôpital pour lui recoudre les mains.

Deux jours plus tard, Legros lui avait apporté les appareils et la pellicule.

Et le surlendemain, Roger avait appris que Legros venait de prendre l'avion pour la France, où il rentrait définitivement. Alors seulement, il avait compris la manœuvre. Il avait couru chez Lara, qui avait alors sa chambre au *Raja :*

– Qui a payé Legros?

– Comprends pas.

– Legros n'a pas les moyens de me faire un cadeau pareil. Surtout avec assez de film pour tirer le portrait à tous les Chinois de Chine, un par un.

– Aucune idée, dit Lara, impassible. Je le jure sur la tête de Lon Nol.

– Espèce de planteur pourri.

– Pendant que j'y pense, dit nonchalamment Lara, Legros m'a laissé ça pour toi.

« Ça », c'était l'acte de vente des deux appareils, établi au nom de Roger.

– Pourquoi c'est à moi qu'il a laissé ça, dit Lara, je me le demande encore. Tous ces photographes de presse sont fous.

Son œil clair rigolait.

– Tu dines avec Lisa et moi ce soir, je te le rappelle. Et je te rappelle aussi que tu es mon témoin. Si tu pouvais assister à mon mariage, ça m'arrangerait. J'y serai aussi, si ça se trouve.

Jon Kinkaird n'assista pas à la cérémonie. Sa situation tout à fait irrégulière ne le lui permit évidemment pas. Pourtant, ce fut directement à cause de lui que fut choisie la date du 2 juillet, tout simplement parce qu'il embarquait deux jours plus tard, le 4, sur un bateau norvégien dont l'itinéraire passait par Singapour et Bombay, avant de contourner le cap de Bonne-Espérance et s'engager dans l'Atlantique d'où le navire soit se rendrait directement à Oslo, soit ferait d'abord un crochet par l'Argentine ou les Caraïbes, avec cette poésie dans les déplacements dont sont coutumiers certains cargos tramps. D'Oslo, il était prévu que Jon pourrait aisément gagner la Suède, où il n'aurait en principe aucune difficulté à recouvrer sa véritable nationalité; en attendant, pour le voyage, l'associé corse de Lara à Bangkok, Christiani, avait réussi à lui procurer un superbe faux passeport australien, suite à de mystérieuses tractations.

Lara et Lisa, mariés, passèrent la nuit du 2 au 3, la journée du 3 et la nuit suivante à Phnom Penh, toujours à l'hôtel *Raja*. Le 4 au matin, en fait avant même le lever du jour, ils quittèrent la capitale pour le port de Kompong Som/Sihanoukville, à bord de la Peugeot 504. Jon était avec eux. Dans une autre voiture, suivait Christiani venu tout spécialement de Bangkok pour la circonstance. Christiani était un homme de taille moyenne, râblé, intelligent et actif, roué en diable, qui avouait avoir manqué une magnifique carrière de grand truand mais qui vouait à Lara une amitié inaltérable, nuancée de respect depuis que, quinze ans plus tôt, Lara l'avait

257

placé à la tête de cette affaire d'import-export dans laquelle ils étaient associés, de part à deux.

Ce fut Christiani qui prit en main, avec efficacité, les opérations d'embarquement de Jon Kinkaird. Il reçut avec un sourire presque apitoyé, et même un rien moqueur, les échos de l'inquiétude de Lisa, qui se préoccupait de la façon dont son frère allait s'intégrer, comme s'il en avait toujours fait partie, à un équipage de Norvégiens qu'il n'avait jamais vu.

– Ma petite Madame, ça, c'est mon problème. D'abord, il est grand, votre petit frère. Et puis le capitaine est mon ami. Un frère, comme qui dirait. Il me parle norvégien et je lui réponds en corse. Et on s'entend très bien.

Et il frottait son pouce contre son index dans un geste sans équivoque. Il disait « Petite Madame » à Lisa bien qu'elle le dépassât de presque une tête.

– Cela dit, plus vite il sera à bord, plus vite il sera en sécurité. Mieux vaut ne pas traîner.

Cela revint à abréger les émotions de la séparation du frère et de la sœur. En ce début juillet, Jon avait recouvré à peu près l'essentiel de ses forces, bien qu'il fût encore assez pâle; mais cela s'expliquait par son long séjour dans la maison des Korver, dont il n'était guère sorti que la nuit.

Jon Kinkaird serra la main de Lara.

– Je ne m'inquiète pas pour Lisa, dit-il. Plutôt pour vous. Elle a un caractère de cochon. N'hésitez pas à la frapper. Une bonne trempe de temps en temps.

– Je ne peux rien promettre, dit Lara. Je ferai de mon mieux.

Il embrassa Lisa, la serrant dans ses bras avec presque de la timidité.

– C'est fantastique ce que les choses ont changé en quelques semaines. Je suis sûr que tu as fait le bon choix.

– J'en suis sûre, dit Lisa.

– Soigne ce type. Je l'aime bien.

– Moi aussi.

Le cargo leva l'ancre au début de l'après-midi du 4. Lara attendit pour repartir que le bâtiment eût disparu au large de l'île Rong. Il emmena Lisa et Christiani déjeuner chez un Corse du nom de Battesti, celui-là aussi expansif et guilleret qu'un sanglier de son île natale, et dont le menu, en tant que restaurateur, consistait en chevreuil avec des pâtes au beurre, ou alors en pâtes au beurre accompagnées de chevreuil. Dès la fin du déjeuner, Christiani remonta dans sa voiture pour rentrer à Phnom Penh et, de là, à Bangkok.

Lara avait proposé à Lisa un voyage de noces à Hong Kong, aux Philippines, à Ceylan, à Java, voire en Polynésie française. Elle avait rejeté en riant toutes les propositions :

– Je veux simplement retourner à Sré. Rien d'autre.

Si bien que, de Kompong Som, ils gagnèrent directement l'île, où ils passèrent cette fois deux semaines, leur solitude totale n'étant rompue qu'à deux reprises, quand les pêcheurs malais vinrent les réapprovisionner.

Plus tard, lorsqu'ils furent rentrés à Phnom Penh, Lara loua à un ministre cambodgien une villa dans la rue Phsar Dek; c'était une bâtisse peinte en blanc, abondamment fleurie, à un étage, plus petite que celle des Korver dont la largeur du boulevard des Français la séparait, avec trois chambres. Et, dans les premiers jours d'août de cette même année 1969, Lisa s'entendit confirmer qu'elle était enceinte de l'enfant, un garçon, qu'en accord avec son mari, elle allait appeler Matthias.

TROISIÈME PARTIE

LA ROUTE AMÉRICAINE

1

La mire ronde de la grosse mitrailleuse de 12.7 monta sans la moindre secousse. Elle captura la tête et le cou fuselé de la biche. Le capitaine Kao actionna la détente et les énormes balles partirent comme le tonnerre, déchiquetant, hachant la tête et la décapitant. Le faon terrifié se jeta droit devant lui, courut sur un plan d'herbe. L'orage tonnant le rejoignit, le broya à son tour.

Sitôt qu'il fut certain d'avoir massacré le fils, Kao revint à la mère, bien qu'elle ne fût déjà plus qu'une masse sanglante tranchée en deux. Il tira encore, jusqu'à éparpiller les débris de viande sur une dizaine de mètres, poursuivant la tête décapitée qui rebondissait sur l'impact des balles et s'acharnant sur elle au point de la précipiter dans l'eau noire de l'étang. Alors seulement il cessa le feu, respirant à grands halètements rauques, le pouls battant la chamade, écrasé par une sensation de plaisir tenant de la douleur. Il remit en route le moteur de sa jeep, exécuta un demi-tour et lança le véhicule dans la descente sinueuse.

La montagne de l'Eléphant domine de sa masse le port et la baie de Kompong Som, la ville de Kampot, la plage de Kep; elle se trouve au sud des massifs des Cardamomes et du Kirirom, dont elle est séparée par une étroite plaine, où la mission d'aide des Etats-Unis avait, douze ans plus tôt, construit une route reliant Phnom Penh au golfe de Siam.

Un peu plus loin, la piste cessa, remplacée par l'asphalte de la Route américaine. Sans hésiter, il prit à droite, vers Kompong Speu et Phnom Penh, jetant un coup d'œil sur sa montre qui indiquait un peu plus de six heures. Il s'assura dans le rétroviseur, puis en se retournant carrément, que les camions ne se trouvaient pas déjà là, mais la route était déserte. Il était encore trop tôt et il serait à l'heure. Ses instructeurs américains n'avaient pas cessé d'insister sur l'importance du respect des horaires, au point de l'agacer un peu. Ils l'avaient pris pour un sauvage, c'était évident.

Après une dizaine de kilomètres, il vit les deux hommes qui lui faisaient signe. Il stoppa, le temps qu'ils se hissent à bord.

– Il y a longtemps que vous m'attendez?

– Deux heures.

– Quelqu'un est passé?

– Le car et deux taxis chinois. Mais Price est venu nous demander où vous étiez.

Les deux hommes, malgré leurs habits de paysans, étaient en réalité deux jeunes sous-lieutenants qui n'avaient guère plus de vingt ans.

– J'emmerde Price, dit Kao.

La jeep roula encore sur cinq ou six kilomètres puis attaqua les faibles pentes du col de Phnom Pich, où Price et son détachement devaient normalement se trouver. Où ils étaient, dissimulés derrière un repli de terrain.

– Il est temps, dit Price à Kao.

C'était un grand Américain blond, à longs favoris compensant le fait qu'il fût en grande partie chauve bien qu'il n'eût guère plus de trente ans. Il avait de grands bras musclés, couverts de poils dorés, et un tatouage, représentant une étoile percée d'une flèche, sur le biceps gauche. Outre le français, qu'il parlait à la perfection avec un accent parisien prononcé, il connaissait assez bien le khmer.

Sans quitter le siège de sa jeep maintenant à l'arrêt, Kao jeta un coup d'œil autour de lui. Il y avait là une demi-douzaine de véhicules et une quarantaine d'hommes, tous habillés en paysans des rizières, tous vêtus de noir, tous armés. Il s'agissait en fait de parachutistes du 2e bataillon et ils avaient fait mouvement la veille, quittant leur cantonnement de Phnom Penh sous prétexte d'un exercice de nuit. La plupart d'entre eux étaient des Kroms de Cochinchine. Price manipulait un poste de radio. Il se redressa.

– Le convoi a quitté Kompong Som depuis une heure. Il ne va plus tarder.

L'Américain transpirait à grosses gouttes malgré l'heure matinale. Il mâchonnait un cigare philippin depuis longtemps éteint. Il demanda à Kao, qu'il tutoyait en français :

– Tes hommes ont déjà mangé et bu. Ils sont prêts. Tu as faim ?

Kao secoua la tête. Il se pencha en avant et caressa le fût de la mitrailleuse plantée sur le capot. Le métal en avait refroidi.

– Tu t'en es servi ce matin ?

– J'ai un peu chassé, dit Kao.

Ils échangèrent un regard et un sourire. Kao imaginait le grand Américain blond, si sûr de lui, en train de courir éperdument sur une rizière desséchée et lui, Kao, roulant doucement derrière lui, sa mire au creux des reins de Price et le suivant implacablement. On était en pleine saison sèche et la chaleur montait très vite, comme dans un four.

Quelques jours plus tôt, dès le début de cette année 1970, c'est-à-dire le 10 janvier, Norodom Sihanouk avait quitté le Cambodge pour la France, où il devait suivre une cure. Avec lui étaient partis la princesse Monique, épouse de second rang devenue épouse officielle, et le vieux et paisible Penn Nouth, l'homme en qui Sihanouk avait sans doute le plus de confiance.

On aurait difficilement pu choisir pire moment pour

cette absence, dont il était officiellement prévu qu'elle durerait plusieurs semaines.

Il s'en était allé pourtant le cœur tranquille, en dépit des véhéments avertissements des services secrets français et chinois (comme souvent associés), il s'était embarqué pour Paris d'où, après quelque temps, il devait gagner Moscou – triste corvée, il trouvait que les Russes manquaient d'humour et estimait que leur expansionnisme valait tous les autres, surtout dans la mesure où Moscou se dissimulait derrière Hanoï – puis Pékin où il retrouverait son grand et cher ami Chou en-Laï, l'homme qu'il appréciait le plus après de Gaulle. Qu'il pût se passer quelque chose de grave en son absence, il l'admettait et probablement même il s'y attendait. Mais il estimait sans doute que la meilleure façon de, non pas se débarrasser définitivement de Sirik Matak et de Lon Nol (leur existence et celle d'une tendance de droite pro-américaine représentaient à ses yeux un élément essentiel de l'équilibre qu'il entendait maintenir dans son pays, cet équilibre étant selon lui la seule chance de survie du Cambodge), mais de calmer leurs ardeurs, était en fin de compte de les laisser « mariner dans leur jus », selon ses propres mots. Il serait toujours temps, le moment venu, et épaulé par l'amitié franco-russo-chinoise, réaffirmée par la tournée qu'il entreprenait, de faire appel à son peuple. Bref, de faire son propre 18 juin 1940, tel un nouveau de Gaulle.

Il semble difficile d'expliquer autrement son inconscience.

Sihanouk n'oubliait qu'un facteur : les Khmers rouges.

La radio de Price grésilla.
– Ils arrivent.
Dans ses jumelles, le capitaine Kao vit les guetteurs

apostés à huit cents mètres de là, de part et d'autre de la route, en train de se replier.

– Onze camions, dit Price.

Il hésita, ses yeux clairs devenus pensifs.

– Tu es sûr qu'il faut vraiment en tuer quelques-uns?

Kao haussa les épaules, agacé :

– Nous avons déjà discuté de ça. Si nous étions de vrais Khmers rouges, nous tirerions. Et puis voler des camions et leur contenu appartenant à des Chinois n'affolera personne au Cambodge. Les Chinois ne sont pas très populaires, chez nous, ils sont trop riches. Tandis que si nous tuons quelques pauvres types de convoyeurs, qui sont des Khmers, et si nous les tuons bien, tout le monde saura et dira que les Khmers rouges sont des sauvages. Ce qu'ils sont.

« Qu'entendait-il par '' les tuer bien ''? » Price ne se posa trop longtemps la question, sans doute parce qu'il connaissait la réponse. Son regard se posa sur la mitrailleuse montée sur le capot de la jeep, puis revint sur le visage de Kao.

– Vous êtes tous des sauvages, dit-il.

Kao sourit, acquiesça, souriant de plus belle.

– *And you're helping us*, dit-il en anglais. *Very much*. Et vous nous aidez, beaucoup.

Il y avait environ quatre ans que Sihanouk avait secrètement donné son accord aux troupes du Nord-Vietnam et à leurs théoriques sinon fantomatiques alliés du Gouvernement républicain provisoire du Sud-Vietnam pour une utilisation à plein temps du territoire cambodgien par les divisions vietcongs. Cela avait été comme donner son accord à la pluie avant qu'elle ne tombe et même après qu'elle eut commencé à tomber, car les Vietcongs étaient là avant 1966. Leurs premiers détachements étaient apparus dans les années cinquante de la guerre contre les Français, se glissant de nuit à travers les hauts plateaux, en de furtives files indiennes d'hommes pieds nus, à peu près invisibles. Les Accords de Genève avaient en principe rendu inutile le goutte-à-goutte. Qui avait très vite repris, en même temps que démarrait la Deuxième Guerre d'Indochine. Les colonnes s'étaient alors renforcées, la piste Ho Chi Minh était devenue autoroute et le sol cambodgien une véritable plage de départ, s'étalant sur les provinces orientales de Ratanakiri et Mondolkiri, sur le sud des provinces de Kratié et de Kompong Cham, jusqu'au fameux Bec de Canard de Sway Rieng. Le Sanctuaire.

L'arrivée de Richard Nixon à la Maison-Blanche, sa volonté de couper le Vietcong de ses bases pour faciliter la « vietnamisation » avaient entraîné un ralentissement de l'approvisionnement en armes, munitions et ravitaillement divers destinés aux divisions vietcongs. En 1969, Hanoi avait trouvé la parade : tout simplement acheminer une partie de cet approvisionnement nécessaire *via* le port de Kompong Som-Sihanoukville, et outre l'avantage d'une sécurité totale des expéditions, hors d'atteinte de l'aviation américaine, la nouvelle formule avait le mérite de fournir une nouvelle source de bénéfices à la princesse Monique et à ses amis, qui avaient aussitôt prélevé les taxes de transit.

Comme toujours au Cambodge, l'organisation des opérations avait été confiée aux Chinois. C'était donc aux Chinois qu'appartenaient les onze camions acheminant vers l'est les armes débarquées au cours de la nuit d'un cargo soviétique, ces onze camions en train de gravir les pentes du col de Phnom Pich, et qui grossissaient de seconde en seconde dans les jumelles du capitaine Kao.

Price était à deux cents mètres de la route, et les ondes de la chaleur sans cesse montante troublaient par instants sa vision à ras du sol. Il vit le capitaine Kao lever un bras et les parachutistes se dressèrent à demi en position de départ. Puis le premier des camions apparut et la fourgonnette, comme prévu, surgit au même instant sur l'asphalte, pour venir le heurter de plein fouet.

Alors, de part et d'autre de la route, les hommes bondirent et, une brève seconde, Price ne les reconnut pas, tant leurs vêtements noirs, leurs écharpes, les transformaient, tant ils avaient l'allure de Khmers rouges véritables. Les premiers coups de feu éclatèrent, chaque cabine de camion assaillie par trois ou quatre hommes, selon le plan qu'il avait lui-même conçu. Mais le respect de ce plan n'alla pas au-delà. Contrairement à tout ce qui était prévu, la jeep de Kao se jeta hors de sa cachette. Et le massacre commença, des chauffeurs abrutis par la surprise se faisant couper en deux par la mitrailleuse, d'autres hachés sur place par les coupe-coupe, d'autres encore arrachés de leurs sièges, arrosés d'essence et brûlés, dans un accès de sauvagerie démente. Le pire pourtant était encore à venir. Price vit Kao traquer un homme, l'obliger à courir, le rejoindre et, l'ayant rejoint, le contraindre à s'adosser au tronc d'un aréquier; après quoi, le pare-chocs de la jeep approcha doucement du malheureux hypnotisé par le canon de la mitrailleuse braqué sur son visage, le plaqua contre le tronc et, lentement, l'y écrasa, dans un rugissement de moteur.

Tandis que dans le même temps, les parachutistes se penchaient sur les corps pantelants et, s'aidant de couteaux, fendaient les abdomens pour en retirer des trophées sanglants : les foies.

Price se détourna et se mit à vomir.

Après quelques instants, il se redressa et alla jusqu'à sa propre voiture, une fourgonnette empruntée à l'ambassade. Il y prit une bouteille de whisky et but. Il s'assit à l'ombre, malade de chaleur et de dégoût, attendant. Plusieurs minutes passèrent. Puis un grondement doux lui fit lever les yeux sur la jeep de Kao. Price contempla le pare-chocs maculé de débris ignobles.

– Et tu en as tué combien ?

– Dix-neuf, dit Kao. Mais nous n'avons tué personne, souviens-toi. Ce sont les Khmers rouges. On en a laissé un de vivant. On l'a simplement assommé. Il dira qu'il a vu des Khmers rouges.

– On était d'accord pour cinq.

– Où est la différence ? dit Kao en souriant.

– Et pourquoi ces mutilations ?

– Les Khmers rouges sont des sauvages : ils prennent et mangent le foie de leurs ennemis, tout le monde sait ça. C'est une vieille coutume.

Kao sauta souplement à terre et, à l'aide d'une poignée d'herbe, se mit paisiblement à essuyer son pare-chocs. Se retournant à un moment, il aperçut la bouteille.

– Je peux ?

Price tendit le bras.

– Garde-la.

Kao but, rota. Il dévisageait Price. Il cligna de l'œil.

– Un de ces jours, je t'emmènerai à la chasse avec moi. Je connais tous les bons coins.

– Bonne idée, dit Price, qui avait de nouveau envie de vomir.

Kao but encore, ses grands yeux noirs écarquillés fixant la chaîne de l'Éléphant, au loin.

– Ça fait des années que je suis dans l'armée, dit-il. Et jamais la moindre guerre. Le Cambodge était toujours en paix. Peut-être que ça va changer ? C'est quand même mieux que la chasse. Bien mieux.

2

– Au début du IXe siècle, dit Charles Korver, le roi Jayavarman II établit ou plus justement rétablit un pouvoir unique sur le Cambodge. Il mourut en l'an 854.

Approximativement le 17 juillet à quatorze heures cinquante-deux, heure locale. Mais ce n'est pas lui qui construisit Angkor. Comme c'était un brave type, il laissa cette gloire à ses successeurs.

– Je m'en contrefiche éperdument, dit Lisa.

Elle contemplait son ventre et le trouvait horrible. « Je ressemble à un édredon. » Et elle mourait de chaleur malgré l'air qui pénétrait par la vitre ouverte de la Land-Rover. Au volant était assis Bê, le chauffeur vietnamien des Korver, tandis que Charles et Madeleine Korver se trouvaient quant à eux sur la banquette arrière, agitant doucement des éventails de paille devant leurs visages. La voiture roulait presque au pas, son moteur à peu près silencieux, ondoyant parfois pour éviter les cahots d'une route mal asphaltée que les pluies ravinaient un peu plus chaque année. De temps à autre, une branche plus basse venait flageller une portière, qui résonnait. Un air suffocant semblait monter du sol, soulevant par nappes des senteurs de pourriture humide et de mousse aussitôt remplacées, la seconde suivante, par l'odeur puissante de la pierre chauffée à blanc. La lumière aussi avait de ces variations brutales, tantôt verte et glauque, dans une atmosphère d'aquarium, quand on roulait sous le couvert, elle jaunissait soudain, s'éclairait jusqu'à une blancheur éblouissante d'acide lorsqu'on abordait une clairière.

Madeleine Korver se pencha, posa sa petite main sur l'épaule de Lisa :

– Ça va ?

– Oui, continuons, dit Lisa.

Elle venait à Angkor pour la troisième fois, y était venue les deux premières fois avec Lara, d'abord à la fin de juillet, l'année précédente et ils avaient ensemble parcouru les temples sous une pluie battante, extraordinairement tiède et amicale, grasse, qui faisait reluire les dalles noires de la grande chaussée d'Angkor Vat et noyait sous une brume violette la toison des arbres. Elle se souvenait d'un garçonnet nu, ses deux mains serrées sur ses sandales et le sarong qu'il avait ôtés pour ne pas les mouiller trop, courant et riant aux éclats sur ces dalles; se souvenait aussi de ces deux jeunes bonzes impassibles, l'air hautain, attendant la fin hypothétique de l'orage, leurs robes couleur safran éclairant l'ombre de la galerie où ils s'étaient réfugiés; se souvenait encore de la vertigineuse escalade de ces marches abruptes, souvent rongées, où mieux valait ne pas regarder le vide qui se creusait à mesure que l'on montait, de leurs lentes flâneries au hasard des pierres éboulées ou encore intactes, avec le même souci obstiné de ne surtout pas chercher à savoir qui avait fait construire quoi, et quand et comment et pourquoi, jouissant simplement d'être là dans cette ville morte assiégée par la jungle et accueillant même la pluie constante comme une alliée supplémentaire parce que décourageant les touristes ordinaires, elle renforçait leur solitude. Ils avaient scrupuleusement contourné les trois enceintes concentriques d'Angkor Vat et scruté la pénombre de chaque galerie et de chaque salle où gisaient d'innombrables statues souvent mutilées, belles et obsédantes avec leurs regards d'aveugles et leurs sourires figés. Sous la pluie encore et toujours, ils avaient parcouru des jours durant les pistes reliant un temple à l'autre, gravi les pyramides du Pré Rup, du Phnom Bakeng et du Phimeanakas, chevauché le grand cheval de pierre du Neak Pean. Elle avait embrassé sur les lèvres le Roi Lépreux avant de s'insinuer dans la gorge étroite de la terrasse des Eléphants, puis de se courber pour l'enfilade des petites portes sombres et claires en alternance du Preah Khan d'Angkor, où des nuages noirs de chauves-souris pendaient à chaque plafond, dans des frémissements de vampires inoffensifs attendant la nuit.

– Il n'y a rien au monde comme Angkor, disait Lara. Les monuments grecs et les cathédrales parlent à l'intelligence. Angkor touche ta peau et ton sang. Angkor se respire autant qu'il se voit.

Ils y étaient revenus à la fin d'octobre, cette fois sous

un soleil immuable et un ciel d'outremer. Ils avaient retrouvé leur même chambre sans grand confort de l'*Auberge des Temples* et le même éléphant familier qui, cognant de sa trompe au volet, mendiait chaque matin d'un petit œil attendrissant les brioches tièdes du petit déjeuner.

– Je vois bien, dit Charles, que mon exposé vous passionne. Je vous sens suspendue à mes lèvres, haletante. J'ai toujours eu un merveilleux talent de conteur. Après Jayavarman II vint un autre roi, puis un autre, qui fut le grand Yaçovarman qui édifia la première ville d'Angkor, sur un quadrilatère de quatre kilomètres de côté. En ce temps-là, le royaume du Cambodge allait presque jusqu'au Yunnan chinois et jusqu'à la Birmanie. C'est à partir de lui, après lui, pendant deux siècles, que les temples vont naître et se multiplier, s'éparpiller sur des dizaines de kilomètres, au temps où, à Paris, on construit Notre-Dame. Il faudrait dix ans pour les connaître tous, un siècle et l'or du Grand Moghol pour les restaurer, car à peine avez-vous remis une pierre sur l'autre, à peine avez-vous tourné le dos que la jungle revient et recommence à tout ronger.

– Il est agaçant, hein? dit Madeleine à Lisa. Et il pourrait parler ainsi pendant des semaines, nuit et jour. C'est pour ça que je l'ai épousé : j'ai toujours aimé les bruits de fond qui vous permettent de réfléchir à votre aise.

Venant du *Grand Hôtel* de Siem Reap, où les Korver avaient leurs habitudes depuis toujours, bien plus qu'à la trop récente *Auberge des Temples*, la Land-Rover de Lara avait contourné Angkor Vat par sa face sud et roulé en direction du baraï – réservoir – oriental, gigantesque bassin de sept kilomètres sur deux, où la terre avait fini par prendre le dessus sur l'eau.

– Avez-vous visité le Ta Prohm? demanda Charles.

– Oui, en octobre.

De tous les temples d'Angkor, le Ta Prohm, édifié vers 1180, était peut-être celui qui avait le plus impressionné

Lisa. Exactement cent un ans auparavant, en 1868, les marins du lieutenant de vaisseau français Delaporte avaient été terrifiés par ce qu'ils avaient pris pour des serpents de proportions invraisemblables : les gigantesques racines blanches des fromagers de quarante mètres de haut, qui avaient au fil des siècles percé, chevauché ou culbuté des murailles de pierre pesant des dizaines de tonnes, pour ensuite librement courir au ras du sol sur parfois vingt ou trente mètres, dans une lumière glauque et irréelle de fond sous-marin. Au contraire de ce qu'ils avaient fait partout ailleurs, les archéologues de l'Ecole française d'Extrême-Orient n'avaient pas ici cherché à lutter contre l'envahissement irrésistible de la végétation. D'abord parce que nulle part ailleurs qu'au Ta Prohm ces sortes de poulpes géants couleur de lait ne s'étaient autant emparés de la pierre en étouffant sous leurs tentacules un bâtiment de presque cent cinquante mètres de long, et que le travail de dégagement eût été colossal, ensuite parce qu'ils avaient voulu garder le Ta Prohm comme un exemple dramatique de la terrible emprise de la forêt, de cette fantastique et irrépressible digestion à laquelle la jungle s'employait constamment.

— Dans ce cas, dit Charles Korver, il me semble inutile de faire le détour. Mieux vaut aller directement à Banteay Sreï.

— Excusez-moi, dit Lisa. Mais je voudrais rentrer.

Madeleine se pencha à nouveau, la prit aux épaules, l'embrassa.

— Excellente idée, dit-elle. Il fait si chaud et je n'osais rien demander à mon ogre de mari.

— On rentre, Bê, dit l'ogre, qui pesait au plus cinquante kilos.

Ils revinrent par la porte des Morts d'Angkor Thom. Charles Korver s'était remis à parler, ses yeux fixés sur le visage de Lisa, du moins sur ce qu'il en apercevait, comme toujours stupéfié par la beauté de la jeune femme, et il parlait surtout pour meubler un silence décidément par trop pesant.

– Angkor mourut une première fois en 1177, à la suite d'une attaque des Chams, sorte d'Indonésiens établis sur la côte d'Annam. Les Chams arrivèrent par la mer, par le golfe du Siam et plongèrent, dit la chronique, le Cambodge dans une mer d'infortune. Mais les Khmers n'étaient pas vraiment vaincus, pas encore : sous la conduite de l'un de leurs princes, ils s'étaient réfugiés dans leur refuge traditionnel, la forêt. Et ils en ressortirent quatre ans plus tard, chassant les envahisseurs, reconstruisant digues, bassins et fontaines, redressant les temples, rouvrant la route des pèlerinages, la Voie Royale chère à André Malraux. Le prince qui les conduisait devint le roi Jayavarman VII. C'est le Louis XIV et la reine Victoria du Cambodge. Vous avez bien entendu vu la statue du Roi Lépreux ? C'est lui. Enfin, peut-être.

La Land-Rover roulait vers Siem Reap.

– Jayavarman VII régna vingt ans. Après lui, l'effondrement. Un effondrement lent. Les baraïs s'emplissent de terre, les digues s'effondrent, le système hydraulique s'obstrue. La ville au million d'habitants dont on parlait jusqu'en Chine, cette ville est enfin définitivement dépeuplée par les Thaïs, des envahisseurs venus de Chine du Sud. Au XIVe siècle, tout est écrit. Bien que couronné à Angkor, le dernier roi de ce temps préfère établir sa capitale au confluent du Tonlé Sap et du Mékong. Et lui ou l'un de ses successeurs est assassiné par erreur de la main d'un jardinier. Comme le Grand Inca, les Rois-Dieux d'Angkor disparaissent. Angkor est morte.

La voiture stoppa devant le *Grand Hôtel*.

– Venez, dit Madeleine à Lisa. Il n'a qu'à continuer à parler tout seul. Faisons semblant de ne pas le connaître. Venez vous allonger.

– Morte pour toujours, dit Charles, assis sagement au fond de sa banquette. C'est une histoire triste, horriblement triste. Et elle est vraie.

Lisa lui sourit.

– Vous avez un merveilleux talent de conteur, dit-elle.

– Je l'ai toujours su, dit Charles, sinistre.

Le *Grand Hôtel* de Siem Reap était fait d'immenses salles cérémonieuses aux plafonds lointains et perdus dans l'ombre. Le hall en était décoré d'estampages, obtenus par application de feuilles de papier de riz sur les bas-reliefs préalablement encrés, qu'on martelait doucement, et de reproductions de statues. La partie la plus agréable était le bar, dont le comptoir de bois massif et sculpté avait des allures de retable gothique un tantinet flamboyant; il dissimulait ordinairement un barman minuscule, qui trottinait là derrière comme un vieux rat, surgissant à l'air libre par surprise, là où on ne l'attendait plus ou bien vous tendant votre verre à bout de bras, de telle sorte que ce dernier semblait sortir du plancher. Au moindre signe, six ou sept boys dévoilaient leur présence derrière les fauteuils où ils étaient cachés, faisant probablement la sieste; ils prenaient les commandes d'un air visiblement intéressé, après quoi ils disparaissaient à nouveau, engagés sans doute dans des missions inconnues qui les gardaient au loin.

– Je suis désolée, dit Lisa en s'asseyant sur son lit. Je vous ai privés de votre promenade.

– Ma chère enfant, nous avons visité Banteay Sreï entre trente et quarante fois déjà, si mes comptes sont exacts. Nous avons beau adorer ces pierres, la perspective de les revoir encore ne nous plonge pas précisément dans la fièvre. Allongez-vous complètement... Non, attendez, vous êtes en nage : prenez d'abord votre douche, tiède s'il vous plaît, et revenez vous allonger. Ne me regardez pas avec vos gros yeux. Je sais que vous avez mauvais caractère. Allez hop! Où avez-vous mal? Aux reins? C'est ce voyage en voiture. Allez debout.

Madeleine l'aida à se déshabiller, puis la propulsa littéralement sous la douche, dont elle régla elle-même la température. Elle alla ensuite prendre place dans l'un des fauteuils sur le balcon, mais s'y assit de façon à ne pas vraiment perdre Lisa de vue, lui souriant de temps en temps avec sa façon gracieuse de pencher la tête comme un oiseau. Et ce ne fut que lorsque la jeune Américaine revint à son lit qu'elle réintégra elle-même la chambre.

– Bon. Tout à l'heure, vous essaierez de dormir jusqu'au dîner. Tournez-vous sur le côté, je vais vous masser.

Elle se mit à lui pétrir le dos avec une force insoupçonnable.

– J'ai toujours rêvé d'être l'une de ces masseuses spéciales qui font des tas de choses aux messieurs, à Bangkok. J'ai voulu m'entraîner sur Charles mais il a fui, en prétendant que tout ce que je suis arrivée à lui faire, c'est des chatouilles. Et vous riez !

Elle s'interrompit pour aller arrêter le ventilateur du plafond.

– J'ai horreur de ces choses qui tournent et vous font attraper des broncho-pneumonies. De même d'ailleurs que ces horribles climatiseurs. Ça va mieux, maintenant ?

Lisa se laissa aller sur le dos.

– Oui.

Madeleine la recouvrit d'un drap.

– Quel ventre ! dit-elle. Ce sera sûrement un géant.

Lisa se mit à pleurer.

– Eh bien, on peut dire que vous y avez mis le temps ! remarqua Madeleine. Ce pauvre Charles ne savait plus quoi dire, dans la voiture.

Un silence. Puis la vieille dame demanda :

– Depuis quand ne l'avez-vous pas vu ?

– Douze jours.

– Il vous a dit où il allait ?

– Non.

– Il ne dit jamais rien. Il est comme ça. Il a toujours été ainsi. Vous vous êtes disputés ?

– Non...

L'hésitation était trop nette.

– Querelle d'amoureux? Quoique ce ne soit guère votre genre, à tous les deux. Vous n'êtes plus des enfants. Par contre, pour le caractère, vous êtes également bien pourvus. Vous n'êtes pas obligée de me répondre.

– Je hais cette plantation, dit brusquement Lisa, avec une intensité dans le ton qui la surprit elle-même.

– Allons bon, dit Madeleine.

Sa petite main voleta autour de ses cheveux bleus. Une chose était étonnante chez Madeleine Korver : ses yeux bleus et très vifs, mobiles; ils étaient jeunes dans un visage de vieille poupée.

– Je pourrais vous dire des tas de choses, reprit-elle. Ce que l'on dit dans ces cas-là : que vous saviez ce que la plantation représente pour lui, ce que ce pays surtout représente pour lui, comment il vivait avant de vous connaître, et l'impossibilité de le changer. Par exemple.

Son œil pétilla :

– Vous ne l'imaginez tout de même pas avec une autre femme?

– Non. Non.

Madeleine hocha la tête.

– C'est déjà un point d'acquis. Je peux vous dire autre chose : Lara n'est pas ordinaire. Mais ça aussi vous le saviez. Vous ne seriez pas venue des Etats-Unis, vous ne seriez pas restée ici pour l'épouser sans cela. Vous auriez pu épouser cet amusant et gentil Thomas d'Aquin O'Malley, qui vous aurait adorée comme une châsse toute sa vie durant. Vous lui avez préféré Lara, dont vous êtes folle, tout comme d'ailleurs il est fou de vous. Mais si, et vous le savez. Vous ne l'avez pas épousé sur un coup de tête, vous avez la tête trop solide pour ça. Vous avez réfléchi, calmement, froidement. Vous le vouliez et vous étiez prête à tout pour l'avoir. Je suis certaine que vous faites merveilleusement l'amour tous les deux, sauvagement et tendrement. Mon Dieu, mon rêve! Et ne me regardez pas comme si vos yeux violets étaient des pistolets de duel. Alors, quoi d'autre? Vous craignez pour lui? Vous êtes folle. Rien ne peut lui arriver. Qu'attendez-vous de lui? Qu'il brûle sa plantation et coupe un à un ses arbres pour s'en aller pêcher la truite saumonée dans le Colorado? Folie. Lara sans le Cambodge ne serait plus Lara.

Madeleine écarquilla les yeux, interrogeant le vide :

– C'est curieux, nous l'avons toujours appelé Lara, Charles et moi. Et pourtant, nous l'aimons, nous aussi, soyez-en sûre. Jamais par son prénom...

Elle se leva, joignit les mains, doigts rigoureusement appliqués les uns contre les autres :

– Je vais vous dire ce que vous allez faire : vous allez dormir une heure ou deux. Ensuite, vous pousserez votre gros ventre devant vous, jusqu'à la salle à manger et nous boirons un vieux bordeaux que nous avons tout spécialement fait venir de France et qui n'a probablement plus aucun bouquet avec cette chaleur.

Elle se pencha sur Lisa, l'embrassa.

– Lisa, il va revenir, avec cet air las de rôdeur, de chat errant maigre, tendre et dur, cet air attendrissant que nous lui connaissons et qui nous fait fondre. Vous le prendrez sur votre poitrine – Dieu sait qu'elle est spacieuse en ce moment – et vous le consolerez de ses fatigues. Je vous parie même que ce sera vous qui lui ferez l'amour. Allez, dormez. Nous sommes à Siem Reap pour quelques jours. Il le sait et nous y rejoindra tôt ou tard et il vous trouvera superbe. D'ailleurs, vous l'êtes. Regardez-vous dans une glace.

Sur ce dernier mot, elle s'en alla, refermant avec douceur la porte derrière elle.

3

Depuis cinq jours déjà, ils n'avaient aperçu aucun être humain; ils avaient avancé dans une forêt déserte et pourtant extraordinairement palpitante de vie. Depuis cinq jours, ils avaient rencontré tous les animaux possibles, comme si la jungle tenait absolument à leur présenter un ou plusieurs échantillons de chacun de ses produits. Ils avaient vu des civettes au pelage argent strié de noir, dressant avec mépris leurs grosses queues touffues; des blaireaux paresseux et sûrs d'eux-mêmes, des porcs-épics, des faons et des coqs rutilants d'or; des iguanes siestant sur un rocher, juste au-dessus de crapauds-buffles; des caméléons à crête, rompant d'un seul coup leur immobilité de pierre pour engluer une libellule; et encore des sangliers et des cerfs de toutes tailles, certains en miniature et guère plus gros que des chevreaux nouveau-nés, bien qu'adultes. Ils avaient même repéré un tigre et deux panthères, évité des éléphants et des gaurs, énormes buffles sombres aux curieuses pattes blanches, comme s'ils portaient des chaussettes, avec des cornes démesurées, évité surtout des serpents innombrables, dont un cobra royal absolument superbe de presque quatre mètres de long. Et Lara avait retrouvé des sensations oubliées, vieilles de quinze ans, du temps où il chassait encore.

A un changement d'attitude chez Kutchaï, à un certain abandon de la tension que le Jaraï conservait jusque-là, il devina chez son compagnon le même reflux des souvenirs et la même nostalgie. Le Khmer lui sourit :

– Ça te démange, hein?

Lara acquiesça.

– Gland chasseul blanc de letoul sur la piste poul tuel glosses bébêtes.

– Connard.

Un quart d'heure plus tôt, ils avaient hésité à faire halte dans une petite clairière, étrangement dessinée autour d'une vieille souche sur laquelle poussaient des orchidées sauvages d'une fascinante beauté. Un ruisseau qui coulait tout près leur aurait fourni l'eau. Mais justement, en raison même de la présence du ruisseau, ils avaient espéré mieux et poursuivi leur route, avançant dans le même sens que le courant. Et la forêt leur donna raison, en leur apportant le bruissement d'une cascade, qu'ils découvrirent quelques centaines de mètres plus loin. L'eau y tombait de deux ou trois mètres, après s'être glissée dans un chaos de gros blocs de granit rose; elle formait en bas un bassin naturel limpide, à la surface garnie d'une mousse fine, presque cristalline. Sur l'un des côtés du bassin, une adorable petite plage de sable s'était lentement formée, montant en pente douce jusqu'à un premier rideau de bambous et d'herbes hautes, qui marquait la lisière de la forêt.

– Ça ne servirait pas à grand-chose d'aller plus loin, dit Kutchaï. On pourrait difficilement trouver mieux. Et ils nous trouveront ici aussi bien qu'ailleurs.

Pour preuve de sa ferme détermination de ne pas aller plus loin, il ôta ses rangers qu'il portait sans chaussettes, ôta de même son pantalon de toile et plongea avec délices ses grands orteils dans l'eau du bassin. L'après-midi touchait à sa fin. Et comme toujours à pareille heure, il y avait dans l'air une espèce de frémissement, de progressive accélération des bruits et de leur cadence, comme si la jungle se regroupait tout entière, s'apprêtait à l'unisson pour l'ultime concert avant la tombée du jour.

Partis de la plantation, Lara et Kutchaï s'étaient d'abord rendus à Stung Treng, où ils avaient trouvé une garnison nerveuse, repliée sur elle-même et manifestement convaincue par avance de l'inutilité d'une défense dans le cas d'une attaque vraiment déterminée. On ne leur avait pas posé de question, et leur départ avait été considéré avec la même indifférence morne. Ils avaient gagné le centre de colonisation de Kantuy Ko où, neuf ans plus tôt, des autocars loués aux Chinois par le ministère du Plan avaient déversé – à grands renforts d'hymne patriotique et de discours ministériels – quelques dizaines de familles venues soit de Cochinchine, soit des provinces du Sud, et que l'on avait laborieusement convaincues d'aller s'établir au Nord, contre la promesse d'allocations mensuelles alors supérieures à leurs revenus : six cents riels pour un célibataire, mille[1] pour une famille de trois enfants. Promesse qui, comme toujours, avait très vite cessé d'être tenue, les fonctionnaires chargés de distribuer les allocations ayant préféré s'épargner l'ennui de la répartition. Pendant un an ou deux, les trente ou quarante bûcherons improvisés avaient consciencieusement alimenté la scierie toute neuve, et avaient continué de le faire alors même que les machines de ladite scierie avaient été revendues par leur directeur. Lequel directeur s'était empressé de rejoindre Phnom Penh, où l'on pouvait au moins vivre de façon civilisée et où d'ailleurs la chance lui avait été contraire : il avait perdu tout son argent sur les tables du casino généreusement offert par Samdech-Père à son peuple. En quelque sorte, le gouvernement avait volé le voleur qui l'avait volé.

De Kantuy Ko Kutchaï et Lara étaient montés au nord-est. Un commerçant chinois les avait transportés jusqu'à la petite localité de Voeune Saï, où ils avaient recueilli les premiers renseignements dont ils avaient besoin. Les cinq jours suivants, ils s'étaient carrément enfoncés dans la jungle et ils avaient progressé en suivant à peu près la ligne des crêtes successives, tantôt en territoire lao, tantôt au Cambodge, sentant parfois le sol trembler sous leurs pieds tandis qu'à trente ou quarante kilomètres de là, les flottes géantes de B 52 américains déversaient leurs milliers de tonnes de bombes et leur napalm.

– Tu as faim ?
– Non.

La fumée de la cigarette de Lara montait rectiligne dans l'air immobile et brûlant. Lara s'était assis sur un rocher, adossé à un autre, surveillant avec indifférence un serpent tout proche, qu'il ne voyait pas mais qu'il entendait siffler doucement, dans une anfractuosité voi-

1. Environ 100 francs français de l'époque.

sine. Il semblait plus maigre qu'à l'ordinaire, peut-être parce qu'il ne s'était pas rasé depuis leur départ de Voeune Saï.

Kutchaï s'était allongé dans l'eau, attentif à éviter la moindre éclaboussure, se déplaçant avec lenteur. A un moment, il finit par s'immobiliser. Son regard alla chercher celui de Lara.

Qui hocha la tête.

– On est repérés, mon frère, dit Kutchaï.

Il sortit de l'eau et se rhabilla. Pourtant, il s'écoula encore une heure quand, par-dessus le bruissement de la cascade, ils captèrent avec netteté les signes de l'approche de plusieurs hommes.

Ils étaient une vingtaine, des Braos et des Jaraïs, dont plusieurs complètement nus, certains seulement vêtus d'un cache-sexe bleu et ayant le front sanglé par un bandeau rouge et noir, incrusté de petites perles, ces mêmes perles que l'on retrouvait dans leurs colliers ou leur bracelets. Cinq ou six femmes faisaient partie du groupe, bêtes de somme attitrées, qui portaient ces hottes admirablement tressées, fauves et noires par un quadrillage savant. Ces hottes avaient durant des siècles transporté de l'opium ou du riz, mais celles-là conte-naient des chargeurs de fusil d'assaut. De la même façon leurs compagnons qui, dix ans plus tôt, auraient encore été équipés de lances ou d'arbalètes, voire de ces curieux fusils à très long canon fabriqués dans leurs forges de jungle, étaient maintenant armés d'AK 47 Kalachni-kov.

Lara laissa à Kutchaï le soin de diriger la négociation, bien que sa connaissance du dialecte utilisé lui permît d'en suivre les lents détours. L'accord se fit. On partirait à l'aube et ensemble, puisque la nuit tombait. On but du thé noir et amer et on le but les dents serrées, comme le voulait l'usage, l'accompagnant d'un riz qui avait le goût vert bien particulier des rizières sèches de montagne, gagnées sur la forêt par des incendies soigneusement dosés.

Le lendemain, après quatre heures de marche rapide, ils parvinrent à un village, que l'on s'était manifestement ingénié à rendre invisible du ciel, éparpillant les paillotes sous les palmes et les bananiers, afin d'éviter tout repérage par les hélicoptères américains venus de la plaine des Jarres, reconquise sur le Pathet-Lao et les Nord-Vietnamiens, lors de l'offensive de septembre 1969.

En vue des premières maisons sur pilotis, Lara et Kutchaï eurent l'impression qu'elles étaient à peu près inhabitées. Il leur fallut en être vraiment tout près pour reconnaître qu'il s'agissait en réalité d'un véritable camp retranché, aux abords duquel on avait multiplié les traditionnels pièges de bambous pointus et enduits de poison, les chamrongs, où surtout étaient cantonnés plusieurs centaines de combattants uniformément vêtus de noir, portant à peu près tous l'écharpe à petits carreaux rouges et blancs.

Ieng Samboth vint à leur rencontre.

– Il y avait des façons plus simples de me joindre, dit Ieng. Et tu n'étais même pas sûr que je serais ici. Il y a deux mois, j'étais aux environs de Kratié. En octobre, je suis retourné à Pursat. Je traverse maintenant le Cambodge comme je le veux. Partout, nous avons des amis et des aides. L'armée de Phnom Penh est tout juste capable de régler la circulation sur le boulevard Norodom et de racketter les cyclo-pousses.

– Je t'ai trouvé.

Ieng hocha la tête, dévisagea Lara avec curiosité, et dans ses prunelles sombres réapparaissait au fil des minutes la lueur chaude de l'amitié.

– Je ne t'ai jamais remercié pour ton aide, l'année dernière, quand j'ai été blessé.

– Ta jambe ?

– Un souvenir. Comment va Oreste ?

– Ça va.

La vérité était que le vieil Oreste avait changé. Non pas qu'il souffrît tant des séquelles véritablement physiques de sa blessure au ventre, dont il s'était parfaitement remis. Mais quelque chose s'était passé chez le Corse : il s'était d'un seul coup mis à maigrir et la peau sur ses muscles puissants s'était ridée et distendue. A deux reprises, Lara l'avait vu complètement ivre, au point de perdre conscience, ce qui n'était jamais arrivé auparavant en dépit des énormes quantités de bière absorbées régulièrement par Marccaggi.

Ieng rencontra le regard de Kutchaï et y lut la question muette :

– Rath n'est pas ici, dit-il. Il a son propre groupe et il opère de l'autre côté du Mékong, à l'est de Kompong Thom. Oublie qu'il existe.

– Mais oui, dit Kutchaï en riant de son grand rire silencieux. Je vais sûrement l'oublier. Certainement.

Ses yeux injectés de sang luisaient d'une flamme sauvage. Ieng haussa les épaules, revint à Lara.

– Je sais pourquoi tu as choisi de faire tout ce chemin, alors qu'il aurait été plus facile de me faire passer un message : tu voulais te prouver à toi-même qu'il n'y a pas au Cambodge d'endroit où toi, Lara, tu ne puisses aller. Tu prouves que ce pays est encore et toujours le tien.

– Voilà, dit Lara impassible. Il contemplait l'extrémité incandescente de sa cigarette. Il finit cependant par relever ses paupières, fixant le chef khmer rouge de ses yeux clairs.

– Tu veux ces armes, oui ou non ?

– Pourquoi me les fournirais-tu ?

– Parce que tu en as besoin. Je sais qu'Hanoi refuse de vous armer. Hanoi ne veut pas de vous, et Moscou non plus. Hanoi et Moscou veulent des Cambodgiens à leurs ordres, comme le sont les Pathet-Lao de Souphannouvong au Laos. Et je ne crois pas que vous soyez aux ordres de quelqu'un. En tout cas, pas toi.

– La quasi-totalité des Occidentaux du Cambodge sont probablement prêts à accepter un régime Lon Nol. Si Lon Nol et Sirik Matak réussissent à éliminer Sihanouk, le système qu'ils mettront en place devrait beaucoup plaire aux Blancs : on a déjà rendu leur liberté aux banques et aux compradores. On fera mieux. Et un Cambodge gouverné par le bakchich a tout pour plaire : c'est folklorique, c'est fructueux et ça fait rire.

– Je ne suis pas un Occidental du Cambodge, dit Lara d'une voix très douce, les yeux fermés.

– Mais tu es un Blanc.

Ieng lui-même fut bouleversé par le regard de Lara. N'y tenant pas, à son tour submergé par l'émotion, il se leva, marcha lentement dans la case, dont les cloisons de bois noir suintaient encore de l'odeur puissante et entêtante de l'opium qu'on y avait entreposé des années durant. Ieng contempla un long moment le spectacle du camp, de tous ces hommes assemblés par lui, sous ses ordres, et qu'il lancerait un jour pour l'assaut final. S'il y avait un jour un assaut final.

Il y avait eu un temps où le moindre rassemblement de Cambodgiens faisait aussitôt jaillir des chansons, de la musique, des contes légendaires, des rires. Le moindre village de forêt ou de montagne, à la moindre occasion, pouvait assembler une sorte d'orchestre dont la composition variait selon les régions, réunissant des vielles, les *tro ou* à deux ou trois cordes de soie surmontant une caisse faite d'une simple noix de coco évidée, des luths ou des flûtes, le *roneat*, xylophone indien, les guitares takhé ou chapey, tous accompagnés par les cymbales et surtout les sonores cornes traversières propres aux peuples de la forêt.

Mais ces Khmers que Ieng avait sous les yeux, vêtus de noir, parlaient peu et ne chantaient pas. Ils n'avaient pas la moindre guitare. Ils étaient un autre Cambodge, nouveau, peut-être ce Cambodge qu'on avait cru mort depuis des siècles et qui à présent resurgissait, sortant de son sommeil et se recréant dans la forêt. Peut-être. Certains jours, l'imagination de Ieng s'enfiévrait et il était prêt à croire en ce renouveau. Ce n'était pas le cas en ce moment. « Peut-être sommes-nous tout simplement en train de créer un monstre. » Par une association d'idées qu'il ne songea pas à s'expliquer, sa pensée partit en France et des noms de rues, de cafés, de rencontres, remontèrent de sa mémoire, en même temps que le souvenir des discussions farouchement passionnées tenues dans cette petite chambre d'un hôtel de la rue de l'Estrapade, chez cet ami français qui l'avait longtemps hébergé. C'était si loin...

Il attendit que son propre regard fût redevenu clair et il revint s'asseoir en face de Lara.

– Bon, dit-il. C'est vrai que j'ai besoin de ces armes. Plus que de n'importe quoi d'autre. Comment vas-tu t'y prendre ?

– Christiani à Bangkok.

– Il est capable de fournir des armes ?

– Oui.

– Et qui paiera ?

– Moi.

– Tu n'es pas si riche.

Lara haussa les épaules. Silence. Ieng jeta un coup d'œil sur Kutchaï qui ne bronchait pas, comme étranger à la conversation. Il dit :

– J'ai surtout besoin d'armes individuelles. Calibre 7.62.

– Russes et tchèques. Mais aussi autrichiennes. Ce que nous trouverons.

Ieng réfléchissait. Il déploya une carte, l'étala à même le plancher de la case.

– Regarde. Ici, à peu près à mi-chemin des sources de la rivière de Battambang et de celle de Pursat. C'est un coin de montagne.

– Je connais.

– Je sais.

Images resurgies d'expéditions de chasse, des années et des années plus tôt, lui, Ieng, avec Lara et Kutchaï; lui, Ieng, étant le moins endurant, le moins habile, de loin le moins bon tireur du trio. Images de bivouacs sous la lune, de marches sous la pluie douce et constante des Cardamomes.

– On suit la frontière, dit Ieng. Plein sud-sud-ouest. Jusqu'ici, jusqu'à ce point de la côte. Là. Si Christiani peut y amener les armes, j'aurai des hommes pour les prendre.

– Il leur faudra traverser le territoire thaï, à l'aller et au retour.

– C'est mon problème, pas le tien.

A l'endroit désigné, en effet, la frontière cambodgienne se trouvait tracée à une dizaine de kilomètres à peine de la côte du golfe de Siam, dont la séparait une étroite langue de terre courant parallèlement à la base du massif des Cardamomes sur près de soixante-dix kilomètres, et qui appartenait à la Thaïlande.

– Je vais essayer de réunir tout l'argent que je pourrai trouver, dit Ieng. Quitte à attaquer des banques – il faillit sourire –, en tout cas en rançonnant les Chinois. Il n'y a aucune raison pour que tu te ruines. Quand penses-tu que Christiani sera prêt?

– Pas avant le 15 mars. Au plus tôt.

Nouveau silence.

– Quand veux-tu partir d'ici?

– Le plus tôt possible.

Ieng secoua la tête.

– Pas aujourd'hui en tout cas. Des détachements nord-vietnamiens sont en train de progresser sur l'axe sud-nord. Actuellement, ils se trouvent entre le Mékong et nous. Les Vietcongs ne sont pas idiots. Ils ont appris tout comme nous ce qui se passe à Phnom Penh, ou ce qui va s'y passer et ils savent bien que si le Cambodge devait renoncer à sa neutralité et s'aligner sur Saigon, ce que les journalistes américains appellent le Sanctuaire n'en serait plus un. Alors, ils évacuent ou commencent à le faire. Voilà près de dix jours qu'ils font mouvement.

Il sourit.

– Vends l'information, à ton retour à Phnom Penh.

– J'y penserai.

– Si tu voulais repartir par le chemin que vous avez pris pour venir, Kutchaï et toi, vous tomberiez sûrement sur leurs éclaireurs, ou vous vous trouveriez sous le napalm des Américains, qui arrosent n'importe quoi. Je vous ferai passer demain, ou après-demain.

La journée qui suivit fut étrange et resta gravée dans la mémoire de Kutchaï. Lui-même la passa sans jamais s'éloigner vraiment de la case où Ieng Samboth avait établi son poste de commandement, ne s'en écartant que lorsqu'y pénétraient des adjoints du chef guérillero, par discrétion. Et s'il parvint à échanger quelques mots avec certains des hommes cantonnés alentour, ce fut parce que ceux-ci étaient des Jaraïs, comme lui, bien qu'un monde les séparât désormais. Il ne posa aucune question, même pas sur Ouk, son propre frère, dont il finit tout de même par apprendre qu'il se trouvait plus au sud, vers l'ancien poste Deshayes. En fin de compte, ce qui ébahit le plus ses interlocuteurs fut sa taille, vraiment peu banale pour un Jaraï, d'autant qu'il avait dix centimètres de plus que son frère cadet, qui dépassait pourtant le mètre quatre-vingt-cinq.

Mais l'attention de Kutchaï était ailleurs. Elle n'abandonna pas un seul instant Lara, Lara qui, avec une obstination poignante, s'acharnait à déambuler dans le camp comme si rien ni personne n'eût pu lui persuader qu'il n'y était pas à sa place. Lara marchait entre les groupes de guérilleros, reconnaissant parfois un visage ou un accent local particulier, se rappelant un nom et alors il engageait la conversation en souriant, l'air le plus naturel du monde, contraignant littéralement celui auquel il s'adressait à lui répondre, par la vertu de son sourire et la perfection de son usage du khmer. Et il obtint des résultats, parvenant à susciter autour de sa personne peut-être de la sympathie, en tous les cas de l'amabilité et même, à plusieurs reprises, des sourires et des rires. Qui d'autre, pensait Kutchaï, serait capable de faire ce qu'il est en train de faire ? Lara s'accroupissait, s'intégrait à un groupe, disait à l'un : « Toi, tu es de Kompong Cham. J'ai connu ton père et ton frère aîné. » Et il donnait des détails de sa voix lente et grave, dans un khmer dialectal dont même Kutchaï n'aurait pas été capable. A un autre, qui venait de la province de Kratié, il parlait d'un bikhous, d'un bonze qui avait été son ami et qui avait longtemps officié comme professeur à l'école bouddhique de l'endroit. « J'étais là le jour où on l'a incinéré. C'était mon ami et je lui devais d'être présent. Toi aussi, tu y étais. » L'autre acquiesçait, se souvenant en effet du Barang qui avait traversé la moitié du pays pour simplement assister à la crémation d'un vieux bonze inconnu en dehors de sa province. Ou encore il rappelait telles rencontres de football, jouées pieds nus par une température à soulever le cœur, auxquelles il avait pris part quelques années plus tôt et il citait des noms de joueurs, adversaires ou partenaires, tel ce Kim Samith, qui avait l'étoffe d'un joueur de niveau mondial, qui le serait peut-être devenu sans une paresse de python repu. Il raconta aussi l'histoire de ce gouverneur de province, ancien chef issarak rallié à Sihanouk mais qui avait conservé autour de lui l'essentiel de ses fidèles du temps de la guérilla. Le gouverneur était fou de football. Il avait constitué une équipe, veillant personnellement à l'attribution de chacun des postes, du gardien de but à l'avant-centre. Il assistait aux matches dans sa tribune personnelle, démontable, où il n'y avait d'ailleurs qu'une seule place, que l'on transportait de terrain en terrain, et il avertissait solennellement chaque joueur qu'il s'occuperait personnellement de quiconque serait l'auteur d'une contre-performance. Avertissement qui épouvantait à juste titre : un penalty raté valait cent coups de fouet et l'on racontait même, sans en avoir vraiment la preuve, qu'il avait fait décapiter par le sabre un gardien de but ayant connu l'infortune de voir le ballon lui passer sous le ventre au moment où il plongeait, consacrant ainsi la défaite de ses camarades. (Une chose était sûre : le gardien en question avait disparu du jour au lendemain, mais peut-être avait-il émigré au Brésil.) Et tout avant qui manquait l'un de ces buts prétendus immanquables courait aussitôt s'agenouiller sur la ligne de touche, face au gouverneur-président-entraîneur-sélectionneur unique, assis sur son trône-tribune, et frappait le sol de son front avec une terreur qui n'était pas feinte.

On riait en écoutant Lara. C'était là une de ces histoires comme on les aimait au Cambodge dans les veillées, tragiques et drôles à la fois, empreintes de cet humour noir, agressif, sous lequel transparaissait la violence toujours latente, cet humour et cette violence qui inquiétaient par exemple les Vietnamiens et les Thaïs, en dépit de leur surnombre.

A un autre groupe, qui l'accueillait d'abord avec des regards froids ou détournés, Lara parlait du lent, du minutieux, de l'absorbant travail des rizières irriguées, du piétinement nécessaire des hommes et des buffles dans l'eau ocre et presque brûlante sous un soleil de plomb fondu, de la succession des moissons, de l'attente des pluies, du miracle furtif de la Pluie des Mangues, du renversement des eaux du Tonlé Sap, de cet autre miracle renouvelé des tiges vertes émergeant enfin, du parfum des mangues, des ivresses dues au vin de palme, le travail enfin achevé. Et à des Braos sortis de l'âge de pierre, il s'adressait dans leur dialecte propre, rappelant leurs chasses communes, leur longue traque d'un tigre mangeur d'hommes, la curée qui avait suivi, la mort de ce python monstrueux qui s'était établi en squatter dans les détritus de leur village, ou celle d'un vieil éléphant devenu fou.

Kutchaï connaissait trop Lara pour croire un seul instant que celui-ci jouait un rôle, faisait, comme l'on dit en français, un numéro. En réalité, le cœur d'abord serré par ce qu'il jugeait comme une tentative vouée à l'échec, Kutchaï lui-même s'était peu à peu laissé prendre, et il en redécouvrait du même coup à la fois l'amour passionné que l'on pouvait porter à ce pays qui était le sien, et une amitié touchant à la tendresse, plus forte que jamais, pour Lara, dont à cet instant il partageait la foi.

– Tu vas à Siem Reap? Par où passeras-tu?

– La plantation, dit Lara.

Ieng et lui échangèrent un long regard et Kutchaï eut le pressentiment que les choses allaient une fois de plus se gâter. Il s'attendit à une dispute. Il avait vu comment Lara s'était conduit tout au long de la journée et il devinait ce que Lara en avait sans doute tiré de force nouvelle, de raisons de croire à nouveau en lui-même. Or, il n'y eut pas de dispute, mais une simple discussion presque académique, apparemment courtoise, à laquelle Kutchaï n'attacha sur le moment à peu près aucune importance.

– Tu me reproches cette plantation? demanda Lara avec calme.

– Certainement bien moins, cent fois moins, que je ne le ferai à ceux qui ont créé Chhuup, Mimot et autres, aux Terres Rouges d'Indochine, à la banque du même nom.

La nuit était complètement tombée sur le camp où, malgré la présence de quelques centaines d'hommes, les feux étaient extrêmement rares, à peine deux ou trois, n'évoquant que le simple bivouac d'un petit groupe de montagnards, à la rigueur un village minuscule.

– Je ne suis pas le seul propriétaire de la plantation, dit Lara. Elle est à Kutchaï autant qu'à moi. Et ne viens pas me parler de jeux d'écriture.

– Je sais. Ieng sourit : Je sais combien tes saigneurs et toi-même êtes unis. Et je sais surtout qu'il faudrait être fou pour s'immiscer entre Kutchaï et toi.

– Kutchaï pauv' Khmer, dit Kutchaï dans un piètre effort pour détendre l'atmosphère. Kutchaï, c'est tlès liche planteul d'hévéas.

Mais Lara ne quittait pas Ieng des yeux :

– Alors quoi ?

Ieng secoua la tête.

– Parlons d'autre chose.

– Peu de choses au monde m'intéressent autant, dit Lara, toujours aussi calmement.

Avec la nuit, la senteur ancienne de l'opium était devenue plus forte, douceâtre et entêtante.

– La colonisation, dit Ieng.

Il allongea une main et sans même sortir le paquet de la poche sur la poitrine de Lara, il saisit une cigarette entre ses doigts.

– Pourquoi ne pas parler de la colonisation, par exemple. Je connais ta théorie à ce sujet : la colonisation est un simple rapport de forces, qui aurait aussi bien pu être inversé. Il aurait pu arriver que les Javanais colonisent les Flandres ou la vallée du Rhin de la même façon que les Hollandais ont colonisé l'Indonésie. Peut-être. Mais ça n'est pas arrivé et à l'échelle mondiale, le résultat est là : les meilleures terres ont été à chaque fois confisquées à leurs exploitants naturels pour permettre la monoculture de produits d'exportation indispensables à l'économie des pays colonisateurs. Et un pays réduit à la monoculture est un pays condamné à subir un chantage permanent. Et son indépendance est illusoire.

– Tu as toujours aimé jouer avec les mots. Tu me récites un livre.

– Les livres ont parfois raison.

– Parler de monoculture au Cambodge à propos d'hévéas est idiot.

– Je ne parlais pas spécialement d'hévéas, ni d'ailleurs spécialement du Cambodge. Mais les hévéas sont des symboles. Même les tiens. Après tout, avant l'arrivée des Français, des Anglais, des Hollandais, il n'existait pas un seul hévéa dans toute l'Asie.

Et soudain Kutchaï décela dans l'air un frémissement léger, comme en aurait produit la lente et tourbillonnante approche d'un essaim. Des trois hommes assis sur les marches de bois de la paillote, il fut probablement le seul, en tout cas le premier à le capter, sans doute parce que le dialogue de ses deux compagnons ne le touchait pas.

– Je me fous complètement de ce qui s'est passé en Afrique, en Amérique du Sud ou ailleurs, dit Lara. Je me fous complètement de la civilisation occidentale, tout comme je me fous des symboles. Ce pays n'est pas plus à toi qu'à moi sous prétexte que tes ancêtres y sont arrivés avant les miens.

– Vingt siècles au moins, remarqua Ieng. Tout de même.

– Et je ne veux pas payer pour quelque chose que je n'ai pas fait, que d'ailleurs mon grand-père, mon père ou plus loin encore n'ont pas fait.

Le bourdonnement d'abeilles commença d'emplir l'air, s'accompagna d'une vibration du plancher et des marches de la case moï. Et cette fois, aussi bien Lara que Ieng le perçurent.

– Lara, le monde est blanc depuis quatre cents ans. Toi-même, tu ne serais pas ici sans cela. Tu ne serais probablement jamais venu en Indochine. Tu as fait partie de la vague, que tu le veuilles ou non. La civilisation blanche, sa technologie, ne se sont développées qu'en razziant à leur seul profit la totalité des ressources mondiales, en déviant le développement normal de ce que l'on appelle les pays non industrialisés. Comme si c'était une tare de n'être pas industrialisé. Nous sommes en retard sur l'Europe, sur les Etats-Unis ou l'Union soviétique? Et après? C'est peut-être nous qui avions raison d'être en retard. En tout cas, nous en avions le droit. Voilà ce que signifie pour moi ta plantation.

Le bourdonnement se fit peu à peu tonnerre, faisant

trembler jusqu'au sol et aux arbres de la forêt, au point que toute discussion devint impossible.

– Les B 52, cria Ieng les yeux écarquillés, avec dans le ton ce qui aurait presque pu passer pour une douloureuse satisfaction.

– Mais ils ne sont pas pour nous, Lara. Pas encore.

Lara et Kutchaï partirent le lendemain matin avant même le lever du jour, escortés par un détachement d'une vingtaine d'hommes ayant reçu pour ordre de les amener en sécurité jusqu'au Mékong, à une douzaine de kilomètres au nord, en amont, de la petite agglomération de Sambor et là, de les faire traverser afin qu'ils puissent gagner la province de Stung Treng, de l'autre côté du fleuve. Sans même avoir besoin de se concerter, ni Lara ni Kutchaï ne furent dupes de cette sollicitude : en leur procurant ainsi une escorte, Ieng s'assurait simplement qu'ils ne rencontreraient pas Rath. Ieng était convaincu qu'une telle rencontre déboucherait sur du sang versé.

Et de fait, la rencontre n'eut pas lieu.

4

– Je vais aller, dit Roger Bouès, plonger mon corps d'albâtre dans les toiles.

Thomas d'Aquin O'Malley le dévisagea, incertain. Il y avait comme cela des moments où son français se révélait insuffisant.

– Ce qui veut dire ?

– Me coucher, expliqua Roger avec noblesse.

Les deux hommes quittèrent ensemble le bar *Zigzag*, dans la rue Dekcho Damdin, à Phnom Penh.

– Je vous offre une soupe chinoise, dit O'Malley.

Il était sûr que Roger n'avait comme d'habitude pas un sou en poche, bien que prenant grand soin de le cacher. Ils s'assirent à une toute petite table qui leur heurtait les genoux, échangeant des sourires amicaux avec des cyclo-pousses eux-mêmes en train de petit-déjeuner. « Si quelqu'un de l'ambassade me voit ici, pensait Thomas d'Aquin, en train de déguster de l'alimentation indigène absolument pas stérilisée, probablement infestée d'amibes ricanantes aux yeux bridés, on va me réexpédier à New York par le premier avion-cargo sanitaire, sous le prétexte d'un coup de soleil des tropiques. » Mais la soupe était délicieuse, le bouillon dégageait un fumet de légende et les germes de soja craquaient sous la langue. « Ces amibes-là valent trois étoiles Michelin. » Il sourit à Roger.

— J'ai vu vos dernières photos, chez les Korver. Vous avez vraiment du talent.

— Je suis tellement farci de talent que je m'en écœure moi-même, dit Roger. Je suis l'architecte-photographe le plus talentueux de ce côté-ci du Mékong. J'en parlais justement encore l'autre jour avec mon cyclo-pousse. Il m'approuvait. Sans doute parce qu'il croyait que j'allais le payer.

— Je parle sérieusement. Vous n'avez jamais songé à les vendre ?

— Mes photos ?

De surprise, Roger ouvrit toute grande la bouche, ce dont sa main droite profita sournoisement pour y enfourner un gros paquet de pâtes translucides et de champignons noirs, pincés entre les baguettes.

— Les vendre à qui ?

— Vous n'avez même pas essayé.

— J'ai essayé, monsieur. C'est ce qui vous trompe.

— Allons donc. L'Indochine est très à la mode par les temps qui courent.

— L'Indochine en guerre. Pas le Cambodge. Qui paierait pour un paysan khmer à quatre pattes, ou pour un gosse cul nu mâchant de la canne à sucre ?

O'Malley secoua la tête.

— Vous vous trompez, Roger. Et d'ailleurs, je n'ai jamais vu autant de journalistes débarquer à Phnom

Penh qu'au cours des derniers mois. Saigon commence à fatiguer ces messieurs : trop de bruit, trop d'essence, trop de mutilés brandissant des grenades, trop de gosses qui mendient, trop de morts, de soldats, de putains. Et trop d'articles. L'exotisme a foutu le camp.

Roger rêvait.

– Je ne peux rien vous promettre, dit O'Malley. Mais à première vue, je pense à deux sortes de débouchés pour vous : la presse tout d'abord. Ce serait bien le diable si tous ces reporters déguisés en parachutistes qui viennent constamment me casser les pieds n'avaient pas besoin de photos, un jour ou l'autre. En outre, je peux prendre directement contact avec des agences ou des groupes de presse aux Etats-Unis. Voilà pour la première solution. Quant à la seconde...

– Vous êtes complètement beurré, dit Roger en riant.

– Jamais. D'ailleurs, je ne bois pas, pas entre deux verres en tout cas. Quant à la seconde, j'imagine plutôt ça sous forme d'édition, un vrai livre. J'ai collaboré à un livre d'art sur Degas, il y a trois ans. Je connais des éditeurs à New York et en Californie qui seraient intéressés.

En fait, il improvisait, se demandant dans le même temps comment diable il allait tenir ce qui était bel et bien une promesse. Et puis, pour dissimuler, ou essayer de dissimuler son véritable objectif, qui était d'aider son ami, il eut le front d'ajouter :

– Tranquillisez-vous. Je me conduis en parfait égoïste : ne cherchez pas ailleurs qu'en face de vous l'homme qui écrira les textes d'accompagnement. J'adore toucher des droits d'auteur.

Et il y eut en effet quelque chose de miraculeux – mais dans le même temps, d'inéluctable et somme toute de fatal – dans le fait que débarqua au Cambodge, à quelque temps de là, peut-être à la fin de janvier 1970, plus probablement au début du mois suivant, tout un groupe d'Américains se prétendant journalistes et dont plusieurs l'étaient d'ailleurs vraiment. Thomas d'Aquin O'Malley, tenant sa promesse, les mit en présence de Roger Bouès, qu'il leur présenta comme le meilleur photographe que l'Asie du Sud-Est eût jamais connu, si bien que l'ex-architecte reconverti fut aussitôt engagé pour accompagner les nouveaux arrivants dans leur périple, leur servant de guide et exécutant toutes les photos dont ils eurent besoin.

L'un de ces hommes parla de Roger à un journaliste et correspondant anglais, appelé Donaldson et surnommé l'Ombre Noire, bien qu'il fût roux.

De cette date en tout cas, et jusqu'à la fin, ce fut là le travail de Roger Bouès, qui se trouva dès lors en possession d'un matériau dont il n'avait jusque-là connaissance que par ouï-dire : l'argent. Il s'empressa de le dépenser avec une exubérante prodigalité, offrant des tournées monumentales et louant la salle du restaurant *Wa-Kuan*, réputé comme le meilleur Chinois de Phnom Penh, pour un repas pantagruélique, auquel il invita pas moins de soixante personnes, dont les Lara, les Korver, O'Malley (qui ne put venir, il était à Saigon) et jusqu'à son cyclo-pousse favori, auquel il devait seize ou dix-sept ans de pourboires.

Ce fut à peu près à la même date qu'O'Malley rencontra celui de ses compatriotes qui se présentait sous le nom de Price. Et Thomas d'Aquin eut, du même coup, l'explication du subit et croissant intérêt que la presse portait au petit royaume cambodgien, jusque-là à peu près ignoré par les grands seigneurs du reportage international.

Dès la première minute, O'Malley détesta Price.

– Vous êtes irlandais, dit Price.

– Espagnol, répondit O'Malley, qui était avant tout américain. Espagnol avec des ancêtres maltais.

Mais le sarcasme glissait sur Price et ses cheveux blond-roux, sur ce qui restait de ses cheveux du moins, sur ses favoris et ses yeux pâles.

– On m'a dit que vous pourriez m'aider, reprit Price avec un calme exaspérant. Mais il est bien entendu que tout ce que je vais vous dire est hautement confidentiel. Vous ne devez faire état de tout ou partie de notre conversation devant quiconque.

O'Malley sourit :

– La porte est derrière vous à gauche. Vous tournez la poignée vers la droite et elle s'ouvre. C'est un système que j'ai inventé.

– On m'a dit que de tous les citoyens américains qui se trouvent actuellement au Cambodge, vous êtes certainement celui qui a établi les meilleurs contacts avec les autochtones.

– Les quoi ?

– Les indigènes.

– Vous voulez dire ces types avec un os dans les narines ? Je n'en ai pas vu. D'ailleurs, ils sont tous à Hollywood pour tourner un film.

Ce n'était pas la meilleure plaisanterie qu'il eût jamais faite, elle était même médiocre, mais il eut la satisfaction de voir le prétendu Price tapoter du bout de ses doigts le bras de son fauteuil.

– Je veux dire les Cambodgiens, dit Price. Vous en connaissez davantage que n'importe lequel de nos compatriotes. Nous attendons...

– Qui ça, « nous » ?

– Le gouvernement.

– Enchanté, dit O'Malley. Et moi, c'est O'Malley.

– Nous attendons de vous que vous nous fournissiez une liste de tous les Khmers dont vous pensez qu'ils sont au fond d'eux-mêmes antiaméricains, dont vous pensez qu'ils seraient susceptibles de s'opposer, par la violence ou tout autre moyen, à une modification de la position cambodgienne vis-à-vis de Hanoi et de Saigon, à un abandon de la prétendue neutralité actuelle, à une adhésion du Cambodge à l'Organisation du Traité de l'Asie du Sud-Est...

– Et à propos de la contraception, rien?

– Rien, dit Price avec patience. Juste ce que je vous ai dit.

« Je hais ces espions, à quelque bord qu'ils appartiennent, quelque objectif qu'ils poursuivent. A celui-là, je pourrais évidemment casser une chaise sur la tête. Mais ça ne changerait rien. Et puis, vous avez vu ces gros bras qu'il a? Mais c'est donc cela : ils préparent un coup d'Etat. » Sur ce dernier point, O'Malley n'avait pas d'opinion, la politique l'intéressait encore moins que la géométrie dans l'espace.

Il dit :

– Je connais un Cambodgien qui pourrait bien faire tout ce que vous dites. Et même pire. De celui-là, je suis sûr. Pour les autres, je me tâte. Mais pour celui-là, aucun doute : il s'opposera avec la dernière énergie à tout changement de la politique du Cambodge.

– Ne prononcez aucun nom, dit précipitamment Price. Ecrivez-le.

Thomas d'Aquin l'écrivit.

« Norodom Sihanouk. »

La tête de Price valait presque une aurore sur le pont de Brooklyn.

5

Ce fut en février que, pour la première fois depuis des mois, voire des années, le chargement et le déchargement des armes soviétiques destinées au Vietcong furent interrompus.

Au cours d'une entrevue non officielle entre les représentants de Hanoi au Cambodge et ceux du gouvernement de Sirik Matak. Les Cambodgiens expliquèrent qu'il y avait à cette interruption un certain nombre de raisons, toutes excellentes. D'abord, ce ravitaillement et ce transit par le sol khmer portaient une atteinte grave à la politique de neutralité du Cambodge, ce qui était pour le moins évident. Ensuite le rétablissement et le renforcement des relations diplomatiques avec les Etats-Unis d'Amérique obligeaient à prendre des précautions. Enfin, le danger devenait chaque jour plus grand de voir les convois partant de Kompong Som attaqués par les bandes khmers rouges. Après tout, il y avait déjà eu un exemple d'une telle attaque et dans quelles conditions ! Cette façon dont les Khmers rouges avaient massacré les malheureux convoyeurs avant de rafler toutes les armes ! On ne pouvait vraiment pas prendre le risque de laisser ces fous de Khmers rouges se renforcer.

Sur ce point-là au moins, Hanoï et la droite cambodgienne étaient d'accord, quoique à des degrés très différents.

Et puis, pour l'entourage de Sirik Matak et de Lon Nol (ce dernier venant de rentrer d'Europe où il avait rencontré et salué Sihanouk à Rome, avec toutes les marques du plus profond respect), stopper l'approvisionnement vietcong, outre ses avantages politico-militaires, présentait un autre mérite : on mettait fin au juteux racket exercé par l'épouse de Sihanouk et son clan. Somme toute, c'était une autre manœuvre dans la guerre des gangs, un peu comme dans le Chicago des années vingt, les Irlandais d'O'Banion s'étaient opposés aux Siciliens de Capone.

Mais on n'alla pas, à Phnom Penh, jusqu'à un nouveau massacre de la Saint-Valentin. Ce n'était pas nécessaire. En l'absence de la princesse partie accompagner son époux en France, on s'attaqua à ses deux soutiens les plus solides, qui étaient d'ailleurs en même temps les derniers fidèles de Norodom Sihanouk dans les sphères dirigeantes de la capitale khmère : Oum Mannorine et Sosthène Fernandez, fort capables de s'opposer par la force au futur coup d'Etat, dans la mesure où le premier commandait la garde provinciale et le second la police. Pour les motifs, on n'avait malheureusement pour eux que l'embarras du choix, leur corruption étant ostentatoire : on les accusa de contrebande, ce qui était vrai. (Tout comme il était vrai d'ailleurs que si l'on avait dû, dans la Phnom Penh de ce temps, mettre en prison tous les hauts fonctionnaires coupables de concussion ou de prévarication, il n'y aurait pas eu grand monde pour refermer les portes sur eux.)

En février 1970, un Sirik Matak ou un Price pouvaient considérer la situation comme satisfaisante : la garde provinciale et la police étaient désormais à leurs ordres; on ne risquait plus de les voir affronter l'armée, tenue par Lon Nol, et pas davantage la gendarmerie, commandée par Lon Non, frère du précédent et qui ne risquait pas d'être asphyxié par sa propre intelligence; Kompong Som ne voyait plus passer d'armes vietcongs; les commerçants chinois approvisionnant en riz ce même Vietcong avaient été mis au pas, parfois arrêtés, le plus souvent mis à l'amende, en tout cas ayant cessé leurs livraisons; les membres de la famille royale suspects de fidélité à Sihanouk avaient été placés en résidence surveillée; les quelque dix mille Khmers kroms et Khmers sereïs anticommunistes, que l'on avait officiellement réintégrés dans les FARK, étaient en train de faire mouvement et, arrivant pour la plupart de la province de Battambang, voire carrément de Thaïlande, s'établissaient aux alentours de la capitale; enfin, du côté de l'Assemblée nationale, on était également paré : Cheng Heng, qui la présidait (il avait toutes qualités pour cela, ayant été précédemment gouverneur de la prison), répondait d'une chambre d'où tous les éléments perturbateurs avaient été expulsés.

Bref, tout était prêt.

La campagne anticorruption qu'on avait lancée avec un joli culot, outre qu'elle avait permis l'élimination d'Oum Mannorine et de Sosthène Fernandez ainsi que de tous leurs amis moins huppés, permettait de tenir devant les correspondants de presse étrangers les habituels propos énergiques : on parlait d'une remise en ordre, d'une relance de l'économie et, à mots plus couverts mais cependant distincts, d'un Cambodge nouveau qui allait naître.

Même la Banque mondiale, jouant dans cette affaire un rôle plus que trouble, laissait entendre, par ses représentants en visite à Phnom Penh au cours de ce même mois de février 70, qu'une aide importante au Cambodge ne pouvait guère être consentie dans les circonstances présentes, sauf « changements importants ».

Ne restait plus qu'un seul obstacle, mais de taille : l'étonnante, irritante, flamboyante popularité de Norodom Sihanouk parmi les « Cambodgiens de base », ceux qui n'étaient pas dans l'armée, la gendarmerie ou la police, ceux qui n'étaient pas des fonctionnaires enrôlés dans la hiérarchie des pots-de-vin, ceux qui n'étaient ni pro-américains, ni pro-communistes, ni pro ni anti rien du tout, le Cambodgien ordinaire, moyen, celui de la rizière travaillant en général pour un usurier, ou celui de la forêt que nul n'avait jamais interviewé, le Cambodgien dont tout le monde se foutait d'ailleurs éperdument.

Pour ceux-là, la majorité, Sihanouk continuait à représenter le Cambodge naturel. Les journalistes américains, français ou autres avaient beau le brocarder en permanence, s'en donner à cœur joie à propos du « clown », gaulliste comme on ne l'était même plus en France, fantasque au dernier degré, capable de citer dans la même phrase Mao tsé-Toung et le Sapeur Camembert, corsant ses révélations sur les ennuis que lui faisaient Washington et Hanoï avec de croustillantes confidences de traversin, malgré tout cela Sihanouk demeurait Sihanouk, le Prince, Monseigneur, Samdech, Snookie, sous le règne de qui, que ce fût par chance ou en conséquence d'une politique habile, le Cambodge mangeait à sa faim – ce qui n'était pas fréquent en Asie ou ailleurs – et vivait en paix. Et cela depuis vingt-neuf ans, puisqu'il avait accédé au trône, cédé depuis à son propre père, dès 1941. On expliquait alors savamment, dans les grands hebdomadaires occidentaux (à l'Est, on n'expliquait rien), qu'une telle popularité confinant à l'idolâtrie n'avait pas d'autre cause que l'abrutissement chronique de ce même Cambodgien de base qui, on le savait bien, n'avait jadis assemblé le milliard de blocs de pierre d'Angkor que par une aveugle obéissance d'esclave.

La vérité était que Sihanouk, même absent, même compromis par les trafics de son épouse ou de sa mère, demeurait un problème énorme et fondamental. Ieng Sary, Saloth Sar, Khieu Samphan, Hu Nim, Hou Yuon, Ieng Samboth, tous les chefs khmers rouges le savaient. Eux-mêmes n'auraient pas été assez fous, et pourtant certains d'entre eux l'étaient diablement, pour oser s'attaquer au mythe.

Pourtant, les hommes du complot et leurs conseillers américains, sud-coréens, formosans, philippins, indonésiens, pensaient avoir trouvé la parade : on allait jouer sur la haine viscérale, séculaire, irrépressible du Khmer pour le Vietnamien. Déjà, avant même le départ de Sihanouk pour la France, le 11 janvier 1970, la campagne avait commencé, d'abord se contentant de reprendre les anciennes récriminations de Sihanouk lui-même à propos de la présence des Nord-Vietnamiens sur le ton cambodgien, puis peu à peu les amplifiant.

En février, le ton monta encore. On parla des Vietnamiens athées et communistes (il fallait bien faire la différence entre les Vietnamiens de Hanoi et ceux de Saigon, ceux-ci appelés à devenir des amis) et l'on mit l'accent sur les visées expansionnistes des Tonkinois. Sur l'expansionnisme de Hanoi, et sa ferme ambition de conquérir l'entière péninsule indochinoise, il n'était pas un Cambodgien quel que fût son camp, qui eût le moindre doute. Il fallait d'ailleurs un singulier aveuglement, quand on était par exemple un journaliste français réputé, spécialiste du sujet, pour carrément ignorer cet aspect du problème.

Et bientôt, à mesure que les appels à la haine se faisaient plus pressants à la radio et dans la presse, il ne fut même plus nécessaire de savoir, comme Charles Korver, son Cambodge sur le bout des doigts pour deviner qu'on courait tout droit à l'émeute raciale.

Dans le meilleur des cas.

6

Lisa dormait et rêvait. Elle rêvait en sachant qu'elle rêvait, se trouvant dans cet état de demi-sommeil et de semi-veille que l'on connaît lors des chaudes siestes d'été, quand on est par exemple endormi dans une chambre à l'étage, un goût âcre et doux dans la bouche, et que l'on entend en bas des voix habituellement familières mais que l'on ne parvient pourtant pas à reconnaître, que l'on a du reste pas envie de reconnaître, tant on est bien. Elle rêvait d'elle-même et de Lara à ses côtés, elle-même très mince et le ventre plat, sur une plage aux couleurs hawaiiennes, et prenait pour une voile blanche l'ombre fantomatique de la moustiquaire de sa chambre au *Grand Hôtel* de Siem Reap. Et puis le très léger bruit de clef qu'elle avait confusément perçu parvint vraiment à sa conscience et Lara se trouva près d'elle.

– Je t'ai réveillée ?

Elle s'était juré de ne le recevoir qu'avec froideur, et d'avoir avec lui une explication claire. Elle allongea le bras et l'attira contre elle et, pendant de longs instants, elle ne put rien faire d'autre que de pleurer sans bruit. Il la caressait doucement, ne cherchant qu'à l'apaiser.

– *I hate you*, dit-elle enfin, détournant son visage.

– Et moi donc, dit Lara.

Il l'embrassa, toujours dans l'ombre, baisant d'abord chacun des doigts, puis le poignet, la pointe de l'épaule, la joue. Elle s'écarta.

– Tu étais avec Kutchaï ?

– Oui.

Il posa sa paume maigre sur les lèvres de Lisa.

– *I know*, dit-il, *you hate Kutchaï*.

Elle se dégagea, écarquillant ses prunelles pour essayer de distinguer son visage, que la faible lueur transperçant les volets du balcon éclairait à peine.

– Oh! non, dit-elle. Pas Kutchaï. Vous êtes bien trop liés, lui et toi.

Elle passa une main dans l'entrebâillement de la chemise de Lara, effleura sa poitrine.

– Tu as encore maigri.

– Je peux allumer? Ouvrir les volets?

– Quelle heure est-il?

– Six heures. Du soir. Il fait encore jour.

Elle referma les yeux.

– J'ouvre ou j'allume?

– Non. Oui.

– Oui ou non?

– Tant pis, dit-elle.

Il alluma, tandis qu'elle remontait le drap jusqu'au-dessous de son menton, remontait ses genoux pour effacer le profil de son ventre gonflé.

– Comment es-tu entré? la porte était fermée à clef.

– J'ai persuadé le portier que j'étais ton amant. Il m'a cru.

– Tu l'étais. Il y a des années. Mais nous avons rompu, souviens-toi.

– Dommage, dit-il. Moi, j'aimais bien.

Il promenait son regard sur elle, très lentement, d'un air émerveillé. Elle raffermit d'un coup la prise de ses mains sur le bord du drap, sous son menton.

– Sortez ou je crie.

– Il est à peine six heures. Tu serais capable de te lever et d'aller jusqu'au Bayon?

Son regard fixait maintenant les mains de Lisa.

– Charles et Madeleine m'ont dit que tu avais dormi tout l'après-midi, que tu avais d'ailleurs passé à peu près tout ton temps ici à dormir.

Assis à côté d'elle sur le rebord du lit, il allongea la main et entreprit de dénouer les doigts crispés sur le drap. Elle dit, la voix lointaine :

– Ne me touche pas.

– Charles m'a dit aussi que vous aviez pourtant fini par aller jusqu'à Banteay Sreï. C'est le seul grand temple que nous n'avions pas vu ensemble. Il est très beau. Je parle de Banteay Sreï, pas de Charles.

Elle luttait avec la dernière énergie.

– Superbe, dit-elle, les dents serrées.

Une de ses mains céda, qu'il garda prisonnière, pendant qu'il combattait pour faire céder l'autre.

– C'est à Banteay Sreï que Malraux a pris des pierres et des sculptures. Charles te l'a dit ?

– Bonté divine, dit Lisa, il n'a pas arrêté un seul instant de parler !

Elle haletait, luttant toujours.

– Un de ces jours, nous irons aux temples de Preah Vihear. Peu de gens les ont vus.

– J'en rêve, dit Lisa, partagée entre la fureur et le fou rire.

D'un seul coup, elle abandonna la lutte, joignit ses poignets au-dessus de sa tête, fixa Lara d'un air de défi. Il hésita. Puis il rabattit lentement le drap, le faisant glisser peu à peu, la découvrant tout entière. Il se pencha et avec une grande gravité, l'embrassa sur la pointe des seins et sur le ventre tendu.

– Pardonne-moi. Je suis fou. Je n'aurais jamais dû te quitter un seul instant. Je ne te quitterai plus.

Elle le reprit près d'elle et cette fois lui rendit ses baisers, avec une passion pour le moins égale à la sienne, l'embrassant sur tout le corps.

Un peu plus tard, elle dit :

– J'aurais comme une envie, en fait, d'aller voir le Bayon au clair de lune.

Il se passait toujours quelque chose d'étonnant au moment de la tombée de la nuit sur la forêt, et en particulier sur la forêt encerclant les temples. Durant la journée, la forêt était sinon tout à fait silencieuse mais du moins calme, uniformément emplie d'un bruissement fait de millions de pépiements et de cris ténus qui se confondaient et finissaient par composer un fond sonore que l'on n'entendait plus. Dans les quelques minutes précédant immédiatement la venue de l'obscurité, en revanche, à un certain moment, tout se taisait d'un seul coup, comme obéissant à un signal. Le silence devenait sur-le-champ absolu, presque angoissant. Cela durait trente, quarante secondes, parfois mais rarement plus. Et puis, avec la même simultanéité extraordinaire, tous les oiseaux se mettaient d'un coup à crier au maximum de leur puissance, à s'en déchirer la gorge, dans un vacarme assourdissant qui, gagnant de proche en proche, semblait se développer sur des kilomètres carrés de jungle. Là encore, le phénomène durait peu. Il cessait en une seconde, tel le son coupé d'une radio. Et quand il avait cessé, on découvrait que la nuit était venue entre-temps, qu'elle obscurcissait la cime des tecks et qu'elle était déjà pleine du feulement des carnassiers en chasse.

– Sans parler des serpents, dit Lisa. *I hate* les serpents.

– Et les requins.

– Et les requins.

– Et moi.

– Et toi. *I hate* toi. *I hate particularly, specifically* toi.

Elle serra sa hanche contre celle de Lara, tout en marchant.

Angkor Vat avec ses cinq tours principales était une construction rectangulaire d'à peu près un kilomètre et demi de côté; Angkor Thom était deux fois plus grand et à peu près carré. Le Bayon en était le centre exact avec ses seize tours quadrangulaires, chacune ornée de quatre visages de deux mètres de haut, qui dominaient un monde de galeries, de labyrinthes obscurs et inquiétants où nul n'osait pénétrer. A la lumière du jour, le Bayon était simplement beau, exotique par ses soixante-quatre sourires gigantesques de pierre gris argent et verte, au cœur d'une grande clairière quadrillée par des allées. Mais c'était la nuit que le Bayon trouvait ses véritables dimensions. Sous la lune, les sourires s'animaient et le monde souterrain prenait des résonances anormales, tandis que l'odeur de moisissure et de grès rongé devenait plus forte. Le Bayon, la nuit, effrayait Lisa et tout à la fois l'attirait, par son romantisme échevelé et l'atmosphère oppressante de ces cryptes. Elle s'assit sur une marche et accepta la cigarette que lui offrait Lara. Ils étaient absolument seuls.

Il commença à lui raconter son voyage dans l'Est, en pays moï, et sa rencontre avec Ieng Samboth; il lui répéta presque mot pour mot ce que le Khmer lui avait dit, sauf qu'il ne parla pas des armes.

– Pourquoi es-tu allé le voir?

Il haussa les épaules.

– Je ne risquais rien. La preuve.

– C'est un de ceux que l'on appelle les Khmers rouges, n'est-ce pas?

– Un de leurs chefs. Pas le plus important. Mais il compte.

La marche sur laquelle Lisa avait pris place était trop étroite pour qu'ils aient pu s'y asseoir tous les deux côte à côte, de sorte que Lara s'était installé sur la marche suivante, une de ses épaules appuyée à la paroi recouverte de mousse, l'autre glissée entre les genoux de sa femme.

– Et tu ne prends pas de grands risques en allant le voir, ou simplement en ayant des relations d'amitié avec lui?

Depuis leur mariage, c'était la première fois qu'elle posait une question touchant à la part proprement cambodgienne de la vie de Lara. Une brusque nervosité l'envahit. Le moment était venu.

– Pas vraiment, dit Lara. Dans la mesure où la nouvelle n'est pas proclamée par haut-parleurs et voie de presse dans tout le Sud-Est asiatique.

Lisa promenait lentement ses doigts dans les cheveux de son mari. Elle fit descendre ses mains et se mit à lui masser l'épaule et la nuque, passant et repassant avec son pouce à l'endroit de l'ancienne cicatrice. « Il vous reviendra comme un chat errant, maigre et attendrissant », avait dit Madeleine Korver et c'était exactement cela. A ceci près que Lisa, fidèle à elle-même, n'avait nulle intention de se cantonner dans un rôle d'épouse consolatrice, moelleux et permanent repos du guerrier. Elle voulait comprendre et même évaluer exactement leur avenir à tous deux, non pas Lara et elle, mais Lara et elle au Cambodge. Egalement pour la première fois, elle comprit soudain qu'elle venait d'envisager la perspective d'un départ définitif de ce pays. Elle se sentit glacée, malgré la tiédeur, la moiteur de la nuit.

– Mais tu as pris des risques, dit-elle. Pourquoi? Pourquoi te mêler de leurs disputes?

– Parce que ces disputes sont les miennes, parce qu'elles me touchent, et qu'elles peuvent bouleverser notre vie.

A son tour, elle appuya son épaule contre la pierre. Elle avait failli répondre : « Ce n'est pas vrai. Tu n'es pas cambodgien, pas vraiment. » Mais à la seconde même où elle allait parler, elle avait deviné que c'étaient précisément les mots à ne pas prononcer, ou du moins pas encore. Juste en face d'elle, par une enfilade de couloirs éclairés par la lune, elle découvrait la voiture qui les avait amenés du *Grand Hôtel*, qui stationnait tous feux éteints, et dont la présence même lui parut incongrue, au beau milieu de cette forêt et devant ces pierres mortes. « Nous nous conduisons comme si nous étions dans un parc, quelque part à New York ou à Paris, bavardant au clair de lune. Mais nous ne sommes pas dans un parc, ce qui nous entoure est une jungle, dangereuse à tous points de vue, par les bêtes qu'elle renferme et les hommes qui pourraient en surgir. » Elle sursauta quand un engoulevent émit son curieux cri rauque.

– Tu veux rentrer?

– Non.

Elle se pencha sur la nuque de Lara et y posa ses lèvres.

– Explique-moi.

– T'expliquer quoi?

– Qui sont les Khmers rouges et pourquoi un homme comme Ieng Samboth, qui est ton ami, en fait partie et même les commande. Qui sont-ils? des communistes?

– Certains d'entre eux. Certains bien plus que d'autres. Mais les choses ne sont pas si simples.

– Et Ieng Samboth.

– Il l'a été. Il l'est moins et même ne l'est plus, dans la mesure où être communiste signifie une soumission absolue à Moscou ou Pékin, et la mise au service d'une autre forme d'impérialisme.

Elle hésita. Poser une telle question après dix mois de vie commune!

– Et toi?

Sans voir son visage, elle devina qu'il souriait.

– Non, dit-il. Et je ne le serai jamais. Je suis simplement quelqu'un qui est né dans ce pays et veut y rester.

– Quoi qu'il arrive?

Ses doigts enroulèrent et serrèrent doucement la cuisse de Lisa. Il alluma une nouvelle cigarette.

– Je t'aime, dit Lisa. Comme je ne pensais pas pouvoir aimer quelqu'un.

Il renversa légèrement sa tête en arrière et la posa sur la poitrine de sa femme. Après un moment, il entreprit de raconter ce qui, selon lui, se préparait à Phnom Penh, le complot, ses préparatifs et comment on pouvait craindre l'élimination de Sihanouk.

– Avec ce résultat de faire entrer le Cambodge dans la guerre, tôt ou tard.

– Et tu as choisi le camp de Ieng Samboth ?

– Je n'ai pas le choix.

– Je ne comprends pas.

– S'il y a vraiment un coup d'État un jour, si Sihanouk est chassé, le régime qui prendra la suite sera du même genre que celui qui est actuellement à Saigon : pro-américain.

– Je ne vois pas où est le mal.

– Ni Moscou ni Hanoi, ni même Pékin n'accepteront un tel régime. Ce sera la guerre. Une guerre qui ne pourra être soutenue par Lon Nol que grâce à l'aide américaine. Mais un jour viendra où les Américains s'en iront, comme les Français sont partis.

– Tu peux te tromper.

– Il n'y a rien que je souhaite davantage.

Un nuage passa dans le ciel, voilant la lune et pendant quelques instants, l'ombre s'épaissit. Tout un flot d'émotions violentes et contradictoires bouleversait Lisa : jalousie de l'amour que Lara avait pour ce pays, besoin orgueilleux d'expliquer et de défendre ceux de ses compatriotes qui avaient décidé d'intervenir au Vietnam et se tournait à présent vers le Cambodge, poussant des pions qui s'appelaient Lon Nol ou Sirik Matak, tristesse poignante à la pensée de la merveilleuse douceur de vivre cambodgienne bientôt ravagée par cette même guerre qui avait failli détruire Jon. Et enfin colère, froide, féminine, devant la déraison de ce qu'elle considérait comme un jeu stupide tel que les hommes en déclenchent avec, à chaque fois, disaient-ils, les meilleures raisons du monde. Et pendant un court instant, cette colère engloba jusqu'à Lara.

Et puis elle ferma les yeux, luttant farouchement pour recouvrer un peu de sa maîtrise de soi, consciente de ce que sa grossesse la rendait plus nerveuse, plus vulnérable qu'elle ne l'avait jamais été.

– Et tu voudrais rester même si un jour ces hommes

appelés les Khmers rouges l'emportaient et prenaient le pouvoir?

– Je ne partirai pas.

– En aucun cas?

– Non.

Elle aspira à fond.

– Au moins, tout est clair, dit-elle.

Elle se mit debout.

– Je voudrais rentrer, à présent.

Il lui tendit la main pour l'aider à descendre les marches, mais elle prit prétexte de la pénombre pour ne paraître rien remarquer. Ils reprirent place dans la Peugeot.

Il mit en route, alluma les phares, illuminant les yeux violets des engoulevents. Elle demanda :

– Et la plantation?

Plus encore que les mots eux-mêmes, ce fut le ton, indifférent, qui la stupéfia :

– J'ai décidé de m'en débarrasser, dit-il.

Dans la chambre du *Grand Hôtel*, il s'allongea à côté d'elle sans un mot, après qu'ils eurent commandé et fait monter un dîner auquel ils ne touchèrent pas. Elle-même finit par s'assoupir mais, après peut-être une heure ou deux, la double note six ou sept fois répétée d'un gecko l'éveilla et elle devina, au seul souffle de sa respiration, que Lara ne dormait toujours pas. Après un violent combat contre elle-même, elle avança une main sous le drap et la posa sur la hanche de Lara. Leurs doigts se joignirent et cette fois ils s'endormirent ensemble.

Charles Korver les vit le lendemain matin et, avec son habituelle finesse, devina que quelque chose était arrivé, quelque chose qui n'était pas seulement la conséquence de la longue et inquiétante absence de Lara et de l'espèce de petite dépression qu'avait connue Lisa, ordinairement si maîtresse d'elle-même. Mais Charles Korver ne posa évidemment aucune question et même faillit se disputer, enfin presque, avec Madeleine que la curiosité dévorait et qui pour un peu aurait soumis la jeune femme à l'un de ces interrogatoires serrés – Madeleine prétendait qu'ils étaient subtils – dont elle avait le secret.

– Ma chère amie, dit Charles à sa femme, posez une question, une seule, et je vous fouette sauvagement à coups de banane.

Ils quittèrent Siem Reap avec deux voitures, d'ailleurs inégalement emplies puisque Bê se trouvait en serre-file et conduisait la Land-Rover, tandis que Lara pilotait la 504, ayant Charles à ses côtés et les deux femmes assises à l'arrière. Ils s'arrêtèrent pour déjeuner, fort mal, au bungalow de Kompong Thom, accueillis avec enthousiasme par les enseignants français qui y prenaient pension. De cet enthousiasme, Charles Korver n'eut que plus tard l'explication, par Roger Bouès qui lui raconta dans ses grandes lignes l'affaire de la blessure d'Oreste Marccaggi; sur le moment, il s'en étonna, surtout en comprenant au hasard des répliques que tous les coopérants avaient passé un week-end à la plantation. Pour un peu, Charles en aurait conçu de la jalousie, lui qui n'y avait pas mis les pieds depuis dix ans au moins.

Ils atteignirent Phnom Penh en fin d'après-midi, d'abord parce que Lara roula quasiment au pas, comme s'il craignait de voir sa femme contrainte d'accoucher au pied d'une borne kilométrique. (« Et cela après près de trois semaines d'absence sans un mot d'explication! C'est tout Lara », pensa Charles Korver.) Et ensuite en raison de la présence sur la route, entre la capitale et le bac de Prek Dam qui permettait de franchir le Tonlé Sap, de longues files de camions des FARK, transportant des soldats curieusement moins rieurs qu'à l'ordinaire.

On dîna chez les Korver, de l'un de ces gigots d'agneau introuvables au Cambodge et que Charles faisait venir directement de France par avion. Et ce fut à la fin de ce dîner, qui eut lieu dans la soirée du 16 février, que Lara annonça qu'il renonçait à la plantation. Charles Korver en demeura bouche bée, gardant toutefois suffisamment de présence d'esprit pour, d'un regard, intimer à Madeleine l'ordre de ne rien faire, de ne rien dire. Un instant, il avait craint que sa femme, avec son impulsivité, n'allât embrasser Lisa, à la façon dont on félicite un vainqueur. Mais Madeleine elle-même demeura coite.

– Ce n'est pas tout, dit encore Lara. Lisa et moi avons pris une autre décision.

Il parla de l'île Sré, ce qu'il n'avait jamais fait jusque-là. Les Korver connaissaient vaguement l'existence de l'île. Ils savaient que le couple y avait passé en quelque sorte sa lune de miel, mais n'en savaient pas plus et croyaient à une île banale, en tous les cas très loin de celle, enfermant une maison, une source et tous les éléments d'un séjour plus long, que leur décrivit alors Lara.

– Nous allons aménager et agrandir la maison de Sré. Nous achèterons un bateau pour pouvoir nous y rendre par nos propres moyens, sans avoir besoin de faire chaque fois appel à la gentillesse des pêcheurs malais, expliqua la jeune femme.

Qui ajouta en riant :

– Et de toute façon, ces espèces de pirogues me terrifient. J'ai l'impression de chevaucher un requin.

– Vous voulez dire que vous n'habiterez plus Phnom Penh ? demanda Madeleine désemparée et presque atterrée.

– Absolument pas. Mais nous partagerons notre temps entre les deux.

Lara précisa qu'il se rendrait de temps à autre à Bangkok, d'abord pour y acheter le bateau, ensuite et surtout pour reprendre une activité plus nette dans son affaire d'import-export, pour laquelle Christiani était son associé.

– Lisa ne peut pas voyager actuellement mais dès qu'elle le pourra, elle m'accompagnera.

– C'est vrai que vous connaissez très peu Bangkok, dit Charles à Lisa.

– J'y ai passé une nuit en arrivant de Saigon.

– Vous l'aimerez, j'en suis sûr.

Charles, lui aussi, était un peu abasourdi par toutes ces nouveautés. Son regard allait en alternance du regard de Lara à celui de Lisa. Il y lut une étroite complicité et, bien qu'il eût peur de ce genre de mot, le bonheur. A y bien réfléchir, les jours suivants, il acquit la conviction que ce qui s'était passé à Siem Reap, quoi qu'il eût pu se passer, avait abouti à un rééquilibrage de l'union de Lisa et Lara, à un renforcement décisif. Charles Korver, qui vouait à l'un et à l'autre une égale affection, s'était toujours confusément inquiété de leurs considérables différences de caractères, de formation, d'origine, de mode de vie. De constater ces différences à imaginer qu'elles auraient pu un jour entraîner un éclat brutal, voire une rupture, il n'y avait qu'un pas, qu'il avait parfois franchi. Or, tout venait de changer. Il le crut sincèrement et s'en trouva comblé.

Lara se rendit effectivement à Bangkok quelques jours plus tard. Il n'y resta que quarante-huit heures à peine et revint annonçant qu'il avait découvert, grâce à Christiani, un bateau tout à fait convenable, qu'il décrivit comme une espèce de jonque qui n'était pas tout à fait une jonque mais qui était quand même un peu une jonque, longue d'une douzaine de mètres, comportant une cabine où l'on pouvait coucher à quatre et même faire la cuisine. Le dernier contact de Charles Korver avec la marine datait d'un Le Havre-New York à bord du *Normandie*; il se proposa comme mousse et apprit sans le moindre intérêt que la jonque qui n'en était pas une allait aussi bien à la voile qu'au moteur.

Lara, à part ce court voyage à Bangkok, ne s'absenta

plus, tenant parfois avec Kutchaï de longs conciliabules. Ce fut Kutchaï qui alla à Sré pour mettre en œuvre les aménagements prévus. Lara, lui, ne quitta même plus Phnom Penh et moins encore sa femme, bien que l'accouchement se présentât fort bien, à en croire les deux médecins français qui suivaient la jeune femme.

Ils avaient même engagé des paris avec Madeleine Korver. Les deux hommes de l'art tenaient pour le 15 mars.

7

Le 8 mars à l'aube, le capitaine Kao rentra de Sway Rieng dans sa jeep personnelle, précédant un petit convoi de quatre camions et de deux automitrailleuses. Sway Rieng est la ville cambodgienne la plus au sud, à quelques kilomètres de la frontière sud-vietnamienne. Kao y avait passé une journée complète, tenant plusieurs réunions, d'abord avec des lycéens et certains de leurs professeurs dont on pouvait être sûrs, ensuite avec une cinquantaine d'hommes qu'il avait lui-même expédiés là-bas et qui, bien qu'en civil, étaient en réalité des soldats khmers sereïs dont bon nombre se trouvaient encore en Thaïlande deux ans plus tôt, attendant l'occasion de passer à l'attaque, afin d'instaurer à Phnom Penh ce régime de droite dont on les avait convaincus qu'il était indispensable et valait de se faire tuer.

Aux uns et aux autres, Kao, assisté d'un professeur d'histoire et géographie du lycée Sisowath de Phnom Penh, avait tenu à peu près le même langage, répété les mêmes consignes, chaque fois concluant son discours par son mot d'ordre favori : « Il faut frapper fort. » Kao n'était pas un orateur, il s'en fallait de beaucoup. De ce point de vue l'enseignant, qui se prenait à la fois pour Robespierre et Washington, avec un zeste de Jose-Antonio Primo de Rivera – le bougre avait de l'imagination –, l'enseignant surpassait aisément Kao. Il fallait l'entendre évoquer l'imminente résurgence de l'antique splendeur khmère; et ses anathèmes vibrants contre les Thmils (athées) aux dents laquées, les Vietcongs en d'autres termes, auraient à eux seuls valu le voyage. Mais le « Il faut frapper fort! » de Kao, quoique moins original, avait le mérite de la concision. Kao avait fait briller les yeux.

Il avait laissé le Robespierre du Mékong sur place, en compagnie d'officiers khmers sereïs, également en civil, leur faisant pleine confiance pour le lendemain. Il avait repris la route dans la nuit.

Il arriva à Phnom Penh à cinq heures.

Sur la vaste esplanade plantée en son centre du monument de l'Indépendance, il hésita. Devant lui s'ouvrait le boulevard Norodom, s'achevant au loin par le Phnom et débutant par un jardin où l'on avait planté des flamboyants et des arbres à voyageurs; derrière lui, le Tonlé Sap s'élargissait, se doublait par sa jonction avec le Mékong supérieur et le grand fleuve ainsi formé se dédoublait à nouveau un peu plus loin en Mékong inférieur et Tonlé Bassac. L'endroit s'appelait les Quatre-Bras.

Par simple jeu, Kao exécuta un tour complet du rond-point, roulant au pas et amusé de constater que le convoi le suivait avec docilité. Il revint face au boulevard Norodom, totalement désert à cette heure matinale. Il stoppa et donna des ordres : camions et automitrailleuses iraient comme prévu prendre position à l'entrée du pont en béton reliant le centre-ville à la presqu'île de Chrui Chang War, sur l'autre berge du Tonlé Sap. Il ne garda avec lui que deux soldats, qu'il fit monter à l'arrière de sa jeep, leurs fusils d'assaut M 16, chargeurs enclenchés, prêts à tirer, plantés entre leurs cuisses. C'étaient tous les deux des Kroms au teint clair, aux grosses bouilles rondes et impassibles. Sur ordre, ils auraient égorgé tout un village; au repos, Kao aimait à les entendre, l'un jouant de la guitare, l'autre chantant des complaintes tristes à pleurer.

Cinq heures trente. Il prit la direction de son domicile, goûtant le plaisir sauvage de rouler au milieu de l'avenue déserte, braquant parfois, à la façon d'un jeu, le canon de sa mitrailleuse sur une porte ou une fenêtre choisie au hasard. Il conduisait de la main gauche et gardait l'index de sa main droite sur la détente : une pression d'un millimètre supplémentaire et les balles seraient parties, déchiquetant tout. Jamais encore il n'avait tiré sur des êtres humains, même pas dans cette embuscade au cours de Phnom Pich, avec Price : il était trop jeune pour avoir pu se joindre aux maquisards issaraks combattant les Français et, depuis l'indépendance, dix-sept ans plus tôt, pas la moindre guerre où se faire plaisir. La malchance. Dire qu'il aurait pu naître Vietnamien !

Il laissa la jeep courir sur son erre jusqu'à la porte de son immeuble. Si sa garce de femme dormait encore, autant valait ne pas l'éveiller.

— Vous m'attendez, dit-il aux soldats.

L'ascenseur était l'une des fiertés de sa vie. Il habitait un immeuble avec ascenseur !

Par un surcroît de précautions, il stoppa la cabine au troisième et non pas au quatrième étage où il habitait. Il gravit à pied les dernières marches, introduisit la clef dans la serrure avec des délicatesses de cambrioleur. Il eut le temps de faire trois pas sur la pointe des pieds dans le hall minuscule autour duquel l'appartement s'organisait et puis Nuba surgit, jaillissant l'écume aux lèvres de la cuisine où elle s'était tapie et brandissant le hachoir à viande utilisé pour morceler les poulets. L'arme siffla, lui entailla légèrement l'épaule gauche au moment précis où il levait le bras dans un geste machinal de défense. Il recula, buta du talon sur une table basse et tomba à la renverse. Sa chute lui sauva la vie, le hachoir lui frôlant le visage.

— Où étais-tu ? où étais-tu ? salaud !

Il roula sur le côté, cette fois par un mouvement délibéré et se précipita dans la salle à manger, qu'il avait voulue carrément européenne. Il plongea entre les chaises, mit la table entre Nuba et lui, sortit son Colt 45.

– Pose ça ou je te tue.

Elle se jeta en avant, sans se soucier de l'arme. A la dernière seconde, il releva l'index, fit un pas de côté, esquiva, prit l'arme par le canon, frappa à la volée, en plein visage.

Elle s'écroula.

Kao attendit, croyant qu'elle allait se relever. Il l'avait souvent frappée, et même rouée de coups à la tuer sur place, mais toujours elle était revenue à la charge. Elle ne bougeait plus. Prudemment, il s'approcha, pensant à quelque ruse. Il finit par se pencher sur elle. « Et elle n'est même pas morte ! »

Il ramassa le hachoir qu'elle avait laissé échapper et alla l'enfermer dans le tiroir de son bureau où il rangeait ses armes de poing de réserve. « J'aurais dû tirer quand elle est venue sur moi. Légitime défense. » Mais les formalités auraient pris du temps et il n'aurait pas pu prendre part à ce qui allait se passer. Il gagna la salle de bain, ôta sa chemise d'uniforme et examina dans le miroir l'entaille sur son épaule : la plaie était impressionnante mais la coupure, quoique nette et saignant abondamment, était en fait peu profonde. Il l'avait échappé belle.

– J'ai bien failli la tuer cette fois, dit-il à son reflet dans la glace.

Il prit une douche, contemplant son propre sang qui partait avec l'eau par la bonde de vidange, rosâtre sur le carrelage blanc. Il fixa ensuite sur la plaie un pansement tout préparé maintenu par des bandes de sparadrap qu'il enroula autour de son bras. Le sang perlait encore mais ne coulait plus vraiment. Cela ne durerait pas. Il acheva de se changer, enfila un pantalon de toile sombre et une chemise à fleurs roses et noires, qu'il avait achetée chez Gimbel's à New York. Même si le sang transperçait le pansement, il ne tacherait pas le tissu ou du moins les taches seraient-elles invisibles.

Entièrement habillé, n'ayant plus rien sur lui pour rappeler l'officier qu'il était, il revint dans la salle à manger. Nuba, couchée sur le côté, remuait faiblement en geignant. Le coup l'avait atteinte à la pommette et à la tempe, déchirant légèrement la joue au passage. Un peu de sang suintait de la plaie mais il n'y avait pas trace d'enflure. « J'ai dû lui casser quelque chose. »

Le sampot rouge qu'elle portait s'était dénoué et dévoilait ses seins, étonnamment fermes. C'était une Khmère pure qu'il avait épousée quand elle avait quinze ans. Sa peau était sombre, d'un velouté qui l'avait toujours fait trembler. Elle n'était même pas belle et ne l'avait jamais été, même dans sa première jeunesse; elle avait toujours été à demi folle, portait en elle quelque chose de sauvage et de primitif, d'animal, mais c'était la seule femme dont il ait eu jamais envie, malgré sa folie, peut-être à cause d'elle. Elle lui avait fait cinq enfants, sept en fait mais deux étaient morts aussitôt après leur naissance, l'un d'entre eux peut-être étouffé volontairement par Nuba. Il lui avait enlevé ses enfants, craignant qu'elle ne les tuât tous, au cours de l'une de ses crises, et les avait confiés à sa propre mère, à ses sœurs et belles-sœurs, toutes continuant d'habiter son village natal, aux environs de Kompong Speu.

Il se pencha, la prit sous les épaules et les genoux, la souleva, la porta sur leur lit. De la salle de bain, il ramena une serviette-éponge gorgée d'eau, qu'il plia et essora un peu avant de la poser sur la partie tuméfiée du visage de Nuba. Elle ne bougeait plus mais respirait, les yeux clos, ayant sans aucun doute repris conscience mais refusant de le regarder. A présent, elle était calme, comme abattue. Kao vit une larme perler sous la paupière. Une soudaine émotion le prit, et pas plus que les fois précédentes il ne s'interrogea sur ce miracle qui le faisait s'émouvoir sur cette femme, celle-là entre toutes les autres, à l'exclusion de toutes les autres, lui qui se sentait capable de tuer ou même d'être tué avec un sang-froid proprement inhumain.

Avec une ahurissante tendresse, il s'agenouilla au bord du lit, tira doucement sur le sampot, dévêtit entièrement Nuba, respirant et léchant cette peau noire. Se redressant, il se déshabilla et s'allongea sur elle. Elle se laissa pénétrer d'abord sans réagir, avant de se déchaîner, plantant ses ongles dans ses reins.

Il ressortit de chez lui à six heures quarante-deux. En bas, les soldats n'avaient pas bougé.

A sept heures moins trois minutes, la jeep au capot surmonté de sa mitrailleuse pénétra dans la grande cour rectangulaire du quartier général des Forces armées royales khmères.

A Phnom Penh, le quartier vietnamien était une ville en lui-même. Parmi les dizaines de milliers de gens qui y vivaient, à peu près toute l'Indochine de Hanoi à Saigon était représentée. La population de base, fondamentale, était faite d'hommes du delta dont certains étaient venus s'installer au Cambodge en des temps immémoriaux, conservant néanmoins leur langue et leur identité. Une seconde couche s'était mise en place avec les Français, dont l'administration avait presque toujours donné la préférence aux Vietnamiens sur les Khmers pour tous les postes subalternes qui ne pouvaient pas, sous peine de déroger, être acceptés par des Européens. Une troisième vague enfin, de beaucoup plus récente, était arrivée dès les premiers combats, opposant les troupes d'Ho Chi Minh et de Giap au corps expéditionnaire français; cette troisième vague était principalement composée de Tonkinois et d'Annamites qui avaient fui une guerre où ils se souciaient assez peu de prendre parti, moins encore de prendre des risques personnels. Le phénomène n'était d'ailleurs pas limité à la seule Phnom Penh; il avait touché d'autres villes khmères, surtout dans le Sud, telles Takeo et Sway Rieng, toutes proches de la frontière. Ces colonies vietnamiennes étaient nettement moins importantes à mesure qu'on allait vers le nord du Cambodge, à une exception près : celle des berges du grand lac Tonlé Sap où les pêcheurs vietnamiens s'étaient établis depuis des générations, faisant macérer le poisson pour fabriquer du prahoc, condiment indispensable de l'alimentation khmère, à la façon dont leurs cousins de l'île de Phu Quoc produisaient le nuocmam.

Entre les deux communautés, vietnamienne et khmère, les différences étaient en principe spectaculaires. La langue tout d'abord, bien que tout le monde parlât peu ou prou le cambodgien dont les formes et le vocabulaire abâtardis depuis des siècles n'étaient d'ailleurs pas si difficiles à apprendre; un certain nombre de coutumes ensuite, par exemple les habitudes vestimentaires qui faisaient porter le pantalon large et la tunique à une Vietnamienne plutôt que le sampot; la religion encore, bouddhique pour un Cambodgien, le plus souvent catholique pour un Vietnamien, qui faisait que le second enterrait ses morts quand le premier les incinérait.

Certes, au fil des décennies et des siècles, on s'était pas mal mélangé : quand ils n'avaient pas de sang chinois dans les veines, bon nombre de fonctionnaires ou de techniciens officiellement khmers avaient des ancêtres quelque peu vietnamiens. Mais ces échanges n'avaient jamais vraiment réuni les deux communautés, qui persistaient à se regarder en chiens de faïence ou, au mieux, avec une totale indifférence. Il y avait une évidente jalousie dans le regard que les Cambodgiens portaient sur leurs colocataires : toujours quand il n'était pas chinois, un mécanicien automobile, un réparateur radio, un chef cuisinier, un maître d'hôtel, un cordonnier, un orfèvre, un restaurateur, un hôtelier, un commerçant important ou un boutiquier à l'étalage de plein vent, était le plus souvent vietnamien, dans des proportions anormales. Quant aux domestiques employés par la colonie européenne, à part une *ama* chinoise pour s'occuper des enfants, on parlait d'un *bep* (cuisinier), d'une *ti-aï*, d'une *ti-nam*, d'une *ti-ba*, par ordre hiérarchique décroissant, tous mots vietnamiens exprimant une fonction domestique donnée et cela même alors que l'employé était khmer, ce qui n'arrivait presque jamais, à moins que l'employeur ne fût lui-même cambodgien.

Les quatre domestiques des Korver étaient vietnamiens, non par un choix délibéré qui aurait écarté tout Cambodgien, mais parce que Charles et Madeleine avaient tout simplement cédé à l'insistante pression de Bê, le chauffeur, à leur service depuis 1934 (il avait environ soixante ans) et qui avait tenu à placer et à s'entourer des membres de sa propre famille, créant de la sorte un consortium, dont il assurait la présidence. Au point que l'on pouvait parfois se demander qui commandait qui. La voiture tombait mystérieusement en panne chaque fois que Bê estimait futile ou hors de propos la course qu'on lui demandait; et la qualité des dîners servis variait de la façon la plus surprenante selon la qualité des invités, dont la tête, les manières et le rang social (Bê était extrêmement snob) devaient impérativement convenir à Bê et ses adjoints, au premier rang desquels se trouvait M. le Bep, qui défendait l'approche de ses fourneaux avec la vaillance d'un Pavillon Noir affrontant Francis Garnier. Quant aux livres de la bibliothèque, il avait été admis une fois pour toutes, en dépit d'un combat d'arrière-garde tenté par Madeleine, qu'ils devaient être placés la tête en bas, de sorte que la meilleure façon d'en lire les titres était de se tenir en équilibre sur les mains. Hormis ces quelques points de détail, Bê était d'une fidélité et d'un dévouement absolus : durant l'occupation japonaise, les Korver assignés à résidence dans leur villa ceinturée de barbelés, incapables même de se procurer de l'argent, n'avaient dû de ne pas mourir de faim qu'au courage et à l'amitié de leur chauffeur qui, bravant les sentinelles et les exhortations nippones à la grande fraternité des peuples asiatiques contre les colons blancs, leur avait toutes les nuits apporté des provisions achetées sur ses économies personnelles, et cela pendant des mois.

Différences de race, de coutumes, de religion, de langue, parfois de fortune, jalousie khmère devant l'évidente supériorité des Vietnamiens à s'intégrer dans une Indochine tentant l'industrialisation à la façon occidentale, complexe minoritaire, tout cela expliquait déjà l'opposition. On s'était, ailleurs, égorgé pour bien moins. Mais il y avait encore le mépris parfois transparent dans lequel bien des Vietnamiens tenaient des Khmers « paresseux et sauvages »; il y avait surtout le vieux, l'antique soupçon d'impérialisme. Après tout, des Vietnamiens en armes se trouvaient déjà sur le sol khmer, autant dire en envahisseurs. Même Samdech-Père l'avait dit. Que ces envahisseurs fussent communistes alors que la majorité des Vietnamiens établis au Cambodge était au contraire catholique, en principe opposée au communisme et même, dans bien des cas, l'ayant fui pour se réfugier ici, ne comptait pas. Un Vietnamien reste un Vietnamien.

Les services secrets indonésiens et les experts de la Central Intelligence Agency américaine l'avaient expliqué à Lon Nol et à Sirik Matak. Il fallait jouer à fond sur la haine des Khmers pour leurs voisins (au besoin réveiller cette haine), de la même façon que, pour éliminer Soekarno à Djakarta, on avait joué sur la haine indonésienne à l'encontre des Chinois. Il fallait non seulement une manifestation mais une émeute. Il fallait créer l'irréparable. Il fallait faire couler le sang. « Au moins cent morts, en tout cas un nombre de trois chiffres. C'est plus spectaculaire dans une dépêche d'agence. »

On ne pouvait pas, pour une tâche aussi délicate, faire simplement confiance à la foule, même déchaînée, même chauffée à blanc. Une foule est capable de tout et, sait-on jamais, de bienveillance. Les cinquante hommes, militaires déguisés en civil, que Kao avait amenés à Sway Rieng, étaient prévus pour redresser le cours normal des choses, lancer le mouvement, le poursuivre et le mener à son terme, c'est-à-dire opérer eux-mêmes les massacres. Depuis des années souvent coupés de leurs familles, pour ainsi dire apatrides, soigneusement entraînés, ils allaient être les meneurs et les exécutants. Mais s'ils étaient cinquante à Sway Rieng, il s'en comptait huit ou neuf cents à Phnom Penh, en cette aube du 8 mars 1970. Tout était prévu : Price avait personnellement rédigé les pancartes et banderoles destinées à être brandies par les manifestants; il les avait rédigées non pas en khmer, que nul n'aurait compris, même pas en français (ça n'était pas la clientèle), mais en anglais, de façon que toutes les télévisions du monde puissent les montrer à leurs spectateurs. Bien entendu, on avait pensé à laisser entrer au Cambodge un maximum d'équipes de reportage, au besoin on leur avait soufflé dans l'oreille une information ultra-confidentielle. Et Price, qui était un perfectionniste, avait également prévu dans sa rédaction des slogans, quelques fautes d'orthographe, voire une erreur de syntaxe, telles qu'aurait pu en commettre un Cambodgien indigné par l'impérialisme nord-vietnamien mais ayant manqué quelques cours d'anglais.

La manifestation spontanée du peuple cambodgien exprimant sa juste colère devant l'envahissement du sol sacré de la patrie par les hordes vietcongs était prévue pour huit heures quatre.

8

A l'aube du 8 mars, Madeleine s'était levée la première, comme le voulait le rite établi après un demi-siècle de mariage. Il avait fallu vingt-deux années de patientes démarches à Charles pour la convaincre que c'était à elle de préparer le café du matin, avant l'arrivée des domestiques qui ne prenaient officiellement leur service qu'à neuf heures mais n'étaient jamais véritablement opérationnels qu'à dix, le temps que Bê eût réuni son état-major et établi l'ordre du jour.

Enveloppée dans une robe de chambre en soie noire dont le dos s'ornait d'un dragon rouge crachant des flammes orangées et la publicité des motos Kawasaki, la vieille dame était descendue non pas dans la cuisine, où elle ne se serait pas permis d'entrer en l'absence de M. le Bep, mais dans une petite pièce à elle seule réservée, par pure magnanimité du consortium, légèrement moins vaste qu'une cabine téléphonique, où une étagère supportait trois douzaines de boîtes de café moulu, un réchaud à alcool, à peu près soixante paquets de biscottes et un petit réfrigérateur. Madeleine prépara le café, beurra deux biscottes, une pour Charles, une pour elle, posa le tout sur un plateau et monta rejoindre son mari.

La veille, ils avaient reçu tout un paquet de lettres d'Europe, émanant de leurs neveux et nièces, de leurs petits-neveux et petites-nièces, dont ils avaient des quantités invraisemblables et dont beaucoup vivaient soit à Bordeaux, soit dans les Landes, en Chalosse. Curieusement, ces Alsaciens d'origine n'avaient plus la moindre famille en Alsace.

Assis côte à côte dans leur grand lit, où la moustiquaire tenue sur une élégante armature de teck faisait comme un baldaquin, ils sirotèrent leur café et grignotèrent leur biscotte tout en lisant les lettres. Ils avaient eu un dîner la veille, à l'ambassade de Grande-Bretagne, et avaient dû remettre cette lecture. D'ailleurs, ces premières heures du matin, sans domestiques, dans une maison déserte, étaient de loin celles qu'ils préféraient. Ils y trouvaient le calme mais, par-dessus tout, la merveilleuse et apaisante certitude, au sortir du sommeil qui les avait séparés, de se retrouver ensemble, vivants et capables de se sourire encore après tant d'années.

– Tiens, s'exclama Madeleine, Christine a épousé un certain Jean-François Suffert. C'est quoi, un énarque ?

– Un ancien élève de l'Ecole nationale d'administration. Qui est Christine ?

– La fille de Charlotte et de Bernard.

– Ah ? dit Charles, en se demandant qui diable pouvaient être cette Charlotte et ce Bernard dont il croyait bien entendre parler pour la première fois.

– Charlotte est la nièce de Louis-Léopold, qui est lui-même le cousin de Jacques. Jacques est ton petit-neveu puisqu'il est lui-même le fils d'Henri et de Sophie. Quant à Bernard, c'est encore plus net, et je m'étonne que vous paraissiez ignorer son existence : son beau-frère est l'oncle de Françoise, elle-même mariée à Georges qui est le cousin issu de germain de Paul qui a épousé Annick. Pas Annick qui habite Lons-le-Saulnier mais l'autre, la sœur de Michel, lequel avec Yves et Claudie est le fils de Janine qui a épousé Robert en secondes noces.

– Et qui est l'assassin, en fin de compte ?

– C'est malin, dit Madeleine. Et cessez de vous bourrer avec cette biscotte, vous allez encore souffrir de l'estomac.

Dans le courrier, il y avait aussi une lettre, la quatrième qu'il eût expédiée, de Jon Kinkaird, que le jeune homme avait postée à Stockholm. Jon était à son habitude assez laconique, s'inquiétant surtout de leur santé et écrivant que pour ce qui le concernait tout allait parfaitement. Son suédois s'améliorait de jour en jour et il avait changé d'emploi, mais il ne disait pas ce qu'il avait quitté ni ce qu'on lui avait offert.

Vers sept heures, toujours comme le voulait le rite, ils enfilèrent leurs costumes de jardinage et partirent déambuler au long des plates-bandes. Ni l'un ni l'autre n'avaient la moindre notion de jardinage et d'ailleurs s'en moquaient éperdument. Tam, neveu de Bê, à ce qu'ils avaient cru comprendre, était le responsable attitré du jardin et, dans sa bienveillance, il leur avait abandonné un minuscule lopin de terre que Charles et Madeleine sarclèrent, binèrent, hersèrent et travaillèrent de n'impore quelle manière, avec d'autant plus de légèreté qu'ils n'en attendaient rien. De ce point de vue-là, ils n'étaient pas déçus : rien n'y poussait.

Les premiers échos leur parvinrent aux alentours de huit heures. Ce fut une rumeur diffuse, d'abord lointaine. Cela venait du sud, bien au-delà du Phnom. Ils n'y accordèrent qu'une attention distraite. A ce moment-là, ils se trouvaient tous deux dans le grand salon-bibliothèque du rez-de-chaussée, plongés dans ce qui était leur occupation principale en dehors de ne rien faire en particulier : établir pour chacun des objets d'art dont ils faisaient collection une fiche extrêmement détaillée, qui indiquait non seulement l'origine de la pièce, mais autant que possible la date exacte, l'endroit précis où cette pièce avait été fabriquée, les circonstances historiques ayant entouré sa naissance, voire le nom de son créateur, ainsi qu'une description de l'époque à laquelle cela s'était passé. Leur collection, qui aurait émerveillé n'importe quel spécialiste mondial, réunissait des objets venant du Japon aussi bien que de Java, de Chine ou de Birmanie; elle était parfaitement hétéroclite, sans ligne de conduite, due à leur seule fantaisie et à une succession de coups de foudre. Si bien que l'établissement de ces fiches, leur faisant parcourir plus de vingt siècles et à peu près un tiers du monde, les tenait occupés depuis quarante ans, sans qu'ils en eussent pour autant terminé, de loin s'en fallait.

Peut-être trente à quarante minutes plus tard, la rumeur devenue entre-temps un énorme grondement ponctué de clameurs indistinctes, voire de détonations, leur fit tout de même comprendre que quelque chose d'anormal se passait. Ils s'arrachèrent à leur silence studieux. Charles sortit dans le jardin, ne vit rien, sinon la petite rue Chey Chetha qui était certes déserte mais pas plus déserte ni calme qu'à l'habitude.

– Du balcon, peut-être ?

Ils y montèrent ensemble, main dans la main, se soutenant l'un l'autre, mais les arbres leur bouchaient la vue. Ils aperçurent toutefois des nuages de fumée au nord-est, au sud-ouest et aussi à la verticale de la presqu'île de Chrui Chang War.

– Qu'ont-ils encore inventé? dit Madeleine, sur le ton d'une mère parlant de ses enfants indisciplinés et un peu espiègles.

Se servant de l'appareil téléphonique de la chambre, Charles appela le premier numéro qui lui passa par la tête, celui de la *Taverne*, en face de la poste centrale. On ne répondit pas. Il pensa à l'ambassade de France. Occupé. L'ambassade de Grande-Bretagne. Occupé. Celles des Etats-Unis et d'Australie. Occupé.

– Du calme, dit Madeleine de sa voix de petite fille. Est-ce que je m'énerve, moi?

A tout hasard, au terme de l'un de ces raisonnements qui sidéraient toujours Charles, elle s'était changée et avait revêtu une robe à grandes fleurs blanches et grises sur fond jaune, du genre de celles qu'elle portait pour se rendre dans les cocktails. Elle avait ôté de ses cheveux bleus la résille matinale. Elle était admirablement nette.

Roger Bouès : sonnerie dans le vide. Le commissariat de police en face de la poste centrale : occupé. A nouveau l'ambassade de France : occupé.

L'énorme vocifération continue de la manifestation se rapprocha encore.

– Je pourrais aller à pied chez les Lara, puisqu'ils n'ont pas le téléphone?

– Vous pourriez aussi aller faire du ski nautique sur le Mékong. Charles, quand une manifestation se fomente, on reste chez soi.

Il fit pour la troisième fois le numéro de Roger Bouès : sonnerie dans le vide.

Les minutes passaient. Et d'un seul coup leur inquiétude flamboya quand, bien après neuf heures, ils n'entendirent toujours pas le bruit habituel du cyclomoteur de Bê. La seule absence du chauffeur-chef du personnel n'aurait pas eu en elle-même de quoi susciter l'angoisse, mais personne ne venait et cette unanimité dans l'absence ou le retard devenait alarmante. Il était impossible que les cinq domestiques vietnamiens, même s'ils étaient tous plus ou moins parents, aient pu tomber malades le même jour. Ils n'habitaient même pas tous au même endroit, la jeune Ti-Ba vivant au sud, sur la route de Pochentong, Bê et les autres résidant au nord, vers le village malais. Charles sortit à nouveau dans le jardin, marcha cette fois jusqu'à la rue. Les autres villas semblaient vides; toutes celles qui avaient des volets les avaient fermés. On se claquemurait ou alors on avait fui. Le calme habituel du quartier français devint soudain sinistre. Charles Korver, un court instant, vit Madeleine et lui en quelque sorte de l'extérieur : un couple très âgé, fragile au physique, se tenant les mains et attendant d'être massacré dans une maison bien trop grande, aux allures de musée. Mais son sens de l'humour reprit bien vite le dessus : « Et nous nous barricaderons et nous tiendrons cinquante-cinq jours comme à Pékin, en repoussant l'ennemi à coups de biscotte. » Il rentra dans la maison, retrouva sa femme à l'étage.

– Ecoutez, dit Madeleine, on dirait qu'ils ne viennent pas par ici.

L'impression était en effet étrange : la ville entière semblait livrée aux émeutiers, aux incendiaires, à ces gens qui tiraient des coups de feu, la ville entière sauf l'endroit où ils se trouvaient.

– Avez-vous appelé Roger Bouès?

– Je n'ai fait que cela.

– Essayez encore.

– Il ne doit pas être chez lui : ça ne répond pas.

Il était neuf heures trente.

– Pour me faire plaisir, dit Madeleine avec gentillesse, penchant gracieusement sa petite tête et caressant ses boucles bleues.

– Oui? dit la voix de Roger dès la première sonnerie.

— Les domestiques, dit Charles. Ils ne sont pas venus ce matin. Nous sommes seuls.

Un silence.

— J'arrive, dit Roger.

9

De huit à onze heures, le capitaine Kao manqua de devenir fou. Non pas parce que quelque chose lui arriva, mais au contraire parce qu'il ne fit rien. Le colonel dont il dépendait tenait, dit-il, à le garder en réserve et il avait menacé de le faire abattre si sa jeep surmontée de la mitrailleuse avançait d'un seul quart de roue. Trois heures durant, Kao fut comme ces chiens de meute qu'on a malencontreusement oubliés au chenil et qui captent les abois de leurs compagnons lançant l'hallali. Il piaffa, se tordit de rage, entendant les fracas lointain des détonations et la rumeur féroce des manifestants qui, quelque part, partout, mais sans lui, déferlaient.

A un moment, il se hissa même sur le toit de l'immeuble du quartier général et découvrit les multiples colonnes de fumée montant des quartiers détruits et des églises incendiées, fumées vues aussi par les Korver et que le vent poussait dans le sens du fleuve, vers le sud, vers le Vietnam, à la façon d'un avertissement funèbre.

Mais très vite, Kao redescendit. On aurait pu en son absence avoir besoin de lui, c'est-à-dire le libérer, le lâcher. Mais rien. Le colonel qu'il supplia ne l'envoya qu'au diable.

— Toi et ta foutue mitrailleuse!

A l'arrière de la jeep, les deux soldats au visage de lune n'avaient toujours pas bougé, images vivantes de l'impavidité, au milieu de cette cour parcourue par des messagers arrivant et repartant sans cesse. Autour de Kao, on criait, on téléphonait, on s'agitait. Lui était immobile. Il vit des camions déboucher, qui amenaient des armes, et il savait d'où ces armes venaient. L'affaire du *Columbia Eagle* n'était pas ordinaire; elle témoignait de tout ce que le complot avait en même temps de retors et de naïf, d'outrecuidance et de lente préparation. Le bâtiment battant pavillon des Etats-Unis et regorgeant de fusils d'assaut M 16 avec leurs chargeurs, de mortiers, de mitrailleuses et de grenades, n'était pas officiellement destiné à aborder le port cambodgien sur le golfe de Siam. Son manifeste annonçait du matériel sanitaire à destination des populations éplorées de Saigon.

Mais, alors qu'il croisait tout à fait par hasard au large de la côte khmère, une sorte de mutinerie avait paraît-il éclaté à son bord. Une partie de l'équipage avait soudainement révélé son « hostilité à la politique menée au Vietnam par les Etats-Unis d'Amérique ». Le capitaine, terrorisé, s'était empressé de faire terre, justement à Kompong Som. Où les mêmes dockers cambodgiens qui, un mois plus tôt, manipulaient encore les caisses enfermant les AK 47 Kalachnikov russes destinées au Vietcong, avaient aussitôt déchargé les caisses des M 16 fabriqués par Colt, ainsi que des mortiers, des mitrailleuses, des lance-grenades et quelques tonnes de munitions.

Seul point commun aux deux opérations : les camions utilisés dans l'un ou l'autre cas pour le transport. Ils étaient la propriété de négociants et hommes d'affaires chinois de Phnom Penh, à qui la perspective de voir leurs concurrents vietnamiens sur le plan du commerce, subir quelques assauts de la part des manifestants, ne fendait pas spécialement le cœur.

– Kao !

Il avait sa longtemps attendu l'ordre qu'il faillit le manquer. Il bondit.

– Prends ta foutue jeep, dit le colonel. Avec ou sans les deux statues qui s'y trouvent. Tu pars pour Chrui Chang War.

Le colonel déplia une carte de la presqu'île, dessinée à la main. Il traça un cercle rouge.

– Ici, dans l'une de ces maisons. Il paraît qu'on y a caché des armes destinées au Vietcong, des armes soviétiques. Tu vas là-bas et tu organises tout pour l'arrivée des photographes et des cameramen étrangers, que l'on t'amènera vers une heure, un heure trente. Environ. File.

Kao bondit au volant de la jeep. Un fauve lâché. Mais il n'eut même pas le temps de mettre le contact...

– Et le camion? dit le colonel.

– Quel camion?

– Celui où se trouvent les armes soviétiques. Tu comptais les prendre où? Si tu ne les amènes pas là-bas, comment veux-tu les y trouver? Tu peux emmener une dizaine d'hommes.

– Ces deux-là me suffisent, dit Kao.

Sur le pont de Chrui Chang War, il aperçut les premiers cadavres, deux femmes et quatre hommes, dont un jeune garçon d'une douzaine d'années. Des Vietnamiens pauvrement vêtus. Les corps gisaient à moins de vingt mètres de l'une des automitrailleuses que Kao avait lui-même placées à son retour de Sway Rieng. Kao stoppa, se pencha sur les plaies recouvertes de mouches, huma intensément, presque avec avidité, l'odeur fade du sang. Mais les blessures n'avaient pas été faites par des balles. Certaines étaient dues à des coupe-coupe, d'autres peut-être à des bâtons.

– Des barres de fer, dit un jeune sergent descendu de son engin blindé. Nos ordres étaient de ne pas bouger, de ne rien faire, de regarder. Nous n'avons rien fait, nous avons regardé. Les manifestants les ont tués sous nos yeux.

Il avait l'air d'un étudiant, voire d'un lycéen. Un instant, obnubilé par ses propres sensations, Kao crut que le garçon voulait exprimer ce qu'il ressentait lui-même : la frustration, au vu des résultats de cette chasse à laquelle on l'avait empêché de participer. Mais non : le jeune sergent était tout bonnement horrifié, malade du dégoût de ce qu'il avait vu.

– Il y en avait un que je connaissais, dit le jeune sergent. Celui à qui ils ont à moitié coupé la tête. Il vendait des gâteaux au Marché-Central. Pourquoi est-ce qu'on l'a tué ? Ça n'était sûrement pas un Vietcong.

Kao examina le corps recroquevillé, en effet décapité à demi, broyé de surcroît par les barres de fer, dans une frénésie de meurtre. Il vit un vieil homme aux cheveux gris fer taillés en brosse, laid d'une sympathique laideur, maigre.

– Qu'est-ce que tu en sais ? dit brutalement Kao. Qu'est-ce que tu en sais ?

– Je ne crois pas que c'était un Vietcong, dit le garçon, obstiné. Je le connaissais. Quelquefois, quand on lui plaisait, il offrait un gâteau.

Kao le crocha par l'épaule, l'expédia vers l'automitrailleuse, le précipitant presque par terre.

– Petit con ! reprends ta place ! Tu te crois où ! tu es un soldat ! Fous-moi le camp ! Tao ! Allez !

Lui-même allait remonter sur la jeep. Il s'immobilisa, déjà à demi engagé sur le siège. Quelques-uns des soldats des camions apostés à l'entrée du pont avaient mis pied à terre sur le tablier et se penchaient en riant par-dessus le parapet. Kao alla s'y pencher aussi et découvrit des dizaines et des dizaines de cadavres qu'entraînait l'eau ocre et visqueuse du Tonlé Sap. Certains des morts avaient leur visage affleurant la surface, d'autres tournoyaient, parfois cul nul, d'autres encore s'immobilisaient un instant contre les piles du pont, résistant au courant avec la stupide obstination des choses mortes, mais le courant finissait quand même par les emporter. Un instant presque hypnotisé, Kao se retourna enfin, chercha dans le lointain, sur la rive à sa gauche du fleuve, l'emplacement du village catholique vietnamien, l'un des objectifs essentiels de l'émeute. Il vit de la fumée, distingua même des flammes. Il revint à la jeep pour y prendre ses jumelles, mit au point. Là-bas, tout flambait, y compris les alentours de l'école catholique de jeunes filles, tenue par des sœurs le plus souvent tonkinoises. Un spasme de rage le secoua : « C'est là que j'aurais dû être, dès le début ! » Il écumait, avec sur la rétine des images de religieuses courant en tous sens, tour à tour capturées par la mire ronde de sa mitrailleuse. Il en tremblait.

Il fit crier les vitesses de la jeep quand il redémarra et évita comme à regret la jambe de l'un des cadavres allongés en travers du tablier. Plus loin, en fait sur toute la chaussée du pont, d'autres cadavres. Il déboucha sur la terre ferme de la presqu'île et là, stoppa de nouveau pour consulter la carte que lui avait donnée le colonel et aussi parce qu'il comprenait qu'il s'enrageait trop et avait besoin de se reprendre. Les maisons qu'on lui avait désignées se trouvaient au plus à cinq ou six cents mètres de là, sous un bosquet de tamariniers, en vue directe d'une petite chapelle en train de brûler. Il repartit, conduisant avec une lenteur voulue. Un attroupement se présenta devant son capot, formé de Cambodgiens étrangers au carnage mais qui y avaient assisté sans intervenir, et sans doute en était-il ainsi de la grande majorité de la population khmère de Phnom Penh – et de Sway Rieng où les mêmes massacres avaient certainement eu lieu : on avait regardé naître et grandir la manifestation, on avait même crié et hurlé avec elle mais à la seconde de passer aux actes, presque tous avaient hésité et laissé faire les professionnels venus de Thaïlande, qu'assistaient quelques groupes d'étudiants surexcités et les inévitables rôdeurs. Kao le savait, il en avait eu la preuve par tous les rapports affluant au quartier général dans le courant de la matinée, alors qu'il piétinait lui-même sur place : de ce point de vue là, l'émeute était un échec, on n'avait pas réussi à faire l'union sacrée contre la communauté vietnamienne; contre rien, d'ailleurs. Le Cambodgien de base n'avait pas bougé. Au pis, il avait pillé, se hasardant avec timidité dans les maisons dont les occupants avaient pris la fuite ou avaient été égorgés.

Devant le capot la foule, dos tournés, ne bougeait pas. Kao releva le canon de sa mitrailleuse et lâcha une courte rafale en direction du ciel enfumé par les incendies.

– Tao !

Immédiatement, on s'écarta. Il roula sur quelques mètres et parvint en face du petit groupe de maisons de bois qui constituait son objectif, tel que le lui avaient défini les ordres reçus. Il vit trois ou quatre paillotes un peu améliorées, hissées sur leurs pilotis, l'espace entre le sol et le plancher étant utilisé comme poulailler et, dans l'un des cas, comme une soue enfermant trois ou quatre cochons.

« Ce sera celle-là. »

Il faillit marcher sur les cadavres. Il y en avait une quinzaine, dont sept ou huit enfants, plusieurs en bas âge, apparemment trois familles surprises chez elles par l'assaut et qui avaient dérisoirement tenté de se barricader derrière des claies de bambou, des murailles de paille irrésistiblement jetées à bas. Pourtant, en dépit de trois braseros encore incandescents, le feu n'avait pas pris. Par chance ? ou bien plutôt parce que les soi-disant manifestants qui avaient opéré là avaient reçu l'ordre formel de ne pas détruire les maisons ? Kao opta pour la seconde explication : il était rassurant, il était satisfaisant pour l'esprit d'un soldat de croire que chaque détail de l'opération avait été conçu, prévu, préparé par ses chefs.

Parmi les cadavres il y avait plusieurs femmes dont une jeune, jolie, en ao-daï de soie rose et pantalon noir, qui avait dû être serveuse ou hôtesse quelque part ; le visage était vaguement familier à Kao. Elle portait autour du poignet un de ces bracelets en argent comme en ciselaient les orfèvres de la rue du Palais et quelqu'un, soit en la frappant avec son coupe-coupe pour la tuer, soit après, avait tranché le devant de l'ao-daï, ainsi que le soutien-gorge à l'européenne qui enveloppait ses petits seins ivoire aux pointes roses. Kao se pencha et recouvrit la poitrine dénudée de la jeune fille. Qu'elle fût morte, découpée comme une bête à l'abattoir ne le touchait en aucune manière, mais cette impudeur le mettait mal à son aise.

Les autres femmes avaient ces lourds et superbes, méticuleux chignons de cheveux noirs. Tous, hommes, femmes et enfants massacrés, étaient incontestablement des Vietnamiens. Et un Vietnamien reste un Vietnamien. *Il faut frapper fort.* On avait frappé fort, et ce n'était qu'un début. Kao se retourna : les deux bouddhas de Cochinchine n'avaient toujours pas quitté le siège arrière de la jeep, attendant ses ordres, le camion chargé d'armes russes se trouvait un peu en retrait et, à distance respectable mais formant néanmoins le même demi-cercle, les spectateurs cambodgiens braquaient leurs regards tour à tour sur Kao et sur les cadavres de leurs anciens voisins assassinés. Kao se souvint brusquement qu'il n'était pas en uniforme mais en civil. « Pour ce à quoi ça a servi! » Il dit à la foule :

– Je suis un capitaine des Forces armées royales khmères. Je vais mettre de l'ordre.

Il hésitait : fallait-il enlever les cadavres du décor ou au contraire les laisser en place pour la venue des journalistes étrangers? On ne lui avait rien dit à ce sujet. Il opta pour un moyen terme.

– Je veux des volontaires.

Il allongea l'index :

– Toi, toi et toi. Et vous deux, là. Et il me faut une charrette. Vous allez m'enlever les corps. Pas tous : laissez les hommes de plus de vingt ans et une des femmes. Celle-là.

De la pointe de sa chaussure, il toucha et désigna le cadavre d'une vieille femme. Il recula de quelques pas, essayant de visualiser le tableau qu'il allait offrir aux journalistes, pensant : « Oui, ça ira. Et de garder une femme morte, ça fait mieux, ça fait plus naturel. Une bavure. On l'aura tuée par erreur. »

On lui demanda quoi faire des corps.

– Foutez-les-moi dans le fleuve.

Il eut une dernière vision du visage gracieux de la jeune fille en ao-daï rose. « Où est-ce que j'ai vue, celle-là ? » Ça le tracassait un peu, de ne pas se souvenir; en principe, il n'oubliait jamais un visage. Il ordonna :

– Tous les autres, foutez-moi le camp. Tao ! Je ne veux plus voir personne. Tao, tao !

Il fit signe à ses deux adjoints qui aussitôt sautèrent à terre et en quelques secondes firent le vide, leurs yeux glacés suffisant à inspirer le respect. Alors seulement Kao commanda au camion d'avancer. Il le fit se ranger en marche arrière contre celle des maisons qu'il avait choisie, et où se trouvait la soue. « Messieurs les journalistes devront se salir les pieds. Et du coup ils penseront moins à réfléchir. » Kao ne sous-estimait pas l'importance de ce genre de détails.

Les cadavres dont il avait ordonné l'enlèvement étaient partis, si bien qu'il n'y avait plus que six morts, cinq hommes et une femme. Mais des taches de sang apparaissaient çà et là. Kao tira lui-même les cadavres par les pieds et les mains et les disposa de façon que chaque tache parût avoir sa raison d'être. Dans un trou qu'ils avaient creusé au beau milieu de la soue, sous le plancher de la maison, ses hommes aidés du chauffeur du camion achevaient de déposer les armes, pour l'essentiel des AK 47 avec ou sans crosse métallique, en bon état, auxquels étaient mêlés quelques antiques Simonov SKS 46. Kao aperçut et identifia même deux ou trois baïonnettes. On avait déposé des nattes dans le trou pour protéger les fusils du contact de la terre et les cochons, aussi stupides qu'à l'ordinaire, tentaient de manger ces nattes, à quoi s'opposaient en riant les hommes de Kao. La fosse était visiblement un peu trop petite pour contenir toutes les armes.

– Ça ne fait rien, dit Kao. Laissez-en quelques-unes

aux alentours du trou. Après tout, nous les aurons sorties au moment de notre découverte.

Sa montre indiquait midi moins vingt-cinq. Il avait donc encore au moins une heure devant lui, avant l'arrivée des journalistes. « D'ailleurs, aussi bien, ils ne viendront pas. » Il se doutait que ses chefs avaient dû prévoir d'autres caches prétendues, comme celle qu'il venait de mettre en scène. Il se décida brusquement :

– Vous, vous restez. Vous ne bougez sous aucun prétexte. Ne laissez personne approcher, sauf quand les journalistes arriveront. S'ils arrivent avant mon retour. Mais je serai là.

Il partit dans sa jeep, retraversa le Tonlé sap. Comme prévu, le quartier chinois de la rue Ohier et de ses artères avoisinantes était intact et paisible, bien que tous les rideaux de fer y fussent baissés. Car il était bel et bien prévu qu'en aucun cas la manifestation ne devrait attaquer et molester de quelque manière la communauté chinoise. Et moins encore les Occidentaux, auxquels il ne fallait surtout pas toucher. Encore qu'on ne puisse jamais savoir jusqu'où des hommes entraînés dans la violence pouvaient aller.

Kao fit un tour par le centre de la ville, parfaitement calme et en ordre à présent, à la seule exception du boulevard Norodom, par où les manifestants étaient passés, y demeurant assez longtemps pour être photographiés et filmés, où ils avaient laissé derrière eux, comme preuves de ce passage, quelque banderoles déchirées. Des patrouilles de soldats parcouraient les rues, dont l'atmosphère était à peu près celle d'un dimanche matin.

Par la rue Khemarak Phoumin, Kao redescendit vers le fleuve. Il se mit à suivre les quais, invinciblement attiré par la colonne de fumée montant à la verticale du village catholique, sur la route du nord.

Quelques minutes plus tard, il reconnut Charles Korver.

10

Pour éviter les quais où il lui parut que le hourvari de la manifestation était à ce moment-là le plus fort, Roger avait choisi de passer par-derrière le stade olympique, le contournant à l'ouest, tout au bout du boulevard Monivong, non loin de l'hôpital français.

Cela parut d'abord être une bonne idée. Pendant quelques minutes, Roger et les Korver crurent que la vieille Studebaker allait réussir à atteindre le village catholique non pas en suivant la route nationale, celle qui va à Siem Reap et Battambang, mais en rejoignant la maison de Bê par son arrière.

Quand Charles et Madeleine Korver lui avaient fait part de leur détermination, Roger avait à peine hésité. Il ne savait d'ailleurs pas à cet instant de la journée que la manifestation avait en fait tourné à l'émeute, et moins encore qu'il était de toute façon prévu qu'elle tournerait à l'émeute. Du toit de son immeuble sur le boulevard Norodom, il n'avait vu que des porteurs de pancartes, curieusement toutes rédigées en anglais. Il avait cru à une nouvelle démonstration pour ou contre quelque chose et c'était à peine s'il avait pris le soin de lire les textes historiques imaginés par Price. Il avait admis qu'au pis cela pourrait aller jusqu'au point atteint quelques années plus tôt, quand on était allé jusqu'à dévaster et incendier l'ambassade des Etats-Unis, à quelques centaines de mètres de chez lui. A ceci près que cette fois c'était la droite au lieu de la gauche qui emplissait les rues, mais pour Roger, la différence était minime. Il se trouvait à Paris la dernière fois que Pétain avait descendu les Champs-Elysées; il y était encore quand, à quelque temps de là, ç'avait été le tour de De Gaulle. Lui, sur les trottoirs, avait vu les mêmes visages, hurlant du même enthousiasme dans les deux cas.

L'appel téléphonique de Charles Korver ne l'avait pas

encore inquiété vraiment, même s'il avait été sensible à l'espèce d'angoisse polie dans la voix du vieil homme.

– Charles, vous vous faites trop de souci. Surtout pour Bê. Ce vieux calmar n'irait certainement pas se faire attraper, ni lui ni les siens, dans ce genre de choses. Et on peut difficilement le prendre pour un copain de feu Ho Chi Minh[1]. Mais si cela doit vous rassurer...

Ils longèrent la vertigineuse muraille du grand stade de plusieurs dizaines de milliers de places, édifié par la volonté de Sihanouk et dont le Cambodge avait autant besoin que d'une épidémie de fièvre jaune. Puis asphalte et béton disparurent, cédant la place à des ruelles en terre et à des paillotes plantées à la diable. Ils louvoyèrent de longues minutes dans un véritable labyrinthe de taudis où aucun habitant n'apparaissait.

– On dirait que ça brûle du côté de l'église du Sacré-Cœur, dit soudain Roger.

Les Korver ne répondirent pas. Serrés l'un contre l'autre sur la banquette avant de la vieille voiture, ils ne quittaient pas des yeux la haute colonne de fumée montant dans le ciel avant de dérouler ses lentes volutes vers le sud. Par les vitres baissées, le tumulte de tout à l'heure semblait avoir baissé d'intensité. Cela rassura Roger. « Ça se calme. » Il roula sur quelques hectomètres supplémentaires, arriva devant une pagode que même les bonzes en robe jaune avaient désertée, tout comme étaient désertes les paillotes devant lesquelles ils étaient passés jusque-là.

Roger relança la voiture, contourna le temple.

Il stoppa net.

La foule était là, à moins de trente mètres du capot, immobile et étrangement silencieuse. Il y avait probablement là des milliers de gens, dont aucun apparemment n'accordait la moindre attention à la Studebaker. Une appréhension soudaine s'empara de Roger. « Qu'est-ce qu'il se passe ? » Il mit les vitesses au point mort, déjà

1. Mort en 1969.

prêt à faire marche arrière. Il tourna la tête et son regard croisa celui de Charles Korver.

– Je ne sais pas, dit Charles, répondant à la question informulée.

Mais Madeleine dit avec autorité :

– Pourquoi ne klaxonnez-vous pas ? Ils vont s'écarter. Je ne vais certainement pas rester sans nouvelles de Bê et des autres, qui ont peut-être besoin de nous, qui ont sûrement besoin de nous. Vous connaissez les Cambodgiens : ils crient mais ils ne sont pas méchants. Il y a quarante ans que nous vivons avec eux.

Roger hésitait.

– Klaxonnez, Roger, dit Madeleine. Klaxonnez donc !

Charles hacha la tête.

– C'est parti ! dit gaiement Roger en appuyant sur le klaxon. Il avança au pas et la foule s'entrouvrit, comme à regret. Trois cents mètres plus loin, au moment où les roues de la voiture venaient de reprendre contact avec l'asphalte de la route de Siem Reap, ils durent stopper à nouveau, perdus au cœur d'une véritable mer humaine qui non seulement ne consentait plus à leur ouvrir un passage mais se referma même sur eux, les enveloppant de toutes parts.

Ils durent stopper.

– Roger, klaxonnez encore, dit Madeleine.

Le klaxon retentit, tout à fait dérisoire. Mais sans le moindre résultat. Sinon de faire se braquer sur eux trois à l'intérieur de la voiture des centaines de regards étrangement vides. Il y avait certes la présence dans la foule de ces hommes en armes, vêtus comme des paysans ou des cyclo-pousses mais qui n'étaient ni des paysans ni des cyclo-pousses ; mais autre chose impressionnait bien davantage Roger, et c'étaient ces visages mornes aux regards éteints qui se posaient sur sa voiture et sur lui-même, sur ses deux amis, sans paraître les voir vraiment.

Le souvenir d'une scène vieille de quinze ans fulgura

dans la mémoire de Roger. C'était un matin, un de ces matins comme les autres au Marché-Central, avec les centaines de paysans et de paysannes en sampots noirs et enturbannés, venus pour vendre leurs produits. L'animation et la nonchalance étaient les mêmes qu'à l'ordinaire. Du fond de la rue Prey Nokor, un groupe avait alors débouché. Il comprenait huit hommes reliés entre eux par une chaînette d'acier les attachant les uns aux autres par les mains et les chevilles. Une demi-douzaine de policiers les escortaient. Sur le moment, Roger, qui se trouvait là par hasard, en fait en route pour aller se coucher au terme d'une soirée au *Saint-Hubert*, ne sut pas qui étaient ces prisonniers. Il l'apprit plus tard : il s'agissait d'un groupe de hors-la-loi, de « pirates » qui, entre autres méfaits, avaient enlevé deux enfants d'un commerçant pour en obtenir une rançon. La rançon avait été payée mais ils avaient quand même tué les enfants...

Le groupe des bandits s'acheminaient à pied vers la prison. Roger avait d'abord entendu le silence se faire, descendre sur la foule soudain figée du Marché-Central, un silence total et écrasant. Puis, plantant là les étalages, on s'était peu à peu approché des tueurs d'enfants. Très vite, un mur humain s'était constitué sur leur passage, s'était refermé sur eux, interdisant tout mouvement, toute progression, tous les visages étrangement privés de vie, à la façon de ces mannequins de cire dans les vitrines des grands magasins, la nuit, par les rues désertes. Les yeux étaient devenus ternes. Les policiers d'escorte avaient immédiatement compris : ils s'étaient enfuis. Et le carnage avait commencé. En quelques instants, il n'était rien resté des huit hommes; dans une épouvantable orgie de violence, ils avaient été dépecés.

Aujourd'hui les visages encerclant la voiture étaient les mêmes et le silence identique; les prunelles pareillement privées de vie. Par la vitre baissée, Roger tenta de parlementer, rassemblant les pauvres mots de khmer qu'il connaissait :

– *Kniom Barang... Kniom tao...*

Il ne savait même pas comment achever sa phrase. Avoir vécu tant d'années dans ce pays et n'être même pas capable d'échanger une idée simple avec ses habitants, dès lors qu'ils ne parlaient pas français! quel terrible échec!

– Regardez, dit Charles Korver.

Roger suivit la direction indiquée et son cœur bondit. Dans la foule en face d'eux, si compacte, un mouvement se dessinait, irrésistible. Une silhouette apparut, se frayant un passage rectiligne, venant droit sur la voiture. La voix parlait khmer mais elle était grave, lente et familière malgré tout. Lara parvint jusqu'à la Studebaker.

– Avance doucement. Ils vont s'écarter.

Il parla à nouveau en cambodgien, d'une voix calme et apaisante de dompteur s'adressant à des fauves. La trouée qu'il avait faite en arrivant jusqu'à la Studebaker s'élargit comme par miracle. Roger embraya et accéléra très lentement, Lara marchant à côté de lui, une de ses grandes mains maigres et bronzées posée sur le rebord de la portière et la carrosserie brûlante. Il continuait à parler à la foule, qui continuait à s'écarter.

– Tu peux accélérer. Là-bas au fond. Va te garer près de ma Land-Rover.

Roger obéit. Il ne vit plus la foule que dans son rétroviseur. Il fit deux cents mètres. Ils avaient débouché sur une grande portion de route libre, un peu plus loin que l'école du Sacré-Cœur, dont le portail semblait avoir été arraché et dont deux au moins des bâtiments étaient en flammes.

– Voilà, c'est fini.

Lara s'était contenté d'entrouvrir la portière avant à côté de Roger, de poser un pied à l'intérieur et il s'était fait transporter ainsi. Il mit pied à terre, s'écarta, fouillant machinalement sa poche de poitrine pour y prendre une cigarette.

– Je vous cherchais, dit-il. Pourquoi êtes-vous partis

directement? Vous auriez dû passer d'abord chez moi. On vous y aurait donné mon message.

Il portait sur son visage bronzé une expression douloureuse et triste.

— Lisa? interrogea Roger.

— Elle va bien. Kutchaï est avec elle.

— Nous voulons savoir ce qui est arrivé à Bê et aux siens, dit Madeleine de sa toute petite voix. Il est évident qu'il leur est arrivé quelque chose.

Le regard de Lara se posa sur elle.

— Je suis désolé, dit-il. Je suis arrivé trop tard.

Le silence parut insoutenable à Roger.

— Oh! mon Dieu! dit enfin Charles.

Le vieil homme ouvrit la portière de la Studebaker et descendit à son tour, paraissant d'un coup plus frêle et plus fragile que jamais.

— Je dois y aller.

— Ce n'est pas nécessaire, dit Lara. Vraiment pas. Ça ne changerait plus rien.

— Je dois y aller.

— Moi aussi, dit Madeleine, qui tremblait de tous ses membres.

Sur un regard de Lara, Roger intervint. Il se pencha vivement en travers de la banquette et referma la portière laissée ouverte par Charles, avant que Madeleine pût descendre. Au même instant, une jeep stoppa dans un hurlement de pneus, une mitrailleuse installée sur son capot, et Roger reconnut le capitaine Kao.

« Il ne manquait plus que ce fou. »

Mais Kao ne voyait que Lara et les regards des deux hommes paraissaient rivés l'un à l'autre.

— Que faites-vous ici? demanda Kao.

— Certainement pas la même chose que toi, répondit Lara.

Lara qui, le premier, se détourna. Il fit monter Charles dans la Land-Rover, s'installa lui-même au volant. Au moment de mettre le moteur en route, il dévisagea une dernière fois le capitaine.

– Tu peux t'occuper d'eux et t'assurer qu'il ne leur arrivera rien?

Kao contemplait l'école catholique en train de brûler. A quelques dizaines de mètres de là se trouvaient cinq ou six cadavres d'adolescentes vietnamiennes, en jupe noire et chemisier blanc inondés de sang.

– Je compte sur toi, dit Lara.

– Bien sûr, dit Kao. Pas de problème.

Il avait vaguement l'air de sourire, les prunelles très brillantes et le canon mobile de sa mitrailleuse était comme par hasard braqué à peu près dans la direction de la Land-Rover.

– Merci, dit Lara. Je m'en souviendrai.

Kao hocha la tête.

La Land-Rover démarra.

Ils comptèrent quinze morts dans la maison de Bê, dont Bê lui-même. Le vieux chauffeur avait dû être tué l'un des premiers. Son corps maigre, décharné, gisait sur le seuil de la véranda en dur à hautes colonnes rectangulaires, aux murs de vieil ocre roussâtre, dans cette maison qui avait toujours été sa fierté depuis trente ans au moins qu'il l'avait achetée, et où il avait assemblé autour de lui sa famille, sur laquelle il avait régné comme un patriarche.

On lui avait fracassé le crâne. Ses traits étaient étonnamment calmes, surmontés de la fine toison des cheveux noirs et argent coupés très court, empreints de cette expression sarcastique et digne à la fois qu'ils avaient toujours eue.

Un air de surprise horrifiée sur le visage, Charles Korver errait d'un cadavre à l'autre, d'une pièce à l'autre, identifiant là une petite-fille, ici un neveu. Il avait au fil des années connu toute la famille de Bê et découvrait qu'il pouvait mieux en suivre les ramifications et les méandres qu'il n'avait jamais été capable de le faire de ses propres parents en France.

– Il manque quelqu'un. La Ti-Nam.

C'était, de ses cinq domestiques, la plus jeune, la plus récemment entrée à son service et, hiérarchiquement, la moins gradée. Elle pouvait avoir dix-sept ou dix-huit ans, était menue, toujours souriante et gaie, timide, acceptant toujours avec bonne humeur la tyrannie que ses compatriotes et parents exerçaient sur elle, par la force de la tradition et du droit d'aînesse.

Et puis Charles se souvint brusquement que quelques mois plus tôt la Ti-Ba s'était mariée, qu'elle avait suivi son mari dans une autre des communautés vietnamiennes de Phnom Penh, établie celle-là de l'autre côté de la ville, sur la route de l'aéroport de Pochentong.

M. le Bep, en revanche, était là. Il avait tenté de s'enfuir par l'arrière, sans doute dès l'irruption des assaillants, en entraînant avec lui sa femme et ses quatre enfants. On l'avait rejoint. On les avait rejoints tous les six, et personne n'avait été épargné. Lara s'agenouilla auprès des corps, les examina, s'assura qu'aucun d'eux ne vivait plus.

Il se releva, essuyant la sueur de son front et laissant sur sa propre peau une trace ensanglantée.

– Venez, Charles. A quoi bon rester ici?

– Mais quelqu'un devrait s'occuper d'eux!

– Je m'en occuperai. Venez.

De la façade de la maison leur parvint un bruit de moteur et celui, plus caractéristique, des chenilles. L'armée arrivait, tout comme les carabiniers, pour mettre de l'ordre en ayant d'évidence attendu pour cela qu'il fût trop tard. Charles Korver qui ne tenait plus sur ses jambes s'assit sur un châlit de bois en partie recouvert d'une natte. Il contempla l'autel des ancêtres, avec ses photographies jaunies, ses baguettes d'encens, ses mangues et ses papayes disposées en offrande et, avoisinant une statue bleu tendre et rose de la Vierge, les représentations écarlates, violemment bariolées, des génies tutélaires vietnamiens dont il ignorait tout.

– Allons, venez, répéta Lara.

Malgré la présence de tous ces cadavres, on respirait davantage une odeur de frangipane et d'encens, à laquelle se mêlait encore le parfum entêtant des tortillons, ces sortes de spirales se consumant avec lenteur, que l'on plaçait sous les tables et qui, en principe, éloignaient les moustiques.

Lara plaça son bras autour des épaules de Charles Korver et l'entraîna. Dehors, un lieutenant casqué les interrogea :

– Des survivants ?

– Aucun.

L'officier hocha la tête, visiblement mal à l'aise. Lara aida Charles à reprendre place dans la Land-Rover. Il allait lui-même s'installer. Il revint vers le lieutenant.

– Qu'allez-vous faire des cadavres ?

– Nous avons ordre de les brûler. Si personne ne les réclame.

– Je les réclame. Mon nom est Lara.

– Je vous connais. Personne ne s'approchera de cette maison, ni de ces corps. Je vais mettre deux de mes hommes pour les garder.

– Comment vous appelez-vous ?

– Mey Seap. Je suis de Prey Veng.

– J'ai connu un Mey Kom qui était instituteur.

– Mon oncle. Je m'occuperai d'eux, monsieur Lara.

– Merci.

La Land-Rover repartit, roulant vers Phnom Penh. A un moment, des hordes de gamins l'entourèrent, criant. Quelques mots de Lara les firent se disperser. Ils s'éloignèrent en jetant en arrière quelques regards déçus, mais encore mentalement incapables d'affronter le Barang aux yeux clairs.

– Vous vous rendez compte, disait Charles. Nous ne connaissions même pas leurs noms. A part Bê. Pour les autres, nous disions le bep, la ti-aï, la ti-nam, la ti-ba. Ils travaillaient pour nous depuis des années et nous ne savions même pas leurs noms.

Charles Korver secouait doucement la tête, serrant

l'une contre l'autre ses petites mains étonnamment blanches, incapable même de pleurer.

11

Il fut d'autant plus difficile de se faire un idée exacte du nombre des Vietnamiens massacrés au cours du 8 mars – peut-être un millier pour la seule Phnom Penh et une centaine à Sway Rieng – que l'émeute raciale, en fait, se poursuivit durant les journées du 9, du 10 et surtout du 11 mars.

Le 11 mars marqua l'apothéose des manifestations spontanées. La veille, à Paris, peu avant son départ pour Moscou, Norodom Sihanouk avait annoncé la prochaine visite au Cambodge du premier ministre nord-vietnamien Pham Van Dong. Pour les hommes du complot qui s'évertuaient à provoquer une vaste soulèvement de la population contre les Vietcongs, une telle annonce prit les allures d'un camouflet. Ils y répondirent par une manœuvre encore plus spontanée que les précédentes : la mise à sac de l'ambassade de la République du Nord-Vietnam et de la représentation du Gouvernement républicain provisoire du Sud, appelé à remplacer, en théorie du moins, les « Fantoches de Saigon » sitôt que les Etats-Unis les auraient abandonnés.

Là encore, l'affaire fut menée rondement et l'on fit tout pour permettre aux correspondants étrangers, surtout ceux de langue anglaise, d'assister à l'événement dans les meilleures conditions de confort possible. Pour sa part, Roger Bouès apprit l'imminence d'une attaque sur le coup de deux heures du matin, dans la nuit du 10 au 11 mars et donc avant qu'elle se produisît, très largement avant. Il tint l'information d'une barmaid du *Saint-Hubert*. Il en eut la confirmation moins d'une heure plus tard au *Zigzag*, où il avait effectué une dernière escale avant de gagner son lit. En dégustant les brochettes traditionnelles, à cette heure-là, d'Albert Vandekherkove, il communiqua la nouvelle à son coéquipier, un journaliste britannique du nom de Donaldson. La nouvelle laissa Donaldson tout à fait froid : il n'avait pas dessoûlé depuis deux ou trois jours et s'intéressait assez peu au monde extérieur, à deux exceptions près : le décolleté d'une Chinoise agréablement boudinée par le haut bien que Chinoise, et son récit, pour la onzième ou douzième fois ce soir-là, de la façon dont il avait failli disputer un match du Tournoi des Cinq Nations de rugby, au sein du Quinze à la Rose, c'est-à-dire l'Angleterre. Il avait été retenu comme remplaçant au poste de troisième ligne aile mais n'avait malheureusement pu remplacer qui que ce fût, nul n'étant tombé malade avant le match.

– Sans cela, expliqua-t-il à la Chinoise, j'aurais joué contre les frères Boniface. Vous vous rendez compte de ce que c'est que de jouer contre les frères Boniface ?

– *Yes, sir*, dit la Chinoise qui, en anglais, savait également dire : *I love you* et *Give me money for the water-closet*.

Ordinairement basé à Hong Kong, Donaldson effectuait de fréquentes missions de reportage en Indochine, jusque-là essentiellement à Saigon et sur les champs de bataille vietnamiens. Il était arrivé à Phnom Penh quatre jours plus tôt, déjà entre deux vins. C'était un homme qui avait pendant dix ans régulièrement absorbé sa bouteille de whisky quotidienne – jamais plus, il ne voulait pas abuser – jusqu'au moment où il avait éprouvé quelques malaises. Il avait scientifiquement déterminé que, dans le whisky and soda, c'était très certainement le soda qui lui faisait mal. Il l'avait donc supprimé de son régime, avec un beau courage. Toutefois, le scotch lui avait dès lors paru assez plat, privé de cet agréable picotement que provoque le Perrier sur la langue et pour tout dire, plutôt tristounet. Par un coup de génie qui l'étonnait lui-même, il avait eu un beau jour l'idée de remplacer le soda funeste par du champagne. Il avait adoré le mélange, au point de ne plus pouvoir s'en passer.

Roger le soupçonnait d'être alcoolique.

Le matin du 11, Roger se rendit de bonne heure à l'hôtel *Royal* et au prix d'un corps à corps homérique qui prit pendant quelques instants les allures d'une mêlée ouverte sur le stade de Twickenham, il réussit à traîner le Grand Reporter sous la douche et même à éveiller en lui quelques bribes de conscience. Sur quoi, en compagnie d'autres journalistes américains, français, britanniques, yougoslaves et autres (parmi les autres, il y avait un Brésilien qui prétendait n'être intéressé que par l'Angola mais qui affirmait s'être trompé d'avion à un moment quelconque), on partit pour assister de concert à la manifestation spontanée.

D'abord en maugréant d'avoir dû se lever à une heure aussi matinale. Ces Cambodgiens ne semblaient pas connaître les usages, qui veulent que tout événement politique de quelque importance, pour avoir une chance d'être couvert par les grands reporters internationaux, doit se dérouler impérativement après onze heures du matin et avant six heures du soir.

— De nos jours, expliqua à Roger un éminent reporter français, tout organisateur de révolution digne de ce nom doit songer à ces détails, qui ont une importance insoupçonnable. Il y a les révolutions destinées aux journaux télévisés de vingt heures, et celles des journaux du soir qui, comme chacun devrait le savoir, paraissent à midi. Les uns et les autres ont leur clientèle. Les coups d'Etat perpétrés à l'aube devraient être interdits par une loi universelle; je pense à la Cour internationale de La Haye, par exemple.

— Sans parler, dit Roger, du décalage horaire qui n'arrange rien.

On en convint autour de lui : le décalage horaire était la plaie des révolutions modernes. L'éminent reporter français interlocuteur de Roger Bouès était à présent presque complètement sorti de son hébétude matinale; il poursuivit sur sa lancée, encouragé par cette unanimité de la presse internationale. Très vite, comme d'habitude, il en vint à parler de son ennemi personnel : un journaliste-romancier ancien officier de parachutistes qui, à l'en croire, ne cessait depuis vingt ans d'expliquer l'Indochine à ses lecteurs qu'à travers ses démêlés personnels, plus ou moins imaginaires.

– Selon lui, c'est parce qu'il a refusé de serrer la main d'Ho Chi Minh que ce dernier a déclaré la guerre à la France; Dien Bien Phu est tombée parce qu'il a raté son avion ce jour-là; Ngo Dinh Diem a été mis en place par la CIA puis assassiné à la demande de cette même CIA à la suite d'articles qu'il a écrits; Souvanna Phouma doit son échec au Laos à l'un de ses romans et Norodom Sihanouk ne fera pas de vieux os pour lui avoir fait attendre trente-cinq minutes une interview qu'il exigeait. Je ne serais pas surpris d'apprendre que la Seconde Guerre mondiale a éclaté parce que la mère de notre héros à refusé une danse au Führer.

L'éminent reporter français était de gauche et soupirait ardemment après une victoire vietcong au Vietnam, des gauches progressistes lao et khmère au Laos et au Cambodge; il abominait les militaires, présents, passés et futurs, à cette seule condition qu'ils fussent occidentaux, et surtout s'ils se mêlaient d'écrire en lui faisant concurrence.

La mise à sac des ambassades fut en tout point réussie. Il n'y eut qu'un accroc insignifiant : l'un des émeutiers, manquant sans doute d'expérience, entreprit bêtement de brûler le drapeau nord-vietnamien au moment précis où un cameraman de la télévision américaine était en train de changer de bobine. On trouva heureusement un autre drapeau de Hanoi chez un commerçant chinois voisin (il avait un stock des emblèmes nationaux de tous les pays susceptibles d'intervenir au Cambodge, à tout hasard, dans le cas d'un invasion inopinée) et l'on pria l'émeutier de recommencer, ce qu'il fit de bonne grâce. On accepta ses excuses.

Le surlendemain 13 mars, le gouvernement de Lon Nol et de Sirik Matak dénonça tous les accords, officiels ou secrets, passés par Sihanouk avec Hanoi. Il fit sommation aux troupes vietcongs d'avoir à se retirer immédiatement du sol cambodgien. Dans le même temps, par conséquence d'une concertation avec Saigon soigneusement agencée par Price et ses collègues de la CIA, d'importantes forces de rangers sud-vietnamiens en foulard blanc faisaient mouvement vers la frontière du Cambodge, prêtes à marcher sur le Bec-de-Canard et, de façon plus générale, sur toutes les bases vietcongs du Sanctuaire.

Le 17 du même mois, jouant jusqu'à la dernière seconde le rôle du lieutenant fidèle et respectueux, Lon Nol fit procéder à des prières publiques pour le rétablissement de la santé chancelante de Monseigneur-Père Norodom Sihanouk. Sihanouk se trouvait alors à Moscou, qu'il devait quitter le lendemain pour Pékin, dernière étape de sa tournée des popotes avant son retour à Phnom Penh afin d'y remettre au pas ces espiègles remplaçants, fort de l'appui réaffirmé de Pompidou, de Brejnev, de Mao et surtout de son cher Chou en-Laï.

Et le 18 mars enfin, se tint la décisive session de l'Assemblée nationale khmère au cours de laquelle Lon Nol demanda que fût votée la destitution du chef de l'Etat ci-devant roi Norodom Sihanouk, coupable d'avoir autorisé l'envahissement du sol sacré de la patrie par les Athées aux Dents Laquées. Pour Lon Nol, Sirik Matak, aussi bien que pour leurs conseillers américains et indonésiens, la réaction de Sihanouk allait sans nul doute être celle de tous les souverains déchus (celle par exemple de l'ex-empereur Bao-Daï, en 1955, quand il avait été déposé par Ngo Dinh Diem) : Sihanouk se retirerait lui aussi en France, puisqu'il l'aimait tant, sur la Côte d'Azur où il avait une villa, d'ailleurs modeste, où il pourrait à son aise composer son horrible musique.

Un seul incident troubla le déroulement de la session. Pour procurer à la destitution les apparences du soutien d'un vaste mouvement populaire, on avait convoqué quelques centaines de manifestants spécialement entraînés à la spontanéité et qui furent chargés de déambuler devant l'Assemblée en réclamant à pleins poumons l'élimination du chef de l'Etat. Malheureusement, poussés par la force de l'habitude et un réflexe acquis depuis vingt-neuf ans, ces mêmes manifestants se mirent à hurler « Vive Samdech » et « Vive Sihanouk », ce qui ne manqua pas de provoquer un certain affolement parmi les députés s'imaginant déjà confrontés à une manifestation authentique. On réussit quand même à les faire taire et, en quelques secondes, à changer d'option politique. Ils crièrent « Les Vietcongs dehors », « A bas Sihanouk » et « Le Cambodge aux Cambodgiens ». Mais on avait eu chaud.

Le président de l'Assemblée nationale, Cheng Heng, était un homme d'expérience : il avait longtemps exercé les fonctions de directeur de la prison centrale. Le scrutin qu'il organisa ne laissa nulle place au hasard : il y avait certes trois sortes de bulletins, bleu si l'on votait pour la destitution, blanc si l'on votait contre, blanc quadrillé pour les incertains. Mais Cheng Heng qui considérait que tout homme en liberté est un détenu qui s'ignore, exigea que chaque bulletin déposé dans l'urne fût nommément signé par chaque député.

Si bien que la destitution fut votée à l'unanimité.

12

Thomas d'Aquin relut la lettre à haute voix et dévisagea Douglas Fairbanks.

– Qu'est-ce que tu en penses ?

Douglas Fairbanks ne répondit pas : il était suspendu

au lustre et mangeait une banane en se balançant nonchalamment, s'interrogeant peut-être sur son prochain mouvement.

C'était un petit gibbon Wou-Wou d'à peu près six mois, au poil blond cendré avec un museau noir surmonté de deux gros sourcils blancs – O'Malley trouvait qu'il ressemblait à Lionel Barrymore en plus bondissant; Douglas Fairbanks mesurait une soixantaine de centimètres mais ses bras semblaient en faire le double et ils se terminaient par d'immenses doigts griffus à la force étonnante. A cause de lui, O'Malley avait dû, dans la villa louée pour son séjour à Phnom Penh, transformer tout le plafond de la salle de séjour : il y avait un peu partout ajouté de grandes barres de bois entre lesquelles Douglas Fairbanks – tel son homonyme dans *Zorro* ou le *Corsaire des mers du Sud*, virevoltait avec une virtuosité stupéfiante. Le spectacle était d'autant plus étourdissant que les traits de la figure demeuraient impassibles, quelles que fussent la position ou la soudaineté de l'envol. Par moments, comme à présent, le petit animal restait rigoureusement immobile, se transformant soudain en statue au terme d'une séance de vol plané. Ce n'était d'ailleurs que pour mieux repartir, et de la plus imprévisible des façons. Il touchait rarement le sol et s'y montrait alors maladroit, utilisant ses immenses bras comme des balanciers, doigts recourbés effleurant le sol. O'Malley n'avait pas encore réussi à l'approcher vraiment, moins encore à le caresser. Tout au plus parvenait-il à lui faire accepter les fruits secs qu'il achetait par boîtes entières à son seul usage. Mais Douglas Fairbanks préférait visiblement les araignées, qu'il croquait vivantes uniquement, avec une évidente délectation.

Thomas d'Aquin plia la lettre en trois et la glissa dans une enveloppe qu'il ne colla pas, se contentant d'en coincer le rabat. Il mit la lettre dans une poche intérieure de son veston. Douglas Fairbanks, toujours suspendu par une main avec des airs de feuille morte hésitant à tomber, le guettait de ses petits yeux sauvages.

– Si quelqu'un téléphone, réponds que je suis sorti.

En fait, O'Malley n'avait pas le téléphone. Il sortit et referma la porte, sans même prendre la peine de tourner la clef. Il marcha quelques centaines de mètres sur le boulevard Monivong puis céda finalement au sourire engageant d'un cyclo-pousse qui, depuis déjà une minute, roulait à la même allure que lui, le suivant à un mètre en arrière.

– Tao, ambassade américaine.

– Moi, c'est connaître, dit le cyclo.

– Et ta sœur, dit O'Malley.

– Pas connaître, dit le cyclo.

Il était presque onze heures du matin quand il arriva devant l'entrée de l'ambassade. Il tendit vingt riels au cyclo, tout en sachant que c'était une somme beaucoup trop importante pour une course aussi brève. Les Marines casqués le contrôlèrent avec gravité et ne se décidèrent à lui sourire et à le reconnaître qu'après qu'il eut montré son passe, alors qu'ils le voyaient chaque matin depuis près de dix mois. Mais la consigne était la consigne, et elle avait été récemment encore renforcée.

Dans la petite pièce jouxtant son propre bureau, la Française qui avait remplacé Lisa dans son rôle d'assistante était déjà arrivée et lisait le dernier numéro de *Réalités cambodgiennes* dont le rédacteur en chef était le journaliste bien connu, Norodom Sihanouk.

– Vous avez déjà reçu deux coups de téléphone, dit la jeune femme qui s'appelait Francine et était l'épouse d'un Cambodgien travaillant, croyait se souvenir Thomas d'Aquin, dans les pétroles ou les télécommunications.

– Le premier était de M. Charles Korver, l'autre de Mrs. Ford. Vous devez les rappeler tous les deux.

– Merci, Francine.

Il prit place dans son fauteuil, contemplant pensivement l'immense reproduction photographique de l'allée des Démons d'Angkor Thom, apposée sur le panneau qui lui faisait face; la photo était de Roger Bouès et elle était extraordinaire, oppressante à force de vie.

Maggie Ford était la secrétaire de l'ambassadeur : « Qui rappeler en premier ? Mon ambassadeur vénéré ou Charles ? » Il forma lui-même le numéro, s'aidant du capuchon de son stylo.

– Charles, vous m'avez appelé ?

– Pourriez-vous venir déjeuner ? Si vous n'avez rien de mieux à faire...

Pour déjeuner, Thomas d'Aquin avait rendez-vous avec le directeur de la bibliothèque du British Council, un Irlandais de Belfast.

– Même en cherchant longtemps, je ne pourrais sûrement rien trouver de mieux à faire, dit O'Malley, qui était au courant du massacre des domestiques vietnamiens des Korver et que toute l'affaire avait rendu malade à en vomir.

Après avoir raccroché, il prit encore le temps d'une longue contemplation de l'allée des Démons, faisant tourner lentement dans un sens puis dans l'autre son fauteuil pivotant. Le plateau de sa table était comme d'habitude lisse et nu, sans le moindre dossier apparent, contrairement à l'usage bien établi chez les fonctionnaires subalternes, américains ou autres, usage qui voulait qu'on garnît son bureau de toutes sortes de papiers au demeurant sans la moindre utilité mais que l'on disposait à seule fin de témoigner de ce que l'occupant des lieux était un homme surchargé de travail. Thomas d'Aquin O'Malley avait toujours refusé de jouer le jeu, maintenant moins encore : il n'avait à peu près rien à faire et le proclamait avec ostentation.

Il se décida enfin à appeler Maggie Ford.

– L'ambassadeur voulait vous voir, dit Maggie. Vous aviez demandé à lui parler, non ? Si vous aviez été là, il vous aurait accordé quelques minutes. Mais maintenant c'est trop tard : il a plein de monde dans son bureau.

– Merci quand même.

– Attendez! A cause de votre charme irlandais et uniquement à cause de lui, j'essaierai de vous faire entrer cet après-midi, si vos multiples occupations ne vous retiennent pas ailleurs. C'était pressé?

– Je voulais simplement lui remettre une lettre. Mais ça peut attendre.

– Vers cinq heures, dit Maggie. Je ferai de mon mieux.

– Superbe.

Ensuite, il appela le British Council pour annuler son déjeuner avec l'Irlandais de Belfast puis, comme il était à peine plus de onze heures quand il quitta l'ambassade, il partit à pied, prenant son temps, faisant un détour par les alentours du Palais.

Chez les Korver , il trouva Lara et Lisa. Sur le moment, il eut un coup au cœur. S'il avait su rencontrer le couple, il n'aurait sans doute pas accepté l'invitation de Charles. O'Malley ne se faisait aucune illusion : il était désespérément amoureux de la jeune femme et l'une des périodes les plus heureuses de sa vie avait été ces quelques semaines vécues au côté de Lisa, tandis qu'elle travaillait avec lui, jusqu'au moment où elle lui avait appris qu'elle allait épouser cet homme appelé Lara, dont il avait ignoré jusqu'à l'existence. Cet amour était un fait patent, irrémédiable comme des cheveux roux ou une taille trop petite. Il l'avait constaté, après quelques jours d'une véritable dépression et avait même tenté de se moquer de lui-même, sans trop y parvenir.

Il n'avait pas vu Lisa depuis plus de deux mois, en fait depuis une soirée donnée au *Raja* pour fêter la nouvelle année. Il la retrouva éblouissante, belle à en pleurer. Sa maternité désormais très proche de son terme ne marquait nullement son visage, en dépit du climat; au contraire, elle resplendissait. Thomas d'Aquin l'avait toujours connue calme et parfaitement maîtresse d'elle-même : elle était à présent olympienne et il sentit, physiquement, par une certitude absolue, à quel point

Lara et elle étaient désormais unis. Ce qui ne contribua pas à atténuer la gêne qu'il ressentit.

Il salua Lara et, acquis à l'habitude des Français, lui serra la main. A l'égard de Lara, les sentiments d'O'Malley avaient toujours été très partagés : il était sans aucun doute sensible à la très forte personnalité de cet homme, à son intelligence, voire son humour quand il s'y abandonnait, à sa constante courtoisie; Lara l'impressionnait et pour un peu il l'aurait admiré, à la façon dont on admire un frère aîné – après tout, il devait y avoir entre eux une différence d'âge de près de dix ans. Mais justement, derrière ce perpétuel calme courtois, cette douceur agréable d'homme-qui-sait et n'a nul besoin de le prouver, O'Malley devinait trop de passion violente. Lara le troublait parce qu'il le devinait excessif. C'était aussi l'opinion qu'avait exprimé Roger Bouès, la seule fois où le nom de Lara avait surgi dans l'une de leurs conversations; mais Roger acceptait Lara comme un tout, sans la moindre arrière-pensée, avec une foi de charbonnier qu'O'Malley n'avait pas, dont d'ailleurs il était incapable.

– La Ti-Nam est vivante, disait Charles Korver. Son mari et elle se trouvaient de l'autre côté de la ville au moment de la première manifestation, celle du 8 mars. Là où ils étaient, l'émeute a été moins violente, du moins le premier jour. Lara a pu la retrouver dans l'après-midi et l'amener ici, où nous la cachons avec son mari, qui s'appelle Tung. Nous ne savons pas s'ils vont rester. Tung parle de rentrer au Vietnam. Rentrer : dans leur cas, ça ne veut rien dire, ils sont tous deux nés au Cambodge.

Précisément le jeune Vietnamien entrait, apportant un plateau. A l'énoncé de son nom, il s'inclina, saluant. Il avait un visage d'adolescent. Une fois de plus, O'Malley se demanda comment Lara ou Charles, ou d'autres qui n'étaient pas non plus asiatiques, pouvaient bien faire la différence entre un Khmer et un Vietnamien, entre un Lao et un Chinois, quand il ne s'agissait pas de distinguer un Japonais d'un Coréen. Les Cambodgiens étaient certes en général plus grands, plus sombres de peau, avec quelque chose d'indien dans la silhouette et le visage, alors que les Vietnamiens étaient, ou du moins semblaient à Thomas d'Aquin, plus chinois. Cela, c'étaient des principes. Quant à les mettre en pratique...

– Que voulez-vous? disait encore Charles. Nous ne pouvions rien faire d'autre pour ces pauvres gens...

Il avait attendu que le jeune Vietnamien fût reparti vers la cuisine avant de poursuivre.

– La famille entière de la Ti-Nam – son vrai nom est Lieu – a péri dans ce carnage; elle est désormais seule au monde. Quant à Tung, il a perdu ses parents et ses deux jeunes sœurs et il est sans nouvelles de son frère aîné. Ici au moins, ils sont en sécurité, en attendant que ça se calme. Et puis Madeleine et moi nous sommes âgés, nous n'avons jamais été seuls. D'ailleurs Lieu a voulu elle-même reprendre son travail et elle nous a demandé d'engager son mari.

– Vous avez très bien fait, dit Thomas d'Aquin plus qu'embarrassé.

Il mit à profit le silence que suivit, dans le tintement de la glace contre la paroi des verres.

– J'ai eu une conversation avec notre ambassadeur, il y a quelques jours, et je l'ai prié d'accepter ma demande de mutation. Il m'a suggéré de prendre une semaine supplémentaire de réflexion. Je l'ai prise. Je vais probablement quitter le Cambodge.

– Oh! mon Dieu, quel dommage! dit Madeleine, sincère.

O'Malley se força à rire.

– J'ai tout à fait l'impression d'être inutile. Un attaché culturel ne sert généralement pas à grand-chose, mais dans mon cas, j'ai dû probablement établir un record.

– Vous exagérez, dit Lisa en souriant. Vous vous êtes donné beaucoup de mal. J'en ai été le témoin.

Sa gentillesse accabla O'Malley, de plus en plus mal à

l'aise. Ce fut finalement Lara qui vint à son secours, en l'interrogeant sur le nouveau poste qu'il aurait après Phnom Penh.

— Si j'en ai un, répondit Thomas d'Aquin. Ils vont peut-être tout simplement me flanquer à la porte. Mais il est plus probable qu'ils se contenteront de me donner un bureau à Washington, avec le climatiseur, la corbeille à papiers et le taille-crayon traditionnels.

— Je connais un peu Washington, dit Lara de sa voix lente et grave, ses yeux posés sur O'Malley avec une expression pensive.

On se mit à parler des Etats-Unis, si bien que le déjeuner ne se déroula pas trop mal. Et quand Thomas d'Aquin, prétextant qu'on l'attendait à l'ambassade, affirma son désir de prendre congé, Lara partit avec lui, ayant offert de le ramener en ville dans la 504.

— Pourquoi partez-vous?

La question prit O'Malley totalement par surprise, au point qu'il garda un long moment le silence. Il finit par répondre, pesant ses mots.

— Pas pour des raisons personnelles.

Lara hocha la tête. Il émanait de lui une extraordinaire impression de calme, presque anormale. « Cet homme a ce que l'on appelle de la présence. Je crois que je le sentirais à côté de moi même si j'étais aveugle et sourd. »

— Alors, pourquoi?

Nouvelle hésitation d'O'Malley, que cette insistance agaçait presque. Mais il se résolut à demander à son tour :

— Vous connaissez un dénommé Price?

— On m'a parlé de lui.

— Il y a des gens qui vous sont immédiatement antipathiques. Leur nationalité importe peu.

— J'ai ressenti cela, parfois.

— La politique ne m'intéresse absolument pas, dit O'Malley.

— Moi non plus, dit Lara. Il sourit : Moins encore que

vous, si cela est possible. Mais même si l'on ne s'intéresse pas à la pluie, elle n'en tombe pas moins. Et elle
vous mouille.

– Belle image.

– N'est-ce pas?

Lara sourit à nouveau, cette fois tournant la tête vers
O'Malley; et il y avait une grande chaleur dans son
sourire, comme l'offre d'une amitié. Au lieu de rallier
tout droit le centre-ville, il avait obliqué sur la droite à la
hauteur du Phnom et ils passèrent devant le Club sportif
et le lycée Descartes.

– Vous avez le temps pour un verre? demanda
Lara.

Le ton était détaché. Ce pouvait n'être qu'une simple
invitation de politesse; plus tard pourtant, longtemps
après, O'Malley acquit la conviction que ce n'était pas le
cas, que Lara, ce jour-là qui fut en réalité le seul où ils se
rencontrèrent vraiment, même quelques instants, que
Lara avait voulu lui parler. Mais O'Malley ne sut jamais
de quoi. Sur le moment en effet, cédant à sa nervosité,
son évidente jalousie dont il comprenait parfaitement le
ridicule, à son besoin d'être seul au sortir d'un déjeuner
où il avait constamment éprouvé de la gêne, sur le
moment il refusa.

– On m'attend vraiment à l'ambassade.

Lara acquiesça avec courtoisie. La 504 se rangea peu
après devant l'ambassade et repartit. Par un mouvement
qu'il se reprocha par la suite, O'Malley fit en sorte de
n'avoir pas à serrer la main de Lara, se contentant d'un
geste d'au revoir. Ce ne fut pas seulement la première
fois où les deux hommes se parlèrent autrement que par
les phrases conventionnelles d'un cocktail ou d'un dîner,
ce fut également la seule. Ils ne devaient en effet plus
jamais se revoir.

13

Lara s'était rendu à Bangkok vers la mi-février. Il en repartit le lendemain de son arrivée et ne resta donc en Thaïlande qu'une trentaine d'heures. Ce fut tout à fait suffisant pour expliquer à Christiani ce qu'il attendait de lui. Le Corse reçut la nouvelle qu'il allait devoir maintenant s'occuper d'armes avec le plus imperturbable des sangs-froids; il n'était pas homme à s'affoler pour si peu et au vrai, arrivé au début de 46 en Extrême-Orient (non comme passager mais comme garçon de cabine) sur un paquebot des Messageries maritimes, il avait de longue date l'expérience de la contrebande sous toutes ses formes. Il avait fait un peu dans la cigarette et avait surtout fait dans l'or et, à un moment, avait même failli se consacrer à l'opium et à la drogue en général. Le fait de travailler pour Lara puis avec ce dernier l'en avait empêché. A propos d'opium et de drogue sous toutes ses formes. Lara avait été parfaitement net :

– A la minute où j'apprends, à la minute où j'entends seulement dire que tu t'es compromis dans la drogue, je cesse toute activité avec toi. Sauf pour venir te demander des comptes. Et pas non plus question de contrebande, quelle qu'elle soit. Je veux une affaire en tout point régulière, sans une ombre. C'est à prendre ou à laisser.

Lara n'avait pas le moins du monde haussé le ton ou pris des intonations dramatiques pour affirmer ses conditions. Il s'était comme toujours exprimé calmement, ses yeux pâles dans ceux de Christiani. Mais le Corse, qui était très loin d'être idiot, avait parfaitement compris. Il s'en était d'ailleurs trouvé fort bien; les amis chinois de Lara – Christiani constatait ces amitiés sans en connaître les sources –, ces amis s'étaient dès le début de la petite affaire d'import-export employés à l'aider par tous les moyens; non sans succès : en dix ans, la société s'était superbement développée et Christiani, entre-temps promu associé, avait fortune faite. Et bien que le marché de la drogue se fût par la suite extraordinairement étendu, du fait notamment de l'arrivée massive des Américains au Vietnam, bien que les bénéfices du trafic, conduit par les Chinois et certains de ses compatriotes de Saigon ou d'ailleurs, fussent devenus fantastiques, Christiani s'en était soigneusement tenu à l'écart.

…Et maintenant des armes.

Christiani savait où en trouver. (Lara lui aurait demandé des anges qu'il se serait précipité à leur recherche et, probablement, en aurait ramenés.) Pour les armes, Christiani connaissait quelqu'un qui connaissait quelqu'un qui connaissait probablement quelqu'un. Il s'ouvrit de son problème au premier qui lui prit un rendez-vous avec le deuxième, qui lui prépara un entretien avec le troisième, lequel lui ménagea une rencontre avec le quatrième. Le quatrième se trouvait à Hong Kong et était muni d'un passeport au nom de Holek, ce qui ne voulait strictement rien dire. Holek ne fit pas mystère de ce qu'il avait longtemps travaillé en Amérique latine et plus précisément centrale, où il avait été en même temps le fournisseur non seulement du président communiste du Guatemala, un certain Guzman, à qui il avait vendu quatre dollars pièce des fusils Garand américains et des pistolets mitrailleurs Sten achetés cinquante cents la pièce, mais aussi de ses adversaires du Honduras, du Nicaragua et du Salvador, ceux-là financés par la United Fruit et la Standard Oil, qui trouvaient Guzman antipathique. A l'époque, Holek, sous un autre nom, travaillait pour le compte du célèbre Sam Cummings, un Américain de Philadelphie. Depuis, Holek s'était mis à son compte.

– Quelles sortes d'armes ? demanda-t-il à Christiani.

– Surtout individuelles. Fusils d'assaut et pistolets mitrailleurs principalement. Et éventuellement quelques mortiers, lance-grenades et lance-roquettes.

– Vous avez une préférence pour la nationalité du fabricant ?

– En principe, je m'en fous complètement, répondit le Corse. Pourvu que le calibre soit du 7.62 mm.

– Calibre OTAN, hein ? Bof, ça commence à se démoder. On va vers les petits calibres du type 5.56 et des armes plus légères. Vous savez pourquoi ? Parce que l'essentiel n'est pas tant de tuer que de blesser, contrairement à ce que l'on croit. Rassurez-vous, les sentiments humanitaires n'ont rien à voir là-dedans, heureusement ; c'est tout simplement qu'une troupe armée au combat est bien plus embarrassée de ses blessés que de ses morts. Mais je ne vais pas vous faire un cours. J'ai, pour simplifier, deux sortes de fournisseurs, le premier à l'Ouest, l'autre est l'Omnipol tchèque. Voyons d'abord les fusils d'assaut. L'Ouest vous offre des G 3 fabriqués par Heckler et Koch, des SIG Neuhausen M 57 suisses, ou le classique FAL belge d'Herstal. Celui-ci, je peux vous le livrer en version lourde, avec canon plus épais et bipied qui le transforment en fusil mitrailleur. Ça tire du 7.62 OTAN. A l'Est nous avons bien entendu la production tchèque mais je suppose que comme tout le monde, vous voudrez de ce foutu Automat Kalachnikov 1947, qui n'est d'ailleurs qu'une copie servile des merveilleux Sturmgewehr 44 de Mauser. Et puis le 7.62 X 38.6 de l'AK 47 est standard avec la carabine SKS et la mitrailleuse légère Deqtyarev, ça a ses avantages. Si vos clients sont d'une façon ou d'une autre en contact de gens utilisant de l'armement soviétique – simple hypothèse – les AK 47 sont préférables. Je ne vous ai pas parlé des M 16...

– Trop chers.

– N'en parlons pas, donc.

A aucun moment, Christiani n'avait évidemment dit qui étaient ses clients, de sorte qu'Holek pouvait faire semblant d'en ignorer tout.

– Un dernier mot tout de même sur les fusils d'assaut. En ce moment même où je vous parle, Heckler et Koch en Allemagne, et le Centre d'études techniques de matériel « Especial » espagnol, le CETME, sont en train de nous concocter une petite merveille. Ils sont allés plus loin encore que les Américains avec leur M 16 qui ne pèse pourtant que trois kilos et tire des 223 Remington de 5.6 X 45. Ils nous préparent une balle au tungstène, biseautée de façon à se retourner au moment de l'impact dans le corps : ça fera des blessures superbes. Et pourtant le calibre n'est que de 4.56. Mais à mon avis, ils auront des problèmes d'encrassement.

Holek faisait la moue. On aurait dit Paul Bocuse parlant de la mousse de grive au genièvre de chez Troisgros.

– Les pistolets mitrailleurs maintenant. Pour le combat rapproché, c'est évidemment supérieur au fusil d'assaut.

Il proposa des Beretta M 12 italiens, des Franchi LF 57 de la marine italienne, des Modsen danois, des Carl-Gustav suédois, des Erma allemands, des Owen australiens, des Parinco espagnols, des SIG MP 310 suisses, des Sola luxembourgeois, de vieux Sten anglais, des UZI israéliens, des Steyr autrichiens, des Suomi finlandais, d'antiques Nagoya 100 japonais – « vous les aurez pour rien » – sans parler des multiples ZK tchèques. Totalement perdu dans cet inventaire qui n'était même pas complet, Christiani finit toutefois par fixer son choix sur les classiques PPSM russes parce qu'il savait que les Chinois en possédaient énormément et pourraient sans doute alimenter Ieng Samboth en munitions. Et, parce que la culture française avait quand même laissé des traces en Indochine, il passa également commande de quelques bons vieux MAT 49, qui avaient fait Dien Bien Phu.

– Le seul pistolet mitrailleur au monde essentiellement conçu pour servir de décapsuleur de bouteilles de bière, remarqua Holek, ressortant comme prévu la vieille plaisanterie.

Ce qui était, presque, vrai : l'avant du pontet de l'arme conçue à Châtellerault et fabriquée par la manufacture de Tulle n'avait pas son pareil comme décapsuleur.

– C'est même sa qualité principale, dit Holek.

Christiani renonça aux mortiers, décidément trop chers. Quant aux lance-roquettes, il préféra en différer la commande, sans pour autant l'abandonner. Se procurer des armes n'était pas tout, encorer fallait-il être à même de les approvisionner régulièrement et sur ce dernier point, il avait quelques doutes.

Il rentra à Bangkok, et trois ou quatre jours plus tard, un Chinois de la forte colonie établie en Thaïlande vint le voir et lui apprit qu'il tenait à sa disposition, pour tout usage qu'il jugerait bon, la somme de deux cent trente-cinq mille dollars américains, payables à Bangkok, ou à Hong Kong, à Manille, à Tokyo ou même en Suisse. Par des voies mystérieuses mais apparemment efficaces, Ieng Samboth et peut-être d'autres chefs khmers rouges faisaient leur part dans le financement de l'achat des armes. Ces deux cent trente-cinq mille dollars s'ajoutèrent aux soixante-cinq mille que, malgré les hochements de tête désapprobateurs de Christiani, Lara versa de sa propre poche, puisant très largement dans ses liquidités du moment.

Avec Holek, Christiani avait convenu que la première livraison serait effectuée par un cargo battant pavillon japonais, très vraisemblablement entre le 20 et le 30 mars. Des indications plus précises seraient fournies le moment venu, dix jours au moins avant l'opération. C'étaient des délais extrêmement courts, et Holek l'avait fait remarquer avec orgueil, expliquant que la situation en Asie du Sud-Est, tant en Indochine que, par exemple, en Malaisie, permettait de constituer des stocks sur place – il ne dit pas où – en vue d'un écoulement rapide.

Au début de ce même mois de mars 1970, le Corse de Bangkok effectua deux vols de reconnaissance le long de la côte thaïe au pied des Cardamomes. Il trouva l'endroit choisi par Ieng satisfaisant mais sans plus. Les deux fois, l'avion qui le transporta était piloté par la Saucisse de Strasbourg, c'est-à-dire Boudin.

Christiani retourna une troisième fois sur les lieux du

futur débarquement, à bord d'une grosse vedette qui lui appartenait. Cet ultime examen ne le rassura pas davantage. Lui qui était le flegme personnifié et chez qui la contrebande était une seconde nature, éprouvait une inquiétude sourde et oppressante.

Bref, il avait peur. Et il eut plus peur encore quand il apprit le 18 dans l'après-midi, la nouvelle du coup d'Etat de Phnom Penh.

A partir de la mi-février, quand il rentra de Bangkok, Lara ne quitta plus Lisa qu'une seule fois, pour se rendre à Sré, afin d'y vérifier l'avancement et la bonne marche des travaux d'aménagement que Kutchaï, sur sa demande et celle de Lisa, y faisait effectuer par une petite équipe de Cambodgiens en qui le Jaraï avait toute confiance.

La maison sur l'île avait été agrandie; on y avait ajouté trois pièces, deux d'entre elles, ainsi qu'une sorte de grande resserre, ayant été directement creusées dans le conglomérat de terre et de roc, butte principale de l'île, auquel le bâtiment était adossé. Le résultat était étrange : c'était un peu la maison de Robinson Crusoe vue par des décorateurs de cinéma, mi-troglodyte, mi-forestière. Une chose était sûre dans tous les cas : elle était invisible, que ce fût du continent, de n'importe quel point de la mer à l'entour ou même du ciel. Loin d'en dégager les abords en abattant la végétation qui la cernait, on avait encore planté, au contraire et très vite la luxuriance tropicale avait fait le reste, venant mordre le rebord de bois d'ébène ceinturant la véranda, à laquelle on ne pouvait accéder que par un sentier étroit, sinueux, aux allures de tunnel creusé sous la verdure. Même le toit de latanier se trouvait lui-même envahi, recouvert; ses lignes trop géométriques en étaient du coup brisées, elles devenaient naturelles et les quelques mètres carrés pouvant encore apparaître à, par exemple, un avion, se trouvaient dans l'ombre de la butte.

Kutchaï avait en outre fait creuser un chenal dans l'une des petites criques de l'île, aux dimensions exactes de ce qu'on appelait désormais la jonque ou même le sampan. Le bateau acheté par Lara à Bangkok s'y glissait comme dans un étui et – par jeu, dit-il – Kutchaï prévit une sorte de filet de camouflage qui, une fois le mât couché sur le pont de l'embarcation, dissimulait entièrement celle-ci.

Par jeu. Il y avait effectivement du jeu dans tout cela. On jouait comme les enfants qui construisent une cabane dans les bois ou simplement au fond du jardin, et l'on mêlait le vieux mythe de l'île déserte coupée entièrement du monde extérieur, inexpugnable et offrant un refuge d'autant plus sûr qu'il est ignoré de tous. Et c'était vrai qu'en dehors des Korver, devant qui Lara et Lisa avaient mentionné le nom et l'existence de l'île, ainsi que l'usage que le couple voulait en faire, nul à part Kutchaï n'était au courant. Même pas Roger Bouès qui en ignora toujours tout. Quant à Charles et Madeleine, constatant qu'on ne leur en parlait plus et d'ailleurs trop pris par ce qui se passait à Phnom Penh autour d'eux, choqués par la mort de Bê et des siens, ils se gardèrent de poser la moindre question et ne se rendirent jamais à Sré. Sans doute parce qu'ils estimèrent que Sré était en quelque sorte le jardin secret de Lisa et de Lara, d'une valeur surtout sentimentale.

Par la suite, Lisa devait se souvenir de l'atmosphère plus qu'étrange qui régna à Phnom Penh au cours de ces semaines, des interminables discussions qu'ils eurent, Lara, Kutchaï et elle, à propos de Sré et des aménagements en cours, des fous rires enfantins qu'ils prenaient parfois tous les trois en imaginant Dieu seul savait quoi, d'une piscine souterraine directement alimentée par la mer, qui servirait en même temps de baignoire, jusqu'à une galerie creusée tout autour de l'île, sous la surface, et vitrée sur l'un de ses côtés de façon à pouvoir s'y promener tout en contemplant la flore et la faune des coraux et des poissons qui en peu d'autres endroits du monde étaient aussi colorées et abondantes que dans cet endroit du golfe de Siam.

N'importe quoi.

Lisa s'était faite à Kutchaï. Non sans difficulté dans les premiers temps. Elle aussi avait tout d'abord ressenti la profonde ambiguïté du Jaraï, avec son physique colossal de sauvage homme des bois et son parler d'Européen fraîchement débarqué. Elle en était venue à goûter l'humour brutal, incisif du Khmer et n'avait pu faire autrement que de tenir pour définitives et sans recours la complicité, voire la fraternité liant Kutchaï et son mari. Du coup, il lui arrivait de plus en plus souvent de s'abandonner à une chaude amitié à son égard. A d'autres moments, au contraire, en dépit d'elle-même, elle était saisie brusquement par leurs différences, par une lueur anormale dans les grands yeux noirs injectés de sang, par ce rire muet un peu trouble, par une attitude. Alors, elle voyait soudain Kutchaï comme un fauve, chez qui le danger était toujours latent.

Elle découvrit avec surprise qu'il était ou avait été marié et plutôt trois fois qu'une puisqu'il avait au moins trois femmes, avec lesquelles il ne paraissait pas entretenir des relations très suivies, mais qu'il avait dû tout de même rencontrer de temps à autre puisqu'il leur avait fait au total dix ou douze enfants. A une exception près, Lisa ne vit jamais aucun de ces enfants, sinon une fois un garçon de quinze ans en compagnie duquel les Lara surprirent un jour leur ami. Riant comme toujours, Kutchaï expliqua que c'était là l'un de ses fils, que le garçon faisait ses études pour devenir un jour architecte ou médecin, il ne savait pas encore. Sur quoi le Jaraï rompit l'entretien et à toutes les questions que lui fit par la suite Lisa, il répondit que Seap, son fils aîné, allait fort bien, comme d'ailleurs tout le reste de sa famille. Il fut impossible à la jeune femme d'en tirer davantage. Elle s'en ouvrit à Lara qui, demeurant dans un flou plus ou moins volontaire, répondit que la vie privée de Kutchaï ne les regardait pas, qu'elle ne l'avait en outre jamais regardé, qu'il en ignorait tout, que c'était le problème de Kutchaï et de nul autre et que cette ou ces familles soudain découvertes devaient vivre, croyait-il, du côté de Kompong Thom pour l'une, quelque part à Phnom Penh pour l'autre et la troisième, s'il n'y en avait vraiment que trois, peut-être à Pursat ou Battambang ou Kompong Chnang.

– Ou Stockholm, dit Lisa, piquée.

– Pourquoi pas ? Il fait ce qu'il veut.

Lara fit remarquer à sa femme qu'en tant que son associé, Kutchaï devait probablement être, financièrement, assez à son aise, bien qu'il continuât à vivre sans aucun bien terrestre apparent.

– Que fait-il donc de son argent ? demanda Lisa.

– C'est à lui qu'il faut poser la question.

– Tu n'en as aucune idée ?

– Aucune. Il y a quelques années, je lui avais proposé de nous associer également dans cette affaire d'import-export à Bangkok, avec Christiani et moi. Il lui aurait suffi de mettre un peu d'argent. Il a refusé et je n'ai pas insisté.

Kutchaï garda son mystère.

Pour l'unique voyage qu'il fit à Sré, Lara partit le matin et rentra le soir. Hors de cela, il ne quitta pas Lisa; En fait, durant les dernières semaines de février et les premières de mars, le couple sortit extrêmement peu de la villa de la rue Phsar Dek. Il répondit une fois ou deux à des invitations à dîner qui lui étaient faites, la première par des amis français travaillant à l'UNESCO, la seconde, surtout, par un riche, très riche, négociant chinois nommé Liu.

De Liu après avoir tout d'abord cru qu'il était simplement un vieil ami, Lisa apprit alors avec stupeur qu'il était en réalité l'oncle, par alliance, de son mari, en conséquence du premier mariage de celui-ci. Ce fut bien de la stupeur qu'elle ressentit, en même temps qu'une espèce de gêne dont elle eut un peu honte.

– Pourquoi ne pas m'en avoir parlé plus tôt ?

Elle faisait allusion non pas au mariage lui-même, qu'elle avait su dès les premiers temps – Lara lui en avait parlé à l'occasion de leur premier séjour à Sré – mais à l'existence de cet oncle asiatique.

Lara avait haussé les épaules.

– Je n'y avais pas pensé.

Elle dut se contenter de cette réponse. Quoi qu'il en fût, elle découvrit un homme d'une extraordinaire affabilité, remarquablement cultivé, parlant à la perfection aussi bien anglais que français, et qui la séduisit finalement, notamment par sa façon de parler de la Chine, laquelle restait son pays bien qu'il ne fût pas le moins du monde communiste. Il leur proposa, le jour où ils iraient à Hong Kong, de mettre à leur disposition une villa qu'il avait là-bas, une villa modeste dit-il. Mais Lara mit Lisa en garde contre cette modestie prétendue.

– La famille Liu possède une bonne partie de Star Heights et, avec la même modestie, quelques propriétés dans tout le Sud-Est asiatique, voire à Londres ou en Californie.

A part ces deux sorties, ils ne virent personne au cours de cette période, en dehors des Korver, de Thomas d'Aquin O'Malley la fois où il leur apprit son départ du Cambodge et, bien entendu, de Kutchaï. Roger Bouès leur rendit une seule fois visite, parlant avec sa gaieté habituelle de son nouveau travail de photographe.

Rue Phsar Dek, ils n'avaient qu'un seul domestique, un Cambodgien du nom de Seng, souriant en permanence mais à part cela parfaitement taciturne. Seng leur préparait des poissons succulents et une soupe cambodgienne dont Lisa raffolait, la *samla men tiou*, un potage aigre-doux de bœuf et de légumes, assaisonné de gingembre, de citronnelle et de safran. Il s'en allait chaque soir, les laissant en tête-à-tête et ils employaient leurs soirées – ils se couchaient toujours très tard dans la nuit

– à des parties de gin-rummy ou de jacquet, en quoi Lisa croyait bien reconnaître le backgammon américain, proprement enragées, au cours desquelles Lara trichait avec une souriante et joyeuse effronterie qui mettait Lisa en fureur, généralement pas pour longtemps; elle avait horreur de perdre. Ils écoutaient de la musique, repassant inlassablement les mêmes vieux disques de jazz des années trente à quarante, curieusement entrecoupés de Brel ou Sinatra et de musique classique, celle-ci plutôt allemande. La villa de la rue Phsar Dek n'était ni spécialement belle ni spécialement confortable, tout à fait différente en ce domaine de la demeure des Korver. Ils s'en souciaient peu et en dehors d'un salon et de deux chambres à peu près aménagés, ils ne s'étaient guère préoccupés de meubler les autres pièces.

Ils étaient à ce point repliés, recroquevillés sur leur seul présent que même la mort de Bê et de sa famille, que pourtant ils estimaient, ne parvint pas vraiment à les arracher à eux-mêmes. Dans les journées qui suivirent l'expédition qu'il fit avec Kutchaï pour ramener la Ti-Nam et son mari, Lara ne mit pas un pied dehors, sinon pour traverser le boulevard des Français et rendre visite aux Korver. Il se consacra à sa femme, avec une douceur et une tendresse dont Lisa devait à jamais conserver le souvenir. Il ne semblait même plus avoir avec Kutchaï de ces conciliabules en khmer qui l'avait agacée. Les deux hommes, du moins devant elle, ne parlèrent jamais de la situation. Bien entendu, il aurait fallu à Lisa être à la fois aveugle et inconsciente pour ne pas ressentir à quel point ce qui se passait à Phnom Penh déchirait Lara. Mais il s'efforçait avec tant de volonté presque pathétique de ne pas le montrer qu'elle crut bon de paraître elle-même ne rien remarquer.

Au surplus, sa grossesse approchant de son terme l'incitait à l'égoïsme. Le 15 mars, elle connut une première alerte et à Madeleine aussitôt prévenue par Seng, elle annonça que les deux médecins avaient bel et bien gagné le pari qu'ils avaient engagé avec la vieille dame, eux qui avaient misé précisément sur cette même date. Lara transporta sur-le-champ sa femme à l'hôpital français. Elle y arriva juste à temps pour constater qu'elle n'éprouvait plus rien et que l'événement était remis.

Il se produisit le 17 mars 1970, un peu après neuf heures du soir. Ce fut un garçon, comme Lara et elle l'avaient souhaité, et ils l'appelèrent Mathias.

– La huitième génération des Lara d'Indochine, dit Lisa dès son réveil.

14

Ieng Samboth marchait depuis déjà quatre jours. Il conduisait un petit détachement de soixante-douze hommes qu'il avait lui-même choisis un par un, prenant pour critère de son choix l'indifférence et presque l'antipathie qu'il ressentait à leur endroit. Tous étaient des Samrés, des hommes de la forêt taciturnes et sombres, nombre d'entre eux incapables de concevoir jusqu'à l'existence d'un train, d'un récepteur de télévision, d'un téléphone, la quasi-totalité d'entre eux très jeunes, fanatisés, murés dans une foi unique, prêts à tout et pouvant avancer des heures durant, des journées entières sous la chaleur sans la moindre fatigue ni laisser derrière eux la moindre trace de leur passage. Tous étaient vêtus de noir et portaient, soit autour du cou soit enroulés sur la tête, ces grands foulards à carreaux rouges et blancs, les kramas, devenus comme un emblème. Ieng n'avait avec eux absolument rien de commun, il en était convaincu, en éprouvait presque du désespoir et en tous les cas se le reprochait. Il ne leur parlait d'ailleurs pas, sinon pour quelques ordres à peine nécessaires tant ils savaient aussi bien et peut-être mieux que lui ce qu'ils avaient à faire.

Le 14 mars aux premières lueurs de l'aube, ils avaient franchi le Mékong, à peu près au même endroit où, quelques semaines plus tôt, Lara et Kutchaï l'avaient eux-mêmes passé. Dans l'après-midi du même jour, ils avaient établi le contact avec un autre parti de Khmers rouges, celui-là détaché à leur rencontre par Rath, qui dirigeait les opérations dans une bonne moitié de la province de Kompong Thom. Les deux détachements, étrangement identiques, s'étaient peu parlé. On avait échangé quelques informations, après quoi Ieng était reparti. Dans la nuit du 15 au 16, ils avaient traversé la route reliant Kompong Thom à Kompong Cham, entre deux passages de la colonne blindée dont la présence et les horaires avaient été relevés par les éclaireurs. Toute la journée du 16, ils avaient ensuite progressé au nord-ouest, laissant Kompong Thom sur leur droite et évitant, grâce aux renseignements fournis par les villageois, une autre colonne des troupes de Phnom Penh qui, elle, se déplaçait en direction de l'est. Ils n'avaient pris que quelques heures de repos après plus de trente heures d'avance ininterrompue, s'étaient à nouveau mis en route. La nuit du 17 au 18 les avait vus dépasser la route de Siem Reap et s'enfoncer vers Phnom Rovieng qu'ils avaient atteint – sinon le village du moins ses abords – en fin de matinée du 18.

Nouvelle halte de cinq heures.

C'était au terme de cette halte que Ieng venait à nouveau de donner l'ordre de départ. Lui-même se sentait épuisé, malgré l'entraînement des derniers mois. Il ne tenait debout que par orgueil, n'ayant jamais été physiquement ni très fort ni très résistant. Mais il était farouchement, désespérément résolu à atteindre son objectif : ce point de la côte thaïe, dans les premiers contreforts des Cardamomes où, tôt ou tard, les armes achetées par Lara allaient être débarquées. « La livraison en mer aura lieu entre le 20 et le 30, sans doute aux alentours du 25 », lui avait fait savoir Kutchaï. En mer, pas à terre; c'est-à-dire qu'il fallait encore ajouter les délais du transbordement par les chaloupes de Christiani. Mais Ieng ne pouvait pas courir de risques, le risque surtout de n'être pas au rendez-vous du Corse.

Il avait été retardé. Alors même qu'il s'apprêtait à descendre de son refuge dans les plateaux moïs, des unités khmers sereïs avaient lancé une offensive au départ de Stung Treng. Fidèle à la tactique convenue avec les autres chefs khmers rouges, Ieng s'était immédiatement replié, esquivant le combat et refusant l'affrontement. Et sans doute aurait-il été bloqué plus longuement si, arrivant du sud et quittant la zone frontière, le Sanctuaire, où ils étaient jusque-là stationnés, de forts éléments vietcongs n'avaient repris et amplifié leur retraite vers le nord, de façon à abandonner le terrain aux Rangers et Marines de Saigon, dont l'attaque était alors immense, comme nul ne l'ignorait.

Curieuse guerre en vérité où, pour l'heure, tout le monde s'acharnait à éviter tout le monde. Les Khmers sereïs et kroms aux ordres de Lon Nol préféraient ne pas se heurter aux troupes nord-vietnamiennes aguerries par vingt-cinq années de combats ininterrompus; ces mêmes troupes vietnamiennes choisissaient de rompre devant la future avance des Saigonnais parce qu'elles jugeaient encore lointain le moment de l'explication finale et, de même, elles se refusaient à affronter l'armée khmère, quelle qu'en fût la composition, parce que, aussi longtemps que Sihanouk serait au pouvoir et que subsisterait la fiction de la neutralité khmère, les ordres de Hanoi étaient de ne pas apparaître officiellement en terrain cambodgien; quant aux Khmers rouges, ils s'estimaient non sans raison bien trop faibles pour s'attaquer à qui que ce fût : ils n'étaient encore que quelques bandes insuffisamment armées, n'ayant de chances de survie que dans leur mobilité et leur obstination à ne pas livrer bataille.

Mais c'était dans cette situation même que Ieng avait trouvé son salut : le mouvement vers le nord des Vietcongs avait contraint les Khmers sereïs lancés à sa poursuite à se replier à leur tour, lui ouvrant du même coup la route de l'ouest.

La forêt-clairière à travers laquelle ils progressaient depuis pratiquement leur franchissement du Mékong commença à s'épaissir. Ils approchaient non seulement de la petite route qui va de Phnom Rovieng à Siem Reap mais aussi du petit groupe de temples du Preah Khan, où Oreste Marccaggi blessé au ventre s'était réfugié, quelque dix mois plus tôt.

Bientôt la forêt se fit jungle et Ieng en éprouva du soulagement. « Nous retrouvons notre milieu naturel. » La bretelle de son fusil d'assaut lui sciait douloureusement l'épaule, il la changea de côté, sachant bien qu'il échangeait une douleur pour une autre, exactement identique à la première : il était à ce point amaigri que la courroie lui avait pareillement mis à nu, à vif, les os des deux épaules. A seule fin de penser à autre chose, il se retourna sans cesser d'avancer, jetant un coup d'œil sur la queue du détachement. Au même instant, un sifflement d'alerte retentit, venant justement de l'arrière. Comme un seul homme, tout le détachement se déploya, prêt à se dissoudre sous le couvert. Mais la grande silhouette d'Ouk, qui arrivait en courant, ne signifiait pas cette fois le danger. Le frère cadet de Kutchaï agitait les mains, à grands gestes répétés. Il rejoignit enfin Ieng, hors d'haleine :

– Il y a eu une annonce à la radio. A Phnom Penh, ils ont destitué Sihanouk. Le Cambodge devient une république, avec Lon Nol comme président.

Il haletait, encore sous l'effet de la course éperdue qu'il venait d'effectuer. Et pendant quelques longues secondes, il n'y eut pas d'autre bruit que ce halètement. Une à une, les ombres noires des hommes qui s'étaient égaillés dans la forêt réapparurent. On s'approcha, formant un cercle silencieux autour de Ieng et de son lieutenant.

– Répète.

Ouk répéta.

– Pas d'erreur possible ?

Ouk secoua la tête.

– Un paysan me l'a dit. Je ne l'ai pas cru. J'ai voulu l'entendre moi-même. Je suis allé jusqu'à la pagode, pour écouter la radio des bonzes. Je l'ai entendu, trois fois.

Il promena son regard autour de lui et répéta :

– Je l'ai entendu. J'ai entendu Lon Nol qui parlait.

Crosse de son fusil fichée en terre, Ieng s'adossa au tronc d'un arbre puis se laissa doucement glisser vers le sol. Il se sentait vide.

« Ils ont osé. »

Il ne savait même pas s'il ressentait de la colère, de la joie, ou simplement une immense indifférence morne, née de son immense fatigue. Peut-être aussi de la stupeur.

– Quand ?

– Ce matin, dit Ouk. Les deux chambres ont voté la destitution à l'unanimité. Sihanouk est chassé, pour toujours.

Ieng considéra un à un les visages qui l'entouraient. Qu'était, qu'avait jamais été Sihanouk pour ces Samrés sauvages, dont la plupart n'avaient même pas vingt ans ? « Moi, je l'ai toujours connu. Je n'ai jamais connu d'autre Cambodge que le sien. » Il lutta pour repousser les larmes qui montaient et se força à rencontrer tous ces regards fixés sur lui : il fut stupéfait d'y lire de la tristesse, de la stupeur et, montant peu à peu, une puissante colère, froide et d'autant plus impressionnante. « Ils ont osé. » Les mots de Saloth Sar – qui commençait à se faire appeler Pol Pot – et de Khieu Samphan lui revinrent en mémoire : « Pour l'instant, pas question de toucher à Sihanouk. Nous n'aurons jamais une base populaire si nous nous opposons officiellement à lui, à lui personnellement. Attaquons et critiquons son régime quand nous parlons dans les villages, attaquons ceux qui l'entourent, et même le principe de la monarchie que nous abattrons un jour. Mais pas lui, pas

Sihanouk. Evidemment, la meilleure chose qui pourrait nous arriver serait qu'on nous débarrasse de lui. Mais ne rêvons pas : Lon Nol et Sirik Matak n'oseront jamais s'attaquer à Norodom Sihanouk. Malheureusement pour nous. Car ce serait la meilleure façon de pousser tout le peuple cambodgien des rizières et de la forêt à nous rejoindre. »

— Et c'est arrivé, dit Ieng à haute voix. C'est arrivé.

Il ferma les yeux, broyé par l'émotion la plus puissante qu'il eût jamais ressentie. Il respira à fond, captant d'instinct les plus faibles odeurs de la forêt, de la terre, de l'humus pourrissant depuis des milliers d'années, avec une intensité nouvelle, presque douloureuse. Et soudain sous ses paupières, tout un théâtre d'ombres se mit en mouvement, des milliers et des dizaines de milliers de combattants muets et implacables, s'écoulant de la forêt mère comme d'un ventre, avançant vêtus de noir, irrésistibles, chassant et écrasant tout sur leur passage.

C'était arrivé. Maintenant, ce n'était plus qu'une question de temps. Et il sut alors, très précisément, que ce qu'il ressentait était bien de la joie, une joie grave et féroce, éblouissante comme un soleil.

QUATRIÉME PARTIE

LES FOUS DE BASSAN

1

Pete Martinez était basané; il était de taille moyenne, assez enveloppé et en fait carrément corpulent; il portait une moustache jadis d'un noir de jais mais à présent poivre et sel, il portait aussi un jean un peu trop ample, des bottes à incrustations de champion de rodéo, un feutre à large bord, une chemise en laine à carreaux et un blouson de cuir blanchi aux coudes. Le 22 mars 1970, il se trouvait dans la salle des pas perdus de Stapleton, l'aéroport de Denver, Colorado; il attendait l'un des avions de New York. Il s'y trouvait depuis plus d'une heure déjà alors que l'arrivée de l'appareil n'était prévue que dans quelques minutes. D'une façon générale, Pete Martinez n'avait pas confiance dans les avions; il les croyait capables de tout et non seulement prévoyait leur éventuel retard mais n'aurait pas été surpris de les voir surgir en avance, en quelque sorte par surprise. Pour meubler son attente, il avait fait deux fois pipi, avait visité trois fois chacune des boutiques et avait surtout ingurgité un *chile con carne* au snack, guettant tout à la fois l'annonce de l'atterrissage et l'arrivée de Ruth, sa femme, qui lui interdisait formellement de manger entre les repas.

Ruth arriva la première.

– Tu vois bien, dit-elle, que j'avais raison : nous avions parfaitement le temps.

Elle le dévisagea avec suspicion :

– Je suis sûre que tu t'es goinfré avec un *chile con carne* en profitant de mon absence.

– Tu as toujours raison, dit Pete. On avait largement le temps. J'aurais dû t'accompagner pour faire ces courses.

– Ne détourne pas la conversation. Tu ne m'as pas répondu au sujet du *chile con carne*.

– Quel *chile con carne?*

Avec un superbe à-propos, les haut-parleurs annoncèrent l'atterrissage imminent de l'avion de New York.

– Espèce de Mexicain ventripotent et bouffi, dit Ruth, je ne te nourris pas assez?

– Je ne suis pas mexicain, je suis d'origine espagnole, répondit Pete d'un air vexé.

Prenant le bras de sa femme, il l'entraîna vers l'extrémité de l'interminable couloir desservant les terminaux et bientôt, au cœur d'un flot de passagers, se profila la haute silhouette de Matthew Kinkaird, presque méconnaissable avec son chapeau et son par-dessus à col de fourrure, achetés pour son voyage en Europe.

– On est sacrément contents de vous revoir, dit Pete sincèrement ému et qui en avait presque les larmes aux yeux, avec son expansivité habituelle. Comment était la Suède et comment va Jon?

– Ils se portent très bien tous les deux. Merci d'être venus. Merci Ruth.

– J'avais des courses à faire à Denver, autrement je ne serais certainement pas venue, expliqua Ruth d'un ton bougon. Ruth Martinez adorait avoir l'air bougon et bougonnait d'autant plus qu'elle aimait davantage ses interlocuteurs. Avec Pete et Matthew Kinkaird, qui étaient avec ses trois fils, les êtres qu'elle aimait le plus au monde, elle se surpassait. Elle demanda quand même, comme à regret :

– Vous êtes sûr que Jon va bien?

– Mais oui, dit Matthew.

Tandis qu'ils attendaient la livraison des bagages

devant les déversoirs circulaires, Pete sortit de sa poche tout un paquet de lettres.

– J'ai pris votre courrier en venant. Il y avait des prospectus que j'ai laissés.

Trois lettres seulement avaient un véritable intérêt : deux étaient de Larry Kinkaird son fils, écrivant de San Francisco, la troisième de Lisa. Matthew commença par celle-ci. Les premiers mots écrits étaient : « Quand tu liras cette lettre, tu auras très certainement un arrière-petit-fils ou une arrière-petite-fille. A la suite de circonstances indépendantes de ma volonté, je ne peux pour l'instant te fixer sur ce point... » La lettre était datée du 8 mars; elle était légère, gaie, mais courte.

– Vos tickets de bagages? demanda Pete. Qu'est-ce que vous avez fait de votre billet? Les tickets sont avec.

Matthew tendit le billet puis décacheta successivement les lettres de son fils. L'une était ou peu s'en fallait l'exacte répétition de l'autre; en tant que père d'un déserteur, Larry avait été contraint de donner sa démission de la Légion américaine des Vétérans et pour la cinquième fois en un an, des agents du FBI étaient venus interroger les voisins afin de s'assurer que Jon n'avait pas effectué une visite surprise à la maison de ses parents. Les policiers avaient même fait irruption le jour de Noël, toujours dans le même but, sachant bien que nombre de déserteurs et surtout d'insoumis réfugiés au Canada ne pouvaient résister au besoin de se retrouver en famille pour les fêtes.

Ce fut Ruth Martinez qui prit le volant de la Chevrolet. Evitant le centre de Denver, elle contourna la ville par Aurora avant de rejoindre l'inter-Etat 25 allant à Colorado Springs. Dans la voiture, Matthew se mit à parler de Jon. Il avait trouvé son petit-fils en bien meilleure forme qu'il ne s'y était attendu. Les premiers temps de Jon en Suède avaient été terriblement difficiles. Pour des raisons que le vieil avoué n'avait pas bien comprises, le relais prévu par Lara et Christiani, pour l'arrivée de Jon à Stockholm, n'avait pas fonctionné, apparemment parce que le garçon n'avait pas exactement suivi les conseils qu'il avait reçus. Certes, Jon avait assez rapidement trouvé du travail mais il s'était trouvé en concurrence avec la main-d'œuvre étrangère au même titre que lui, c'est-à-dire les émigrants en provenance des Antilles britanniques, les Yougoslaves, les Italiens ou les Portugais, et ce travail même n'avait pas dépassé le niveau du lavage de vaisselle dans les restaurants, du raclage de parquets, du balayage des trottoirs enneigés. Il avait vécu plusieurs semaines en mendiant dans les rues et en collectant les bouteilles vides pour en recueillir le montant des consignes. Jon reconnaissait même avoir volé, agressant, heureusement sans violence véritable, un homme âgé qui traversait un parc à la tombée de la nuit. Pas plus que celui envoyé par Lara, il n'avait réussi pendant des semaines, faute de papiers en règle, à percevoir l'argent que Matthew Kinkaird avait tenté de lui faire parvenir et il avait même longtemps ignoré que quelqu'un de sa famille ou de ses amis tentait de lui venir en aide; en situation irrégulière, sans permis de séjour ni de travail, il lui avait été impossible de recevoir même du courrier. Et dans un sens, cela avait été presque une bonne chose : il n'avait pas non plus reçu la lettre de son père dans laquelle celui-ci, après lui avoir violemment reproché d'avoir déshonoré la famille, lui apprenait qu'il avait brûlé le certificat de naissance et la police d'assurances de Jon.

Le garçon s'était pourtant accroché. Et, au début de décembre, le miracle s'était produit, sous la forme d'un ballon de basket-ball, alors qu'il venait tout juste de perdre un emploi temporaire de chauffeur de taxi. Totalement à bout de ressources, il s'était introduit par effraction dans un bâtiment choisi au hasard, à seule fin d'y trouver un peu de chaleur. C'était un gymnase, où s'entraînait une équipe universitaire. Quelques étudiants l'avaient découvert en train de dormir et il leur avait prouvé dans l'heure suivante son adresse à placer un ballon dans un panier. Moins de trois semaines plus tard, sur intervention du père de l'un de ses nouveaux amis, sa situation en Suède avait été régularisée, on lui avait trouvé un emploi.

– Maintenant, il parle à peu près suédois, fait partie d'une équipe dont il est le meilleur joueur et va prendre la nationalité suédoise. Il m'a même présenté une jeune fille avec laquelle il sort régulièrement. Il a encore grandi et a pris dix ou quinze kilos de muscles. Vous ne le reconnaîtriez pas. D'ailleurs, j'ai une photo de lui.

Il retira les photographies de son portefeuille et les montra à Pete et à Ruth.

– C'est vrai qu'on ne le reconnaît plus, dit Pete. C'est une montagne à présent. On dirait qu'il fait deux mètres.

– Il les fait, dit Matthew. Et il espère grandir encore. Il dit que ça lui permettrait de jouer pivot plutôt qu'ailier. Il voudrait jouer pivot.

La question brûlait littéralement les lèvres de Pete Martinez : Jon pourrait-il un jour regagner les Etats-Unis ? Et il l'aurait peut-être, probablement, posée sans le regard furieux que lui adressa Ruth par le truchement du rétroviseur.

Une cinquantaine de minutes après avoir quitté l'aéroport de Stapleton, ils arrivèrent à Colorado Springs où ils n'entrèrent pas, prenant immédiatement à droite Filmore Street pour traverser le jardin des Dieux et gagner directement la route des Crêtes.

Ils trouvèrent le télégramme dès leur arrivée à la maison, la Cabane, plantée sur le vide du ravin du Chat-Sauvage : « Heureux vous apprendre naissance de votre arrière-petit-fils Mathias. Lisa parfaite. Lara. »

Les Martinez furent frappés par le visage de Matthew :

– Quelque chose ne va pas ?

Matthew dut s'asseoir, riant et pleurant :

– O Dieu non ! dit-il d'une voix qui tremblait. Non, tout va bien. Lisa a eu un fils.

2

Ce fut de la bouche même d'Alexis Kossyguine, alors qu'il se préparait à quitter la capitale soviétique pour Pékin, que Norodom Sihanouk apprit la nouvelle de sa destitution. En réalité, tel le mari trompé, il fut le dernier à recevoir la nouvelle : autour de lui, les personnalités khmères l'accompagnant dans son périple avaient depuis plusieurs heures déjà connaissance du vote unanime du Parlement cambodgien, mais aucune d'entre elles n'avait eu le courage de l'annoncer à Samdech.

Dans l'avion survolant l'Asie centrale sous domination russe, Sihanouk ne tarda pas à réagir; loin de se laisser abattre, par cette ahurissante aptitude qui était sienne à rebondir comme une balle, au moment même où on le croyait perdu. Quand l'Ilyouchine entama son approche aux abords de Pékin, il était déjà prêt, ayant conçu les modalités et les étapes de sa contre-attaque. Pas un instant, il n'envisagea la fameuse solution Bao-Daï – la retraite sur la Côte d'Azur française – chère aux stratèges de Phnom Penh. D'ailleurs, à son débarquement sur le sol chinois, l'accueil plus chaleureux que jamais que lui fit Chou en-Laï le conforta encore dans sa volonté de combattre.

Trois jours plus tard, à l'occasion d'un voyage-éclair que l'on garda officiellement secret, le premier ministre nord-vietnamien Pham Van Dong, successeur d'Ho Chi Minh, vint tout exprès à Pékin pour assurer Samdech que son pays s'associait à la Chine pour le soutenir dans son action.

Le 23 mars 1970, Norodom Sihanouk lança son Appel du 18 juin 1940. Un appel en cinq points qui accusait Lon Nol de haute trahison et décrétait la dissolution immédiate du régime mis en place à Phnom Penh par le vote du 18; qui annonçait la formation d'un gouvernement « regroupant toutes les tendances », y compris les éléments progressistes, c'est-à-dire les Khmers rouges;

qui réclamait la création d'une armée de libération nationale; qui convoquait une assemblée constituante; qui demandait la constitution d'un Front uni national du Kampuchea, le FUNK.

De sa voix suraiguë, haletante, brisée, mais que n'importe quel Khmer identifiait aux premiers mots, Sihanouk appela à l'insurrection et au renversement du régime Lon Nol-Sirik Matak.

Enregistré par Radio-Pékin et Radio-Hanoi, repris et diffusé au Cambodge par des dizaines de milliers de postes de radio, par des haut-parleurs de pagode et des réémetteurs clandestins, l'appel fut constamment répété d'heure en heure durant toute la journée du 23 mars et une partie de celle du lendemain, atteignant les villages les plus reculés.

L'effet en fut formidable. L'espèce d'apathie avec laquelle on avait jusque-là accueilli les discours de Lon Nol à la Radio nationale, disparut comme un voile de tulle auquel on met le feu.

D'autant que dès le lendemain, une autre annonce fut faite, qui acheva d'électriser : Khieu Samphan, Saloth Sar, Hou Nim, Ieng Samboth, Hou, Yuon et autres, tous les hommes passés depuis trois ans à la clandestinité, certains après avoir dû abandonner leurs sièges de députés, tous ces hommes que l'on croyait souvent morts réaffirmèrent ensemble leur existence, leur combat et leur soutien total à Norodom Sihanouk, qu'ils reconnaissaient fermement comme chef de l'Etat.

La Land-Rover louée par Donaldson roulait vers Kompong Cham, Roger tenant le volant. Normalement, ils auraient dû quitter Phnom Penh aux premières heures de la matinée, mais éveiller le journaliste britannique avait présenté les difficultés habituelles, de sorte que les deux hommes n'étaient en fin de compte partis que vers le milieu de l'après-midi, après un bain dans la piscine du *Royal*.

Kompong Cham n'était plus qu'à une douzaine de kilomètres. L'idée de s'y rendre était de Donaldson – il avait parfois des idées, entre deux bouteilles – qui avait appris que c'était précisément la circonscription dont Heu Nim, l'un des chefs khmers rouges qui venaient de se rallier à Sihanouk, avait été élu député et même réélu lors des fameuses élections de 1966, en dépit d'une extraordinaire campagne de corruption et d'intimidation des électeurs, entreprise par les envoyés de Lon Nol. Donaldson pensait qu'il pouvait être intéressant d'aller interviewer quelques-uns de ces électeurs; et puis c'était voir du Cambodge autre chose que la capitale.

– Que vous a dit ce type à Prek Dam? demanda l'Anglais. Je n'arrive jamais à comprendre votre français. Vous avez un drôle d'accent.

Donaldson était persuadé qu'il parlait un français admirable et que son incompréhension systématique provenait d'un défaut de langage chez ses interlocuteurs.

– Ce n'est pas à cause de mon accent, dit Roger. C'est ma dent creuse : elle fait écho. Il me parlait d'un type qu'il a rencontré, un dénommé Kao, un très gentil garçon que j'ai connu capitaine et qui vient de passer commandant ou qui va passer commandant, je ne sais plus. L'autre jour, Kao a abattu à lui tout seul pas loin de deux cents personnes, hommes, femmes et enfants, en les lâchant dans une grande rizière à sec et en les pourchassant avec la mitrailleuse de sa jeep. Il paraît que c'était un spectacle tout à fait intéressant. Je regrette de n'avoir pas vu ça. J'aurais fait des photos superbes.

– Je ne vous les aurais pas achetées, dit Donaldson placide. Mon journal n'en aurait pas voulu : pas assez typiques. Qu'est-ce que c'est que tous ces types?

Roger ramena son attention sur la route et aperçut en travers de celle-ci un groupe compact d'hommes et d'adolescents brandissant des pancartes et des banderoles. « Allons bon. » Il ralentit, rétrograda, vint en première, avança au pas, la peur lui nouant soudain le ventre. Il avait toujours eu peur de la foule, qu'elle fût cambodgienne ou n'importe quoi d'autre. Il revit une autre foule, à Pau, hurlant sous ses fenêtres : « A mort les collabos! » Il pensa amèrement : « En vérité, je vous le dis, j'ai toujours eu peur de tout, de la foule et de la solitude, de ma mère et des gardes champêtres du parc Beaumont de Pau, d'une sonnerie de téléphone ou de coups frappés à ma porte, des femmes et des ivrognes. Et même des enfants et des chiens. » Il se sentait las et profondément dégoûté de lui-même. L'étonnante et rageuse colère ressentie une minute auparavant à l'égard d'un Kao ou d'autres hommes qu'il ne prenait même pas la peine d'identifier, cette colère et cette haine si inhabituelles chez lui avaient disparu aussi soudainement qu'elles étaient montées. Il jeta un coup d'œil sur Donaldson qui ne bougeait pas, doigts entrelacés sur sa panse rebondie, cigarette aux lèvres et la fumée montant très droite dans l'air immobile et brûlant, avec son air de bouddha rose et blond, ses yeux pâles et ses cils d'albinos.

Puis son regard revint sur les pancartes dont presque toutes étaient rédigées en français; il les lut en même temps qu'il reconnaissait le visage indéfiniment reproduit. Déjà, on entourait la voiture, on la stoppait, on la submergeait et la carrosserie fût frôlée, légèrement martelée par les coudes et les genoux et par les hampes des drapeaux; la voiture elle-même oscilla, comme secouée par un vent en tornade. Des visages s'approchèrent et s'encadrèrent à chacune des portières.

— Pour ou contre? Qui êtes-vous? Vous êtes pour Sihanouk?

— Nous sommes pour Sihanouk, dit Roger, en faisant de son mieux pour sourire.

— Alors, vous devez crier : « Vive Sihanouk! »

— Vive Sihanouk! cria Roger.

— Et lui?

On montait Donaldson.

— Oh! lui aussi, pas de doute, dit Roger.

— Il doit crier.

— Nom de Dieu, dit Roger à Donaldson, faites-leur donc plaisir!

L'Anglais avait fiché une nouvelle cigarette en plein milieu de ses lèvres distendues et roses. Son œil bleu presque blanc parcourait lentement la foule des visages et ses traits, toute son attitude, exprimaient la plus profonde satisfaction, voire une délectation gourmande, comme si le rêve de sa vie eût été de se retrouver précisément là, sur cette route cambodgienne écrasée de soleil, encerclé par ces excités.

— D'accord, dit Roger. Qu'est-ce qu'on risque, après tout? Au pis, qu'ils mettent le feu à cette foutue bagnole. Et peut-être qu'ils nous permettront d'en sortir, d'abord. Ne serait-ce que pour nous casser la tête ou nous couper les roubignoles. Où est le problème? Pas de quoi se faire du souci.

— Vive Sihanouk, dit flegmatiquement l'Anglais, réussissant à parler sans faire tomber la cendre de trois centimètres de long qui garnissait le bout de sa Player Navy Cut.

Et il leva la main droite, index et majeur formant un V. « Bonté divine! » pensa Roger.

Parmi les manifestants, des étudiants ou lycéens en chemisette blanche ou colorée, aux pieds chaussés de cuir, se mêlaient aux paysans vêtus de noir et nus pieds.

— Je vous connais, dit à Roger l'un des étudiants. Vous êtes monsieur Roger Bouès, l'architecte de Phnom Penh. Et lui, c'est qui? Un Américain?

— Un Anglais, dit Roger. C'est le fils naturel de Churchill.

— Ah! fit l'étudiant, impressionné. Et vous allez à Kompong Cham?

— A Kompong Cham. Je ne suis plus architecte mais journaliste. Et Churchill Junior aussi. Est-ce qu'il y a beaucoup de gens qui manifestent pour Sihanouk à Kompong Cham?

– Toute la ville, dit fièrement le gamin. Et pas seulement la ville : toute la province. Tout le pays. Nous avons entendu l'appel de Samdech; tout le monde l'a entendu. Nous avons déjà manifesté dans la rue et nous manifesterons encore. Peut-être que nous allons tous aller à Phnom Penh. Nous allons exiger le départ du traître Lon Nol et la dissolution de l'Assemblée nationale.

Autour de lui on approuvait, entrecoupant son discours de vociférations en khmer et de « Vive Sihanouk ! vive Samdech ! » en français, sans cesse répétés.

– Nous allons marcher sur Phnom Penh et chasser Lon Nol, dit encore l'étudiant, comme s'il découvrait tout à coup l'évidence et le bien-fondé de sa propre démarche. Voilà, c'est ça que nous allons faire.

Avec un pot de peinture et des pinceaux, de jeunes lycéens étaient en train de peindre quelque chose sur les portières et le capot de la Rover. Roger finit par lire : « Vive Sihanouk. » « Evidemment. » Il demanda :

– Et maintenant, on peut repartir ?

– Vous pouvez.

La troupe se fendit en deux, dégageant la route. Et Roger dit à Donaldson, qui continuait à dresser index et majeur :

– Et si vous arrêtiez de faire le zouave ? Aussi bien, on va maintenant tomber sur des soldats de Lon Nol qui vont nous flinguer à vue à cause de ce qu'il y a d'écrit sur notre voiture.

Mais ils entrèrent dans Kompong Cham sans apercevoir un seul uniforme. La petite ville était pourtant en pleine effervescence, elle était tendue, houleuse, parcourue de groupes mouvants qui ne cessaient de se former que pour se reformer plus loin. De toutes les cités khmères en dehors de Phnom Penh, Kompong Cham était la plus importante avec Battambang. C'était aussi la ville des plantations, au cœur des grandes exploitations d'hévéas, peut-être la moins étrangère de toutes malgré tout, plantée sur les berges du Mékong avec son usine de pneumatiques et ses petits ateliers de textiles. A Roger, elle était toujours apparue comme élégante, très fleurie, avec une personnalité un peu à part. Donaldson voulut dès leur arrivée se rendre chez le gouverneur de la province, pour une interview. Le gouverneur s'appelait Tien Kien Chieng, et Roger le connaissait comme un partisan déterminé de Lon Nol. Après de longs palabres avec le détachement de la garde provinciale retranché canons braqués, ils finirent par être reçus et trouvèrent un homme visiblement au bord de la panique qui leur parla de « paysans et de lycéens égarés par la propagande des agents communistes soutenus par Hanoi ».

– D'ailleurs, tous les meneurs sont vietnamiens.

– Nous n'en avons pas vu un seul, dit Roger.

L'interview n'alla guère plus loin. Roger prit quelques clichés du gouverneur et fut un peu bousculé quand il esquissa le geste de photographier également les gardes provinciaux dans leur posture de Texans d'Alamo attendant l'attaque mexicaine. Il put ressortir avec son matériel intact, quoique boitant lui-même un peu par suite d'un coup de crosse sur la hanche. Dehors, il se sépara de Donaldson, ce dernier ayant retrouvé un journaliste américain qui se trouvait être le beau-frère de l'ancien secrétaire d'Etat Dean Rusk. Roger alla passer la soirée de ce mercredi 27 mars et la nuit suivante chez un ami cambodgien diplômé des Arts et Métiers français et qui travaillait à l'usine de pneumatiques. L'ami était politiquement dubitatif, hésitant à choisir entre Lon Nol et Sihanouk, n'ayant d'attirance particulière ni pour l'un ni pour l'autre, à la fois attiré par l'occidentalisation accentuée que devait selon lui rendre possible un régime pro-américain et en même temps conscient de ce que Sihanouk (dont il était convaincu de l'intégrité personnelle, s'il mettait fortement en doute celle de son entourage) que Sihanouk représentait tout de même la légalité, voire plus simplement le Cambodge de tous les temps. D'un commun accord, Roger et lui s'efforcèrent de parler d'autre chose et de paraître ignorer l'agitation qui, malgré la nuit, continuait d'emplir la ville.

– Et Lara ?

– Il va bien, dit Roger. Tu sais qu'il s'est marié et qu'il a eu un fils voici quelques jours ?

– Kutchaï m'a appris ça. Il était ici l'autre jour. Que devient leur plantation ?

– Allez donc savoir, répondit Roger, qui s'interrogeait sur Kutchaï et ses allées et venues discrètes à travers le pays.

La soirée fut bruyante et la nuit tumultueuse. Sans arrêt, des groupes passaient sous les fenêtres du petit appartement que l'ingénieur habitait au bord du Mékong, à la sortie de la ville vers Mimot et Saigon. Roger qui était néanmoins parvenu à s'endormir fut soudain éveillé vers cinq heures du matin par des rafales de pistolet mitrailleur et des hurlements d'hommes égorgés. Il occupait dans l'appartement la chambre des enfants, garçon et fille, qu'on avait installés sur une natte dans le hall pour lui laisser la place. Sa fenêtre donnait sur la route et le fleuve. Il se leva, ne vit rien, le silence était revenu. Mais il savait bien qu'il n'avait pas rêvé. Il sortit de sa chambre et trouva l'ingénieur et sa femme penchés toute lumière éteinte au petit balcon de la salle de séjour. Il les rejoignit, regarda : il y avait trois hommes égorgés en bas, à dix mètres au plus, dans le halo jaune d'un réverbère, tous trois en uniforme de la garde provinciale et l'un d'entre eux rampait encore, au point que Roger le crut simplement et superficiellement blessé. Et puis dans la lumière jaune projetant des ombres immenses, l'homme en train de ramper s'immobilisa. Avec une lenteur extrême il se retourna, vint sur les coudes dans un effort désespéré pour se redresser. On vit alors sa gorge, tranchée d'une oreille à l'autre, par où le sang giclait en bouillonnements saccadés. Après quelques secondes, les coudes éloignant le dos du sol s'écartèrent et le corps tout entier s'écrasa, le menton rejeté en arrière. L'homme ne bougea plus.

« Ça commence », pensa Roger, sans savoir précisément à quoi il faisait allusion.

3

– Il y a un coin que je me rappelle bien, dit Oreste. Ça s'appelle le défilé de l'Insecca. On allait y chasser avec mon père et mes oncles. Il y a une petite rivière, le Fium'Orbo, qui est à l'entrée; ensuite, c'est le défilé, avec beaucoup de rochers de toutes les couleurs et de la verdure en quantité. Il y a de l'herbe, de la vraie. Ça fait si longtemps que je n'ai pas vu de la vraie herbe. La route est étroite, en montant on peut rencontrer les forestiers qui descendent leurs troncs de sapins sur des chariots. Il faut faire attention : il n'y a pas de parapet à la route...

– Je comprends, dit Lara en souriant amicalement.

Le vieux Corse était assis dans l'aéroport de Pochentong, contemplant par-delà la piste l'horizon plat des rizières. Mais son regard plongeait en fait dans le vide, à la recherche d'images vieilles de presque un demi-siècle, essayant de faire resurgir de sa mémoire une Corse quittée en 1921 et où il n'était jamais retourné depuis. Il ne se posait pas la question de savoir quelle Corse il allait retrouver; pour lui, à l'évidence, elle ne pouvait pas avoir changé.

– Je me rappelle l'auberge de Pinzalone. A droite, on trouve le chemin pour aller à Vezzani. On y mange bien, dans cette auberge. Le patron est un homme droit, avec des yeux qui vous regardent en face... Ah! j'ai oublié son nom! Mais il est peut-être mort à présent : ça fait quand même quarante ans au moins...

– Mais tu n'es pas de par là, toi, dit Lara, cherchant à se souvenir des confidences qu'Oreste avait pu lui faire sur sa jeunesse, au cours des longues soirées silencieuses de la plantation.

Marccaggi secoua la tête.

– Non. Moi, je suis de la montagne, la vraie. Je suis de Piedicorte-di-Gaggiu, là où il y a les plus beaux sangliers de toute la Corse. L'hiver, il y a de la neige. Et au printemps, quand vous allez à la pointe du village, au bout du rocher, vous entendez des milliers et des milliers d'oiseaux dans la vallée du Tavignano, en bas. Ils chantent et ça monte vers vous. C'est très beau.

– Sûrement ça doit l'être, dit Kutchaï de sa grosse voix plus rauque qu'à l'ordinaire.

On appela les passagers pour Bangkok, Delhi, Karachi, Téhéran, Athènes, Rome, Paris. Lara ramassa la mallette d'Oreste et mit son bras autour des épaules du Corse, ses longs doigts maigres serrant la nuque du vieil homme.

– Bon, dit-il. Comme ça tu n'auras pas besoin de tirer sur les touristes, puisque tu auras des sangliers sous la main.

– Quels touristes? demanda Oreste d'un air indigné. Il n'y a pas de touristes en Corse, à part deux ou trois Anglais.

Kutchaï qui s'était un instant éloigné, les rejoignit, tenant un paquet.

– Tes cigares.

– Merci, dit Oreste. Merci beaucoup. Vous êtes braves tous les deux.

Il voulut ajouter quelque chose mais sa gorge se noua et il ne put qu'écarter les mains.

– Oh! ferme ta grande gueule, dit Kutchaï, qui avait les larmes aux yeux.

Lara baissa le front, sa main droite massant machinalement son épaule et sa nuque.

– Bon, eh bien, j'y vais, dit Oreste, en balançant sa grosse tête de vieux lion.

Lara lui dit :

– En arrivant à Bastia, n'oublie pas de passer à la banque pour signer. Sinon, tu serais obligé d'y retourner pour toucher ton argent. Tu n'oublieras pas?

– Je n'oublierai pas.

Il leur serra la main à tous les deux et puis, sur une ultime hésitation, il partit brusquement, rompant d'un seul coup, sa mallette dans une main et dans l'autre le veston de tweed tout neuf qui était le premier qu'il portait de sa vie.

Lara et Kutchaï attendirent que l'avion eût décollé. Dehors, ils retrouvèrent la moiteur de l'air et, dans le plein soleil du parking, la chaleur de four à l'intérieur de la voiture. Lara prit place au volant, ne semblant même pas sentir cette chaleur, le visage complètement fermé. Kutchaï alluma deux cigarettes en même temps et lui en tendit une.

— Dans un sens, c'est pire que s'il était mort.

Lara ferma les yeux.

— Oh! merde! dit-il doucement.

Il rouvrit la portière, se mit à marcher sur le parking, ses grandes mains enfoncées dans les poches de sa chemise-veste. Après un moment, il revint. Il reprit sa place au volant, il mit le moteur en route. Ils rentrèrent à Phnom Penh, se soumettant par deux fois au contrôle de postes militaires dont les occupants avaient barré la chaussée avec des chevaux de frise et braquaient les canons de leurs pistolets mitrailleurs et de leurs M 16. La traversée de la ville ne leur prit que quelques minutes, tant la circulation était faible. A l'exception de deux ou trois voitures de tourisme portant d'ailleurs des plaques diplomatiques, les seuls véhicules visibles, quoique pour la plupart immobiles aux carrefours, étaient des camions de l'armée. A la sortie nord, les contrôles furent identiques, conduits par des officiers impassibles mais dont la nervosité se devinait. On leur demanda où ils allaient et ils répondirent Kompong Thom. A chaque fois, des hochements de tête mais pas de commentaires. On les laissa passer.

Dès que la route fut libre, Lara lança la 504 au maximum de sa vitesse, dans une frénésie rageuse.

– Commandant, dit Kao. Je suis commandant. Tu ne sais donc pas distinguer les grades?

– Pardon, dit le garçon d'un air effrayé. Pardon, je ne savais pas, monsieur le Commandant.

– On dit : « Mon commandant. »

– Oui. Mon commandant.

Kao considéra son jeune interlocuteur avec presque de la sympathie mais, en même temps, la conviction qu'il n'arriverait jamais à faire un soldat de ce gamin. Ou alors avec pas mal de difficultés.

– Tu connais au moins ton propre grade?

– Je suis sous-lieutenant. Un temps : « Mon commandant. »

– Quel âge as-tu?

– Dix-neuf ans.

– Et tu t'appelles?

– Suon Phan.

– Viens avec moi. Allez, monte!

Kao se mit au volant de la jeep, donna d'un geste nonchalant de la main l'ordre de départ à la colonne et démarra, longeant pour quelques minutes le Toulé Bassac, avant de s'en écarter et prendre la direction de Kampot. La colonne était composée de deux chars légers et de onze camions emplis de soldats. Tout en conduisant, Kao retira de sous le siège un petit poste Sony à transistor et l'alluma. Branché sur Saigon, l'appareil diffusa un air de jazz. Kao n'appréciait pas particulièrement le jazz mais il estimait que paraître prendre du plaisir à l'écouter faisait partie de son personnage.

– Ça te plaît, cette musique?

– Oui, mon commandant.

– Comment es-tu devenu sous-lieutenant? Comment diable es-tu entré dans l'armée?

– J'étais étudiant en droit à la faculté et mes professeurs m'ont dit de m'engager.

Au moins, il ne prétendait pas s'être engagé de lui-même.

– Quand ?

– Le 20 mars.

Huit jours plus tôt. L'histoire de Suon Phan était classique : il s'était engagé quand Lon Nol avait appelé à la mobilisation générale, aussitôt après avoir découvert que son armée n'existait pas, si l'on ne tenait pas compte des éléments sereïs et kroms. Suon avait suivi en tout et pour tout une formation accélérée – le mot était faible – de quatre jours, pendant lesquels on lui avait appris vaguement à charger et décharger un fusil, à marcher au pas, à dégoupiller une grenade et surtout à hurler des chants patriotiques célébrant l'antique vaillance khmère et vitupérant l'impudeur éhontée des Nord-Vietnamiens communistes, envahisseurs du sol sacré de la patrie. Après quoi, on l'avait bombardé sous-lieutenant. Il venait d'apprendre que désormais il devrait non seulement endosser la responsabilité de commander trente ou quarante paysans arrachés à leur rizière et sans doute aussi efficacement entraînés que lui-même, mais qu'il devrait encore, avec eux, culbuter toute armée vietcong se présentant à portée de tir.

Suon Phan avait l'impression de vivre un cauchemar.

Passait encore de se retrouver en uniforme; à la limite, ça n'aurait pas manqué de charme, voire de piquant. Comme tout jeune Cambodgien de son âge, Phan avait dès son enfance été embrigadé dans les Jeunesses socialistes royales khmères – socialistes et royales ! – et avait donc arboré leur tenue, à mi-chemin entre le portier d'hôtel et Baden-Powell en tenue de campagne. Des galons de sous-lieutenant étaient tout de même autre chose (il avait été nommé sous-lieutenant et non pas sergent parce que son oncle travaillait au ministère du Plan). Parader avec ces galons dans les rues de Phnom Penh n'avait pas été désagréable, bien au contraire, d'autant que les trois jours que cela avait duré lui avaient laissé entrevoir ce que pouvait être une carrière militaire idéale : sitôt ses galons cousus, il s'était présenté à l'état-major des FARK, bien que personne ne lui en eût donné l'ordre. A l'état-major, on l'avait considéré avec surprise et peut-être même de l'agacement. « On vous convoquera. » « Et ma solde ? » On l'avait regardé d'un tel œil qu'il n'avait pas insisté. D'ailleurs son oncle avait promis de faire en sorte qu'il pût continuer à recevoir le montant de sa bourse d'études, ainsi rien finalement n'avait tellement changé, sinon qu'il était vêtu en officier et n'avait même plus à suivre les cours de la faculté. Et cela dans une Phnom Penh de plus en plus amusante, où s'ouvraient chaque jour de nouveaux bars, de nouvelles boîtes de nuit, des bordels supplémentaires. Puisqu'on attendait les Américains. Le moment était enfin venu de récupérer un peu de cette manne jusque-là dispensée à ces seuls horribles Vietnamiens si chanceux.

Quant à la situation militaire en général, qui s'en souciait ? La légendaire douceur de vivre de Phnom Penh continuait d'exercer ses effets.

Sur le coup d'Etat lui-même et les changements qu'il avait introduits, Suon Phan était d'une opinion miraculeusement incolore. Il avait pris part, d'assez loin, à des discussions sur le sujet avec ses camarades étudiants. Presque tous parlaient de révolution; mais si les uns baptisaient ainsi les bouleversements entrepris par Lon Nol et Sirik Matak, d'autres considéraient, à mots plus couverts, que la vraie révolution était celle à venir, et qui se préparait dans la forêt, avec Khieu Samphan, Ieng Samboth et les autres, ralliés à Sihanouk. Le massacre des Vietnamiens, l'expulsion de l'université d'étudiants de nationalité khmère mais d'origine ostensiblement vietnamienne, avaient certes un peu troublé les esprits. Pour certains, la minorité, les Vietnamiens n'avaient pas volé ce qui leur arrivait; et d'utiliser la vieille expression française : « C'est bien fait pour leur gueule. » Pour beaucoup, que ce carnage avait gênés, il s'était simplement agi d'une de ces bavures qui accompagnent tous les grands événements de l'histoire (autre vieille expression française : « On ne fait pas d'omelette, etc. »). Et après tout, c'était vrai que ces foutus Vietnamiens rêvaient depuis toujours de faire passer sous leur contrôle le Laos et le Cambodge, voire un bon grand morceau de la Thaïlande. Sur ce point Suon Phan, qui n'était pas précisément un excité, rejoignait les plus ardents.

Et puis pour Phan, après trois jours de bonheur parfait sous son bel uniforme, tout avait changé brusquement. Dans l'après-midi du 27 mars, alors qu'il commençait à si bien s'habituer à la dolce vita phnom-penhoise, le ciel lui était tombé sur la tête, sous la forme d'une convocation : « Vous êtes affecté à la défense de Kampot, à compter du jeudi 28 mars, six heures du matin... » Affolé, il avait couru chez son oncle, qui avait su si bien le protéger jusque-là. L'oncle avait avec regret avoué son impuissance : l'ordre émanait du général Sosthène Fernandez en personne, ci-devant chef de la police emprisonné par contrebande et concussion mais qui venait d'effectuer un rétablissement spectaculaire en trahissant au passage Sihanouk, qu'il combattait à présent après l'avoir défendu. « Je ne peux rien faire », avait dit l'oncle qui, trafiquant lui-même sur l'essence du gouvernement, revendue pour son compte personnel, avait eu dans ce trafic maille à partir avec le général Sosthène, et depuis les deux hommes étaient un peu fâchés.

Déjà accablé par cette nouvelle qu'il devait partir pour la guerre, Suon Phan avait dans la soirée du même jour reçu le coup de grâce : non seulement son départ pour le carnage devait s'effectuer le lendemain à l'aube, mais encore il allait partir sous les ordres d'un fou furieux dont il n'avait que trop entendu parler (on lui avait raconté l'affaire des deux cents Vietnamiens fauchés à la mitrailleuse et d'autres espiègleries du même genre, sinon plus épouvantables encore), qu'on continuait à appeler le capitaine Kao, bien qu'il fût officiellement passé commandant.

Et là, juste devant son nez, si proche qu'il aurait pu en actionner la détente, se trouvait maintenant la célèbre mitrailleuse montée sur le capot.

– Tu as déjà tué quelqu'un? demanda Kao.

Phan secoua la tête, puis se hâta de dire :

– Non, mon commandant.

Kao lui tapota le genou.

– Ne crains rien, petit : je vais t'apprendre.

5

A Kompong Cham, dans les premières heures de la matinée du 28 mars, il y eut une sorte de trêve. Un signe pourtant ne trompait pas : toutes les boutiques chinoises demeurèrent closes et aucun paysan ne vint au marché. Un silence accablant s'étendit sur la ville et Roger qui se rendait à pied jusqu'à l'hôtel pour voir si Donaldson était encore de ce monde, Roger se découvrit à un moment complètement solitaire dans une petite avenue déserte, bordée par les villas élégantes des directeurs de plantations.

Comme il s'y attendait, il trouva l'Anglais endormi, ronflant comme un sonneur de Westminster, et strictement imperméable à tout appel. Il abandonna le match et gagna la salle de restaurant au rez-de-chaussée, y rencontra deux jeunes assistants de la plantation de Chhuup en train de boire des cognacs-soda. Ils le convièrent gaiement à partager leur petit déjeuner. Ils lui précisèrent qu'ils étaient bourrés comme des coings, et qu'en outre huit heures du matin était pour eux une heure fort avancée de la journée, étant donné que leur travail consistait presque uniquement à se lever au cœur de la nuit afin de distribuer équitablement des coups de pied aux culs des saigneurs prenant eux-mêmes leur poste.

– Mais nous n'avons plus de saigneurs. Ce qui n'est d'ailleurs pas très grave, puisque nous n'avons plus d'hévéas non plus. Est-ce que vous avez déjà vu huit millions d'hévéas arrosés de produits défoliants ?

Roger dit que non, qu'il n'avait jamais vu ça, ou du moins pas encore. Il refusa avec la dernière énergie le cognac-soda qu'ils voulaient lui faire boire et accepta un café. Il leur demanda :

– Si vous n'avez plus ni saigneur ni hévéa, qu'est-ce que vous pouvez bien foutre encore ici ?

– Notre contrat, expliqua d'une voix pâteuse le plus jeune des garçons. Il parlait avec la solennité des ivrognes et l'accent de Castelnaudary.

– Notre contrat stipule impérativement que nous devons nous lever à trois heures trente tous les matins sauf le dimanche. Ce n'est pas dimanche. Nous nous levons.

– Autrement, dit l'autre, ces sacrés foutus salopards nous feraient sauter nos primes de vacances.

Le premier prit Roger dans ses bras et l'embrassa sur la joue droite.

– Vous m'êtes exceptionnellement sympathique. Je m'en vais vous confier un secret : nous haïssons ces putains d'hévéas, en fin de compte.

– En fin de compte, dit l'autre, on est même ravis qu'ils soient tous crevés. Vlan !

Les bras en croix et la bouche ouverte, il mima un hévéa moribond ou tout à fait mort.

– Prenez le premier avion et rentrez en France, dit Roger.

Deux paires d'yeux troubles le dévisagèrent comme s'il avait proféré une énormité.

– Ce pays est foutu, reprit Roger avec lassitude et le sentiment d'avoir cent ans. Vous n'avez plus rien à y faire.

Il s'attendit à ce qu'ils lui répondent : « Et vous ? » mais au même instant le grondement des moteurs de plusieurs véhicules et les vociférations d'un haut-parleur le firent se lever.

– Croyez-moi, dit-il, foutez le camp. Pendant qu'il en est encore temps.

Il sortit, sans toucher au café qu'on venait de lui servir. Il découvrit un camion et deux Renault 16 noires qui avançaient lentement, le premier suivant les secondes. Le haut-parleur se trouvait sur la cabine du camion; une voix criarde en sortait, s'exprimant en khmer. Les trois véhicules arboraient des drapeaux bleu, rouge, bleu en trois bandes horizontales, les tours blanches d'Angkor Vat sur la partie centrale rouge. A tout hasard, Roger prit une photo et puis, sur une dernière hésitation, se mit à marcher derrière le camion, qui allait au pas, dont le plateau était vide.

Il se passa alors quelque chose d'étrange qui, sur le moment, lui parut presque comique. Un, puis trois, puis dix, puis des dizaines de Cambodgiens hommes et femmes, sortant des rues et des maisons, vinrent se joindre à lui, marchant à ses côtés, surtout derrière lui, aucun ne le dépassant; et leur troupe augmentait sans cesse. Le haut-parleur vociférait toujours. « Si au moins je comprenais ce qu'il dit! » pensa Roger, vaguement chatouillé par une envie de rire : il revoyait la merveilleuse scène des *Temps modernes* de Chaplin où le héros, ayant par gentillesse ramassé une pancarte dans la rue, se trouve dans la seconde suivante à la tête d'une manifestation de grévistes. Mais Roger vit que nul ne le dépassait et, alors seulement, il pensa à scruter les visages de ces gens qui l'entouraient. Et il prit peur en découvrant ces regards vides. Il avisa son voisin le plus proche :

– Qu'est-ce qui se passe?

Il avait touché le bras de l'homme; celui-ci se dégagea avec douceur, mais sans même tourner la tête. Le cœur de Roger bondit, en alerte. « Sors-toi de là, imbécile! » D'un seul coup, il s'immobilisa, serrant ses appareils sur sa poitrine, arrondissant machinalement le dos. Ceux qui le suivaient immédiatement le heurtèrent, surpris par son arrêt subit, mais il tint bon et peu à peu, une fente se dessina dans la masse humaine, qui s'écoula bientôt de part et d'autre de lui, se refermant aussitôt après l'avoir dépassé. Roger vit le camion s'éloigner et le haut-parleur continuait à tonitruer.

« A quoi diable est-ce qu'on joue? Au Joueur de Flûte de Hameln? » Ce camion hurlant dans une langue incompréhensible et ces gens suivant en silence lui paraissaient soudain extraordinaires et inquiétants. Jouant des coudes, il gagna le trottoir puis se hissa sur le muret de clôture d'un petit immeuble d'habitation à trois étages. A la hauteur de ses genoux, c'était une véritable forêt de têtes qui avançait; qui stoppa d'un même mouvement. Le haut-parleur se tut brusquement et dans le silence, il n'y eut plus que le piétinement de milliers de pieds mais pas un murmure. Roger sentit un frisson le parcourir.

– Qu'est-ce qui se passe?

Aucun visage ne se leva même vers lui. Mais une voix retentit dans son dos.

– Ce sont deux députés qui arrivent de Phnom Penh. Ils disent qu'ils ont quelque chose d'important à annoncer.

Fourrageant dans les larges poches de son gilet de toile à la recherche d'un film neuf, Roger se retourna et vit un Cambodgien à lunettes, d'environ cinquante ans, qui se tenait à la fenêtre du premier étage de l'immeuble, à trois mètres de lui.

– Quelque chose d'important? Quoi?

L'homme aux lunettes haussa les épaules sans répondre. Roger chargea le Canon, en monta le viseur devant son œil, cherchant le camion sans le trouver : un flamboyant le lui dissimulait. Il fit quelques pas sur le muret mais sans pour autant améliorer son angle de vision. Le haut-parleur se taisait toujours. Roger se retourna vers l'homme aux lunettes :

– Est-ce que je peux monter chez vous?

L'autre ne broncha pas et plus agaçant était qu'il suivait des yeux, fasciné, un spectacle dont Roger lui-même ne pouvait rien voir. A moins de redescendre dans la foule, ce à quoi il ne pouvait se résoudre.

– Monsieur, demanda Roger, en haussant le ton dans le silence total, est-ce que je peux monter chez vous ? ou alors sur le toit ?

L'homme aux lunettes lui jeta un coup d'œil agacé de quelqu'un que l'on dérange dans sa contemplation.

– Montez, je vais vous ouvrir.

Roger le retrouva sur le palier du premier étage. Ensemble ils gagnèrent le haut de l'escalier et par une porte métallique fermée mais dont l'homme avait la clef, ils accédèrent au toit plat de l'immeuble.

– Vous êtes français ?

– Evidemment, dit Roger.

– Comment l'avez-vous su ?

Roger contourna deux petites cheminées rondes et parvint au bord du toit. Il se pencha : le camion était juste sous lui, à la verticale, dix ou douze mètres plus bas.

– Su quoi ?

– Que les députés allaient venir.

Sur la plate-forme du camion, deux hommes en costume clair et cravate attendaient qu'un troisième, celui-là en chemise à manches courtes, eût fini de régler le microphone sur pied. Roger ne distinguait pas les visages, uniquement le sommet des crânes, mais...

– Par hasard, dit-il. Je suis à Kompong Cham par hasard.

... Mais il voyait la foule. « Tout Kompong Cham est là. »

– Cette nuit, dit l'homme aux lunettes, plusieurs hommes de la garde provinciale ont été tués. On leur a pris leurs armes.

Rien dans son ton n'indiquait s'il approuvait ces meurtres ou s'il les condamnait. Il ajouta :

– Les députés sont venus expliquer pourquoi le gouvernement a destitué Samdech Sihanouk.

Roger s'assura que le Rollei était chargé puis, au

dernier moment, il lui préféra le 24 × 36. Il prit plusieurs clichés de la place, des rues noires de monde. Il revint au Rollei pour photographier la plate-forme du camion. Le haut-parleur retentit soudain mais c'était le technicien qui faisait un essai :

— Moüï, pi, baï, boun, pram... Un, deux, trois, quatre, cinq...

Roger reconnut au moins les chiffres.

— C'est dur de faire comprendre les choses aux paysans, dit l'homme aux lunettes.

— Vous êtes pour Lon Nol? demanda Roger, que la dernière remarque de son compagnon avait éclairé.

— Je suis anticommuniste, dit l'homme. Je suis contre ces Vietcongs qui enhavissent le Kampuchea. Ce qui s'est passé à Phnom Penh...

Il n'eut pas à finir sa phrase. L'un des députés s'était mis à parler et sa voix répercutée par le haut-parleur couvrit tout. Il parla pendant à peu près une minute et les premières huées s'élevèrent.

« Ça va mal finir. »

Il était soudain absurdement heureux d'être sur ce toit, hors d'atteinte. Soudain, dans la mer humaine à une cinquantaine de mètres en face de lui, un mouvement se produisit et un vide se créa. Dans son viseur, Roger saisit au vol le mouvement de l'homme lançant la pierre. Des hurlements succédèrent aux huées. Le haut-parleur rugit, luttant pour dominer le tumulte. L'œil collé à son appareil, Roger mitraillait la foule et il fallut un cri de son compagnon pour lui faire comprendre que l'essentiel n'était pas là. Il ramena son regard sur le camion, juste à temps pour apercevoir les dizaines de mains s'agrippant comme des serres aux ridelles de métal du camion. Il assista à la ruée et dans la seconde qui suivit, la plate-forme sous ses yeux fut envahie par une horde hurlante. Les corps des députés furent hissés à bout de bras, projetés dans la foule qui les accueillit avec des clameurs sauvages. Ils reçurent d'abord de simples coups de poing, qui les repoussaient et les rejetaient au°sol mais dont ils finissaient toujours par se relever. Mais bientôt ces gouges fines et étincelantes, à manche de bois, dont se servent les saigneurs pour entailler les hévéas, ces gouges apparurent et le sang se mit à couler. Et ceux qui n'avaient pas de gouges se servirent de bâtons, de couteaux et de coupe-coupe, de leurs ongles et de leurs dents, tous s'efforçant de porter au moins un coup, fût-ce un seul, comme s'il était essentiel, rituel, que chacun eût sa part du carnage des deux députés qui cessèrent alors de se débattre et qui, très vite, cessèrent même d'avoir l'air humain.

6

A Kompong Thom, à la même heure, le bungalow était silencieux et parfaitement désert, à l'exception d'un serveur cambodgien qui, du fait de la disparition de l'ancien directeur vietnamien et de la fuite du « bep », se trouvait désormais investi de la double responsabilité de la gestion et de la cuisine. Il servit les bières que Lara et Kutchaï lui commandèrent et pour le reste parut ignorer leur présence, allant s'asseoir dans l'ombre, sur les marches de l'escalier, son visage noir presque invisible, peut-être écrasé par sa promotion.

Lara et Kutchaï repartirent après une pause d'une vingtaine de minutes. Ils n'allèrent pas plus loin que le pont sur le Stung Sen. Des parachutistes sereïs avaient pris position aux alentours du lycée, sur la gauche de la route et avaient même commencé à transformer en fortin le bâtiment central.

– Où allez-vous?

– Phnom Rovieng.

L'officier était un capitaine aux cheveux taillés en brosse. Il avait un visage lisse et ouvert. Il secoua la tête.

– Je ne peux pas vous laisser aller là-bas, vous mettriez vos vies en danger.

La conversation s'était jusque-là déroulée en français. Lara se mit à parler cambodgien :

– Je suis né dans ce pays. J'y suis à ma place autant que vous. Ma maison se trouve au nord de Phnom Rovieng, je vais y aller et je vais en revenir. Vous pouvez toujours me faire tirer dans le dos.

Il remonta dans la 504 que Kutchaï n'avait pas quittée, contourna avec décision les chevaux de frise et accéléra. Une minute plus tard, il roulait en trombe sur la piste de latérite.

– Ce n'est peut-être pas la peine de casser la voiture, remarqua Kutchaï d'un ton prudent. On en aura besoin pour revenir, de toute façon.

– Tu peux toujours descendre.

Kutchaï applaudit.

– Bravo ! Moi Kutchaï pauvl'Khmel, c'est avoil beaucoup les chocottes.

Mais un peu plus loin Lara ralentit d'un coup, prit une allure normale. Il frappa de son poing fermé le volant gainé de cuir.

– Je sais, dit Kutchaï. Moi aussi.

Le jaraï alluma leur quatorze ou quinzième cigarette en trois heures et demanda :

– Tu as des nouvelles de Christiani ?

– Non.

Le débarquement était en fait prévu pour la nuit du 28 au 29 mars.

– Il a peut-être eu des ennuis. Tu lui as demandé beaucoup.

Lara hocha la tête. Son calme était revenu. Le nuage de poussière soulevé à l'arrière de la voiture, après avoir blanchi, redevint rouge de nouveau, à mesure que le sable de la piste redevenait latérite.

– Quant à Roger, dit Kutchaï, il est à Kompong Cham avec son Anglais. J'ai oublié le nom.

– Donaldson.

– C'est ça, Donaldson. Il a une sacrée réputation. Notamment celle de porter malheur aux photographes qui l'accompagnent. C'est pour ça qu'on l'appelle l'Ombre Noire. A ce qu'on m'a dit, il en a perdu un en Corée, un autre en Malaisie et le troisième il y a un an au Vietnam. Tu devrais peut-être le dire à Roger.

– Il le sait.

– Et qu'est-ce qu'il t'a répondu?

Le regard de Lara.

– Ça va, dit Kutchaï. Si je t'emmerde, n'hésite pas à me le dire.

La forêt-clairière, grandes étendues d'herbe jaune piquetées des fûts de cocotiers, céda la place à la forêt. La chaleur sèche devint humide, sans pour autant en être plus supportable, au contraire. Kutchaï parlait encore, comme s'il se parlait à lui-même.

– D'après Ieng, il n'y a actuellement au Cambodge pas plus de quatre à cinq mille Khmers rouges. Et ils sont armés n'importe comment. Un fusil pour deux, à la grosse mode.

– *Grosso modo.*

– C'est pareil. Et ils ne sont même pas d'accord entre eux : il y a ceux qui ne jurent que par Hanoi et Moscou – Ieng les appelle les staliniens et ça m'étonnerait que ce soit affectueux; et puis il y a les pro-Chinois. D'après Ieng toujours, il y a une troisième catégorie : lui.

Kutchaï avait rencontré Ieng Samboth quatre jours plus tôt, à quelques kilomètres à l'ouest de Pursat, alors que Ieng et son détachement étaient en route vers le point de rendez-vous avec Christiani, sur la côte thaïe.

La 504 déboucha devant le petit pont de bois au-dessus de l'arroyo. Lara stoppa, mit pied à terre et alla inspecter les poutres et les planches du tablier. Il n'était pas venu à la plantation depuis plus de deux mois, exactement depuis le jour où ils s'y étaient arrêtés, Kutchaï et lui, à leur retour des plateaux moïs de Ratanakiri, où ils avaient vu Ieng Samboth.

Il revint vers la voiture, s'accouda à la portière.

– Tu peux rentrer ton artillerie, Jim La Jungle. Mais

les poutres ont été sciées. On aurait essayé de passer, on partait en bas.

Kutchaï mit à son tour pied à terre. Il alla constater les dégâts : les quatre énormes poutres de teck avaient été soigneusement sciées par en dessous et ne tenaient plus que par quelques millimètres de bois. Un homme en moto les aurait décrochées. A plus forte raison une Peugeot 504 ou une Land-Rover.

– Rath.

– C'est bon de savoir que quelqu'un pense à vous, dit Lara, impassible.

Il décolla son coude de la portière.

– Allons-y.

Il leur fallut faire un long détour pour franchir l'arroyo. Un regard avait suffi à Kutchaï pour s'assurer que Lara et lui avaient pensé à la même chose et éprouvé le même sentiment devant ce silence et cette sensation de vide émanant des abords de la plantation. Normalement, en cette mi-journée, ils auraient dû capter les abois des chiens, les bruits familiers, les fumées du village des saigneurs. Et de la maison de bois noir, établie comme un grand insecte entre les arbres et les fleurs, aurait dû leur parvenir le témoignage de la présence de Bath, le cuisinier, et de sa famille.

Il n'y avait rien.

Juste à l'instant de sortir de l'ombre des arbres et de s'avancer en espace découvert, Lara immobilisa Kutchaï d'un geste.

– Attends-moi.

– Pourquoi toi ?

– J'ai deux mois de plus que toi.

– Si tu te fais tuer, je vais être de mauvaise humeur, je te préviens.

Ils chuchotaient, leurs yeux en alerte. Lara allongea le bras et ses doigts touchèrent l'extrémité de ceux de Kutchaï. Il franchit les derniers mètres de forêt et émergea dans la lumière éclatante, constellée de poussières dorées en suspension. « Si Rath nous a guettés, c'est maintenant qu'il attaquera. Mais pourquoi aurait-il attendu ? » Kutchaï ne quittait pas des yeux la haute et mince silhouette de Lara, tandis que ce dernier progressait avec une extrême lenteur vers la véranda et, avec des précautions identiques, en escaladait les marches. Une, deux minutes s'écoulèrent, dans un silence de mort. « Qu'est-ce qu'il fout ? »

Lara ressortit enfin de la maison; il eut un geste vague de la main pour indiquer au Jaraï qu'il pouvait le rejoindre; il s'adossa à la paroi de bois noir, y appuyant même sa nuque, le regard dans le vide.

Kutchaï quitta à son tour le couvert, mettant ses pieds exactement là où Lara les avait mis. Il nota lui aussi le fil très fin relié à la deuxième des marches et, comme Lara l'avait fait, évita de toucher cette dernière. Il connaissait le système de piégeage, au demeurant fort simple : il suffisait de détacher la marche de l'un de ses appuis, un pied la faisait basculer, le fil se tendait, la grenade explosait.

Kutchaï rejoignit Lara sur la véranda, marqua un court arrêt pour le dévisager. Lara ne tourna pas la tête, ses mains entre la cloison noire et lui, le visage livide, les lèvres amincies. Kutchaï entra dans la maison et vit d'abord la femme de Bath, écartelée au milieu du plancher, avec un épouvantable débris sanglant dans sa bouche démesurément ouverte. Les quatre enfants étaient pareillement cloués au plancher, par des gouges de saigneur utilisées comme des pieux. Enfin Bath lui-même était pendu par les pieds, le fil de fer ayant servi à le pendre enfilé dans sa chair, jambes écartées, obscène et effrayant; et il avait fallu autant d'imagination que de diabolique patience pour lui faire ce qu'on lui avait fait. Toutes ses plaies étaient noires, sous l'effet du sang coagulé et séché, et donc déjà anciennes, remontant à peut-être deux ou trois jours; à l'exception d'une seule, à la gorge où l'on avait tranché la carotide : cette blessure-là était récente, datant d'une minute à peine et

Kutchaï vit par terre le couteau dont Lara venait de se servir, pour achever miséricordieusement le supplicié.

Un instant, Kutchaï eut la tentation de parcourir la maison, d'aller notamment jusqu'à sa chambre où il aurait aimé ramasser quelques objets personnels. Il voyait bien qu'en dehors des six cadavres, rien n'avait été touché, ni les disques, ni les livres, ni les deux ou trois bibelots. Mais il savait que le risque était trop grand : il n'y avait sans doute aucun endroit de la maison qui ne fût piégé, tout l'indiquait. Ces fils tendus en tous sens, ces fins traits de scie sur les lames du plancher, ce livre ou ce disque dépassant d'un alignement... Kutchaï, peut-être même plus encore que Lara, connaissait les techniques : il était probable que nombre de ces pièges si apparents n'étaient que des leurres; mais il avait également vu quantité de ces machines étranges, fantastiquement compliquées, jusqu'à la poésie pure, que ses compatriotes jaraïs, ou les Brao ou les Kuy étaient capables d'inventer, de monter à seule fin de tuer un ennemi. Et il avait assisté à la mort horriblement douloureuse d'un éléphant ou d'un tigre, voire d'un homme, touchés par de minuscules fléchettes empoisonnées.

Il ressortit, avec la même prudence. Lara n'avait pas bougé, le visage à peine moins livide à présent. « Oreste et maintenant ça, pensa Kutchaï. Ça fait décidément beaucoup pour un seul jour. » Il dit à haute voix :

– Moins on restera ici et mieux ça vaudra. Il est possible que notre arrivée ait été signalée à Rath et que ce fou soit déjà en route pour venir nous faire un poutou. Je n'ai pas tellement envie de l'attendre.

Il quitta la véranda, choisissant avec soin l'endroit du sol où il mettait le pied. Il fit quelques pas, se retourna. Lara ne bougeait pas.

– Allez, viens, merde !

Il se mit à marcher vers l'usine et Lara finit par le rejoindre. Ils ne tentèrent même pas d'entrer dans les bâtiments de l'usine et, s'aidant d'une vieille pelle et d'un épieu de bois, ils se mirent à creuser le long du mur en agglomérés.

– Ieng t'a parlé de Rath ?

– Simplement pour me dire qu'il commandait les Khmers rouges de la province de Kompong Thom. Ils ne s'entendent pas trop, Rath et lui, à ce que j'ai cru comprendre. Mais Rath serait le grand copain de Saloth Sar, qui le protège. Ça n'a rien de surprenant d'ailleurs : ils sont aussi fous l'un que l'autre.

La terre ouverte sur quarante centimètres laissa apparaître des planches. Lara et Kutchaï les soulevèrent et découvrirent la cache, qui contenait quatre bidons de vingt-cinq litres d'essence, trois fusils d'assaut SIG 530-1, chacun muni de vingt chargeurs de trente cartouches, un minuscule pistolet mitrailleur Skorpion avec silencieux et enfin un PM israélien UZI à large bouton d'armement, l'un et l'autre accompagnés de vingt chargeurs.

– Saloth Sar a changé de nom, paraît-il ?

– Oui. Il se fait appeler Pol Pot.

– Tu sais pourquoi ?

– Aucune idée, dit Kutchaï en haussant les épaules.

Il fallut aux deux hommes une demi-heure pour transporter toutes les armes et leurs munitions jusqu'à la 504. Ils avaient laissé les bidons à proximité de la maison.

– J'aimerais le faire moi-même, si tu es d'accord, dit Lara.

– Symbolique ?

– Voilà, dit Lara.

– Mais je peux tout de même t'aider à porter les bidons ?

– Tu peux.

Kutchaï alla déposer un bidon à chaque angle de la maison puis s'écarta, reprenant en main l'UZI qu'il avait nettoyé et dans lequel il avait enclenché un chargeur. Il regarda Lara arroser d'essence la véranda, sur les quatre côtés. La nuit s'annonçait par des signes discrets et les traditionnelles escadres de chauves-souris géantes commencèrent à apparaître dans le ciel. Un poignant sentiment de tristesse s'empara du Jaraï qui comprenait que quelque chose, sous ses yeux et à cette même minute, était en train de mourir, après quoi rien plus jamais ne serait pareil. La maison qui allait brûler avait été construite, pas sous sa forme actuelle mais l'important n'était pas là, par l'arrière-grand-père de Lara. Le père de Kutchaï et celui de Lara y avaient grandi ensemble, déjà liés, le Barang et le Jaraï sauvage, par cette amitié peu banale pour cette époque. « Et pas seulement à cette époque. Même aujourd'hui. » Combien de Français – mais la nationalité n'était pas en cause, on aurait pu faire la même remarque à propos des Britanniques aux Indes, des Hollandais en Indonésie, de n'importe quel Occidental n'importe où – combien de Français nés dans ce pays, y ayant toujours vécu et sans aucun doute l'aimant, combien pouvaient en toute franchise citer des noms d'amis cambodgiens, vietnamiens, laos véritables ? En cet instant, les mots de Ieng Samboth revinrent à la mémoire de Kutchaï, les mots de Ieng s'adressant à Lara, dans la pénombre de la case moï survolée par les B 52 américains : « Lara, il n'y a jamais eu dialogue entre vous et nous. Jamais. Rien qu'un monologue où nous ne pouvions que rarement placer un mot. J'ai lu vos livres d'histoire : ils racontent l'histoire de l'Occident. Ils disent par exemple que l'Occident a inventé la démocratie. Quand la démocratie a-t-elle été inventée ? En Grèce où neuf habitants sur dix étaient des esclaves et des métèques ? A Rome, où seuls les citoyens romains avaient droit de cité ? En Grande-Bretagne, où mieux valait ne pas être Irlandais catholique ? Au moment de cette prétendue Révolution américaine après laquelle il a fallu attendre cent ans et plus pour que les nègres en bénéficient, quand ils en bénéficient ? Alors quand ? Par leurs prétendues démocraties populaires ? Ou par la Révolution française aussitôt transformée en un empire guerrier laissant ensuite la place à un régime dominé par la grande bourgeoisie industrielle ? »

Lara revenait, le visage extraordinairement figé par l'effort qu'il faisait pour demeurer impassible. L'odeur puissante de l'essence empuantissait tout. Lara tenait dans sa main une torche improvisée avec le chiffon qui enveloppait les armes. Il prit son briquet de la main gauche, l'alluma. Le chiffon imbibé se mit à brûler avec une flamme bleue presque invisible.

Kutchaï suivit le lent envol du brandon. Il le vit retomber sur la véranda et pendant quelques secondes, il put croire que rien n'allait se passer. Puis une flamme courut à ras du bois noir, d'abord bleue et ensuite virant au rouge orangé. Il y eut comme une explosion sourde et, avec une extraordinaire simultanéité, tout s'embrasa, les flammes escaladant le ciel qui commençait décidément à s'assombrir, dépassant la crête des tecks de la forêt. Fasciné, Kutchaï ne parvenait pas à détacher ses yeux du brasier. Il se décida enfin à s'arracher à sa contemplation. Il tourna la tête et ne vit plus Lara. Il se mit à courir, tenant à deux mains le fût et la crosse métallique de l'UZI qu'il avait négligé de replier. Une dernière fois, juste avant de s'engager sous les arbres, il s'accorda un coup d'œil et ne vit plus qu'un immense feu rouge orangé dans lequel les formes géométriques et fines de la maison de bois noir ne se dessinaient presque plus. Il sentit les premières émanations de la chair grillée et, la forêt se taisant, n'entendit qu'un crépitement doux et triste. Décevant : très confusément, Kutchaï s'était attendu à une sorte de grand bûcher de fin du monde, qui aurait éclaté et tonné, mais l'agonie était silencieuse, quasi muette.

– Et vous n'avez rencontré personne ? leur demanda l'officier qui avait installé son poste de commandement dans le lycée de Kompong Thom, occupant ce qui avait dû être le bureau du directeur. Curieusement, sans doute par négligence, il n'avait pas ôté du mur le portrait de Sihanouk.

– Personne.

– Vous êtes monsieur Lara.

Ce n'était pas une question, il affirmait. Il ramassa sur la table le pistolet qu'il y avait posé et le remit dans son étui.

– Et maintenant vous rentrez à Phnom Penh?

Lara acquiesça.

– Comment avez-vous retrouvé votre maison?

– Brûlée, dit Lara, sur un ton d'indifférence.

L'officier le précéda à la sortie du bureau et le raccompagna jusqu'à sa voiture. Il considéra la Peugeot couverte de poussière et, pendant quelques instants, Kutchaï craignit qu'il ne leur demandât d'ouvrir le coffre où se trouvaient les armes.

Mais le capitaine pensait à autre chose :

– On m'a parlé de vous, dit-il à Lara. Ici, tout le monde vous connaît. On m'a également parlé d'un autre Européen qui s'occupait de votre plantation. Un Corse.

– Il est reparti pour la France aujourd'hui.

– Il ne reviendra pas?

– Non.

La nuit était complètement tombée. Les crapauds-buffles du Stung Sen lançaient leurs croassements rauques et rythmés et dans les intervalles où ils consentaient à se taire, les grillons parvenaient à se faire entendre. La chaleur n'avait absolument pas baissé, épaisse et moite.

– On m'a dit que vous et votre famille étiez dans cette région depuis très longtemps.

– Très longtemps.

Un temps.

– Vous pourriez dîner avec moi, proposa l'officier, presque timidement.

– Merci, répondit Lara de sa voix lente et douce. Mais on m'attend à Phnom Penh. Ma femme s'inquiéterait.

Ils entrèrent dans Phnom un peu avant onze heures, ayant subi un seul contrôle de routine qui ne poussa pas jusqu'au coffre.

– Tu viens coucher à la maison? Lisa et Mathias sont chez les Korver. Je ne voulais pas les laisser seuls et puis j'attends des nouvelles de Christiani qui devrait téléphoner. La maison de Phsar Dek est vide.

Kutchaï secoua la tête.

– Non, merci. Embrasse-les pour moi.

– Sûr?

– Sûr.

– Je te dépose où?

– Ici, ça ira.

Ils arrivaient à l'entrée de la rue Kol de Monteiro à l'extrémité de laquelle, à la lueur des réverbères rectangulaires, se profilait la silhouette massive du stade olympique. Lara s'arrêta, se rangea le long du trottoir. Il y eut un silence. Kutchaï fouillait ses poches à la recherche d'une cigarette.

– On aurait dû en acheter à Kompong Thom.

– Dans la boîte à gants, dit Lara. Il doit y avoir un vieux paquet.

Le vieux paquet en question contenait cinq cigarettes, de surcroît toutes froissées et humides.

– Déshabille-toi, quand tu prends ta douche, dit Kutchaï.

L'allume-cigare du tableau de bord ne marchait plus depuis au moins deux ans. Le claquement du Zippo de Lara.

– Quelle journée! dit le Jaraï.

Lara avait complètement renversé la tête en arrière et contemplait le plafond de ses yeux clairs. Kutchaï reprit :

– Et Bê est mort, avec à peu près toute sa famille. D'accord, c'étaient des vietnamiens. Mais pas Bath. Je sais ce que tu vas me dire : Rath est fou. Il faut être fou pour faire ce qu'il a fait à Bath, à sa femme et à ses enfants. Mais c'est arrivé. Tu sais aussi bien que moi qu'avec ce pont scié, tous ces pièges, Rath n'espérait pas vraiment nous avoir. Pas plus d'ailleurs qu'il n'en voulait à Bath. Il a voulu nous avertir, t'avertir. C'est probablement pour ça qu'il ne s'est pas dérangé pour nous recevoir. Bien sûr, c'est peut-être parce qu'il n'a pas été averti à temps de notre arrivée. Peut-être. Je sais qu'il y a cinq jours, il se trouvait à l'est de Kompong Thom. En ce moment, je n'ai pas la moindre idée de l'endroit où il se cache. Et quand je dis se cacher, c'est façon de parler : la moitié du Cambodge est entre les mains du Vietcong, et les Khmers rouges, pour l'instant, n'ont rien à craindre des types de Hanoi. Non Lara, la vérité, c'est ça : Rath a voulu te prévenir. Ce qu'il a fait à la maison, ça veut dire : Lara, fous le camp.

Kutchaï étendit devant lui sa main qui tenait la cigarette : il avait des mains aux dimensions presque anormales, aux doigts largement spatulés à leurs extrémités, d'une force incroyable.

– Oh! merde! dit-il. Je ne voulais pas t'en parler. De toute façon, parler ne sert jamais à rien. Au contraire. Ça embrouille tout. Ce qui compte, c'est ce qu'on sent.

Le mégot de sa cigarette commençait à lui brûler les doigts. Le prenant entre les ongles du pouce et de l'index, il en aspira une dernière bouffée puis l'expédia au-dehors, le regardant se consumer sur les dalles disjointes du trottoir.

– Bon. Puisque j'y suis... Ieng m'a parlé de toi. Ça, pour ce qui est de lui poser un problème, tu lui en poses un. Il m'a demandé si je savais ce que tu ferais, au cas où les Khmers rouges prendraient un jour le pouvoir.

Lara contemplait toujours le plafond. Il demanda :

– Quand t'a-t-il posé cette question?

– La dernière fois que je l'ai vu, près de Pursat. Il allait au rendez-vous de Christiani.

– Après le coup d'Etat, donc, dit calmement Lara.

– Après. Oui, il savait que Sihanouk venait d'être destitué. Ça a de l'importance?

– Ça change pas mal de choses. Les Khmérs rouges se sont ralliés à Sihanouk. S'ils l'emportent un jour, ils le ramèneront à Phnom Penh.

Kutchaï haussa les épaules :

– Peut-être bien.

– Sûrement, dit Lara.

Lui aussi venait de jeter sa cigarette achevée. Il en prit une autre, imité par Kutchaï.

– Et que lui as-tu répondu?

– Espèce de vieille ordure, dit Kutchaï avec douceur, tu sais très bien ce que je lui ai répondu. Tu n'avais pas besoin de me poser la question. J'ai répondu à Ieng que s'il espérait que tu lui réglerais son problème en partant de toi-même, c'est qu'il ne te connaissait pas. Je lui ai dit qu'il n'y aura jamais qu'une façon de te faire quitter ce pays...

Sa main immense se dirigea vers Lara, pouce dressé à la verticale, la pointe de l'index allongé s'appuyant sur la poitrine.

– Baoum!

Il tourna la tête : sur le trottoir le mégot de tout à l'heure ne fumait plus.

– Et il faudrait me tuer d'abord, dit Kutchaï.

De la pagode voisine monta soudain la mélopée aigre et monotone des bonzes entonnant les prières chayantho. Une vieille plaisanterie affirmait que les religieux se contentaient de répéter inlassablement les mots français : « Y en a, y en a pas. » Et la ressemblance était en effet frappante. Kutchaï posa une main sur la poignée de la portière :

– Quand partez-vous pour Sré, Lisa et toi?

– Trois semaines, un mois; dès que Lisa pourra voyager normalement.

– Avec Mathias?

– Evidemment.

– Comment est l'ama?

L'ama – le mot désignait la fonction – était une Chinoise qui était venue s'installer dans la maison de la rue Phsar Dek dès le retour de Lisa de l'hôpital. C'était une forte femme d'une cinquantaine d'années, recommandée par Liu.

– Très bien, dit Lara. Elle est parfaite.

– Un mois.

Kutchaï semblait calculer quelque chose.

– D'ici un mois, la situation risque de changer, dit-il pensivement.

Il ouvrit la portière et parut s'apprêter à quitter la voiture. Mais il se ravisa, laissant toutefois la portière à demi entrouverte.

– Les Rangers et les Marines de Saigon ont des problèmes. Quand ils ont envahi les provinces du Sud, avec l'accord de Lon Nol, ça a d'abord été une vraie promenade : les Viets s'en étaient retirés. Mais ils commencent maintenant à avoir des ennuis. Ils rencontrent de la résistance et vont en rencontrer de plus en plus. D'après mes renseignements, Hanoi va passer à la contre-attaque. A ton avis, combien de temps est-ce que l'armée de Lon Nol va tenir face aux Nords-Vietnamiens? Un mois? Même un mois me paraît beaucoup. Aussi bien, ça va s'effondrer en quelques jours. Sauf si quelqu'un d'autre intervient...

Il hocha la tête.

– D'autant plus que Lon Nol va avoir maintenant un autre problème : les paysans. Les paysans sont pour Sihanouk en masse. C'est le seul qu'ils connaissent. Les effectifs des Khmers rouges augmentent chaque jour et c'est spectaculaire. Et ils portent le portrait de Sihanouk sur la poitrine. Tous ces types plus les divisions d'Hanoi, ça fait lourd. Lon Nol peut sauter d'ici pas longtemps. Dans tous les cas, ça va commencer à tirer dans tous les coins. La guerre. On y va tout droit.

Il scruta le visage de Lara qui avait renoncé à contempler le plafond et avait adapté une position familière : assis légèrement de biais, son épaule gauche et sa tempe appuyés contre le montant de la portière, sa main gauche hors de la voiture et agrippée au toit, son autre main posée à plat sur le volant.

– Tu n'es pas de mon avis ?

– Je ne sais pas, dit Lara.

Il y eut un silence. Puis, par une décision soudaine, Kutchaï mit enfin pied à terre, referma la portière et sur un signe de la main, s'en alla.

7

Il y avait de la lumière au premier étage de la villa des Korver et le grand salon du rez-de-chaussée était également éclairé. Lara trouva Charles et Madeleine dans ce dernier, en train de travailler comme d'habitude à leurs interminables fiches, assis l'un en face de l'autre, de part et d'autre d'une table sur laquelle ils avaient entassé une invraisemblable quantité de livres d'art et d'histoire. A son entrée, ils sourirent à Lara, l'accueillant comme s'il avait passé la soirée avec eux et revenait dans la pièce après une promenade dans le jardin.

– Je croyais Kutchaï avec vous, dit simplement Charles.

– Il a préféré aller passer la nuit je ne sais où. Vous connaissez Kutchaï.

– Une femme dans chaque paillote, commenta Madeleine, acide.

Lara sourit :

– Si encore il n'en avait qu'une par paillote.

Il eut un regard vers l'escalier.

– Non, elle ne dort pas, dit Charles. Elle était avec nous il n'y a pas cinq minutes. Vous avez dîné ?

Lara secoua la tête.

– Je n'ai pas faim.

Il hésitait, massant son épaule, le regard dans le vague. A un moment, il eut le geste machinal de chercher le paquet de cigarettes dans la poche de poitrine de sa chemise-veste, mais la main retomba, vide.

– Si ce sont des cigarettes que vous cherchez, il y en a un plein tiroir derrière vous, dit Charles Korver. Avec tous les paquets que vous oubliez ici à chacune de vos visites, nous aurions de quoi monter un commerce.

– Il fume trop, de toute façon, dit Madeleine qui s'était remise à écrire. Je le lui ai dit un million de fois.

Lara alla au tiroir, prit un paquet, en sortit une cigarette. Puis il se ravisa et partit vers l'escalier, replaçant la cigarette dans le paquet et se mouvant avec cette apparente lenteur silencieuse qui lui était si particulière.

Il trouva Lisa assise dans le lit, un doigt glissé entre les pages de *Nine Stories* de Salinger, dans l'édition de poche Signet. Elle portait une chemise de nuit très légère qui lui découvrait les bras et une bonne partie du buste. Ses cheveux qu'elle n'avait plus fait couper depuis des mois atteignaient à présent ses épaules. Lara demeura quelques instants sur le seuil de la chambre, à la contempler et son regard était à ce point éloquent qu'elle sourit, presque gênée, en baissant un court instant la tête.

– Je t'ai entendu arriver.

Les yeux de Lara la quittèrent enfin et allèrent chercher la porte de communication, légèrement entrebâillée, donnant sur la chambre où devaient dormir l'ama et l'enfant. Il demanda :

– Tout va bien ?

– Très bien, dit Lisa gentiment moqueuse. Merveilleusement. Mon homme est de retour. Alleluiah !

Il vint s'asseoir près d'elle et comme elle, s'adossa à la tête du lit, posant une main sur la cuisse de sa femme.

– Fatigué ?

– Mmmm.

Elle se pencha et l'embrassa sur la commissure des lèvres.

– Bonsoir quand même.

Il avait fermé les yeux. Il rouvrit un œil.

– B'jour M'dame.

– Tu aurais pu au moins aller dire bonsoir à ton fils.

– Je vais y aller.

Mais il referma les yeux, comme s'il se préparait à s'endormir. Quelques secondes, puis :

– Lisa, tu crois que tu pourrais voyager ?

– Si c'était nécessaire, sûrement. Je ne suis pas en sucre. Et pour aller où ?

– Bangkok ou Hong Kong.

– Avec Mathias ?

Il acquiesça, les paupières toujours closes.

– Avec Mathias mais sans toi, c'est ça ?

– Charles et Madeleine pourraient t'accompagner.

– Très certainement, dit Lisa avec le plus grand calme. Charles et Madeleine pourraient très certainement m'accompagner. De même que l'ama, la Ti-Nam et son mari et aussi Seng notre cuisinier. Et sa famille, bien entendu. Et je pourrais également emmener avec moi Douglas Fairbanks que Thomas d'Aquin O'Malley nous a laissé avant son départ. Plus quelques centaines de femmes et d'enfants. Sans parler des chiens que ce dépeuplement subit de Phnom Penh ne va pas manquer de laisser seuls à errer dans les rues.

Elle nota la légère crispation de la main que Lara avait posée sur sa cuisse.

– J'espère n'avoir oublié personne, dit-elle, toujours avec le même calme.

Il se leva et marcha jusqu'à la porte de communication. Le bébé dormait paisiblement, tout aussi paisiblement que l'ama couchée sur sa natte. Lara se pencha sur le berceau, écarquillant les yeux à cause de l'obscurité pour mieux distinguer les traits encore incertains de son fils. Il toucha le berceau de rotin qui oscilla légèrement et aussitôt l'ama ouvrit les yeux. « Non, il n'y a rien. Dors », dit Lara en chinois.

Il finit par revenir dans la chambre, en refermant cette fois la porte derrière lui.

– Excuse-moi, dit Lisa, son doigt toujours glissé entre les pages du livre.

Il secoua la tête, immobile à mi-chemin de la porte et du lit.

– Qu'est-ce qui se passe? Je n'ai pas mis le nez dehors depuis des jours et des jours, sinon pour venir de l'hôpital, mais tout semble calme. Madeleine et Charles affirment que Phnom Penh n'a jamais été plus paisible.

Elle soutint le regard de son mari. Elle ajouta :

– Bien entendu, ils ont pu chercher à me rassurer. Ils l'ont probablement fait.

– Il risque d'y avoir une certaine agitation, dit Lara. Rien de vraiment très grave.

– Mais tu préférerais quand même savoir ta femme et ton fils ailleurs.

Il haussa les épaules.

– Ce n'est qu'une précaution.

Elle considéra la couverture du recueil de nouvelles de Salinger comme si elle en découvrait soudain la présence entre ses mains. Elle vérifia le numéro de la page et posa le livre refermé sur la table de nuit.

– Il y a une chose que je n'accepterai jamais, dit-elle d'un ton tranquille, c'est d'être traitée comme une petite chose fragile qu'il convient de mettre à l'abri sitôt qu'un orage menace. Je ne suis pas une petite chose fragile. *I am not.* Je suis de taille à supporter tout ce que tu peux supporter. Si ce pays est bon pour toi, il l'est pour moi, et pour notre fils. Ou alors il ne vaut plus rien pour aucun de nous et nous devons en partir, mais ensemble. Nous avons toujours été d'accord sur ce point.

Il tripotait machinalement la poche de poitrine de sa chemise couleur sable. Lisa remarqua :

– Je n'ai pas fumé de toute la journée. J'aimerais bien une cigarette maintenant.

Il dut s'approcher pour lui tendre le paquet. Elle le prit par le poignet, l'attira avec une insistante douceur.

– Tu ne veux pas t'asseoir près de moi?

La tendresse était revenue au fond de ses yeux violets et elle s'efforçait de lui sourire. Il lui rendit son sourire et s'assit. Se penchant, il l'embrassa sur les lèvres, d'abord par un simple effleurement puis, passant une main sous sa nuque, avec presque de la violence.

– Hé là! s'exclama-t-elle. Du calme!

Mais ses yeux riaient, bien qu'humides. Elle fit la grimace :

– Est-ce que je t'ai déjà dit que tu fumais trop?

– Tu m'as dit quelque chose comme ça, en effet. Une fois ou deux.

Un silence.

– Vous êtes donc allés à la plantation, Kutchaï et toi.

– Oui.

– Comment était-ce?

– Vide.

Elle avait posé sa tempe sur l'épaule de Lara. Elle s'écarta pour pouvoir rencontrer son regard. Il dit :

– Ils ont tué Bath et toute sa famille. Bath, sa femme et ses quatre enfants. Ils les ont tués et ils ont évacué tout le village des saigneurs. Il n'y a plus âme qui vive.

– Qui l'a fait? Cet homme appelé Rath?

– Oui. Probablement.

Il lui raconta tout, omettant de parler des tortures, du fait qu'il avait dû achever lui-même Bath. Il lui dit que Kutchaï et lui avaient incendié la maison. Il lui parla de Ieng Samboth et de Rath, et de la différence qu'il voyait entre eux. Il lui décrivit la situation du Cambodge telle qu'elle se présentait en cette fin mars 1970, telle du moins qu'il la voyait, avec un gouvernement à Phnom Penh qui n'avait d'autorité réelle que sur guère plus de la moitié des provinces, qui ne tenait vraiment que les villes, les grandes routes, les axes reliant la capitale à Kompong Som d'une part, à Saigon d'autre part, qui ne pouvait véritablement compter que sur les unités sereïs et kroms, et sur les troupes de Saigon qui venaient de pénétrer au Cambodge.

– Tu veux dire que l'armée communiste pourrait prendre Phnom Penh?

– L'appel de Sihanouk à la radio a été entendu. D'après Kutchaï, les paysans s'apprêtent à marcher sur Phnom Penh, dès demain, pour chasser Lon Nol. Celui-ci a essayé de faire jouer la vieille haine des Khmers pour les Vietnamiens. Mais les réactions internationales ont été telles qu'ils doivent maintenant interrompre leur campagne raciste. Avec un résultat : les survivants des massacres ont rallié les troupes de Saigon et veulent se venger. Ça ne va pas arranger les choses entre Lon Nol et ces mêmes troupes de Saigon, qui sont pourtant ses seules alliées.

Il se leva pour aller chercher un cendrier.

– Tu as dit : si personne n'intervient.

– Beaucoup de gens croient que les Américains vont intervenir comme ils l'ont fait au Vietnam.

– *You mean...* Tu veux dire : militairement?

– Militairement.

Il y eut un bruit de pas légers dans l'escalier.

– Oh! mon Dieu! dit Lisa. Ils sont tous complètement fous!

Les pas s'arrêtèrent devant la porte. On frappa. Lara alla ouvrir.

– Est-ce que je vous dérange? demanda Madeleine Korver. Est-ce que je vous dérange vraiment?

– Non, dit Lara en souriant. Personne ne pourrait nous déranger moins que vous.

– J'ai une proposition malhonnête à vous faire, reprit Madeleine. Lisa n'a pratiquement rien mangé ce soir et vous-même nous avez avoué n'avoir pas dîné. Or, Charles et moi avons faim. Il nous reste deux ou trois boîtes de ce foie gras des Landes. Avec du pain grillé et cet horrible beurre australien, ça ne devrait pas être trop mauvais.

Lara se retourna, interrogeant Lisa du regard. Lisa baissa la tête puis la releva et sourit :

– Je suis une petite chose fragile qui a très envie de foie gras. Voire d'un doigt de champagne. Et j'adore les propositions malhonnêtes. Je vais me lever.

Madeleine prit le temps d'un regard scrutateur sur le couple; visiblement, elle les soupçonnait de s'être disputés. Elle hocha la tête d'un air d'énergie et tourna les talons. Dès que la porte fut refermée, Lisa sortit du lit. Elle enfila une robe de chambre, s'approcha de son mari qui n'avait pas bougé, près de la porte. Elle se glissa dans ses bras. Pieds nus, elle était à peine plus petite que lui.

– Tu as eu une journée terrible, n'est-ce pas ?

– Pas mal.

– Et je t'ai sauté à la gorge dès ton arrivée.

Il la serra contre lui.

– Tu avais raison.

– Oreste va te manquer.

– Sûrement. Mais moins que le Cambodge et l'Indochine ne lui manqueront.

De la pointe de la langue, elle suivit le contour de ses lèvres. Elle chuchota :

– Pourquoi t'ai-je épousé, je me le demande. Un instant d'égarement inexplicable.

– Quel mystère ! dit Lara, moqueur.

Elle écarta les pans de sa robe de chambre, puis sa chemise de nuit, dénuda l'un de ses seins.

– Embrasse-le.

Il s'exécuta et elle gémit doucement, les yeux fermés.

– Et l'autre ? Tu as oublié l'autre.

Elle demanda :

– Tu crois que nous pourrons aller à Sré ?

– Evidemment.

– Je voudrais déjà y être. Je voudrais déjà pouvoir faire l'amour avec toi. La nature est mal faite, pourquoi devons-nous attendre ? Je n'ai pas arrêté de penser à Sré tout au long de cette journée, pendant que je t'attendais en me demandant si tu allais revenir, si tu allais revenir vivant. Par moments, je me disais que c'est une folie de vouloir aller sur cette île avec un bébé. On me l'aurait proposé il y a un an, j'aurais haussé les épaules sans même écouter. A présent, c'est la chose au monde dont j'ai le plus envie. Etre nue et mince, et seule. Je ne me reconnais plus.

Tout en parlant à voix basse, elle l'embrassait.

— Je suis une pure et innocente Américaine pervertie. Tu m'as pervertie. Toi.

— Mon œil, dit Lara.

Elle glissa ses mains sous sa chemise. Il recula.

— Je ne suis pas de bois.

Elle sourit avec malice, approuva, rajusta sa chemise de nuit et sa robe de chambre. Elle partit chausser des sandales japonaises. Elle revint près de lui, cette fois le regard grave :

— Ni à Hong Kong, ni à Bangkok. Ou alors avec toi. D'accord ?

— D'accord, dit Lara. Juré.

Ils allèrent ensemble jusqu'à la chambre de Mathias, y jetèrent un coup d'œil. Tout y était paisible. Lara prit Lisa par la taille et ils descendirent l'escalier d'un même pas.

8

— Et vous n'avez pas fait de photos ? demanda Donaldson.

— Non, dit Roger. Je n'ai pas fait de photos.

L'Anglais le dévisagea de son œil pâle. Il finit par secouer la tête.

— Ça ne fait rien, dit-il avec gentillesse. De toute façon, mon journal ne les aurait pas prises.

— Pas assez typiques, dit Roger.

— *Right.*

– J'ai fait des photos avant et j'ai fait des photos pendant, mais pas sur le moment.

– Ça ne fait rien, répéta Donaldson. Et ces deux hommes étaient des députés?

Roger dit oui. Donaldson bâilla. Ils avaient quitté Kompong Cham dans la matinée. Pas précisément seuls. Il y avait avec eux des centaines et peut-être des milliers d'habitants de la province se mettant en marche sur la capitale. En fait leur Land-Rover suivait maintenant, à très faible allure, un véritable convoi de camions et de cars, de voitures particulières, de cyclistes et même de charrettes; un convoi superbement hétéroclite qui se dirigeait vers Phnom Penh sans autre arme que les portraits de Sihanouk se multipliant à l'infini. Et ce n'était pas seulement Kompong Cham qui s'était ainsi mis en mouvement : chaque village que l'on dépassait ajoutait son contingent, tandis qu'au carrefour de la route du Nord, des délégations arrivant de Kompong Thom et de Siem Reap s'étaient jointes au flot, tout comme l'avaient fait à Prek Dam les hommes et les femmes partis de Kompong Chnang, Pursat et même Battambang. Il semblait bien que tout le Cambodge était sur la route pour s'en aller réinstaller son petit prince.

Avançant au pas derrière tout cela, Roger ressentait une ivresse légère. « Nous allons investir Phnom Penh et nous emparer de l'Assemblée nationale, du palais du Gouvernement et naturellement de la radio. Nous allons occuper tous les bâtiments publics, les banques, le casino, les fumeries et les bordels. » Il disait sciemment « nous » en pensant à tous ces hommes et toutes ces femmes qui l'accompagnaient et marchaient devant lui. Ce « nous » n'était pas tout à fait impropre : outre Donaldson et Roger, la Land-Rover transportait encore sept hommes dont deux assis sur le toit et un autre debout sur le pare-chocs arrière, tous souriant largement chaque fois que leurs yeux rencontraient le regard de Roger. Roger ne se rappelait pas quand ils étaient montés.

Il se revit derrière le camion au haut-parleur, la veille, au moment de l'arrivée des deux députés dans Kompong Cham. « Roger Bouès, le célèbre agitateur révolutionnaire. Roger le Rouge. »

Donaldson sortait de sa torpeur. Il se mit à chantonner la première strophe de *Onward Christian Soldiers*. Sur le bord de la route à sa gauche, Roger reconnut les premières maisons de ce qu'on appelait le Village Malais, l'un des rares endroits de Phnom Penh sinon du Cambodge où l'on pouvait se procurer du lait de vache frais.

La tête du convoi devait bien se trouver un kilomètre plus avant. Si bien qu'il fallut à Roger plusieurs secondes pour se rendre compte que les rafales d'armes automatiques qu'il entendait étaient bel et bien dirigées sur ce convoi dont il faisait partie.

Et puis l'arrêt brutal de tous les véhicules qui le précédaient, l'arrêt aussi des chants et des cris, et un commencement de reflux l'éclairèrent. Donaldson, lui, avait tout de suite compris. Mettant à profit l'immobilisation de la Land-Rover, il sauta soudain à terre avec une stupéfiante souplesse et se mit à littéralement arracher les hommes installés dans la voiture ou agrippés à elle.

– *Get out!* Partez! Allez-vous-en!

La mitraillade devant s'intensifia constamment. Le mouvement de reflux se précipita, se transforma en débandade générale. Des cars et des camions tentaient de faire demi-tour et s'enchevêtraient au point de se bloquer les uns les autres et de s'offrir immobiles aux balles. L'Anglais reprit place dans la voiture.

– *OK*, Roger! *Go ahead!*

La Land-Rover s'ébranla presque d'elle-même. Elle quitta la route et cahota par-dessus le petit fossé; elle se mit à rouler sur l'herbe jaune du bas-côté en se frayant un passage parmi les fuyards courant en sens contraire, dont beaucoup, dans leur fuite aveugle, se jetaient contre son capot.

– Avancez !

Et puis, après trois ou quatre cents mètres, la grande vague se tarit soudain et devant Roger s'ouvrit un véritable champ de bataille. Des dizaines et des dizaines de véhicules étaient en train de brûler et dans l'un d'eux, un autocar chinois aux fenêtres depuis longtemps coincées, Roger vit toute une grappe humaine s'entrebattant avec frénésie pour tenter de s'arracher au brasier ; après quoi une grande flamme pourpre éclata, enveloppant tout.

La Land-Rover zigzagua entre ces décombres et des dizaines de cadavres. Cramponné à son volant par l'énergie du désespoir, Roger sentit à plusieurs reprises sa voiture escalader et écraser des corps mais il continua d'accélérer, à demi aveuglé par les larmes.

– Avancez !

A ses côtés, Donaldson hurlait, le pressait, lui-même agrippé au volant pour le maintenir obstinément dans la direction de Phnom Penh. Le vacarme était assourdissant et pourtant Roger entendit le cri aigu des balles qui sifflaient tout autour d'eux, arrivant sans répit, mitraillant au hasard. Roger s'attendait à mourir à tout instant et à un moment en effet, un trou en étoile se dessina dans le pare-brise. Là-dessus Donaldson, sans cesser un seul instant de lui crier d'avancer, ouvrit sa propre portière, se dressa hors de la Land-Rover, exposant sa peau rose et ses yeux pâles, agita son bras droit et se dressa hors du véhicule autant qu'il le pouvait.

Alors le feu cessa. Le silence revint. Tout aussi miraculeusement la Rover retrouva sous ses roues l'asphalte de la route. A moins de quarante mètres, des soldats se dressèrent, braquant les canons de leurs armes automatiques.

– Journaliste anglais ! leur cria Donaldson. Journaliste anglais !

Son bras dressé s'achevait par le double geste de l'index et du majeur, dessinant le V de la victoire.

– Avancez donc, Roger.

Il réintégra son siège, referma sa portière, alluma une cigarette.

– Roger, vous voyez bien que nous sommes passés. Et vous n'avez pas fait de photos ?

9

Ce qui se passa à la fin de mars 1970 aux entrées de Phnom Penh, outre le massacre par les unités khmers sereïs et khmers kroms de manifestants venus sans armes, eut pour principale conséquence d'éliminer toute possibilité d'une chute immédiate du gouvernement Lon Nol et d'un retour de Sihanouk – les deux événements auraient presque à coup sûr permis au Cambodge d'échapper au supplice, au martyre qu'il allait subir.

La mobilisation générale décrétée par Lon Nol avait dans un premier temps entraîné la naissance d'une armée de trente mille hommes, constituée à la diable de lycéens et de cyclo-pousses, vaguement encadrés par quelques sous-officiers ayant servi dans l'armée française et surtout par des officiers promus en proportion directe de leurs relations dans les hautes sphères, le professeur d'histoire qui avait accompagné à Sway Rieng, celui qui se prenait pour Robespierre, se retrouvant par exemple colonel. On avait en toute hâte expédié ces trente mille hommes au combat. Dix jours plus tard, il n'en restait guère plus de la moitié. La quasi-totalité des manquants n'avait pas été tuée au feu, ils n'avaient pas été blessés, ils n'avaient pas été faits prisonniers; simplement, ils s'en étaient retournés chez eux, généralement en emportant leurs armes. On avait vu un bataillon de huit cents hommes être encerclé et capturé par vingt Vietcongs. Des officiers soudain privés de leur unité avaient dû traverser le Mékong à la nage pour revenir rendre compte à leurs supérieurs.

Les divisions nord-vietnamiennes de Giap n'étaient pourtant pas encore passées à l'attaque, ou du moins pas vraiment. Mais en se repliant sur le nord et le centre du Cambodge pour éviter l'affrontement avec les troupes de Saigon pénétrant en pays khmer, elles avaient exercé une pression qui avait suffi.

Quant aux Khmers rouges, pour l'heure, ils demeuraient extrêmement discrets. Le moment n'était pas venu et ils le savaient. Progressant, s'étalant sur le terrain conquis par les soldats de Hanoi, ils se contentaient d'entreprendre l'administration des villages investis. Et ils enrégimentaient, à l'effigie toute-puissante de Sihanouk, les déserteurs de Lon Nol, surtout quand ils amenaient leurs armes, et tous ces jeunes hommes qui se réfugiaient à la campagne pour échapper à la conscription lon-nolienne, qui cherchaient à tirer vengeance du massacre des portes de Phnom Penh ou qui, plus simplement encore, fuyaient la capitale parce que le prix du riz, sous l'effet d'un savant trafic échafaudé par certains ministres et les grands Chinois, était en peu de temps passé de deux à vingt riels[1] le kilo.

Ainsi fin avril, quarante jours après le coup d'Etat, le régime de Lon Nol et Sirik Matak ne contrôlait plus que Phnom Penh même, et les autres villes cambodgiennes, quelques zones au hasard et surtout les axes essentiels à la survie des villes, notamment ceux qui étaient essentiels à la survivance même de Phnom Penh : la liaison fluviale et routière avec Saigon, contrôlée par les Rangers sud-vietnamiens, la route et la voie ferrée allant à Kompong Som, le port sur le golfe de Siam.

Le reste, soit les quatre cinquièmes du pays, était désormais officiellement tenu par les représentants (ou se prétendant tels) de Sihanouk.

Si bien que le 30 avril, à Washington, Richard Nixon

1. Un riel : 10 centimes français.

annonça l'envoi de troupes américaines et sud-vietnamiennes sur tout le territoire cambodgien. Depuis l'affaire Dap Chhuon, qui était de 1960, il avait fallu dix ans
à la CIA pour faire du Cambodge un nouveau Vietnam.

Mais la réussite était totale.

10

Suon Phan n'avait jamais vu la mer, et, en fin de
compte, dans ces tout débuts de sa carrière militaire, il
trouva au moins un motif de consolation. La colonne
conduite par Kao, après une halte de quelques jours à
Takéo, était arrivée dans la soirée du 4 avril en vue de la
rivière de Kampot. Le petit poste de la garde régionale
qui se trouvait en ville, de l'autre côté du pont, était bien
trop exigu pour loger les renforts précédemment
envoyés par Phnom Penh; en fait toute la garnison de la
province s'était établie dans un camp à un kilomètre ou
deux de la rivière, aux abords immédiats de la route de
Kep. Il y avait là en théorie un bataillon renforcé soit à
peu près mille hommes.

Dans sa totale inexpérience, Suon Phan ne vit d'abord
rien de surprenant au spectacle qu'il découvrit : extrêmement peu d'hommes étaient en uniforme, pour ainsi
dire aucun; presque tous, gradés ou hommes de troupe,
portaient le sarong et rien d'autre, et surtout pas d'armes; en fait, il semblait y avoir davantage de femmes,
d'enfants, de cochons, de poules et de canards que de
soldats; un peu partout, des marmites de riz pour le
repas du soir. L'atmosphère était paisible, voire tout à
fait bucolique et, sur le moment, Suon Phan estima, non
sans soulagement, que faire la guerre ne devait pas être
après tout si terrible. Deux ou trois Chinois avaient
installé des échoppes ambulantes, où ils vendaient de la
glace, de la bière Tsing Tao, du chum, ainsi que quelques objets de première nécessité comme du prahoc ou

du savon. Et Suon constata même avec intérêt la présence d'un escadron de prostituées qui n'étaient pas si laides. Allons, cela aurait pu être pire...

Sur quoi le jeune sous-lieutenant, le cœur déjà rasséréné, regarda Kao et sursauta. Kao frémissait de rage et il était clair qu'il n'aurait pas fallu grand-chose pour qu'il empoignât sa mitrailleuse et se mît à tirer au hasard. Kao, ayant stoppé la jeep, pointa un index vers un homme qui tenait un enfant dans ses bras.

– Toi! approche!

Visiblement inquiet, l'homme obéit.

– Qui commande ici?

– Je ne sais pas, dit l'homme.

– Tu es soldat? Tu n'es pas soldat?

Tout autour de la jeep, on s'était figé. Et l'inquiétude gagnait de proche en proche, dans tout le camp.

– Oui, monsieur l'Officier, je suis soldat.

– Va me chercher l'un de tes chefs. Et vite.

Une minute plus tard, un sergent arriva, en uniforme. C'était un homme déjà âgé, aux cheveux gris, dont, à elle seule, la façon dont il salua prouva que lui au moins avait une certaine expérience de l'armée. Aux questions que lui fit Kao, il répondit qu'il avait été caporal-chef dans l'armée coloniale française, et que l'officier commandant la garnison était un colonel.

– Qui se trouve?

– En ville, mon commandant, répondit le sergent.

Il voulait dire Kampot. Il expliqua que le colonel habitait en ville, comme d'ailleurs tous les officiers. Depuis quand le colonel, ou l'un de ses adjoints, n'était-il pas venu au camp? Le sergent hésita, prudent. Kao n'insista pas. Mais il demanda :

– Tu as touché ta solde?

– Il y a des retards, dit le sergent, avec toujours la même prudence.

En fait, il n'avait pas été payé depuis quatre mois, c'est-à-dire que quatre mois plus tôt, il avait reçu une avance sur les cinq mois qu'on lui devait à l'époque. Et le reste de la troupe? Pareil. Ce qui expliquait les allures du camp : privés de solde qui leur aurait permis de nourrir leur famille, théoriquement du moins, la solde en question n'étant pas précisément pléthorique, les soldats avaient fait venir cette même famille auprès d'eux et transformé le camp en une sorte de kolkhoze. Il fallait bien manger.

– Et les armes? Où sont vos armes?

Le sergent reconnut que les armes en question, des M 14, étaient entreposées dans la journée dans une villa en dur, dont lui seul avait la clef. Ses ordres le lui enjoignaient, pour empêcher les soldats de vendre leur fusil, que les Chinois leur achetaient mille à douze cents riels; cours officiel. Toutefois à la tombée de la nuit, toujours selon les ordres reçus, il sortait cent fusils et autant de chargeurs et il armait ceux en qui il avait à peu près confiance, pour parer une éventuelle attaque des Khmers rouges. Mais bien entendu, il récupérait les fusils dès le retour de l'aube, en les comptant un par un. De toute façon, il n'y avait pas assez de fusils pour tout le monde.

– Il y a beaucoup de Khmers rouges par ici?

Le sergent désigna le massif touffu de la montagne de l'Eléphant, au nord de Kampot, séparant cette dernière ville du port de Kompong Som.

– Ils sont là, dit-il. Mais ils ne nous attaquent pas. Ils ne sont pas très nombreux.

Quant aux Vietcongs nord-vietnamiens, ils étaient sinon plus rares du moins plus inoffensifs encore. La présence de Rangers de Saigon à Takeo et Sway Rieng, c'est-à-dire à l'est, expliquait sans doute la chose. Cependant, le sergent reconnut que de petits détachements avaient été parfois aperçus, venant probablement du Sud-Vietnam, peut-être de la presqu'île de Camau, en s'infiltrant à travers une frontière d'ailleurs très perméable. Aperçus mais pas attaqués. Oui, en plein jour.

– Il y a un accord entre ton colonel et eux? demanda Kao.

Le sergent ne répondit pas.

– Et entre ton colonel et les Khmers rouges?

Le sergent baissa la tête.

– Je ne sais pas, mon commandant.

– Ils viennent chercher des médicaments, c'est ça? Vous les laissez faire et, en échange, ils ne vous attaquent pas, vous êtes tranquilles, vous pouvez cultiver vos légumes et votre colonel peut faire fortune.

Kao caressa le fût de sa mitrailleuse.

– Monte, dit-il au sergent. Tu vas me montrer où habite ton colonel.

Le colonel habitait une villa appartenant à des Chinois et dont le plan d'ensemble comme les détails avaient été conçus par Roger Bouès, de sorte que le bâtiment ressemblait à un blockhaus de la ligne Siegfried agrémenté par des colonnes de temple grec et de grands hublots, percés dans l'épaisseur des murs et obstrués par des verres multicolores. Quant à la décoration intérieure, elle donnait pareillement le frisson. La couleur dominante y était le lie-de-vin, uniformément et partout employé, si resplendissant qu'on pouvait y contempler son visage pour se redonner un coup de peigne, voire s'y raser. A l'époque de son achèvement, la maison avait été trouvée superbe et même grandiose par le Chinois négociant en poivre qui l'avait commandée à Roger.

Kao interdit aux soldats de garde dans le jardin de faire le moindre geste. Il entra sans frapper, Suon Phan sur ses talons, et laissant dehors, face aux gardes du corps du colonel, la dizaine de commandos qui lui servait habituellement d'escorte, des commandos qu'il avait recrutés et équipés de M 16 et de Colts 45, ayant à leur tête les deux bouddhas de Cochinchine et dont les visages à eux seuls auraient été terrifiants, sans parler de cette nonchalance glacée dont ils faisaient tous preuve. Kao trouva le colonel tout nu, sur un lit, y faisant des galipettes en compagnie de deux métisses sino-khmères déshabillées de même, l'une lui faisant des câlins sur l'ensemble du corps, l'autre s'activant plus particulièrement entre ses cuisses.

Quelques secondes s'écoulèrent avant que le colonel n'aperçût Kao et sa silhouette incontestablement martiale, avec toutes ses armes et jusqu'à la grenade défensive qu'il portait à la ceinture. Le colonel bondit :

– Que faites-vous ici ?

– Mon colonel, dit Kao en saluant, j'ai d'importants renseignements à vous communiquer. Pourriez-vous demander à ces dames de sortir ?

Il attendit que la porte se fût refermée sur les donzelles puis il dit :

– Et maintenant, ordure, écoute-moi. Prononce un mot, un seul, et je t'égorge sur-le-champ. Tu vas t'habiller, tu vas sortir avec moi et m'accompagner. Tu vas me donner tout l'argent que tu as ici. Dehors, nous irons ensemble voir tes amis chinois avec lesquels tu trafiques et tu leur demanderas à chacun tout l'argent qu'ils auront en caisse. Mes hommes sont dehors. Ils tueraient leur mère si je le leur demandais. La moindre discussion, la moindre résistance et je vous fais tous massacrer. Je suis Kao, tu connais mon nom. En route.

Et ils firent en effet la tournée des négociants, collectant des dizaines de milliers de riels que Suon Phan effaré rangeait au fur et à mesure dans un grand sac de toile. Cela leur prit à peu près quatre heures si bien que la nuit était complètement venue quand ils sortirent de Kampot, le camion 4 × 4 monté par les parachutistes suivant la jeep, par la route qui rejoint Kompong Som en suivant la côte, au pied de la montagne de l'Éléphant.

– Il y a des Khmers rouges par ici, eut la force de faire remarquer le colonel, par ailleurs effondré.

Kao éclata de rire :

– Je n'ai pas peur des Khmers rouges, dit-il. Je n'ai peur ni des Khmers rouges, ni des Vietcongs, ni de personne.

Quelques kilomètres avant le carrefour avec la Route

américaine allant de Kompong Som à Phnom Penh, le paysage changea, devint plus plat, à présent qu'ils avaient achevé de contourner par l'ouest la montagne de l'Eléphant. La jeep s'arrêta et le 4 × 4 fit de même. Suon Phan vit que les parachutistes sautaient à terre et se déployaient, comme pour un exercice longuement répété, sans qu'aucun ordre eût été donné.

– A terre, dit Kao au colonel.

Le colonel hésita. Kao le prit par l'épaule, l'arracha de son siège, le jeta à bas de la jeep. Il actionna les phares.

– Avance, dit-il au colonel.

Et comme celui-ci, pétrifié par la terreur, demeurait à nouveau immobile, Kao embraya doucement, fit avancer la jeep dont le pare-chocs vint au contact des jambes de l'officier. Un brusque frisson secoua Suon Phan.

– Avance. Droit devant toi. Tu cours. Très vite. Peut-être tu t'échappes.

Kao se retourna vers Suon Phan, encore assis à l'arrière.

– Viens, t'asseoir près de moi.

Et à l'instant même où Suon obéissait, Kao hurla :

– Cours colonel! Cours!

L'officier bondit, comme électrisé. Il était encore jeune, à peine quarante ans, il tenta vraiment de fuir. La nuit était claire mais, de toute façon, les phares conjugués de la jeep et du camion délimitaient un long rectangle de lumière, sur les côtés duquel les parachutistes avaient pris position, formant une double haie au milieu de quoi le colonel courait.

– Cours! hurla de nouveau Kao.

Et il lança la jeep.

L'homme traqué était déjà à trente, quarante mètres. Kao revint sur lui de toute la puissance de son moteur et un instant, Suon Phan crut qu'il allait culbuter son gibier, mais à la dernière seconde, d'un léger coup de volant, Kao évita l'obstacle humain, le dépassa, s'éloigna, prit quelques dizaines de mètres d'avance. Alors, braquant ses roues au maximum et bloquant net ses freins, il expédia la jeep dans un fantastique dérapage. « Nous allons nous tuer ! » eut le temps de penser Phan, affolé. Mais la croûte séchée de la rizière céda et la boue apparut sous la terre craquelée : la jeep fit deux tours sur elle-même. Kao hurla de rire. Il repartit dans un rugissement de moteur, se jetant droit sur le colonel.

– Cours, colonel ! cours !

L'officier voulut tenter une échappée sur le côté mais aussitôt les parachutistes impassibles, accroupis crosse fichée en terre, se redressèrent et pointèrent leurs armes sur lui. La jeep déjà survenait, elle le frôla par quelques centimètres, poursuivit un instant sa ruée avant de l'interrompre par un nouveau dérapage tout aussi fou que le premier.

Et le jeu se poursuivit, dans le double faisceau jaune des phares qui tranchait avec la lumière blafarde de la forêt-clairière sous la lune. Cinq fois, dix fois, Kao revint en trombe sur sa victime, passant à chaque fois un peu plus près mais sans jamais la toucher, et passant bien trop vite pour qu'il fût possible de s'accrocher au véhicule lancé à toute vitesse, concluant chaque ruée par deux ou trois tours d'une valse qui terrifiait Suon Phan désespérément accroché à son siège, mais qui faisait sauvagement exulter Kao.

A deux ou trois reprises, le colonel tomba et, la troisième fois, il refusa tout d'abord de se relever, manifestement prêt à mourir. Kao se servit alors de sa mitrailleuse, dont les lourdes balles hachèrent le sol à une main du corps affalé. Le colonel repartit, courant avec des allures de pantin désarticulé, genoux presque pliés, tête renversée en arrière et la gorge démesurément ouverte pour un appel d'air. Il repartit mais ce fut le dernier effort qu'il consentit. Vint en effet le moment où il se figea, ralentissant d'abord sa course, comme s'il hésitait, pour s'arrêter enfin sur un dernier trébuchement, demeurant debout dans ce qui était sans doute un ultime sursaut d'orgueil.

Le rugissement du moteur de la jeep décrut d'un seul coup et, dans le silence soudain revenu, il n'y eut plus alors que le doux ronronnement du véhicule avançant désormais avec une lenteur mortelle, droit sur la silhouette immobile.

– Et voilà, dit Kao.

Il avait un étrange air de tristesse sur le visage, toute son exaltation brusquement tombée.

Le capot s'approcha très lentement. Les jambes du colonel cédèrent peu à peu et l'homme glissa à genoux. Le capot se rapprocha encore et vint effleurer le ventre.

– Tu veux le tuer? demanda Kao à Suon Phan. Je te le laisse, si tu veux.

Le visage maculé de boue du colonel ressemblait à un masque d'épouvante, troué par les yeux rougis. La jeep avait stoppé. Kao coupa le moteur. Le canon de la mitrailleuse bougea, se redressa, à la fois obscène et effrayant, monta centimètre par centimètre et se braqua sur ce visage inhumain.

– Alors? dit Kao à Phan. Tu te décides?

Suon Phan déglutit et répondit enfin d'une voix rauque :

– Non, mon commandant. Je ne peux pas.

Kao éclata de rire, bienveillant et compréhensif. Il jeta un coup d'œil autour de lui, vers les parachutistes qui à présent s'étaient tous redressés et s'écartaient nonchalamment de la ligne de tir. Son regard revint se poser sur le colonel.

– Allons, dit-il, on ne va pas y passer la nuit.

Il pressa la détente et la tête, littéralement, éclata.

Le trésorier-payeur des FARK, officiellement chargé du paiement des soldes pour la province de Kampot, était un petit capitaine corpulent qui avait amené avec lui ses deux femmes et ses huit enfants.

– Comme vous le savez sans doute, lui dit Kao, notre

pauvre et regretté colonel est tombé vaillamment au combat cette nuit, victime des traîtres khmers rouges valets éhontés de l'impérialisme vietnamien totalitaire communiste athée, *etcétéra, etcétéra*. Bref, j'assume le commandement jusqu'à nouvel ordre. En discutant à gauche et à droite, j'ai appris que le paiement des soldes avait pris un peu de retard.

— C'est-à-dire, balbutia le capitaine trésorier. Peut-être un mois de retard, oui...

— Quatre mois, dit Kao. Au moins. Avez-vous en caisse de quoi assurer ce paiement ?

— Je n'ai rien, dit le capitaine. Le colonel s'occupait lui-même de tout ce qui concerne les soldes.

Assis au volant de sa jeep, Kao s'amusait avec son index à faire pivoter lentement la mitrailleuse, dans un sens puis dans l'autre. Il sourit :

— Vous ne me mentiriez pas, n'est-ce pas ?

— Oh ! non, mon commandant, dit le capitaine absolument terrifié.

Kao hocha la tête.

— Phan, donne-lui le sac.

Phan remit au capitaine le sac de toile qui contenait l'argent, auquel personne n'avait touché.

— Je veux, dit Kao au capitaine, un décompte exact de ce qu'il y a dans ce sac. Au riel près. Ensuite, vous procéderez au paiement des soldes en retard, en commençant par les simples soldats. Vous me rendrez compte personnellement. Si le contenu de ce sac ne suffit pas, dites-le-moi également. Et je veux que le sous-lieutenant et les dix parachutistes qui m'accompagnent reçoivent double solde. Exécution.

La jeep repartit, suivie du 4 × 4. Kao chantonnait, jetant de temps à autre un coup d'œil amusé sur Suon Phan.

— Tu croyais que j'allais garder cet argent pour moi, hein ?

— Non, mon commandant, dit Phan.

Mais il l'avait cru. Kao secoua la tête :

– Avant, je l'aurais fait. Mais plus maintenant. Maintenant, je me fous de l'argent. Je fais la guerre. Et j'aime ça.

Au cours de la matinée qui suivit son arrivée à Kampot, c'est-à-dire le 4 avril 1970, Kao réunit tous les officiers. Il leur dit ce qu'il attendait d'eux : combattre d'une part les Vietcongs et les poursuivre jusqu'à la frontière, en s'appuyant sur les Rangers sud-vietnamiens et en concertation avec eux et, d'autre part, traquer sans répit et sans pitié la ou les bandes khmères rouges se cachant dans la forêt, sur les pentes de la montagne de l'Eléphant, voire du Kirirom, de l'autre côté de la Route américaine. Parmi ses auditeurs, il n'en était pas un qui eût le moindre doute quant aux circonstances réelles de la mort du colonel. Pas un pourtant n'osa aborder le sujet et aucun n'émit la moindre remarque sur cette brutale modification d'un emploi du temps jusque-là remarquablement peu chargé. Si la terrible réputation de Kao n'y eut pas suffi, il y avait encore cette certitude qu'il jouissait, à Phnom Penh, des plus hautes protections.

– Je sais, dit Kao en sortant de ce conseil de guerre. A part deux ou trois qui sont capables de se battre, la plupart ont simplement encore plus peur de moi que des Khmers rouges, c'est tout. Mais tu veux la vérité, Phan ? La vérité est que je m'en fous. Cette armée est pourrie. Ce n'est même pas une armée. Ce n'est rien, de la merde. Les Français le disaient : nous autres Cambodgiens, nous pouvons être des soldats de premier ordre; un Khmer en uniforme vaut cinq Vietnamiens. Mais à condition d'avoir envie de se battre, de savoir pourquoi on se bat. Moi, je le sais : je me bats pour tuer, pour le plaisir de la guerre. Tu comprends ça, Phan ?

– Oui, mon commandant.

– Non, tu ne comprends pas. Mais ça ne fait rien. Pour le plaisir, Phan. Et eux aussi, là-haut, savent pourquoi ils se battent. J'ai peut-être choisi le mauvais camp.

Il désignait la montagne de l'Eléphant, où les Khmers rouges étaient probablement tapis.

– Tu es anticommuniste, Phan?

Phan hésita, se maudissant pour cette hésitation, dont il appréhenda un instant les conséquences.

– Pas moi, dit Kao. Je m'en fous complètement. Avant oui, peut-être. Et encore. Plus maintenant. Maintenant, il n'y a plus rien, sauf ça.

… La mitrailleuse qui oscillait de bas en haut comme un membre viril durci.

– Même pas les femmes, Phan. Mais les femmes ne m'ont jamais beaucoup intéressé.

Il rit :

– Les garçons non plus, rassure-toi.

Ils avaient pris la route de Kep.

– Tu m'as bien dit que tu n'avais jamais vu la mer? Eh bien, regarde-la. Tu sais nager au moins? Nous allons avoir du temps. Cette guerre va durer, heureusement. C'est d'accord avec Lon Nol : je ne vais pas rester à commander ces culs-terreux de Kampot. Lon Nol m'a accordé ce que je voulais : la possibilité d'avoir ma propre unité, de ne dépendre de personne, avec des hommes que je choisirai moi-même; et j'irai me battre où ça me chantera. Les dix hommes qui sont derrière nous sont les premiers mais il y en aura d'autres. Pas trop nombreux quand même. Un commando de cent hommes, pas plus. Tu viendras avec moi, tu seras toujours à mes côtés. Ne discute pas, c'est un ordre. Pourquoi crois-tu que je t'ai emmené cette nuit, pour tuer le colonel? Et tu voudrais me quitter? Je t'aime bien, Phan, je vais m'occuper de toi. Cent hommes et pas un de plus : il faut pouvoir se déplacer rapidement et sans se faire remarquer. On va chasser le Khmer rouge.

En arrivant sur la plage de Kep, par jeu, il fracassa avec le pare-chocs de sa jeep le baraquement de bois où se tenait autrefois le loueur de pédalos et il fit ensuite avancer son véhicule jusqu'à ce que les roues viennent au contact des vagues. La grande plage blanche piquetée de cocotiers était totalement déserte et même l'hôtel-bungalow, au loin, semblait abandonné. Fasciné par la mer, Phan s'était déshabillé, imitant en cela les parachutistes et il tâtait l'eau avec prudence. Outre son immensité, la fabuleuse transparence de la mer, surtout, le troublait et presque l'hypnotisait. Les seules fois où il s'était trempé dans le Mékong, aux abords de son village natal dans la province de Kompong Cham, il n'avait évidemment connu qu'une eau limoneuse où l'on ne distinguait plus ses pieds sitôt qu'on était immergé jusqu'aux chevilles. Il finit par s'allonger à plat, ému par le lent va-et-vient du sable sur son ventre nu, selon les mouvements des vaguelettes tièdes.

Kao riait :

– Le terrible guerrier khmer a besoin d'une femme !

Les jours suivants, Kao commença à recruter pour son commando, triant soigneusement les élus. Il lança sa première opération huit jours plus tard, ayant déjà réuni un effectif de quarante-cinq hommes; elle dura quatre jours de marche épuisante dans la forêt, d'ascension difficile, horriblement pénibles pour Suon Phan complètement déshabitué des efforts physiques et qui ne dut de tenir qu'à sa seule jeunesse. L'affaire se solda par un bref engagement au cours duquel neuf Khmers rouges – authentiques puisque armés – furent abattus, Kao ne perdant que deux hommes pour sa part, et par la mise à sac et l'incendie de réserves de riz et de poisson dans les paillotes ayant servi de repaire à la bande.

Suon commença dès lors à se faire une idée plus juste de ce qu'était véritablement Kao : à coup sûr un fou sanguinaire, capable des plus folles cruautés et des pires carnages; mais l'homme possédait à n'en pas douter un courage physique absolument hors du commun et, s'agissant de mener un combat, un sens tactique remarquable, allié à une parfaite connaissance de la forêt. Kao était un chasseur d'instinct, dont l'intelligence et en fait toute la vie se prolongeaient dans le canon de son arme, quelle que fût cette arme, une mitrailleuse ou un simple fusil d'assaut. C'était un tueur-né et la guerre l'avait libéré, en quelque sorte épuré.

Kao et son commando opérèrent dans la région de Kampot durant tout le mois d'avril, celui de mai et celui de juin 1970. Début juillet, ayant déjà mis trois cents cadavres à son actif – contrairement aux usages des FARK, Kao n'homologuait que les Khmers rouges véritables – Kao décida de changer de champ de bataille.

Il montra la carte à Phan.

– Ici Kampot. Juste au-dessus au nord, la montagne de l'Eléphant que tu dois commencer à connaître. Remonte encore au nord : entre l'Eléphant et le Kirirom qui commence le massif des Cardamomes, il y a cette espèce de vallée où passe la Route américaine. A gauche, la baie de Kompong Som. A droite, à soixante kilomètres et plus, la ville de Kompong Speu. Kompong Speu, c'est le territoire du prince Chancarangtsaï. Tu sais qui c'est ?

– Je connais son nom.

– C'est un prince de la famille Norodom, comme Sihanouk, dont il est l'oncle ; il s'appelle Norodom Chancarangtsaï, c'est un prince de sang royal authentique. Mais lui et son neveu Sihanouk ne s'entendent pas et ne se sont jamais entendus, bien que Chanca soit un ami de la Reine-Mère. Tu sais pourquoi Phan ? Parce qu'en 1941, le prince Norodom Chancarangtsaï aurait bien aimé devenir le roi du Cambodge ; il y avait autant de droits que Sihanouk. Mais les Français lui ont préféré le jeune Sihanouk parce que Sihanouk était jeune, et qu'ils pensaient le manipuler plus facilement. Chancarangtsaï n'a jamais pardonné à son neveu et depuis 1949, il a toujours vécu plus ou moins à l'écart du régime, il a toujours été plus ou moins dans la forêt. Pendant l'espèce de guerre contre les Français, il a rejoint la résistance issarak, mais pour son compte ; en réalité, c'était un pirate, le plus grand pirate du Cambodge. Au cours des dernières années, à Phnom Penh, c'est lui qui protégeait les cercles de jeux et les fumeries d'opium. Tu sais ce que ça veut dire, « protéger », Phan? Les Américains appellent ça du racket. C'est comme ça qu'il est devenu très riche : le jeu et l'opium. Seulement, il ne faut pas s'y tromper : c'est un gangster mais c'est aussi et surtout un chef de guerre, c'est un vrai Seigneur de la Guerre, peut-être le dernier. Avec son argent, il a formé une armée personnelle que l'état-major des FARK, appelle la 13e brigade, pour faire croire qu'elle dépend de Phnom Penh et du quartier général, pour faire semblant de croire qu'elle lui obéit. Mais Chancarangtsaï n'obéit à personne. C'est lui qui a recruté ses hommes. Il en a sept ou huit mille, très fidèles, très dévoués, très bien entraînés. Il les paie de sa poche et aussi avec l'argent qu'il arrive à soutirer aux généraux de Phnom Penh, et il les paie bien. Tout comme il paie bien ses officiers qui sont de très bons officiers et dont certains sont dans la forêt depuis vingt ans. La 13e brigade n'a pas d'artillerie, pas d'appui aérien, presque pas de camions, aucun matériel lourd. Ses soldats sont souvent vêtus de noir et ils se déplacent à pied, très vite, comme les Khmers rouges qu'ils combattent, comme nous commençons et allons continuer nous-mêmes à le faire. Les soldats de la 13e brigade sont tellement semblables aux Khmers rouges que même les Khmers rouges s'y trompent. Et parfois ils s'avancent en toute confiance vers un détachement de la 13e brigade en croyant avoir affaire à d'autres Khmers rouges et quand ils s'aperçoivent de leur erreur, c'est trop tard et ils se font égorger ou fusiller et on leur mange le foie. C'est pour ça que personne, ni les Khmers rouges ni les Vietcongs ni les Rangers ni même les FARK, ne va à Kompong Speu. Même pas moi, Phan. Les gens de Kompong Speu sont les plus heureux du Cambodge en ce moment : ils vivent tout à fait en paix, et Chancarangtsaï, toujours avec son propre argent, ou avec les subventions que les ministres lui donnent plus ou moins par force, fait creuser des puits, tracer de nouveaux fossés d'irrigation, construire des écoles et des dispensaires. La zone de Kompong Speu n'est pas le pays de Sihanouk ou celui de Lon Nol, c'est le pays de Chancarangtsaï et de sa 13e brigade, c'est presque un pays indépendant.

Kao tapota la carte, l'air rêveur.

– Je ne peux pas être un autre Chancarangtsaï, Phan. Je ne suis pas un prince et je n'aurai jamais huit mille hommes. Et en plus, même si je le pouvais, peut-être que je ne le voudrais pas. Phan, pendant des années, j'ai rêvé de devenir colonel. Maintenant, de ça aussi, je m'en fous...

Il avait étalé la carte sur le capot de la jeep. Tout autour d'eux, les hommes du commando avaient établi un campement furtif, provisoire, en pleine forêt. La plupart d'entre eux ne portaient même plus d'uniforme; en revanche, leur armement était remarquable. Ils étaient de plus en plus nombreux, à mesure que passaient les semaines et les mois, bien davantage qu'une troupe régulière, mais bien une horde sauvage de guérilleros maigres aux allures de loups en chasse. Ils étaient à peu près cent.

– Phan, nous n'irons pas sur le territoire du prince Norodom Chancarangtsaï. Mais nous allons quand même nous servir de lui, du fait qu'il existe et qu'il se trouve précisément à cet endroit où il est. Il va nous protéger sur notre droite et empêcher les Vietcongs d'arriver jusqu'à nous. A gauche, nous aurons toujours la mer qui nous protégera de la même façon. Derrière nous, au sud, la garnison de Kampot et celle de Takeo assureront à peu près nos arrières. Si bien que nous allons pouvoir désormais chasser en paix sur ce qui va être notre territoire à nous, à nous seuls, où personne ne viendra nous contrôler et nous empêcher de chasser. Regarde, Phan : tu vois cette région avec la presqu'île de Cheko et les îles au large? C'est là. C'est à nous. C'est une région où il y a peu de villages, et surtout des pêcheurs malais, juste assez pour nous nourrir. Devant, en haut, les Cardamomes, la plus grande forêt khmère. Voilà notre territoire de chasse.

Kao s'exaltait.

– Cent kilomètres sur cent et rien qu'à moi! Tu te rends compte, Phan!

Les trois derniers mois avaient endurci Suon Phan, à la fois physiquement et moralement. Il n'en ressenti pas moins un frisson d'angoisse étrangement mêlée d'enthousiasme, au spectacle de cette exaltation de fauve définitivement lâché, libéré, tuant pour le plaisir de tuer, ne rêvant à rien d'autre, et ayant enfin acquis les moyens de le faire.

11

A son départ de Phnom Penh, Thomas d'Aquin O'Malley avait rallié Manille où il avait subi un examen médical de contrôle, qui l'avait révélé en bon état de marche. Il ne s'était guère attardé aux Philippines, contrairement à ses habitudes et à ses goûts qui le poussaient ordinairement à connaître au mieux le pays qu'il traversait. Il en aurait eu largement le temps : on ne l'attendait pas à Washington pour précisément le couvrir de fleurs. Sa demande de mutation était intervenue au moment exact où l'ambassade des Etats-Unis au Cambodge était sur le point de se développer de façon spectaculaire. Les agissements souterrains d'un Price ou de ses semblables, dans la préparation et la conduite du coup d'Etat de Lon Nol et Sirik Matak, avaient déjà singulièrement alourdi le personnel de la représentation américaine. Mais très vite, dès les premiers jours d'avril et *a fortiori* les semaines suivantes, quand le Département d'Etat avait dû constater que le régime Lon Nol serait à jamais incapable de subsister par lui-même, quand le principe d'une intervention plus musclée et plus directe avait d'abord été étudié puis carrément mis en œuvre, l'extension de la présence américaine s'était révélée aussi indispensable qu'urgente.

On avait alors expédié à Phnom Penh des hordes de conseillers militaires et techniques de tout poil, non seulement américains mais aussi formosans, indonésiens, philippins ou autres. Certes un attaché culturel dans tout cela, surtout s'il n'était préoccupé que de ses attributions normales, avait l'air d'une danseuse dans une équipe de football, mais peu importait, la question n'était pas là. Il s'agissait d'une mobilisation générale.

A Washington, on avait clairement fait comprendre à O'Malley que sa demande d'une autre affectation en un pareil moment ressemblait d'assez près à de la désertion. Et on ne s'était guère pressé de lui désigner un autre poste. Si bien qu'il se trouvait encore dans la capitale fédérale quand, le 30 avril, Richard Nixon avait annoncé l'intervention militaire des Etats-Unis au Cambodge. D'énormes crédits spéciaux avaient été votés par les représentants et les sénateurs pour couvrir les frais de l'opération, laquelle, selon Nixon, devait être de courte durée.

De son bureau donnant sur le Potomac, sur le centre Kennedy dont la construction était alors en cours d'achèvement, et sur le complexe de Watergate, O'Malley avait assisté à ce que ses supérieurs appelaient le renforcement de l'ambassade de Phnom Penh. Il fallait en effet que celle-ci, à l'instar de son homologue de Saigon, devînt tout autre chose qu'une ambassade. La totale inefficacité de Lon Nol, Sirik Matak et autres Cheng Heng, leur incompétence, leur définitive inaptitude à créer autour d'eux un vaste consensus national qui aurait peut-être permis de mieux résister aux Vietcongs et aux Khmers rouges, à défaut de pouvoir les expulser du Cambodge ou les anéantir, tout cela faisait que les Américains devaient prendre en charge l'armée, les transmissions, les transports, le ravitaillement, l'aviation, l'organisation au sol, tout le fonctionnement administratif, et non seulement assurer le financement d'un budget cambodgien en pleine déroute mais veiller même à la répartition des gigantesques sommes investies, pour tenter de réduire les effets d'une prévarication incroyable.

En d'autres termes, il fallait que l'ambassade des Etats-Unis au Cambodge se substituât au gouvernement cambodgien dans à peu près toutes ses fonctions, avec tout de même une relative discrétion. Et cela dans un pays dont probablement pas un Américain sur cent mille n'avait entendu seulement prononcer le nom peu de temps auparavant, dont personne ou presque ne parlait la langue – on n'était déjà pas si nombreux à savoir le français –, dont personne ne connaissait les usages.

C'était déjà une folie à la lumière de ce qui se passait depuis des années à Saigon, où l'on avait procédé exactement de même. Cela devenait de la démence quand on savait, et comment pouvait-on l'ignorer, que le Sénat américain dispensateur de crédits, n'avait débloqué ces crédits qu'à la condition expresse que l'opération fût rigoureusement délimitée dans le temps et devrait donc s'interrompre à l'échéance, quoi qu'il arrivât.

Entrées au Cambodge au début de mai, les forces purement américaines devaient impérativement en être retirées deux mois plus tard, jour pour jour. En principe, les troupes sud-vietnamiennes étaient supposées se retirer à la même date. Le 21 mai toutefois, secrètement conforté par la CIA qui espérait encore, le vice-président de Saigon Nguyen Cao Ky affirma que Marines et Rangers du Sud continueraient d'opérer en territoire khmer aussi longtemps que nécessaire. Le 26 fut voté par le Sénat américain un amendement exigeant la cessation de toute intervention militaire des Etats-Unis au Cambodge après le 30 juin. Le même jour, Nixon obtenait pour Lon Nol une nouvelle aide officielle de sept millions et demi de dollars en équipements militaires, somme d'ailleurs dérisoire en proportion de ce qui avait déjà été investi et allait être encore pendant cinq ans.

Le retrait américain eut effectivement lieu le 30 juin. Mais il ne s'agit que d'un retrait des troupes au sol et qui fut par ailleurs complété par l'épandage sur les zones-frontières du Sud-Est cambodgien de gaz destiné à les rendre inhabitables pour six mois. Pour plus de sûreté, de puissantes forces d'artillerie prirent position de l'autre côté de la frontière, en territoire sud-vietnamien, avec toujours ce même objectif obstinément poursuivi d'assurer le bouclage du Sud-Vietnam et le fermer aux infiltrations des hommes de Giap. Et puis, si les forces terrestres US s'étaient en effet retirées, il restait tout de même encore l'aviation, en particulier les Phantom et leurs jets de napalm, capables en quelques secondes de détruire une colonne en marche.

Toutes dispositions qui, s'ajoutant à la présence continue des troupes de Saigon, allaient permettre à la guerre de durer.

O'Malley ignorait pour combien de temps. C'était le seul point dont il ne sût rien : la date de la conclusion. Mais il se croyait sûr de celle-ci et, avec la naïveté de ceux pour qui la politique a toujours été objet de dédain jusqu'au moment où elle leur éclate à la figure, il s'enrageait de paraître être le seul à deviner ce qui tôt ou tard allait se passer : un jour viendrait où l'énorme effort de guerre de son pays devrait s'interrompre, tant au Vietnam qu'au Cambodge. Il en était désespérément convaincu. Désespérément : cette défaite écrasante des Etats-Unis, la première de leur histoire, qu'il pressentait avec une absolue certitude, l'emplissait par avance de honte, de dégoût et de fureur.

D'autant que s'il ignorait tout du Vietnam, il connaissait en revanche le Cambodge. Parce qu'il avait vécu dans ce pays en paix et qu'il l'avait aimé, et aussi parce qu'au Cambodge se trouvait toujours Lisa.

Juste avant de prendre des vacances en Irlande, il avait appris sa nouvelle affectation. Comme il s'y attendait, étant donné la popularité extrêmement faible dont il jouissait parmi ses supérieurs, on ne l'avait pas gâté. Dans la liste des pays où le gouvernement des Etats-Unis estimait nécessaire l'envoi immédiat d'un nouvel attaché culturel, il n'y avait pas la France, mais la Belgique, la Grèce et la Tunisie. O'Malley les porta dans cet ordre sur la liste où on le priait d'indiquer ses préférences. On l'informa alors avec un brin de sarcasme qu'il devait partir pour le Burundi. Il en ignorait jusqu'à l'existence. Un atlas lui enseigna que c'était un pays d'Afrique centrale peuplé de Hutus, de Tutsis et de Twas, ce qui lui fit la jambe belle, qu'on y était surtout catholique et qu'outre le rundi et le swahili, on y parlait français. Il devait être à son bureau de Bujumbura – c'était paraît-il la capitale de la contrée – au plus tard le 15 septembre.

Ses deux semaines en Irlande l'avaient coupé du monde. Il n'y avait lu aucun journal. Quelques jours avant son départ pour l'Afrique, il quitta New York où il se trouvait en famille et se rendit pour la journée à Washington, rendant visite à l'un de ses amis du Département d'Etat.

– Où en est le Cambodge ?

– A quel épisode as-tu quitté le feuilleton ?

– *Grosso modo*, au moment où la cavalerie américaine se retirait au-delà du Rio Grande, laissant aux prises les bons Indiens de Saigon et de Phnom Penh et les méchants Apaches de Hanoi.

L'ami du Département d'Etat était lui aussi d'origine irlandaise et s'appelait Slattery. Il aimait bien Thomas d'Aquin qu'il connaissait depuis l'enfance et dont il avait longtemps espéré faire son beau-frère, en lui faisant épouser sa sœur, laquelle avait un gros faible pour les yeux verts d'O'Malley.

– Ça te tracasse, hein, cette affaire du Cambodge ?

– Oui.

– Bon. Résumé des chapitres précédents : nous nous sommes donc retirés officiellement du Cambodge le

30 juin. Depuis, pas grand-chose de neuf. Les troupes de Saigon et de Lon Nol appuyées par notre aviation et notre artillerie tiennent à peu près le coup. Dans le détail, on peut dire à peu près ceci : notre secrétaire d'Etat Bill Rogers n'est pas d'accord avec notre Président bien-aimé. Le vieux Bill pense que nous aurions mieux fait de ne pas fourrer notre nez dans les affaires cambodgiennes. Il n'est pas le seul à le penser : le Sénat aussi. Sans parler de ce qu'il est convenu d'appeler l'opinion publique; l'opinion publique commence à en avoir ras le bol. Le général Lon Nol a demandé une aide militaire à la Thaïlande, qui l'a envoyé se faire voir; Sihanouk a été condamné à mort par contumace et par un tribunal militaire de Phnom Penh; sa femme la princesse Monique – elle a du sang italien, tu savais ça? – a été pour sa part condamnée aux travaux forcés à perpétuité, également par contumace puisqu'elle est à Pékin avec son jules. L'inénarrable Spiro Agnew, dont quelqu'un m'a affirmé sans rire qu'il est notre vice-président, s'est déclaré pour une défense jusqu'au dernier mort du régime Lon Nol. Et maintenant quelques nouvelles brèves : pas loin de trente journalistes étrangers ont été tués en mission au Cambodge; le président français Pompidou qui est presque aussi emmerdant que de Gaulle nous conseille de foutre le camp d'Indochine dans les meilleurs délais; notre secrétaire à la Défense Melvin Laird a confié sous le sceau du secret le plus absolu à cent cinquante femmes américaines que l'activité aérienne militaire américaine au Cambodge a doublé depuis le premier août; nos avions-bombardiers s'amusent comme des fous avec leur napalm et volent en formation avec les Migs cambodgiens de Lon Nol.

– Et sur le terrain?
– Secret militaire.
– Merde.
– Il y a un coin qui t'intéresse particulièrement?
– Phnom Penh même et la partie du territoire cam-

bodgien qui va de Phnom Penh au golfe de Siam, par ce qu'on appelle là-bas la Route américaine.

– Ça tombe bien, dit Slattery. Avec la route de Saigon et les provinces du Sud-Est, plus quelques villes çà et là et un morceau de la province de Battambang, à la frontière thaïe, c'est tout ce qui reste du Cambodge lon-nolien. D'après une déclaration de Sihanouk en date du 25 août, tout le reste est sous le contrôle du gouvernement provisoire dont il est le président. Le plus agaçant, c'est qu'il ne ment presque pas.

Slattery considéra Thomas d'Aquin avec gravité.

– C'est le pays lui-même qui t'intéresse ou bien il y a quelqu'un ?

Thomas d'Aquin hésita. Il dit :

– Les deux.

– Des Cambodgiens ?

– Non. Enfin, je veux dire...

– Homme ou femme ? Je te rappelle que tu dois épouser ma sœur. Ça va faire maintenant trois ans qu'elle t'attend sous le porche de la cathédrale Saint-Patrick avec son petit bouquet de fleurs à la main.

De nouveau, Thomas d'Aquin hésita. Lisa. Et Lara. Et Roger Bouès lui souriant par-dessus le bol de soupe chinoise au Vieux-Marché. Et les frêles et fragiles silhouettes de Charles et Madeleine Korver, avançant main dans la main dans le soleil, au long des flamboyants du boulevard Norodom. Quelque chose lui noua la gorge.

– Hommes et femmes, dit-il.

– S'ils habitent Phnom Penh, pas de problème. Bien qu'à certains endroits les Vietcongs et leurs petits copains khmers rouges soient, dit-on, parvenus à dix ou vingt kilomètres de la ville. Et si tes amis veulent aller faire trempette dans le golfe de Siam, ils peuvent sans doute le faire encore. Mets-toi à la place de Lon Nol : il a sur les bras une ville qui comptait six ou sept cent mille habitants voici encore quelques mois, mais où les réfugiés ne cessent d'affluer. Le ravitaillement de la capitale ne peut presque plus se faire à partir des campagnes avoisinantes, qui sont le plus souvent ravagées ou carrément dans les pattes des communistes. Lon Nol, et nous-mêmes par voie de conséquence, n'avons pas le choix : il faut à tout prix maintenir ces deux cordons ombilicaux que sont les liaisons avec Saigon et avec le port de Kompong Som. Ce que tu appelles la Route américaine a été coupé, plutôt deux fois qu'une, à la fin d'août pendant quelques jours, mais la circulation a été rétablie, comme disent les flics. Aux dernières nouvelles, ça va à peu près.

– Merci, dit Thomas d'Aquin.

Il se leva.

– On déjeune ensemble? demanda Slattery.

– Je rentre à New York. J'ai mes bagages à faire. Embrasse Bea pour moi, et dis-lui de ne pas m'attendre sous le porche. De toute façon, je suis bouddhiste, à présent.

– Tu pars pour le Burundi, il paraît?

– Mmmm.

Sans autres commentaires, Slatterry lui offrit une cigarette, qu'il refusa. Slatterry se leva à son tour.

– Allez, Tom. Ne te tracasse pas trop. Si ça allait vraiment mal à Phnom Penh, on pourrait toujours évacuer les Occidentaux. On commence à avoir l'habitude de ce genre d'opération. On ne fait plus que ça, ces temps-ci.

Il sortit d'un tiroir une bouteille de whisky et ils burent, debout et échangeant des regards curieusement gênés, le verre traditionnel de l'au revoir, dans les non moins traditionnels gobelets de carton. En raison même de cette gêne qu'ils ressentaient, ils se crurent obligés quelques instants de parler de leur enfance, d'amis perdus, de femmes oubliées, de l'Irlande, et des rues de Brooklyn. Et Slattery voyait bien que les yeux de Thomas d'Aquin revenaient sans cesse sur la carte du Cambodge apposée au mur. Au point que par contagion, il se sentit lui-même saisi par la mélancolie.

– C'est la vie, dit-il, en raccompagnant Thomas d'Aquin jusqu'à l'ascenseur.

– Ça, ça m'étonnerait, dit O'Malley.

12

Ils s'étaient installés dans l'île le 17 mai, en fait exactement deux mois après la naissance de Mathias. La brièveté de ce laps de temps avait tout d'abord préoccupé Lisa. Lara lui-même avait hésité. Pour finir, dans la journée précédant leur départ de Phnom Penh, ils allèrent consulter l'un des deux médecins français qui avaient suivi la jeune femme tout au long de sa grossesse. Le médecin ricana.

– Vous êtes américaine, non?

– Je n'en suis plus très sûre.

– Elle l'est, ô combien! commenta Lara, un rien sarcastique. Elle a planté la bannière étoilée sur la tête de notre lit.

– Américaine de quel Etat?

– Colorado.

– C'est dans l'Ouest ça, non? Les Indiens, les rudes pionniers et tout le tremblement. Comment ont fait vos grand-mères et arrière-grand-mères pour avoir des enfants? Elles retournaient chaque fois en Ecosse? Cette espèce de chose que vous avez mise au monde se porte à merveille. C'est du solide. Au pis, ça peut prendre une diarrhée, ou des bricoles de ce genre. Je vais vous donner ce qu'il faut. Et puis vous avez une ama chinoise; elle en sait probablement plus que moi sur la façon d'élever un enfant dans des pays comme celui-ci. D'ailleurs, où allez-vous?

– Nous avons une maison au bord de la mer, aux alentours de Kompong Som, répondit Lara en restant dans le vague.

– Il y a un dispensaire à Kompong Som avec un collègue cambodgien, une sage-femme et deux infirmiers ou infirmières, je ne sais plus. Qu'est-ce qu'il vous faut de plus ? un hôpital complet avec le docteur Barnard prêt à opérer devant toutes les télévisions du monde ? Fichez-moi le camp tous les deux, avec votre môme, vous me faites perdre mon temps.

Ils partirent le lendemain matin, après un dîner chez les Korver, dîner auquel assista Roger Bouès, un Roger Bouès pétillant et gai rentrant lui-même d'un voyage qu'il venait de faire à Hong Kong, où il n'était jamais allé jusque-là, faute d'argent; presque trop pétillant et gai : il parvenait mal à cacher une nervosité, presque une fébrilité tout à fait nouvelle chez lui.

Ils emmenèrent avec eux Seng, le boy cuisinier, et l'ama chinoise. Dans la petite anse de la presqu'île de Cheko, Kutchaï les attendait à bord du sampan mais malgré l'insistance de Lisa, il refusa en souriant de les accompagner. Comme convenu, il devait ramener la 504 jusqu'à Kompong Som où il la confierait à la garde de la capitainerie du port qui, de Sré, ne se trouvait jamais qu'à un peu plus d'une heure de mer.

— Mais je viendrai vous voir, dit-il à Lisa. C'est promis. Je viendrai à la nage s'il le faut.

C'était Lisa qui avait voulu qu'ils se dissent tu quand ils parlaient français, ce qu'ils faisaient le plus souvent, l'anglais de Kutchaï étant assez sommaire.

— Attention aux requins.

— Ce sont les requins qui ont peur de Kutchaï, pas le contraire, dit Lara. Tu as vu les dents qu'il a ? Chaque fois que Kutchaï se baigne, le Syndicat des requins porte plainte.

Il y avait des mois et des mois que Lisa n'était pas revenue sur Sré. Elle avait certes pris part aux discussions quant aux aménagements qu'il convenait d'apporter à l'île mais elle n'avait pas vu les effets des décisions prises en commun. Quand après quarante et quelques minutes de traversée, le sampan-jonque glissa doucement sur l'eau calme, et quand Sré occupa tout l'horizon, elle crut au premier regard que rien n'avait été changé. On ne voyait pas la maison, on n'en pouvait même pas deviner la présence; Sré paraissait plus que jamais inhabitée et sauvage comme au premier jour du monde. Il lui sembla même que la végétation avait encore poussé.

– Tu es sûr que nous ne nous trompons pas d'île?

– Ha! Ha! dit Lara.

Elle s'était allongée sur le pont, juste aux pieds de son mari assis à la barre et avait appuyé sa nuque sur le plat-bord de bois sombre qui sentait l'épice et le sel. Elle ne portait depuis leur embarquement qu'un fin sarong sous lequel elle était nue. Le pied nu de Lara se posa sur sa jambe, à hauteur du genou, s'insinua sous le tissu, remonta lentement au long de la cuisse, comme l'aurait fait une main.

– Quelle honte! dit Lisa.

Il progressait centimètre par centimètre.

– Il y a Seng et l'ama, dit-elle. Et Mathias. Et les requins.

Mais un extraordinaire sentiment de bonheur l'envahissait et la faisait trembler. Elle saisit la cheville de Lara et la guida jusqu'à ce que la plante tiède du pied vînt reposer exactement sur la fente de son ventre.

– N'accostons pas tout de suite, rien ne nous presse, rien ne nous presse plus.

– Aye, aye, sir, dit Lara.

Le ciel d'un bleu outremer laissait parfois filer de grands oiseaux très blancs, aux pattes noires et palmées, et dont l'extrémité des ailes semblait dorée. Lisa crut à des mouettes.

– Non, dit Lara, des fous de Bassan, ou une espèce voisine.

Les fous de Bassan... Le mot français enchanta Lisa. Les grands oiseaux volaient en bandes regroupant des dizaines, voire des centaines des leurs, et parfois ces bandes elles-mêmes s'assemblaient en une immense armée aérienne piaillante. Mais le plus souvent, et c'était le cas au-dessus de la jonque traçant nonchalamment sa route autour de l'île, ils planaient dans un silence absolu, ailes déployées à trente ou quarante mètres au-dessus de l'eau, avant de se précipiter soudain dans des piqués vertigineux et sauvages. Ils disparaissaient alors sous la surface et, se penchant par-dessus le bastingage, Lisa en vit qui s'engloutissaient jusqu'à des profondeurs de cinq mètres, droit sur le fabuleux fond de corail, faisant irruption sur un banc de poissons multicolores et remontant ensuite avec des ondoiements de dauphin, leur bec clair serré sur une proie sanglante.

– Ils viennent d'Europe, dit Lara. Et le monde leur appartient.

Lisa reprit sa position première. Elle ferma les yeux. Le silence. Elle chuchota :

– Tu sais de quoi j'ai envie ? vraiment très envie ?

– Aucune idée, dit Lara moqueur.

– Sale type.

La crique étroite aménagée par les soins de Kutchaï se trouvait sur l'autre rivage de l'île, celui qui faisait face au Siam et à la Malaisie. Le sampan-jonque s'y glissa, s'y emboîtant exactement comme il l'eût fait dans un fourreau.

– Combien de temps allons-nous rester ?

– Aussi longtemps que nous le voudrons. Cent ans.

– Cent cinquante. Nous regarderons les fous de Bassan. Je pourrais rester à regarder les fous de Bassan pendant des siècles. Ils viennent vraiment d'Europe ?

– Vraiment.

Seng apparut en bâillant, sortant de la cabine, et il se mit en devoir de descendre la voile, de la ferler et de coucher le mât sur la longueur du pont.

– Oublions tout, dit Lisa. Tout le reste. Absolument tout.

Lara lui prit la main, en embrassa la paume. Il embrassa encore la crête de son épaule et effleura sa joue, puis il alla aider Seng.

Ce qu'il y avait de surprenant et, pour Lisa, d'admirable dans tous les aménagements apportés à l'île, était que rien n'y paraissait. Kutchaï avait fait creuser un silo, en avait fait bétonner les parois mais avait ensuite fait replacer la terre sur la dalle supérieure, de sorte que les hibiscus et les orchidées sauvages, les bougainvillées avaient recouvert cette dalle, à la seule exception d'une trappe de bois presque invisible. Le Jaraï avait de même enfoui le groupe électrogène à cent mètres de là, se servant avec adresse d'un amas de rochers à la coloration rappelant celle des pierres d'Angkor, et il avait fait enterrer les lignes électriques.

– Et la station de télévision ? demanda Lisa. Je ne l'ai pas encore aperçue. Où l'a-t-il cachée ?

– Elle est en projet. Tu as vu ce que contient le silo ?

– Assez pour nourrir vingt bébés et leur famille. C'est Kutchaï que j'aurais dû épouser.

Durant les cinq semaines suivantes, ils ne quittèrent pas l'île, même pas pour une promenade en mer. La présence de Seng et de l'ama ne les gênait pas, dans la mesure où le couple d'Asiatiques s'éloignait peu ou pas de la maison elle-même et, sans même qu'il eût été besoin de l'en prier, évitait systématiquement cette partie de Sré dont Lara et Lisa avaient fait leur domaine réservé. De sorte qu'ils vécurent exactement comme ils avaient rêvé de le faire, seuls et nus, préoccupés uniquement d'eux-mêmes et de leur fils dont l'ama affirmait qu'il comprenait d'ores et déjà le chinois.

Dans les premiers jours de juin, vraisemblablement aux alentours du 8 ou du 9, Kutchaï respecta sa promesse et vint leur rendre visite. Curieusement, il choisit d'effectuer la traversée depuis le continent alors que la nuit était déjà tombée. Ils n'entendirent rien de l'approche de la pirogue malaise et il fallut un appel du Jaraï depuis la plage pour qu'ils découvrent son arrivée.

Lisa l'embrassa, ce qu'elle n'avait jamais fait jusque-là.

— Tu nous manquais.

— Moi, pauvl'Khmel, c'est beaucoup content vous voil. Comment va le Huitième?

— Il apprend le chinois. Avec un milliard d'interlocuteurs possibles, il devrait pouvoir tenir plus tard des conversations tout à fait intéressantes.

Charles et Madeleine Korver allaient bien, dit Kutchaï.

— Ils vous embrassent et tout et tout. La Ti-Nam et son mari les ont quittés et sont partis pour Saigon mais je leur ai trouvé quelqu'un pour les aider et ils en sont très contents. Ils ont décidé d'apprendre le cambodgien et y consacrent quatre heures par jour. Chaque fois que je fais un saut chez eux, ils me rendent fou avec leurs questions sur les différentes prononciations d'un même mot. Je ne m'étais jamais rendu compte que le cambodgien était aussi difficile. Je me demande comment j'ai fait pour l'apprendre.

— *Kniom sraleïn neak*[1], dit Lisa.

Kutchaï haussa comiquement les sourcils.

— C'est contagieux, on dirait.

— Elle veut t'épouser, dit Lara.

— Ça doit être mon air scandinave. Aucune femme n'y résiste.

— Je lui ai dit que tu avais déjà douze ou quinze femmes et que tu les battais mais ça ne l'a pas découragée.

— Après toi, n'importe qui lui paraîtrait divin à cette petite.

— Vous savez ce qu'elle vous dit la petite, à tous les deux?

Ils se regardèrent tous les trois en silence, souriant, tout à leur plaisir sinon leur bonheur de se retrouver.

1 Littéralement : *Moi aimer vous. Je vous aime ou je t'aime.*

– Tu ne comptes tout de même pas repartir cette nuit ? dit enfin Lara.

Kutchaï se mit à rire, comme toujours quand l'embarras, voire un sentiment plus fort comme la colère, l'empêchait de répondre.

– Il n'en est pas question, dit énergiquement Lisa. Et je ne plaisante pas.

Kutchaï riait toujours, découvrant son impressionnante mâchoire de carnassier. Il finit par lever les mains.

– D'accord.

Lara partit parler aux pêcheurs malais.

– Merci, dit Lisa à Kutchaï. Merci pour tout.

– Ça te plaît ?

– Mieux que ça. Mille fois mieux.

Elle lui sourit avec ce mélange d'amitié quasi fraternelle et de timidité un peu craintive qu'il lui avait toujours inspirée, puis elle demanda soudain :

– Il y a de mauvaises nouvelles ?

Il soutint son regard.

– Il n'y a rien, dit-il. Les soldats américains partiront à la fin de ce mois mais ça ne devrait pas changer grand-chose.

– Beaucoup de morts ?

Kutchaï haussa les épaules. Lisa jeta un coup d'œil en direction de la plage où Lara s'était rendu.

– Il y a une chose que je veux savoir, dit-elle, et je voudrais une réponse franche. Il ne veut pas quitter ce pays et je lutterai de toutes mes forces pour ne jamais lui demander de le faire. Mais… – elle hésita, cherchant ses mots – mais quelles sont ses chances, nos chances ?

Elle le sentit balancer et une brutale émotion la saisit, comme si de la réponse de Kutchaï dépendait toute sa vie.

– Un Cambodge où Lara ne serait plus chez lui ne pourrait pas être mon Cambodge, dit-il enfin. Je n'arrive pas à l'imaginer. Pas Lara. N'importe qui mais pas lui.

Tous les autres, sauf lui. S'il devait y avoir un dernier Blanc dans ce pays, ce serait lui. Et les siens.

13

Kutchaï passa une semaine avec eux et ils retrouvèrent sans la moindre difficulté cette atmosphère de camaraderie, voire de complicité, qu'ils avaient déjà connue lors des soirées dans la villa de la rue Phsar Dek à Phnom Penh, quand ils échafaudaient de concert les plans les plus farfelus pour l'aménagement de l'île. Ce furent des journées joyeuses et insouciantes. A sa grande surprise, Lisa découvrit que Kutchaï savait à peine, ne savait pratiquement pas nager et surtout qu'il craignait terriblement la mer, ayant encore plus peur des requins qu'elle-même. Et elle ne vit jamais Lara rire autant et avec autant d'abandon qu'en contemplant la tête que faisait Kutchaï, lamentablement agrippé à un rocher pointant hors de l'eau, après avoir confondu une branche à la dérive et un requin. Le grand, l'immense Jaraï, juché sur son rocher gros comme une borne kilométrique, avait l'air d'une vieille dame grimpée sur un tabouret de cuisine pour échapper à une souris. Il aurait sans doute conservé son sang-froid devant douze tigres ou un nombre égal de cobras, mais la simple vue d'un poisson-lune l'épouvantait. Et l'extraordinaire limpidité de la mer, qui lui en révélait effrontément tout le grouillement, n'arrangeait rien, bien au contraire. Pas plus d'ailleurs que les fous rires de Lara, auxquels Lisa ne pouvait faire autrement que de se joindre.

— Je suis un homme de la forêt, disait Kutchaï d'un air sinistre. C'est plus fort que moi.

Il refusait avec obstination, quasiment avec haine, jusqu'aux tranches de thon grillé, de ce thon que les Malais fournissaient régulièrement, avec d'autres produits de leur pêche. Kutchaï lui trouvait un goût et jurait préférer les poissons du Tonlé Sap à la saveur de vase.

A propos de ce qui se passait sur le continent, de la guerre en cours, si proche et si lointaine, il était certes laconique mais s'exprimait franchement, et uniquement en français, de sorte que Lisa pouvait suivre ses explications. La jeune femme avait d'ailleurs noté que devant elle, les deux hommes n'échangeaient plus un seul mot en khmer. Cela datait du jour où Lara était revenu de la plantation, après y avoir brûlé la maison. Manifestement depuis cette date, Lara avait accepté de jouer le jeu et s'il ne parlait pas plus que par le passé de ce qu'il avait pu faire (par exemple des armes achetées et livrées à Ieng Samboth), au moins ne lui cachait-il plus rien désormais de ce qu'il faisait. Il avait abandonné cette attitude irritante qui lui faisait au début considérer Lisa comme une étrangère totale à ce pays, à ses secrets et ses méandres, en la traitant de surcroît comme un objet d'art à ce point délicat qu'il convenait de la précipiter à l'abri au moindre vent.

Elle ne comprit pas tout des explications de Kutchaï. Il citait des noms de villages minuscules, théâtres de combats, ou bien des noms d'hommes, dont elle ne savait même pas dans quel camp ils se trouvaient. Elle devina une situation confuse, rien en tout cas d'une guerre conventionnelle avec un front, des avant-postes, une seconde ligne, un *no man's land.* Kutchaï décrivait à un moment une agglomération en ruine, écrasée sous les obus et les bombes, prise et reprise d'assaut mais, la minute suivante, il parlait de zones entières, vastes, où le calme régnait, où les paysans travaillaient comme toujours dans leurs rizières, sur leurs kapokiers ou leurs palmiers à sucre.

– Vous avez dû apercevoir des avions, disait Kutchaï. Américains bien sûr. Dans le ciel, il n'y a qu'eux.

Lara et Lisa en avaient vu mais par deux fois seulement et encore les avions volaient-ils si haut qu'il leur avait été impossible d'en reconnaître les cocardes. Par moments, plus fréquemment, il leur arrivait d'apercevoir les cargos embouquant le canal d'entrée de Kompong

Som ou au contraire en ressortant. Mais ils n'avaient pas, depuis qu'ils séjournaient dans l'île, remarqué une augmentation particulière du trafic. D'ailleurs, les navires passaient très au large, à une dizaine de kilomètres au moins le plus souvent et, au moment où ils auraient pu devenir identifiables parce que plus proches, les bâtiments disparaissaient derrière la masse de l'île Rong, à l'entrée de la baie.

— En tous les cas, dit Kutchaï, pour ce qui est des liaisons entre Kompong Som et Phnom Penh, comme d'habitude ce sont les Chinois qui s'en occupent. Ils fournissent des armes et du riz à l'un et l'autre camp, ou des médicaments : ils ont des appuis d'un côté et de l'autre, des complicités partout. Si vous voulez aller à Phnom Penh, Liu peut vous y aider mieux que Sihanouk, Lon Nol et Nixon réunis. J'ai un message pour toi, Lara, de la part de ton oncle : Liu a un homme de confiance à Kompong Som, un certain Weï Ching Hi. Si vous avez besoin de quoi que ce soit, voyez Weï. La capitainerie du port vous dira où le trouver.

Kutchaï repartit aux alentours du 15 juin, promettant de revenir le mois suivant. Ou avant, selon ses déplacements. Il ne dit pas, du moins devant Lisa, ce qu'étaient ses déplacements et quel en était le but. Elle ne lui posa pas de question, ce qui ne l'empêcha pas de s'interroger et de découvrir, ce faisant, qu'elle ne savait même pas vers qui allaient vraiment les sympathies du géant jaraï dans ce conflit opposant, notamment, des Khmers entre eux.

De se retrouver de nouveau en tête-à-tête – la présence de l'ama et de Seng était silencieuse – fit naître quelques jours durant, chez Lisa, un léger et nouveau sentiment de solitude et de frustration. Pour la première fois, elle prit véritablement conscience de la situation tout à fait extraordinaire qui était la leur, à quelques kilomètres d'un pays en guerre. Lara dut le sentir. Il lui proposa de se rendre à Kompong Som.

— Avec le sampan ? par la mer ?

– Sauf si tu préfères le ski nautique.

– Et Mathias?

– Nous pourrions partir à l'aube et rentrer le soir. Le mieux serait de le laisser ici.

Elle finit par se laisser convaincre d'abandonner son fils à l'ama. On était alors dans le début de la saison des pluies et il avait même déjà plu à deux reprises bien que l'essentiel des précipitations fût en théorie pour plus tard, vers septembre et surtout octobre. L'année précédente, se trouvant alors à Phnom Penh et nantie d'une silhouette qui n'incitait pas aux galopades, elle n'avait pu vraiment découvrir les merveilles d'une pluie tropicale tombant enfin après des mois de sécheresse. A de rares exceptions près, elle n'avait en fait jamais considéré la pluie que comme un phénomène météorologique agaçant, obligeant à brandir un parapluie ridicule ou à porter un imperméable, à la rigueur utile aux agriculteurs. Cette année-là, sur Sré, elle en goûta toute la plénitude, s'étalant nue sous l'averse, ouvrant avec extase chaque pore de sa peau.

Et la pluie sur la mer fut une autre découverte. Ils partirent l'un des premiers jours de juillet, avant même le lever du jour, préférant comme Kutchaï éviter les mouvements de bateau en plein jour aux abords de l'île, mouvements qui auraient pu y trahir leur présence. Mais dès la brusque montée de la lumière, la pluie arriva, par grandes brassées argentées apportées par le vent du large. Sous l'effet des nuages, la mer devint violette, moins claire qu'à l'habitude. Malgré son unique voile, la jonque filait à toute allure, dans un sillage de mousse blanche, un peu secouée jusqu'au moment où elle se glissa à l'abri de Kas Rong.

Lara jeta l'ancre.

– Inutile de nous presser. Il est encore trop tôt.

La montre-bracelet de Lisa ne marchait plus depuis qu'elle avait oublié de l'ôter de son premier bain, et le chronomètre de plongée de Lara était resté sur Sré. Mais ils estimèrent d'un commun accord qu'il devait être à peu près six heures du matin.

La pluie ralentit puis cessa et un timide soleil finit par trouer les nuages.

– De quel côté est Kutchaï? demanda soudain Lisa. Je veux dire, politiquement.

Le regard clair de Lara la fixa, surpris.

– Je dirais qu'il attend.

– Ça ne l'empêche pas de se déplacer à travers tout le Cambodge en guerre, si j'ai bien compris.

Lara eut un geste vague. Il s'était allongé sur le pont et léchait les dernières gouttes de pluie sur ses avant-bras. Lisa insista :

– Imaginons qu'il n'y ait jamais eu de Lara au Cambodge, ou que Kutchaï ne t'ait pas connu. Est-ce qu'il serait khmer rouge?

Lara bâilla.

– Je connais quelqu'un qui va rentrer à la nage. Quelqu'un qui a des yeux violets, de très beaux seins, des hanches rondes et qui parle français avec un drôle d'accent.

Mais elle refusa la légèreté du propos.

– C'est une question importante.

– Dans ce cas, c'est à Kutchaï lui-même qu'il faut la poser.

Un cargo apparut, venant du port et battant pavillon japonais; il passa à quelques centaines de mètres de la jonque. Jusque-là allongée sur le dos, à même le bois odorant du pont, Lisa vint sur un coude puis sur les genoux, s'asseyant sur ses talons, nue et extraordinairement bronzée. Elle demanda :

– Fâché?

– Non.

– Mais si, dit-elle avec une netteté presque agressive.

Il sourit, une expression lointaine dans ses yeux pâles, revenu d'un coup à sa réserve ancienne, se refermant en lui-même et opposant au monde extérieur cette douceur courtoise qui pouvait être exaspérante.

– Tu devrais t'habiller, dit-il calmement. Tu vas provoquer des émeutes, à Kompong Som. Les marins japonais se rinçaient l'œil tout à l'heure, dans leurs jumelles.

Elle ne portait qu'un collier d'or finement tressé qui lui descendait entre les seins. Sur son corps, la maternité n'avait laissé aucune trace, à l'exception de deux ou trois vergetures presque invisibles, blanches sur le hâle uniforme et doré de sa peau. Dans cette lumière bleue et parme de l'aube, luisante encore de pluie, ses yeux semblaient plus violets qu'à l'ordinaire, et elle était d'une beauté bouleversante.

– Comment était-elle? Je parle de ta première femme.

– Je ne crois pas que ce genre de conversation soit utile.

– Pourquoi? Je peux te parler de Bob, si tu veux.

– Je n'y tiens pas.

Il se leva, commença à s'habiller. Lisa ne bougea pas. Toujours assise sur ses talons, elle lissait son corps nu de ses paumes, y effaçant les dernières gouttes de pluie.

– N'en parlons pas, dit-elle. Ne parlons de rien, ne parlons jamais de rien. Feignons d'ignorer ce qui est arrivé, ce qui arrive, ce qui arrivera. Soyons aveugles. C'est ce que tu veux?

Soudain, elle se vit elle-même, de l'extérieur, nue sur cette jonque, en vue d'un minuscule pays d'Asie où l'on s'égorgeait. Une sauvageonne. Elle avait presque froid et c'était une sensation curieuse après un an.

– Et j'ai un mari qui a un oncle chinois, dit-elle.

Elle secouait la tête et tout à coup, sans même pouvoir l'expliquer, elle se mit à pleurer.

Weï était petit et rond, si petit que face à Lara et Lisa, il devait renverser sa tête presque complètement en arrière pour les dévisager. Il avait accueilli le couple avec toutes les marques d'un profond respect.

– M. Liu m'a prévenu que vous pourriez m'honorer de votre visite.

– Nous voulons simplement savoir où en sont les communications avec Phnom Penh, par la route.

– Dans les jours qui viennent ?

– De façon générale.

– La route n'est pas sûre, dit Weï. Certains moments, elle est très dangereuse et même – il chercha le mot – inutilisable. A d'autres périodes, on peut normalement la prendre. Les ordres que M. Liu m'a donnés sont très précis : si vous souhaitez vous rendre à Phnom Penh, je dois tout faire pour vous y aider. Je vous y aiderai. Et vous passerez. A tout moment et en toute sécurité.

La 504 Peugeot était branchée sur un chargeur de batterie mais à part cela prête à fonctionner. Une fois sa batterie replacée, elle démarra sans difficulté. Lara se mit au volant et prit la direction de Réam, à une quinzaine de kilomètres de là. Le petit restaurant tenu par un Corse y existait toujours. Ils y mangèrent l'inévitable chevreuil, précédé de crabes flambés au cognac et burent une bouteille de ce bordeaux que le Corse achetait directement à bord des cargos faisant escale à Kompong Som. Lisa se tut durant tout le repas. Malgré ses efforts, elle ne parvenait pas à se remettre vraiment de sa petite crise de dépression sur la jonque.

– Veux-tu que nous rentrions à Phnom Penh ?

Elle hésita, secoua la tête.

– Ça ne changerait rien. Non, je préfère Sré.

Elle était sincère. A l'époque, par ce qu'elle avait retenu des explications de Kutchaï, elle imaginait Phnom Penh comme une ville assiégée. Et plus tard, se souvenant de ce déjeuner de Réam, elle devait découvrir que l'idée qu'elle se faisait alors de la capitale khmère n'était pas si fausse, allait même, au fil des cinq années suivantes, le devenir de moins en moins.

– Parle-moi de M. Liu. Il me semble être un homme très important.

– Il l'est.

Lara expliqua pourquoi. Les Chinois du Cambodge, ceux du moins occupant le sommet de la hiérarchie sociale, possédaient en fait les deux tiers des capitaux cambodgiens.

– Tu as entendu comme moi ce qu'a dit Kutchaï. Voici à peine deux mois, Lon Nol et Sirik Matak ont voulu s'attaquer à la communauté chinoise, pour les mêmes raisons qui les avaient fait s'attaquer aux Vietnamiens. Mais Pékin est intervenu aussitôt, a menacé de faire retirer tous les capitaux chinois du Cambodge, c'est-à-dire de flanquer en l'air en quarante-huit heures toute l'économie du pays. Et Liu s'il n'est pas le plus riche – ça reste d'ailleurs à démontrer – est sans aucun doute l'un des Chinois les plus influents du Cambodge.

– Je ne comprends pas : pour Mao, M. Liu est un capitaliste.

Lara se mit à rire.

– Mais Mao est chinois, comme Liu. Pourquoi crois-tu qu'Hong Kong continue d'exister en tant que colonie britannique ? Hong Kong est un comptoir par où la Chine vend et achète; peu importe la couleur de ce comptoir, qui appartient d'ailleurs à des hommes comme Liu. Et ce n'est pas une image : deux des frères de Liu sont à Hong Kong et y possèdent notamment bon nombre de ces cargos que tu as vus passer. Autre chose : Liu a également un autre de ses frères à Manille, il a un oncle à Taïpeh, des cousins, des neveux, d'autres oncles, à Djakarta, Rangoon, Bangkok ou Singapour. A San Francisco, j'ai rencontré l'un de ses fils, qui a la nationalité américaine du fait de son mariage avec une Sino-Américaine de Californie. Je suis allée en Nouvelle-Calédonie, aux Nouvelles-Hébrides et à Tahiti, et j'y ai rencontré les correspondants familiaux de Liu. De même en Corée du Sud, au Japon, à Hawaii. Liu a même un prix Nobel dans sa famille : prix Nobel de physique en 1957. Non, je ne plaisante pas. Mais j'ai réussi à te faire sourire. Lisa, je t'aime et il y a six cent mille Chinois au Cambodge.

– Et tu fais partie du clan.

– Bien sûr que non. Mais Liu et moi nous sommes toujours bien entendus.

– Parce que tu as épousé sa nièce autrefois. Et voilà que tu m'as épousée, moi. Mais je n'ai pas autant à t'offrir. Rien qu'un frère déserteur et un vieux grand-père qui cultive des fleurs en serre au fond du Colorado.

– Physiquement, dit Lara, je te préfère à M. Liu.

Il souriait, essayant de faire la paix. Elle se sentait lasse, triste, perdue; elle se sentait étrangère à cette guerre, à ce pays, à M. Liu, et presque à cet homme qui était son mari. Elle regarda Lara et son envie de pleurer la reprit.

– Je voudrais un autre cognac. Dans un grand verre cette fois.

Elle avala l'alcool d'un trait. Le cognac était tiède et lui brûla la gorge.

– J'oubliais, dit-elle. J'ai également un oncle et une tante, au second degré seulement. Ils vivent au Texas. Mais je ne crois pas qu'ils possèdent le moindre cargo. Ils n'en avaient pas la dernière fois où je les ai vus; ils en ont peut-être acheté un depuis, remarque bien. Mais ça m'étonnerait. La dernière fois que je les ai vus, ils faisaient des économies pour aller passer deux semaines en Italie. Et j'ai beau chercher, je ne vois rien d'autre. Sauf une amie de collège qui est mariée à un petit industriel et vit à présent dans le Nord-Dakota, à moins que ce ne soit le Montana. Je vérifierai si ça t'intéresse. Naomi Jackson. Mais Naomi n'a pas de cargo, elle non plus. Et je ne pense pas qu'elle puisse nous être de la moindre utilité pour aller de Kompong Som à Phnom Penh et *vice versa.* J'ai peur qu'elle ne sache même pas où se trouve Kompong Som. Par contre, elle a trois enfants qui peuvent sortir dans la rue, jouer dans le jardin avec leurs camarades et manger des ice-creams comme tout le monde.

– Du calme, dit Lara.

– Je n'ai pas envie d'être calme.

– D'accord, ne sois pas calme.

– Tu l'es pour deux. O combien!

Elle tendit la main et prit le verre encore plein de son mari. Elle avala d'un trait son troisième cognac. Elle se leva.

– Allons-nous-en d'ici.

Il paya et lorsqu'il la rejoignit, elle était déjà assise dans la voiture. Elle contemplait la forêt-clairière sur le côté droit de la route et, un peu plus loin, les moutonnements vert sombre de la chaîne de l'Eléphant.

– Regarde, dit-elle, c'est tout plein de Khmers rouges. Je vois leurs gros yeux qui brillent tandis qu'ils nous observent. Mais, bien entendu, ils ne nous feront rien, n'est-ce pas? Ils t'ont sûrement reconnu. Ils hochent leur tête et ils disent entre eux : « Mais c'est ce bon vieux Lara et sa gentille femme! Nous ne pouvons tout de même pas tirer sur ce bon vieux Lara et sa gentille femme. Et d'abord, Lara est immortel, tout le monde sait ça au Cambodge. Et Lara est notre ami. Lara est l'ami de tout le monde. »

Il ralentit et stoppa la voiture.

– Lisa...

Elle ouvrit la voiture et descendit, s'éloigna de quelques mètres.

– Lisa.

A part le bruit de portière, elle n'entendit rien, mais il se trouvait à présent juste derrière elle.

– Ne me touche pas.

Une à deux minutes s'écoulèrent dans un silence écrasant. Dans le ciel, l'éclaircie de la matinée s'effaçait lentement et sans arrêt de gros nuages gris et violets, boursouflés, arrivaient en une lente dérive, coiffant la chaîne de l'Eléphant, s'accrochant dans le lointain aux sommets ronds des Cardamomes, dont les dix-sept ou dix-huit cents mètres devenaient peu à peu invisibles. Une puissante odeur de terre détrempée montait par bouffées successives, s'épandait en une nappe presque palpable. Lisa se retourna enfin et après quelques secondes détourna son regard de celui de Lara, refusant d'y lire l'immense et bouleversante tendresse qu'il lui adressait.

– Rentrons, dit-elle. Je veux voir mon fils.

Après cela, ils passèrent encore un mois à Sré, dans une atmosphère étrange. A plusieurs reprises, Lara tenta d'avoir avec sa femme une explication mais elle s'y refusa toujours, par une obstination qu'elle-même jugeait stupide, en tous les cas inefficace, dont elle ne parvenait pourtant pas à se départir. Elle ne pouvait se tromper sur la nature de ce qui les séparait. Elle avait toujours su que Lara se refuserait à quitter le Cambodge, et qu'il ne pouvait même pas en concevoir l'idée. En l'épousant elle avait pris en son for intérieur un engagement, celui de ne jamais lui demander de le faire. Elle était encore fermement décidée à tenir cette promesse qu'il n'avait d'ailleurs pas sollicitée. Elle l'avait dit à Kutchaï et avait été, le disant, parfaitement sincère.

Elle en vint même à s'interroger sur la nature de l'amour irrémédiable qu'elle éprouvait pour Lara, et qu'elle continuait d'éprouver avec une intensité qui parfois l'effrayait. Cet amour était physique, à n'en pas douter, au point que pour un peu elle en eût ressenti de la honte. Il y avait dans le corps maigre et nerveux de Lara, dans sa voix grave et lente, son regard souvent pensif, l'odeur même de sa peau, dans cette extraordinaire façon de se déplacer sans paraître bouger, dans sa façon aussi d'être présent sans même dire un mot, quelque chose qui tout à la fois l'émouvait et la faisait fondre. A leur retour de Kompong Som et de Réam, durant une dizaine de jours, elle avait tenté de se refuser à lui, bien que consciente de la médiocrité de cette arme, évitant jusqu'au moindre contact physique dont elle savait qu'elle n'y eût pas résisté. Il n'avait rien dit ni fait la moindre remarque, accablant de gentillesse et de douceur, attendant qu'elle se reprît. Pour finir, elle avait cédé, trop honnête avec elle-même pour croire que sa reddition était due à une quelconque pitié, ou à son désir de ne pas l'accabler davantage. Elle lui avait cédé comme l'on cède à la faim ou la soif.

Mais cet amour qu'elle avait pour lui n'était pas que physique : il était tout autant fait de tendresse, d'affection, d'amitié. De Lara, elle aimait probablement plus encore les faiblesses que les forces.

Kutchaï revint, deux autres fois, d'abord le 10 juillet, puis deux semaines plus tard, chaque fois arrivant de nuit et repartant de même. Ses commentaires sur l'état de la guerre variaient étonnamment peu. Apparemment, Phnom Penh et les Korver continuaient de vivre presque normalement, bien que l'encerclement de la capitale fût par endroits hermétique, à l'exclusion des liaisons avec Saigon, routière et fluviale, et, par périodes, avec Kompong Som. Mais pour le reste du pays, si une ville comme Kratié était depuis longtemps tombée et prenait même rang de capitale khmère rouge, Siem Reap et Kompong Thom, et plus encore Battambang adossée à la frontière thaïe, résistaient encore, solidement tenues par les forces de Lon Nol, grâce à un appui aérien massif de l'U.S. Air Force, dont les bombardiers B 52 et les Phantom emplissaient le ciel.

A peine trois jours après le deuxième départ de Kutchaï et donc tout à fait à la fin de juillet, un autre visiteur survint avec l'aube.

Dominique Christiani se trouvait à bord d'une très grosse vedette montée par une demi-douzaine de Malais impassibles. Le Corse était à son habitude plein d'entrain et de dynamisme. Il semblait considérer la guerre au Cambodge et au Vietnam comme un événement tout au plus désagréable. Il s'extasia sur les aménagements de l'île.

– Mais c'est le paradis terrestre !

Il passa la journée sur Sré, gardant sa vedette à l'ancre au fond de la plus grande des anses à l'ouest de l'île, à l'abri de tout regard venu du continent. Ses hommes débarquèrent une grande caisse qui se révéla pleine de jouets pour Mathias. Il y avait même un train électrique et Lisa ne put s'empêcher de rire.

— Mon fils n'a que quatre mois et demi!

— Ça lui passera, ma petite dame, rassurez-vous. Ça guérit toujours, ce genre de choses.

Il expliqua qu'il devait appareiller le soir même, mais qu'il serait de retour le surlendemain. Il avait, dit-il, des courses à faire. Il allait ajouter quelque chose mais un regard de Lara le stoppa, Lara qui intervint :

— Je ne t'en ai pas parlé plus tôt parce que je ne savais pas quand Kutchaï pourrait joindre Dominique. Comment crois-tu qu'il nous a trouvés? Et puis – il sourit – et puis je ne savais pas si ça allait te plaire. J'ai pensé que nous pourrions profiter de la vedette pour aller passer quelque temps à Bangkok. Je n'ai presque plus de lames de rasoir. Bien entendu, nous emmènerions Mathias et l'ama. Quant à Seng, il préfère rester ici. De toute façon, s'il veut passer sur le continent pendant notre absence, il y a toujours ses amis malais.

Lisa considéra son mari bouche bée. Lara se mit à rire. Il écarta les mains.

— Il faut bien que je vérifie si ce Corse ne m'escroque pas. Après tout, nous sommes associés.

Christiani riait.

14

A Bangkok, ce fut le même Christiani qui leur trouva une villa dans la partie ouest du quartier de Bang Rak, en bordure d'un grand parc, lui-même parcouru par une petite rivière qui rappelait la Serpentine de Hyde Park à Londres, non loin de l'université de Chulalongkorn et du stade olympique. Bâtie à peine deux ans plus tôt, la villa avait un étage et trois salles de bain superbement équipées. Ce furent sans doute ces dernières qui frappèrent le plus Lisa à son arrivée dans la capitale thaïe. Mais sa plus grande surprise fut de se découvrir elle-même dans le grand miroir de leur chambre. Sur Sré, c'était l'une des rares choses, en hommes qu'ils étaient, que Kutchaï aussi bien que Lara avaient oublié d'apporter : une glace. Elle s'était constamment servie d'un miroir de poche et le dernier en date des aperçus qu'elle avait eus d'elle-même remontait à plusieurs mois en arrière, à Phnom Penh; et elle avait contemplé sans enthousiasme excessif une jeune femme avec un ventre proéminent, plutôt bien en chair, nantie d'une poitrine de nourrice, au teint de pêche épanouie. Elle se trouva en face d'une Lisa qu'elle n'avait jamais vue : mince et presque maigre, pas tout à fait quand même, les rondeurs y étaient bel et bien, musclée et surtout extraordinairement bronzée d'un hâle mordoré qui d'ailleurs l'enchanta, un hâle absolument uniforme et parfaitement réparti. Au prix d'une ingénieuse, voire acrobatique combinaison de glaces, elle parvint à s'examiner de dos : c'était pis, ou mieux encore : pas la moindre trace de maillot et pour cause.

Elle demanda, la voix caverneuse :

– Tarzan aimer Jane ?

– Houba, houba, dit Lara.

Allongé sur le lit, mains croisées sous la nuque, il appréciait visiblement le spectacle.

– Aucun doute, dit-il. C'est bien toi. Tu es Lisa.

– Et tu m'aimes comme ça ?

– Bof, dit-il. L'habitude. Sur une île déserte, il faut faire avec ce qu'on a.

Elle lui sauta dessus.

La quasi-totalité des affaires personnelles du couple était restée à Phnom Penh et d'ailleurs les robes de grossesse ne convenaient évidemment plus. Lisa fit une à une toutes les boutiques de Bangkok, se jetant dans une orgie d'achats avec un plaisir jusque-là inconnu, même à

New York, même quelques années plus tôt à Paris. Lara la suivait, nonchalant, l'œil rieur, et payait. Elle finit par être traversée par un soupçon :

– Je dépense trop?

– Nous avons fait beaucoup d'économies, ces derniers temps.

Elle découvrit soudain qu'elle ne s'était jamais posé la question.

– Est-ce que tu... est-ce que nous sommes riches?

Il éclata de rire.

– Ni riches ni pauvres. Si tu n'achètes pas autant de robes chaque mois, nous pourrons probablement continuer de manger à notre faim.

Depuis le moment où la vedette de Christiani avait commencé à remonter le fleuve de Bangkok, Lara s'était métamorphosé. Lisa le retrouvait exactement tel qu'il avait été au cours des mois précédant la naissance de Mathias : calme certes, mais enjoué : il n'était pas l'homme des brusques éclats, aussi bien dans la fantaisie que dans la colère, ses passions étaient toujours intérieures – elle ne parvenait pas à l'imaginer chantant à tue-tête sous la douche ou gambadant ou hurlant sa fureur – mais il pouvait être fort gai, plein d'humour, et il l'était. Lisa quant à elle nageait dans l'euphorie. Elle adorait la villa qu'ils avaient louée, adorait les minuscules domestiques thaïs aux gestes gracieux de danseuses qui secondaient l'ama, adorait Bangkok. Après tout, c'était le premier pays d'Asie qu'elle voyait autrement que sous les couleurs d'une guerre menaçante ou en cours. Elle voulut tout visiter, de l'inévitable Marché-Flottant au temple de l'Aurore et jusqu'à la ferme aux Serpents, plongeant dans la foule asiatique avec une sorte de volupté, en s'étonnant de l'avoir autrefois trouvée oppressante. L'un de ses premiers soins sitôt installée avait été de téléphoner dans le Colorado; elle put parler à Matthew Kinkaird et fut émue par l'émotion même de son grand-père, dont elle apprit non sans remords qu'il était sans nouvelles d'eux depuis plus de trois mois (Matthew ne reçut jamais la lettre dans laquelle Lisa lui annonçait leur départ pour Sré, qu'elle décrivait sous des couleurs enchanteresses en insistant sur la sécurité totale qui y régnait, lettre expédiée deux jours avant leur départ de Phnom Penh, c'est-à-dire le 15 mai).

Matthew lui apprit qu'il s'était rendu à Stockholm et qu'il y avait vu Jon, de sorte qu'elle eut ainsi, également, des nouvelles de son frère et surtout apprit son adresse, où elle lui écrivit aussitôt pour lui confirmer la naissance d'un neveu. Trois semaines plus tard, elle reçut une réponse du jeune homme, apparemment intégré désormais à la vie suédoise et qui évoquait même la possibilité d'un voyage, sitôt que sa situation professionnelle le lui permettrait (il était entré dans une affaire de machines-outils, comme cadre commercial), d'un voyage en Thaïlande, grâce à son passeport suédois. Autre chose toucha Lisa, dans la lettre de Jon : la façon dont il parlait de Lara, lequel l'avait indubitablement impressionné et dont il évoquait le rôle dans son sauvetage avec plus que de la simple reconnaissance. « C'est le frère aîné dont j'ai toujours rêvé. »

Lara connaissait entre autres à Bangkok un couple d'Anglais établis là depuis des lustres, Peter et Jodie Hayward. Lui était photographe et travaillait pour des éditeurs britanniques et australiens, elle sculptait, avec une absence de talent proprement miraculeuse mais qui ne semblait pas la troubler le moins du monde. Les Hayward s'étaient à maintes reprises rendus au Cambodge, qu'ils préféraient d'ailleurs à la Thaïlande et Peter avait constitué une impressionnante photothèque consacrée aux monuments khmers, qu'il jugeait les plus beaux du monde.

Grâce aux Hayward, les Lara nouèrent des relations avec la colonie occidentale de Bangkok, essentiellement anglo-américaine et, par l'un des attachés de l'ambassade des Etats-Unis, Lisa apprit que Thomas d'Aquin

O'Malley allait dès septembre être nommé dans un petit pays d'Afrique appelé le Burundi.

– Vous êtes sûr que ça existe?

– En tout cas, nous y avons une ambassade.

Elle hésita longtemps puis, finalement, s'abstint d'écrire à O'Malley, et s'en voulut un peu de ne pas l'avoir fait.

Ils séjournèrent à Bangkok les dernières semaines d'août, puis tout le mois de septembre, celui d'octobre et celui de novembre. Lara ne parlait jamais du Cambodge et quand, au cours d'une soirée ou d'un dîner, la conversation roulait sur la guerre de l'autre côté de la frontière, il devenait totalement absent ou alors, quand il le pouvait, s'éloignait.

Ce fut en septembre que Christiani leur apporta des nouvelles de Charles et Madeleine Korver, ainsi que de Roger Bouès qui, tous trois, allaient bien. D'abord soulagée et rassurée quant à ses vieux amis (elle connaissait moins Roger), Lisa s'interrogea dans un second temps sur la façon dont Christiani, résidant à Bangkok et ne se rendant jamais au Cambodge, avait pu parler à Kutchaï, lequel n'avait apparemment pas quitté son pays où il semblait d'ailleurs continuer à se déplacer avec la plus extrême facilité. Après quelques jours, elle posa carrément la question à Lara.

– Christiani fait de la contrebande, dit-il.

Le mot la stupéfia et plus encore la franchise de la réponse.

– Mais c'est ton associé!

– Pour une affaire d'import-export qui est en règle, oui. Ce que fait Dominique en dehors de son travail avec moi ne me regarde pas, du moins en de telles circonstances.

Elle le fixa, convaincu qu'il lui cachait quelque chose. Elle le lui dit. Il haussa légèrement les épaules, avec son même calme imperturbable.

– Non. Plus maintenant.

Ils étaient dans leur chambre au premier étage de la villa et ils s'habillaient pour un dîner.

– De quelles circonstances parles-tu? et quelle sorte de contrebande?

– Le Cambodge est un pays en guerre, qui manque de tout. Il y a toujours de l'argent à gagner dans ces cas-là. Et je ne pourrais pas empêcher Dominique d'en gagner, même si je le voulais.

– Parce que tu ne le veux pas? Pourquoi? Qu'est-ce qu'il vend?

Elle eut une illumination.

– Des armes, dit-elle. Kutchaï a dit que les Khmers rouges manquaient d'armes, et qu'Hanoi ne tenait guère à leur en fournir, sinon au compte-gouttes.

– Et des médicaments.

– Et tu as pris part à ce trafic, n'est-ce pas?

Il fixait le nœud papillon de sa tenue de soirée.

– Au début, oui. Mais certainement pas pour gagner de l'argent. Et je n'en ai pas gagné.

De sa voix grave et calme, très paisiblement, comme si c'eût été la chose la plus naturelle du monde, il lui raconta sa rencontre avec Ieng sur les hauts plateaux et comment il avait financé, pour soixante mille dollars personnels, une partie de la première livraison effectuée par Christiani à l'intention de Ieng Samboth.

– Mais depuis on m'a rendu l'argent.

– Qui ça, on?

– Les Chinois.

– Tu veux dire que le gouvernement de Pékin, celui de Mao tsé-Toung, t'a versé soixante mille dollars?

Lisa était effarée.

– Exactement.

– Et pourquoi t'ont-ils remboursé?

– Je suppose que je le dois à l'intervention de Ieng, qui n'aura pas voulu que j'en sois de ma poche. Il savait que cet argent représentait une bonne partie de mes possibilités.

Elle venait tout juste d'enfiler la robe qu'elle devait

porter ce soir-là. Elle s'assit sur le lit, les jambes coupées, la fermeture à glissière bâillant dans son dos.

– Tu as acheté et livré des armes aux Khmers rouges ?

– Pas aux Khmers rouges, à Ieng Samboth et à lui seul.

– Où est la différence ?

– Elle est énorme. Le Cambodge de demain ne sera pas celui de Lon Nol. Tout le prouve. Je ne voudrais pas non plus qu'il soit celui d'un Saloth Sar ou d'un Rath.

– Je ne connais pas ces hommes.

– Ça ne les empêche pas d'exister, dit-il avec son calme exaspérant.

Il se retourna et la vit effondrée. Il s'approcha et vint s'asseoir près d'elle.

– Lisa, je t'ai dit la vérité, je ne te cache rien.

Il lui ferma sa robe.

– Bon, dit-il, ça change quoi que tu le saches ? Où est la différence entre maintenant et la minute précédente ? Lisa, le Cambodge est mon pays, je ne peux en concevoir d'autre et j'ai le droit de tenter d'en influencer le destin.

« On en revient toujours au même point », pensa Lisa. Lara n'avait pas changé et au fond d'elle-même, elle l'avait toujours su, même si ce départ pour Bangkok, cette installation en Thaïlande, avaient pu quelque temps l'inciter à penser le contraire. Lara n'avait pas changé et persistait dans son attachement fou pour un pays qui déjà le rejetait et ne l'avait en fin de compte jamais accepté vraiment. De cela, Lisa était convaincue et une brusque flambée de colère la secoua : comment pouvait-il ne pas se rendre à l'évidence ? comment ne se rendait-il pas compte que cet argent qu'il avait versé n'avait été qu'un gage qu'il avait voulu donner ? Il avait ni plus ni moins payé ou tenté de payer son droit de vivre au Cambodge, quel qu'en fût plus tard le régime. Et que Ieng Samboth eût tout fait pour lui restituer cet argent ne pouvait avoir qu'une signification : Ieng lui-même,

484

l'ami d'enfance, lui rendait le gage. Et refusait le droit d'entrée.

Ce soir-là, durant quelques secondes, elle faillit éclater. Mais cela ne dura guère. Elle se reprit, au nom de l'amour qu'elle avait pour lui, par la vertu aussi d'un raisonnement simple : après tout, ils étaient bel et bien à Bangkok et à aucun moment depuis la première heure de leur arrivée, Lara n'avait parlé d'un éventuel retour à Phnom Penh. La vérité était que le temps jouait pour elle et cette guerre finirait bien par s'arrêter un jour ou l'autre. Elle recouvra son habituelle maîtrise d'elle-même et son bon sens. Elle se retourna pour dévisager son mari :

– Tu ne prends plus aucune part à ces livraisons d'armes ?

– Aucune. Et je ne m'en mêlerai plus.

Elle le regardait en silence, certaine de sa sincérité. Elle finit par baisser les yeux sur sa robe, qu'elle étrennait, bouleversée et presque au bord d'une pitié qui lui broyait le cœur. Elle dit d'une voix sourde :

– Tu as oublié le crochet, au-dessus de la fermeture Eclair.

Qu'un Christiani ou d'autres pussent aussi aisément, à partir de la Thaïlande, approvisionner la résistance khmère à Lon Nol, en opérant quasiment au grand jour, avait au début surpris Lisa. Sa surprise n'avait pas duré : il lui avait suffi de quelques passages dans les rues de Bangkok pour constater que la capitale thaïe rappelait à bien des égards la capitale sud-vietnamienne : night-clubs, bars, restaurants, sans oublier les traditionnels établissements de massage, spécialité locale, s'étaient infiniment multipliés à l'usage d'une clientèle qui était pratiquement la même que celle de Saigon : essentielle-ment ses compatriotes en uniforme, fretin livré aux piranhas, expédiés là dans le cadre du R&R, Repos et Récréation, entre deux combats au Vietnam, au Laos, au

Cambodge avant le retrait américain du 30 juin, ou bien encore séjournant officiellement en Thaïlande – puisqu'ils étaient en cette fin d'année 70 et début 71, plus de cinquante mille, aviateurs, rampants et conseillers militaires, à travailler sur les bases américaines prétendument secrètes. Si secrètes que Peter Hayward put, sur une carte, lui en signaler les positions.

Lisa demanda à l'Anglais :

– Mais pourquoi la Thaïlande accepte-t-elle ces bases sur son sol ?

– D'abord parce que l'un dans l'autre, ça lui rapporte un bon milliard de dollars par an, en comptant toutes les aides que lui fournit votre pays. Ensuite et peut-être surtout parce que les Thaïs ne sont pas fous : comme les Khmers, ils sont convaincus que lorsque Hanoi aura avalé la Cochinchine, ce qui arrivera bien un jour ou l'autre, les Tonkinois mangeront le Laos et le Cambodge, l'opération est déjà bien avancée, et qu'ensuite leur tour viendra. Lisa, il n'est pas facile d'être asiatique de nos jours : si vous l'étiez, vous n'auriez le choix qu'entre trois solutions : accepter les dollars américains et l'aide occidentale sans être sûr le moins du monde qu'ils seront éternels, et en plus ça n'est pas tout à fait la liberté; ou bien accepter la domination chinoise, la religion de Pékin et son expansionnisme futur mais néanmoins prévisible – n'oubliez pas que si au Cambodge un habitant sur dix est chinois, ici la proportion est de un sur sept; il y a cinq millions de Chinois dans le pays du Roi de Siam, et ils détiennent une bonne moitié des capitaux; ou alors, dernière des trois solutions, subir la mainmise nord-vietnamienne, avec les Russes en sous-main, enfin en sous-main pour l'instant, il n'y a qu'à demander aux Kazaks et autres Ouzbeks, Turkmènes et Khirgizes ce qu'ils en pensent. Trois solutions seulement, Lisa. Tout autre choix est une farce, qui n'est même pas drôle. Les Thaïs sont le seul peuple d'Asie à n'avoir jamais officiellement subi de tutelle coloniale, même si nous autres Anglais y avons exercé ce que j'appellerais pudiquement une certaine influence. Ils ont toujours été officiellement indépendants. Soit dit en passant, ils n'en semblent pas pour autant plus avancés que les autres… Et ils tiennent à rester indépendants. Pour eux, le danger immédiat, c'est Hanoi et sa goinfrerie, une goinfrerie que la pâtée que les Vietnamiens sont en train de mettre aux Etats-Unis, après les Français, n'a pas ralenti, bien au contraire; ça les exciterait plutôt, et au besoin les Popoffs les aideraient à s'exciter, histoire d'enquiquiner les Chinois. Lisa, chère et belle Lisa, si grande, il fut un temps où le monde entier était blanc. Etre blanc était le critère, et la civilisation blanche était le modèle. Ça a duré quatre cents ans à peu près. Vous avez lu *Le Tour du monde en quatre-vingts jours* du regretté Jules Verne? Il y a là-dedans deux Anglais, flanqués d'un Français qui traversent le globe comme s'il leur appartenait. Et il leur appartenait vraiment. Ils pouvaient aller n'importe où et trouver à chaque carrefour, devant chaque paillote ou chaque igloo un bobby de Pontypool ou de Kilmarnock, ou un gendarme natif de Tarascon-sur-Ariège. C'est fini, ma pauvre dame. Aujourd'hui les mineurs gallois ne sont plus dans l'Armée des Indes, ils font la grève, et les Ecossais envisagent de réclamer leur indépendance. Consolons-nous : nous avons inventé la mini-jupe et les Beatles, et vos nègres d'Amérique raflent toutes les médailles olympiques.

A quelques jours de la fin de novembre, Lisa découvrit qu'elle était à nouveau enceinte. Elle accueillit la découverte avec une joie profonde. D'abord parce que Lara et elle avaient depuis longtemps décidé d'avoir au moins trois enfants, ensuite en raison du bonheur manifeste de son mari à l'annonce de la nouvelle, enfin pour une troisième raison, moins clairement formulée dans son propre esprit : une seconde maternité lui apparut d'emblée comme le moyen le plus sûr d'éviter un retour prématuré au Cambodge. Au reste, elle était fermement décidée à en prendre prétexte pour se refuser de rentrer à Phnom Penh. Elle n'en eut pas besoin.

Lara avait besoin de nouer des contacts hors de Bangkok, après trois mois de travail quotidien et intense à l'affaire d'import-export dans laquelle il était associé avec Christiani depuis de longues années, et que le Corse avait jusque-là gérée seul. Il aurait dû même depuis longtemps se rendre notamment à Tokyo, *via* Hong Kong. Il proposa à Lisa de l'accompagner tant qu'elle pouvait encore voyager sans trop d'inconfort et, peu à peu, au fil des conversations et des projets échafaudés, de simple déplacement d'affaires, le voyage se transforma en un périple grandiose, plus touristique que professionnel.

Ils partirent le 2 décembre 1970, d'abord pour la Birmanie où ils passèrent quatre jours à visiter Rangoun et surtout Mandalay, plus typiquement birmane et que Lisa préféra. De là, ils s'envolèrent pour Calcutta et l'Inde, se rendant successivement, au gré de leur fantaisie, à Bénarès, Delhi et Agra, poussant même une pointe jusqu'à Srinagar au Cachemire. Il y avait ainsi des noms qui par eux-mêmes avaient toujours fait rêver Lisa. Cachemire en était un, comme Samarcande (mais Samarcande se trouvait en U.R.S.S. et, d'un commun accord, ils la rayèrent de leur programme), comme Bombay et Haïderabad, comme Ceylan, où ils allèrent.

Ils rentrèrent à Bangkok pour y passer les fêtes de Noël et du Jour de l'an en compagnie des Hayward et y trouvèrent de nombreuses lettres de Matthew et Jon Kinkaird – Jon venait d'obtenir la nationalité suédoise et parlait de sa venue en Thaïlande pour, peut-être, l'été suivant – mais aussi des Korver et de Roger, lequel annonçait pour sa part qu'il comptait leur rendre visite à Bangkok dans le courant de février, peut-être la deuxième quinzaine de ce mois.

Ils repartirent le 3 janvier, cette fois pour Singapour et son vieil hôtel *Raffles* que Lara aimait entre tous. Ils y retrouvèrent les traces d'un passé défunt, où s'unissaient les héros de Joseph Conrad et de Somerset Maugham, avec des réminiscences des *Trois Lanciers du Bengale* ou des *Quatre Plumes blanches*. Quatre jours plus tard, le 7, ils se posèrent à Hong Kong où une véritable délégation de la famille Liu les attendait, leur annonçant par avance, dès leur premier pas sur le sol de la colonie de la Couronne, que les cousins (ou les neveux, ou l'oncle ou le beau-frère ou peut-être le gendre, Lisa se perdait dans les multiples embranchements de la famille), que les cousins de Bangkok avaient signalé leur départ, que l'antenne de Singapour avait confirmé la nouvelle, et que la famille Liu tout entière serait totalement déshonorée, voire condamnée au suicide collectif, si Lara et sa femme avaient l'occasion de dépenser le moindre dollar durant tout leur séjour, qui dura deux semaines.

Le premier moment de surprise passé, Lisa fut enchantée. Ces Chinois-là lui parurent tout à fait charmants; ils possédaient des banques et des immeubles, des compagnies de navigation aérienne ou maritime, ils faisaient courir des chevaux sous leurs couleurs, ils jouaient au cricket et certains au rugby, ils produisaient des films fort drôles où quelqu'un avec un yatagan étripait soixante-dix personnes d'un seul revers tout en poussant des cris de constipés et en bondissant à des altitudes de montgolfière, ils avaient des villas admirables, des piscines fastueuses, des yachts sublimes aux embarcadères et plages privés, ils n'auraient probablement pas engagé Roger Bouès comme décorateur ou alors pour rire et sur les murs de leurs salons, ils accrochaient volontiers des Utrillo et des Matisse, aux côtés de Klee et autres Picasso et non seulement savaient qui étaient ces peintres mais même pourquoi ils les aimaient. Et pourtant ils étaient chinois, à n'en pas douter, fidèles au culte des ancêtres et aux vieilles hiérarchies sociales; ils étaient chinois et fiers de l'être, gardant les contacts les plus étroits avec la mère patrie dont ils se targuaient d'être les représentants, même quand ils se trouvaient être en même temps milliardaires et chevaliers de l'Empire britannique, anoblis par la Reine.

Ce que Lisa avait pressenti déjà au contact d'un Liu quand elle l'avait rencontré à Phnom Penh se confirmait : elle était en face d'une Asie dont la culture, la personnalité, l'intelligence, les moyens à tous égards valaient pour le moins ceux du monde occidental. On était loin du bep et des ti-ba, des cyclo-pousses et des saigneurs; on était loin du Cambodge. Du moins le crut-elle. Resta que ces deux semaines à Hong Kong furent paradisiaques, même venant au terme d'un périple où elle s'était déjà extasiée sur les paysages cinghalais, les montagnes himalayennes, la blancheur du Taj Mahal.

A l'orée de la dernière semaine de janvier, ils partirent cette fois pour Tokyo. Elle fut moins séduite par le Japon mais sans doute parce qu'elle commençait, comme Lara lui-même, à de nouveau souffrir de la séparation d'avec son fils. Ils décidèrent d'écourter leur voyage et ne consacrèrent à Manille, sur le chemin du retour que les deux jours nécessaires aux discussions d'affaires que Lara y avait prévues.

Peter et Jodie Hayward avaient eu la gentillesse d'amener l'ama et l'enfant ave eux jusqu'à l'aéroport. La nurse chinoise fut donc la première personne que vit Lisa et, abaissant son regard, elle découvrit son fils, Mathias debout et qui marchait, tenu par l'ama et Jodie, mais qui se libéra et vint vers elle. Emue et émerveillée, Lisa faillit fondre en larmes. Elle se précipita vers l'enfant. Mathias avait incontestablement les yeux de sa mère mais à part cela, il tenait plutôt de Lara, dont il semblait bien posséder l'ossature et à coup sûr la bouche et la forme des sourcils et du front.

Ils avaient atterri à Bangkok vers trois heures de l'après-midi. Ils furent à la villa de Chulalongkorn deux heures plus tard, ayant enfin réussi à récupérer leurs bagages. A la villa, Christiani les attendait. Lisa, qui éprouvait une certaine gêne devant le Corse depuis qu'elle avait appris ses activités de contrebande, ne fit guère attention à lui. Elle n'était préoccupée que de son fils, qu'elle faisait marcher en l'appelant à elle, mains tendues, tandis que l'ama tout aussi ravie riait aux éclats. Après quelques instants, cependant, Lisa chercha Lara. C'était un père extrêmement affectueux et son absence l'étonnait.

— Je reviens, dit-elle à l'ama.

Elle appela sans obtenir de réponse. Elle monta à l'étage. Elle trouva Lara dans la salle de bain de leur chambre. Il était penché au-dessus du lavabo, sur le rebord duquel il avait posé ses deux mains. Il était blême. Elle le crut malade et s'affola.

— Qu'y a-t-il?

Il se redressa, ne l'ayant pas entendue arriver. Il secoua la tête, ouvrant grand la bouche comme s'il avait du mal à respirer.

— C'est Roger, dit-il. Ils l'ont tué.

15

Dans la plaine, après trois mois plus ou moins humides, la saison des pluies était achevée depuis la fin octobre. Sur les sommets des Cardamomes, elle durait encore et durerait quelques autres semaines. C'était cela surtout qui étonnait le plus Ieng Samboth, homme de la plaine et du Mékong, cela et le silence et, plus que le silence, la solitude. Il avait découvert ici un autre Cambodge, désert, sauvage, à peu près inexploré, à coup sûr intact. Les villages étaient rarissimes et encore n'étaient-il faits que de quelques paillotes tapies au fond d'une vallée, à mille mètres d'altitude, tout juste repérables grâce aux cultures sur brûlis où poussait un riz de montagne au goût particulier et un peu âcre, qui semblait conserver l'odeur de la fumée.

Les habitants étaient des Khmers loeus, des Khmers d'En Haut, en fait exactement des Pears de la même race que ceux qui des siècles plus tôt s'étaient établis aux alentours de Kompong Thom, de l'autre côté du Tonlé Sap, mais en réalité différents pour cette raison qu'ils avaient conservé l'essentiel de leurs coutumes et un besoin farouche d'isolement.

Ieng commençait à les connaître et, surtout, à être connu d'eux. Il avait gagné leur confiance et s'était même assuré leur amitié. Il avait mis dix ou douze semaines pour y parvenir et ç'avait été une approche épuisante, dans tous les sens du terme; d'abord en raison du terrain, constamment accidenté, spongieux, difficile, par endroits étouffant tant la végétation était dense, voire dangereux de par un grouillement de serpents innombrables, sinon de tigres et de panthères qu'il craignait tout de même moins; ensuite à cause des réactions mêmes des Pears, qui s'évanouissaient sous le couvert comme des ombres sitôt qu'on apparaissait. Ouk, de ce dernier point de vue, avait été d'une aide inestimable : il y avait chez le grand Jaraï à la puissance et aux allures de buffle sauvage, quelque chose qui inspirait une confiance immédiate aux montagnards. Sans doute se reconnaissaient-ils en lui. « Alors que je serais toujours un étranger pour eux. »

En ce mois de janvier 71, regardant en arrière, Ieng était somme toute satisfait. Il avait atteint tous les objectifs qu'il s'était fixés. Les armes tout d'abord. La première des livraisons de Christiani s'était effectuée avec une facilité déconcertante, et il en avait été de même des suivantes, à une exception près, quand on était tombé d'abord sur des soldats thaïs qui, après quelques moments d'hésitation, avaient affecté de ne rien voir, puis lorsqu'on s'était heurté à une patrouille des FARK avec laquelle on avait échangé quelques cartouches, d'ailleurs sans grand effet. En fait, la livraison des armes avait été presque un jeu, sauf quand il fallait hisser les caisses jusqu'à l'entrepôt – le terme ne s'appliquait à rien de construit, il s'agissait d'une série de grottes en pleine forêt, à plus de mille mètres d'altitude, dans un endroit choisi par Ieng et dont il pensait bien être le seul à connaître les repères. Cela se trouvait dans un rayon de vingt kilomètres autour des sources de la rivière de Pursat. Résultat de ces multiples expéditions, onze au total : assez d'armes individuelles et de munitions pour équiper trois ou quatre mille hommes.

Pour ce qui était des hommes, justement, là encore tout s'était passé à merveille. Son intuition du 18 mars n'avait pas trompé Ieng : le coup d'Etat avait eu pour effet essentiel de favoriser dans des proportions spectaculaires le recrutement des Khmers rouges. Au point que cet afflux avait été difficile à étaler. Ieng n'avait même pas pu envisager de les conserver tous dans les montagnes des Cardamomes, le seul ravitaillement aurait posé des problèmes insurmontables. Il en avait réexpédié des centaines à leurs villages d'origine, avec ordre de se tenir prêts, et n'avait gardé auprès de lui qu'une trentaine de guérilleros, dont il pensait pouvoir faire des cadres.

En juin, il avait reçu la visite de Hu Nim et de quelques autres représentants du gouvernement d'union nationale créé par Sihanouk. Son organisation, presque trop soignée, les avait étonnés. Il leur avait montré quelques-unes – quelques-unes seulement, sans trop savoir pourquoi il prenait ses distances – des caches où il stockait les armes et les munitions reçues de Christiani, et aussi des réserves de vivres.

– Il y a là de quoi tenir des années, et contre toute l'armée américaine, à plus forte raison contre les troupes de Saigon.

– Rien ne nous dit que nous n'aurons pas à combattre durant des années, avait répliqué Ieng.

On lui avait à nouveau confirmé les consignes : pour l'heure, pas d'engagement militaire réel. « Les Nord-Vietnamiens se battent pour nous. Tant mieux. Il n'y a aucun inconvénient à ce qu'ils se fassent tuer à notre place. En attendant, organisons-nous. » Les nouvelles étaient d'ailleurs plutôt bonnes, encore que la résistance des partisans de Lon Nol se révélât finalement beaucoup plus dure qu'on ne l'avait escompté. Certaines unités de l'armée de Phnom Penh se battaient même avec une incontestable vaillance, souvent dans des conditions difficiles. Hou Nim raconta à Ieng comment, lors de la bataille de Srang, entre Phnom Penh et Kompong Speu, sur la Route américaine vers Kompong Som, deux bataillons formés de lycéens de la capitale s'étaient littéralement fait hacher sur place par leurs adversaires vietcongs infiniment plus aguerris.

– On a envoyé ces gosses se battre avec un fusil pour deux, et très peu d'armes automatiques. Et les camions qui devaient les transporter avaient entre-temps été vendus par leur colonel à des négociants chinois. Les survivants ont été repliés en autobus, des autobus que l'état-major a dû louer pour la circonstance, et au prix fort, à une entreprise dont le propriétaire est, précisément, le frère du colonel. Il est grand temps que nous éliminions cette pourriture.

Avec le ministre du gouvernement provisoire – Hu Nim était ministre de l'Information et de la Propagande – Ieng avait abordé le problème de Rath. Il l'avait fait avec prudence, ne sachant trop où il mettait les pieds. Isolé dans son refuge de montagne, il n'avait pu suivre dans le détail l'évolution des rapports entre les deux grandes tendances opposant les dirigeants khmers rouges, l'une personnifiée par Saloth Sar dit Pol Pot, soutenu par des hommes comme Rath, l'autre, plus « sihanoukiste » dont il commençait alors à se demander s'il ne l'avait pas tout simplement rêvée, tant il en souhaitait la victoire.

– Le moment n'est pas venu de discuter de ce que sera le Cambodge futur. Nous ne devons avoir qu'un objectif : la victoire, par l'élimination du traître Lon Nol et de sa clique d'une part, par le retrait de toutes les troupes étrangères, y compris celles de Hanoi, du territoire khmer d'autre part.

C'était la réponse à laquelle il s'était attendu. Une nouvelle fois, il s'était reproché sa propre naïveté. Quelle autre réponse pouvait-il attendre ? Pouvait-il croire qu'on allait, toutes affaires cessantes, faire disparaître ce fou de Saloth Sar, ce dément de Rath, sous prétexte qu'eux et lui, Ieng Samboth, n'avaient pas la même conception de l'avenir de ce pays ? Et d'ailleurs, en quoi ces conceptions étaient-elles si différentes ? Les moyens, assurément. Ieng ne croyait pas qu'on pût juger de la valeur d'une révolution au poids du sang versé. Saloth Sar et Rath, et probablement aussi Khieu Samphan, le croyaient, selon toutes apparences. Mais tous, et Ieng, se rejoignaient quant au but.

– Qui est ce Français qui vous ravitaille en armes ?

– Un Corse de Bangkok appelé Christiani.

– Nous le connaissons. C'était un ami de cet autre Corse qui était percepteur à Kompon Cham vers la fin des années cinquante.

Car il y avait eu en effet, plusieurs années après l'indépendance, un percepteur corse pour la province de Kompong Cham. Ça avait mal fini : l'homme était mystérieusement mort dans un accident de voiture et ses coffres ouverts, ses comptes vérifiés avaient laissé apparaître un trou énorme dans sa comptabilité. Mais des ministres du temps avaient fait fortune à la même époque, par pure coïncidence.

– Christiani est un type régulier. D'ailleurs, c'est Lara qui est à l'origine de l'opération. Et Christiani, même s'il en avait l'intention, ne ferait pas l'imbécile avec Lara.

Les visiteurs connaissaient évidemment Lara. Ils savaient aussi les relations qui l'unissaient à Ieng. Ils n'avaient pas insisté. Ils s'en étaient allés, répétant les mêmes consignes : attendre, attendre encore et toujours, en s'abritant derrière les cinquante mille hommes que Giap opposait sur le sol khmer à la droite cambodgienne assistée par Saigon et Washington.

Cette visite avait laissé Ieng en proie à un sentiment mitigé. Quelque chose l'avait retenu et empêché de révéler à ceux qui étaient en principe ses chefs, l'étendue des stocks qu'il avait constitués. Les paiements à Christiani étaient à présent directement effectués par les représentants de Pékin, sur les renseignements donnés par lui, Ieng, si bien qu'il était alors au Cambodge et allait demeurer longtemps, probablement le seul homme à savoir exactement où se trouvaient l'ensemble des armes et des réserves, et aussi leur importance exacte. C'était un atout dont, tout en ignorant ce qu'il allait en faire, il ne voulait cependant pas se dessaisir.

Vers la fin de juillet, un homme réussit à se glisser jusqu'à lui, jusqu'à quelques mètres de lui personnellement, sans être à aucun moment repéré ni par les guetteurs qu'il avait apostés lui-même, ni même pas les Pears, ce qui était une exceptionnelle performance.

Mais Ieng savait depuis toujours Kutchaï capable de tous les exploits en ce domaine.

— Je suis venu m'assurer que tout allait bien.

— Tout va bien.

— Et t'annoncer une prochaine livraison.

Ils déployèrent la carte établie dix ans plus tôt par un ingénieur de l'Institut géographique national français, français aussi malgré son nom, Kyryll Thikomiroff, et que Ieng comme Kutchaï avaient souvent rencontré.

— Ici, dit Kutchaï. Soixante kilos au nord de Sré Ambel.

A la cambodgienne, il disait « kilo » pour « kilomètre ». Il précisa : « A environ trois kilos plus haut que pour la deuxième livraison de juin. Tu te souviens de ce groupe de rochers ?

— Oui. Mais tu n'avais pas besoin de venir jusqu'ici. Nous étions convenus de communiquer par l'intermédiaire de cet homme de Pursat.

— Il est mort, dit Kutchaï avec indifférence. On l'a fusillé la semaine dernière. Et puis j'avais envie de prendre l'air des montagnes.

Il regarda autour de lui.

— Je suis souvent venu chasser par ici, autrefois. Tu as choisi le bon coin. Six divisions blindées ne pourraient pas te surprendre.

– Tu y es arrivé.

– Je ne suis pas une division blindée, dit Kutchaï. Je suis Kutchaï le Jaraï.

– Tu étais avec Lara?

– Quand ça? Maintenant?

– Quand tu chassais.

– Dans les deux cas, la réponse est oui, de toute façon, répondit Kutchaï, l'air absent.

Ieng le dévisagea une fois de plus avec curiosité. Autant Ouk, le frère cadet, lui inspirait une confiance absolue, autant Kutchaï le troublait. Il y avait quelque chose d'insaisissable chez lui. « Il est plus intelligent que son frère, et dix fois plus complexe. A cause de Lara? » Comme toujours, le nom de Lara revenait, presque obsédant. Déjà, quelque temps auparavant, au moment de la visite de Hu Nim...

– Où est Lara? demanda Ieng.

– Quelque part au Cambodge, comme toujours.

– Il va bien?

– Très bien. Sa femme et son fils aussi.

Un silence. Des hommes de Ieng survinrent et dévisagèrent le Jaraï avec surprise, le découvrant comme s'il venait à l'instant de surgir de terre.

– Et mon frère? interrogea Kutchaï.

– Du côté du Tonlé Sap. Il devrait revenir en principe après-demain.

– Je serai parti, dit Kutchaï.

– Tu as quelque chose à lui dire?

Kutchaï se taisait et semblait perdu dans ses pensées. Son regard injecté de sang, à l'étrange fixité animale, courait sur les versants touffus des Cardamomes.

– Je suppose, dit-il enfin, que tu as utilisé le chapelet des grottes qui sont au sud, pour cacher les armes? On ne pouvait pas trouver mieux.

La tête de Ieng dut être éloquente car Kutchaï se mit à rire :

– Ne te tracasse pas : je t'ai dit que je connaissais cette région.

« Cette façon de rire en silence! » pensa Ieng, qui remarqua avec aigreur :

– Un de ces jours, tu finiras par te faire tuer, à force de te balader d'une zone à l'autre.

– Kutchaï pauvl'Khmer immoltel, dit Kutchaï en français.

Le silence tomba. Les deux hommes se trouvaient sous une sorte de hutte au toit de latanier, coincée entre deux rochers, à flanc de montagne. Devant eux s'ouvrait un panorama de pentes entrecroisées, creusées de gorges et de vallées plus sombres, aux sommets engloutis par des nuages violacés. Après un court répit, la pluie s'était remise à tomber dans un crépitement doux et apaisant.

– Tu sais où est Rath?

– Vers Kompong Thom, dit Ieng.

Kutchaï hocha la tête. Il dit, toujours avec cette expression absente :

– La ville est tenue par les forces de Lon Nol, mais Rath l'encercle presque. Il a quatre mille hommes avec lui, au moins. Et il a étendu le territoire sous son contrôle jusqu'à la rive nord du Tonlé Sap, peut-être même jusqu'à Siem Reap. A part la route où passent les convois blindés, tout est à lui. Vous n'êtes pas très loin, l'un de l'autre. Il est peut-être déjà à Angkor.

– Tu l'as rencontré?

L'étrange regard de Kutchaï se posa sur Ieng, et celui-ci sentit un frisson le parcourir.

– Non, dit Kutchaï avec son grand rire muet et inquiétant. Non, je ne l'ai pas encore rencontré. Pas encore.

Il était accroupi sur les talons, en équilibre, les avant-bras posés sur les genoux, ses mains d'étrangleur aux ongles spatulés pendant dans le vide avec quelque chose de monstres au repos. Soudain, dans un mouvement continu sans commencement ni fin apparents, il se dressa et Ieng prit conscience de la force détonante qu'exprimait tout ce grand corps osseux qu'on aurait dit tressé de câbles d'acier.

– Je m'en vais, dit Kutchaï. Je suis juste venu faire un tour. Ta mère est toujours à Phnom Penh?

– Je n'en ai aucune idée.

Ieng n'avait pas vu sa mère depuis trois ans. Et il n'avait jamais connu son père.

– Si je peux, je passerai la voir et je lui dirai que tu vas bien.

Ieng hocha la tête à son tour.

« Merci. »

Il suivit longtemps des yeux Kutchaï qui s'en allait à grandes enjambées souples de coureur de jungle, « sans faire plus de bruit qu'une feuille qui tombe ». Où allait-il? Une inexplicable certitude s'insinua brusquement en Ieng : nul, jamais, ne pourrait tuer Kutchaï. Kutchaï était probablement immortel, comme il le disait lui-même.

La haute et puissante silhouette disparut d'un coup, comme par magie, engloutie par le feuillage luisant de pluie des tecks, cent mètres plus bas. Alors seulement, baissant par hasard les yeux, Ieng Samboth découvrit les deux cartouches de Philip Morris, sa marque de cigarettes préférée, que le Jaraï avait posées entre ses pieds.

16

– Ça, dit Roger Bouès, c'est Angkor Vat. Enfin, c'était. On vient juste de le dépasser, mon bon monsieur. A l'allure où on roule, on devrait être à Shangai avant ce soir. Vous ne voudriez pas ralentir un peu?

– Des pierres, dit Donaldson. Rien que des pierres.

Donaldson portait d'épaisses lunettes de soleil et une casquette à longue visière aux couleurs orange et blanc des Broncos, l'équipe de football américain de Denver. Roger trouvait que l'Anglais était encore plus gros qu'à l'ordinaire.

On était le 23 janvier 1971 et il était à peu près trois heures de l'après-midi.

– Au fond là-bas, reprit Roger, c'est Angkor Thom. C'est très beau, Angkor Thom. On devrait s'y arrêter. Vous essaieriez de soulever vos fesses impériales du siège de cette puissante limousine et d'admirer religieusement. Si vous voulez, je ferai même une photo en couleurs de vous devant Angkor Thom, enfin devant le Bayon. Vous pourriez l'envoyer à votre pauvre vieille mère dans son château délabré du Sussex. Ça lui coupera l'appétit et ses muffins lui resteront en travers de la gorge.

Sous les arbres de la forêt longée par la jeep, de part et d'autre de la route rectiligne allant d'Angkor Vat à Angkor Thom, des taches de couleur dans le feuillage lui attirèrent l'œil : il vit qu'il s'agissait de bonzes, trois ou quatre en robe safran, accroupis pour un conciliabule énigmatique, à moins qu'ils ne fussent tout simplement, de concert, en train de poser une culotte qu'ils n'avaient d'ailleurs pas, et qui ne détournèrent même pas les yeux sur le passage de cette voiture solitaire.

– Je suis, dit Donaldson de sa voix un peu affectée d'ancien élève d'Oxford, un grand journaliste international jouissant de la protection occulte mais efficace de Sa Gracieuse Majesté la Reine, hiératiquement assise dans les chiottes de son palais de Buckingham, sa couronne du matin posée sur sa tête auguste. En cherchant bien, derrière moi, vous pourrez distinguer les fantômes des canonnières qui m'ont suivi depuis des siècles, vous pourrez apercevoir les Lanciers du Bengale et les buffleteries blanches des grenadiers de Kitchener ou de Wolseley ou de Roberts marchant à l'aigre son des bag-pipes pour châtier le Mahdi Fou à Khartoum, ou les Cipayes de Meerut. En tant que grand journaliste international, j'ai accordé ma bienveillante attention aux Coréens qui crevaient, aux moindres maquis malais massacrant méchamment, aux Mau-Mau de Jomo égorgeant des institutrices blondes, aux Balubas bouffeurs de Belges, aux virulents Vietminhs puis aux vicieux Vietcongs, les seconds me paraissant exactement les mêmes que les premiers. J'en oublie sûrement et je les cite sans ordre chronologique, ni précaution hiérarchique. Et j'oublie en effet les Chypriotes, les Palestiniens, les Juifs, les Congolais, les Boliviens, les Algériens et des dizaines d'autres. Et c'est donc ça que vous appelez le Bayon ?

– C'est ça que j'appelle le Bayon. Et si nous faisons un quart de roue de plus, une balle révolutionnaire va se ficher dans vos miches impériales. L'anxiété me gagne. Si nous fichions le camp à une allure météorique ?

– Je suis, mon cher Roger, dans ce métier depuis trente-quatre ans et environ dix-neuf jours et cinquante-six minutes. Toute journée de ma vie qui n'a pas été marquée par une giclée de sang rouge occidental est à marquer d'une pierre blanche. Il y a environ trente-quatre ans dix-neuf jours et cinquante-six minutes que je tiens le compte scrupuleux des coups de pied au cul assenés par personne interposée et par la révolution en marche à mes fesses impériales. Il y a sensiblement le même laps de temps que je contemple avec flegme les héritiers de Kitchener et Lyautey en train d'abaisser leur pavillon quand ce n'est pas tout bonnenent leur culotte. Une journée sans sang des miens m'est une poire sans fromage. Je veux ce reportage de Khmers rouges déambulant sur fond de temples antiques. Si l'adrénaline déferle par trop en vous, en d'autres termes si vous éprouvez une certaine inquiétude, bref si vous avez la trouille, vous pouvez toujours descendre de cette limousine et rentrer à pied, en courant d'un pas élastique.

Il arrêta la vieille 403 Peugeot décapotable qu'il avait louée à Siem Reap et regarda autour de lui :

– Je ne distingue point le moindre Khmer rouge à l'horizon.

– Moi non plus, dit Roger, rongé par une angoisse sourde.

Une dizaine de minutes plus tôt, sortant de Siem Reap où ils étaient parvenus dans les fourgons d'une colonne blindée elle-même arrivant de Phnom Penh, ils avaient rendu visite aux archéologues de la Conservation des Temples et les avaient trouvés occupés à des tâches ordinaires, comme si cette guerre en cours n'eût pas été de leur siècle. Cette tranquillité avait un peu rassuré Roger, sur le moment du moins, au point qu'il avait cédé à la demande pressante de l'Anglais, désireux de poursuivre. A présent, l'effet s'atténuait, voire avait disparu tout à fait, et la peur remontait à la surface.

– Quel est, demanda Donaldson, l'endroit le plus typique de ces ruines ?

– Le Ta Prohm, dit Roger sans réfléchir. Ou la Balustrade des Démons. Ou le Prah Khan, sinon la Terrasse des Eléphants ou la Tour des Danseurs de Corde. J'en passe et des meilleurs.

– Vous venez d'inventer ces noms ridicules ou ils existent vraiment ?

– Que le diable vous patafiole, répondit Roger avec lassitude.

Donaldson se hissa sur le siège de la Peugeot et s'y mit debout, son ventre débordant sa ceinture et sa cigarette strictement horizontale. Il hurla en français :

– Hé, Khmers rouges ! où êtes-vous ? Je suis Donaldson le grand journaliste international que Sa Gracieuse Majesté vous expédie tout exprès pour écouter vos fariboles !

L'écho de sa voix rebondit dans un silence de catacombe ; rebondit puis s'éteignit.

– Oh ! merde ! dit Roger. Merde de merde de merde de merde !

La voiture repartit, klaxonnant comme on hurle. Elle exécuta un tour complet du grand monument aux soixante-quatre visages géants, avec leurs regards aveugles, leurs yeux clos et leurs sourires de pierre.

– Où sont ces diables de natives ? Quel nom avez-vous dit ? Le premier ?

– Le Ta Prohm.

– Et on y va comment ?

– Tout droit puis à droite. A droite encore, à gauche et puis à droite. Nom de Dieu, foutons le camp !

Ils laissèrent à gauche la Terrasse des Eléphants et les cinq temples de Preah Pithu. Mais sur la rétine de Roger persistaient à se graver les visages du Bayon.

– Je sais pourquoi ils sourient, dit-il brusquement, comme au terme d'une découverte.

Donaldson n'écoutait pas, à l'affût de silhouettes humaines. Il chantonnait, rien de vraiment musical, récitant en fait les vers de Kipling sur un air improvisé : *God of our fathers, known of old, Lord of our far-flung battle line, Beneath whose awful hand we hold dominion over palm and pine...*[1].

– Je le sais, reprit Roger. Ils ne sourient pas par compassion et sérénité. Mon œil. On n'est pas compatissant et serein en même temps, ça ne tient pas debout. Ils savent, c'est tout. Ils sont détachés, ils ont cessé de subir l'angoisse de vivre. Ils la nient. Et ils sourient. Etre compatissant, c'est se soucier des autres, partager leur souffrance. Eux s'en foutent. Je dirais même qu'ils jubilent. Et ils ferment les yeux parce qu'il n'y a rien à voir, un point c'est tout. Vous savez, Donaldson de mes deux, que nous avons en France, à Reims, quelque chose du même genre ? c'est un ange qui sourit. Mais pas du même sourire, oh ! non, lui est heureux, la félicité céleste, le paradis des croyants et celui du Père Noël et d'Allah réunis, la récompense au bout de la route, le sucre d'orge pour finir, quand on a bien mangé sa soupe. Ici, pas de sucre d'orge, ni d'orchestre de harpes avec Hampton au vibraphone et Satchmo à la trompette. Rien. Queue d'ale.

– Vous m'agacez mon bon Roger, dit Donaldson. Vous m'aviez promis des Khmers rouges.

1. Dieu de nos pères, depuis longtemps connu, protecteur de nos armes aux quatre coins du monde, et dont la main terrible nous a confié le pouvoir sur les palmes et les pins... In *Recessional*, poème de R. Kipling écrit en 1897 pour la soixantième année du règne de l'impératrice Victoria.

– Rien du tout, dit Roger. Le néant. C'est pour ça qu'ils se marrent. Il y a de quoi.

– A gauche ou à droite?

Ils débouchaient sur le baraï de l'est.

– A droite, dit Roger. Et ensuite à gauche. Les anges n'ont pas de sexe. Rien que ça, déjà, aurait dû me mettre la puce à l'oreille. Ici, mon bon monsieur, les anges ont des quéquettes, et des grosses! Grosses comme des fusées interplanétaires et pareillement toutes pointées vers le ciel. Quel bras d'honneur, mon frère!

Avec une amitié, presque une fraternité tout d'un coup chaleureuse, il considéra Donaldson avec sa lippe et son amas de chair rose. Et puis son regard se porta sur l'avant et son cœur bondit.

– Stop, nous y sommes, Donaldson de mon cœur. *Here we are.* Le bout du chemin. Paré pour le bras d'honneur.

Il attendit à peine l'arrêt de la voiture et mit pied à terre. Sur les derniers quatre cents mètres, la Peugeot s'était avancée avec lenteur par un sentier étroit et ombragé où apparaissaient les vestiges d'une chaussée.

– Admirez, dit Roger, la splendide balustrade. Derrière, vous pouvez voir le deuxième mur d'enceinte et la grande salle d'accueil à trois nefs entrecroisées. Suivez le guide.

Il marchait sans se préoccuper de Donaldson, et parlait d'une voix claironnante.

– Vous pouvez encore contempler ici les cent huit cellules de moines avec chacune son porche de latérite. Au-delà, ce merveilleux préau en croix extérieurement tapissé d'admirables fausses portes...

Il retrouva l'air libre ou ce qui en tenait lieu. L'air libre ici était teint par une lumière glauque, brumeuse par des millions de particules de poussière en suspension immobile; et les tentacules géants des fromagers couraient au ras du sol comme des monstres blancs. Il s'assit sur une pierre culbutée et caressa la chair lisse et tiède de l'arbre. Il regarda Donaldson venir vers lui, sa cigarette plantée comme un éperon.

– Nous n'aurons pas à aller plus loin, nous sommes arrivés, mon frère.

– Je les ai vus, chuchota Donaldson en élargissant ses yeux pâles.

Roger sourit.

– Vous pouvez vociférer. Ça n'y changera plus grand-chose.

Il saisit son Rollei, le régla, et entreprit de cadrer les portes minuscules, les éboulis, les murs puissants jetés à bas, la jungle dans ses œuvres. Et à un moment dans l'objectif, trois silhouettes immobiles, Kalachnikov sur le ventre, apparurent là où elles n'étaient pas une seconde plus tôt. Roger prit la photo puis releva la tête : ils n'étaient plus trois, mais vingt-cinq ou trente.

– Est-ce que quelqu'un parle français? demanda Donaldson.

Trente visages impassibles, le regard vide. Ils étaient maigres et noirs, et la seule tâche de couleur était fournie par les écharpes nouées, à petits carreaux rouges et blancs.

– Parler français? répéta Donaldson. *Do you speak english? Habla español? Sprechen sie deutsch?*

Roger faillit éclater de rire.

– Journalistes. Presse, disait l'Anglais.

Il brandit une carte plastifiée tricolore, indiquant PRESS en grosses lettres rouges, et qui l'autorisait formellement à garer sa voiture personnelle à l'aéroport de Londres, dans un parking spécial.

Le silence. Il aurait aussi bien pu s'adresser au tronc d'un fromager.

– Ils sont désagréables, dit Donaldson à Roger.

La lumière verte, sous-marine, faisait paraître ses yeux plus pâles.

– Portez plainte, dit Roger.

Lui-même se leva, s'écarta, recula pour avoir dans son champ à la fois Donaldson et les guérilleros. Au moment où il allait porter l'appareil devant son visage, il eut derrière lui la sensation d'une présence. Il se retourna. Il y en avait d'autres, surgis tout aussi silencieusement que les premiers.

– Je suis journaliste anglais, britannique, poursuivit Donaldson. Et ce monsieur, quoique français, est un gentleman photographe.

Sans arrêt d'autres hommes arrivaient et leur marée sombre envahissait lentement les structures éboulées du Ta Prohm. Roger se retourna tout à fait et fit face à ces nouveaux arrivants. Il en prit toute un série de photos rapides. Dans son dos ronronnait la voix de Donaldson, avec son agaçante pointe d'accent et cette non moins agaçante façon qu'il avait de s'exprimer en français comme si la chose le dégoûtait.

– Journaliste anglais. Moi ami de vous. Moi parler dans grand journal. Khmers rouges être connus dans l'univers entier. Très connus. Publicité, grande gloire. Vous dire pourquoi vous vous battre.

« Si seulement ce foutu Anglo-Saxon pouvait fermer sa grande gueule », pensa Roger. Il avait maintenant en face de lui, à deux mètres à peine, un véritable mur d'hommes en noir. Il fit une dernière photo puis entreprit de charger à nouveau le Rollei. Rien ni personne ne bougeait plus et même Donaldson avait fini par se taire. L'odeur de pourriture si familière resurgit, en même temps que le souvenir de sa première visite en cet endroit que, comme tous les autres temples, il avait parcouru en feuilletant le guide Henri Parmentier que l'éditeur saigonnais Albert Portail venait alors tout juste de sortir. Il en avait si souvent lu et relu les pages qu'il pouvait de mémoire en citer les première lignes : « Les Cambodgiens se désignent eux-mêmes par le mot « khmer »; ils sont appelés par les étrangers Kambujas, les fils de Kambu, du nom d'un ancêtre légendaire... »

– Salut, fils de Kambu, dit Roger.

Il venait tout juste de refermer son appareil à nouveau chargé.

– Roger, faites quelque chose, dit Donaldson derrière lui.

– Vous avez voulu des Khmers rouges.

Devant Roger enfin, le mur fut doucement agité par un frémissement. Le mur se fissura, s'ouvrit. Un homme apparut, petit et trapu, aux cheveux coupés court.

– Je m'appelle Roger Bouès, dit Roger. Je suis au Cambodge depuis à peu près vingt-cinq ans. Je suis un ami de Ieng Samboth et de Lara.

– Je ne parle pas un mot de français, dit en français le nouveau venu.

Il tendit la main.

– Votre appareil.

Roger décrocha le Rollei de son cou et le lui donna.

– L'autre aussi.

Le Canon changea de mains.

– Pellicules. Toutes.

L'homme trapu posa les deux appareils et les films déployés sur un bloc de pierre, lança un ordre. Les crosses de bois des Kalachnikov de fabrication chinoise, reconnaissables à leur hausse, s'abattirent et écrasèrent les deux appareils. Les films furent déchiquetés.

– C'est malin, dit Roger.

Il rencontra les yeux de l'homme trapu. Il comprit, avec une absolue certitude, ce qui allait se passer. Il n'avait même pas peur. Au contraire, il se sentait d'un calme tout à fait extraordinaire, quasi miraculeux. Son regard partit par-dessus les têtes, au travers de la végétation, que le soleil blanchissait à sa cime, et accrocha un visage de pierre, au sommet d'un gopura rongé par la mousse. Il se souvenait d'un voyage à Bénarès qu'il avait fait avec Lara dans les années cinquante, de ces gens qui mouraient dans les rues, de faim ou d'autre chose, et que l'on enjambait quand on ne pouvait les contourner, qui mouraient victimes de leur mauvais destin et que nul parmi les vivants n'était vraiment tenu de secourir, sinon afin d'acquérir quelque mérite pour une renaissance ultérieure, sous une autre forme. Mais, de ces mérites, on pouvait en Asie, tenir comptabilité, on en avait le droit et presque le devoir, et dès lors qu'on estimait avoir fait le plein et assuré sa métempsycose personnelle, à quoi bon s'apitoyer davantage? Non, ce sourire énigmatique ne pouvait pas être de compassion. La compassion, la charité, étaient ici des mots vides de sens, puisqu'on pouvait les peser et les comptabiliser. D'où cette fantastique indifférence à la mort des autres...

– Roger, dit en anglais Donaldson, j'ai une impression désagréable. Pour la première fois dans ma vie fastueuse de grand reporter international, il me semble avoir fait le pas de trop.

« Le coup de pied au cul qui fait déborder le vase », pensa Roger. Il contemplait toujours le visage de pierre dans le ciel vert-jaune du feuillage et s'efforçait presque inconsciemment de recomposer sur ses lèvres, sous sa moustache de Gascon quasi cousin des mousquetaires, un sourire identique.

– Ma faute, Roger. *Sorry.*

Le ton de l'Anglais était paisible. Le regard de Roger s'abaissa, revint se poser sur l'homme trapu. « Il est petit, large d'épaules, il a un cou de taureau et un nez très plat, presque éclaté, il a une cicatrice sur la joue droite, à l'angle de la mâchoire... » Les mots exacts qu'avait employés Oreste. « Roger, il s'appelle Rath. C'est un fou. Sans Ieng qui était tout près, il m'aurait achevé. Roger, si tu le rencontres, évite-le, fous le camp, vite. Ce type est la mort en marche... »

Roger sourit :

– Vous avez compris ce que vient de dire mon camarade anglais? Il pense que vous projetez de nous tuer.

L'homme trapu le fixait.

– Je crois que vous êtes Rath. On m'a parlé de vous.

Dans le silence qui suivit, il y eut un énorme coup sourd, épouvantable, immédiatement suivi d'un hoquètement étranglé; il y eut comme un froissement et puis un corps tomba à terre.

– Pas en bien, dit Roger. On m'a dit que vous étiez complètement, totalement, inexorablement cinglé.

D'autres coups sourds, assenés dans une lente et mortelle cadence. « Je ne me retournerai pas. Pas question. En aucun cas. Je ne me retournerai pas. » Et il soutenait le regard terne de Rath comme si tout en dépendait.

– Bref, irrécupérable, dit Roger.

Derrière lui, un râle. Et encore des coups. Roger se retourna.

– *Oh God!* disait l'Anglais luttant pour articuler. *God, no bag-pipes*, pas de cornemuses...

Ils étaient quatre à s'acharner sur lui, soulevant et laissant retomber des pierres qui devaient chacune faire trente ou quarante kilos, les hissant à hauteur de leurs épaules puis écartant soudain les mains. Et les pierres en s'abattant écrasaient les pieds et les jambes de Donaldson dont le reste du corps était apparemment intact. Donaldson était couché sur le côté. A l'aide des canons de leurs fusils, il l'obligèrent à venir sur le dos, lui déployèrent et lui fracassèrent les bras et les mains. Il tenta de leur cracher dessus et réussit à leur sourire. Alors, ils lui enfermèrent la tête dans un sac en plastique transparent qu'ils serrèrent autour de son cou. Il voulut rouler sur lui-même mais ils le maintinrent quelques instants cloué au sol, les membres broyés et sanguino-lents. A un moment, il parvint à se dégager, à bouger l'une de ses mains et l'horrible bouillie de chair et d'os tenta de déchirer le plastique. Sans y parvenir. Le moignon glissa sur la poitrine, s'y immobilisa un court instant, reprit son glissement jusqu'au sol. Et tout le corps cessa de bouger.

Roger ferma les yeux, les rouvrit. Il pivota lentement, entendant les hommes approcher vers lui. Il fixa Rath dans les yeux. Il sourit, dents serrées à les casser.

– Colonisé, dit-il.

CINQUIÈME PARTIE

LA PÉNINSULE DE CHEKO

1

A Siem Reap, Kutchaï rencontra l'un de ses amis, un instituteur cambodgien d'à peu près son âge qu'il avait parfois emmené chasser avec lui. L'instituteur lui apprit qu'il avait vu Roger Bouès accompagné de son Anglais.

– Mais je suis inquiet, dit l'homme. Ils sont partis hier matin faire un tour du côté de chez Bernard Groslier, à la Conservation et depuis on ne les a plus revus.

Une courte seconde, la main énorme de Kutchaï s'immobilisa, tenant le verre de cognac-soda à mi-chemin de sa bouche.

– Depuis hier matin?

Cela faisait plus de trente heures.

– Hier vers onze heures et demie, midi.

– Et tu es sûr qu'ils ne sont pas repassés?

– Certain.

Impassible, Kutchaï acheva son cognac, remercia, promit de revenir dîner l'un de ces jours, se réinstalla au volant de la Land-Rover de la plantation. La conservation de l'Ecole française d'Extrême-Orient se trouvait à quatre kilomètres de Siem Reap et à deux kilomètres d'Angkor Vat. Kutchaï ne s'y arrêta que quelques instants, juste le temps nécessaire pour vérifier que les informations de l'instituteur étaient exactes. On lui fit remarquer, au moment où il repartait :

– Si ça se trouve, ils ont rejoint la route de Phnom Penh en coupant directement au sud-est.

– Bien sûr, dit Kutchaï. Ils ont pu faire ça.

Il roula jusqu'à l'*Auberge des Temples* et laissa son véhicule. Il partit à pied, évitant la route directe, asphaltée, qui menait à Angkor Thom, et recherchant au contraire l'abri et la pénombre des arbres. Il avançait à une vitesse surprenante, bien que ne courant pas, et sans le moindre bruit, tous ses sens en alerte, humant l'air brûlant et dilatant ses grandes prunelles noires.

Sur la grande esplanade du Bayon, il n'y avait pas âme qui vive. Il la longea sans s'y engager, ne s'aventurant jamais en terrain découvert. Un peu plus loin, il atteignit la forêt-clairière qui fait face à la terrasse des Eléphants et constitue la grande place d'Angkor Thom; Phiméanakas et Baphuon à gauche, Preah Pithu au fond, les deux Kléangs à droite. Là non plus, il n'y avait rien ni personne. Une ville morte depuis des siècles et à jamais, muette sous le soleil filtré. Les temples laissaient Kutchaï indifférent et ne l'avaient jamais intéressé; pour un peu, il se serait étonné que quelqu'un pût y attacher de l'importance ou, plus encore, y trouver de la beauté. Lui ne voyait que des alignements de pierres, sans objet, ayant pour responsables des ancêtres lointains dont il n'était même pas sûr qu'ils fussent les siens.

Il hésita : aller tout droit en passant devant le Roi Lépreux, vers le Grand Circuit ? ou au contraire obliquer à droite, vers la porte des Morts ?

Il opta pour la deuxième solution, parce que l'itinéraire impliquait un couvert plus épais.

Douze cents mètres plus loin, il découvrit les premières traces de pneus. D'après l'instituteur de Siem Reap, Roger et l'Anglais étaient à bord de la vieille voiture Peugeot 403 qui avait été vendue par l'un des professeurs français du lycée local peu de temps avant son retour en France. Kutchaï se souvenait d'avoir aperçu le véhicule. Et ces traces qu'il relevait maintenant pouvaient être les bonnes. Il les suivit, de plus en plus en alerte.

Il traversa la rivière de Siem Reap un kilomètre

environ au sud du pont de Chausaÿ. De telle sorte que, de l'autre côté de la route, il se trouva exactement en face de l'entrée du Ta Prohm. De nouveau, presque invisibles sur la terre sèche, les mêmes traces que tout à l'heure. Répugnant à s'avancer dans cet espace trop lumineux par où passait la route asphaltée du Petit Circuit, il attendit près de quarante minutes sous une chaleur effrayante, tapi dans un fossé, rigoureusement immobile et à l'affût du moindre bruit, du moindre souffle, de la moindre odeur.

Il se décida enfin et, en quelques pas rapides, traversa la route, escalada comme une ombre le premier mur d'enceinte, se coula dans l'incroyable enchevêtrement des racines de fromagers, des pierres culbutées, des galeries en partie éboulées, certaines barrées par les archéologues à grand renfort d'écriteaux comminatoires.

Il vit la voiture.

Une fois encore, il prit son temps, avec une patience inaltérable, animale. Enfin il approcha, progressant sans faire remuer une feuille. Mais la voiture était vide, et ses alentours de même, bien que les quatre pneus en fussent crevés.

Il se glissa alors dans le temple lui-même, laissant ses prunelles écarquillées s'accoutumer à l'obscurité presque totale qui y régnait. Il se coula de galerie en galerie, de cellule en cellule, parfois obligé d'enjamber des sortes de puits noirs qui semblaient sans fond, où grouillait quelque chose, progressant presque cassé en deux pour franchir des portes d'à peine un mètre soixante de haut, ses épaules et sa tête frôlant des plafonds vivants, faits de milliers de chauves-souris pendantes, endormies dans l'attente de la nuit et qui palpitaient dans la pénombre avec des froissements de soie. L'odeur puissante, presque enivrante, de pourriture et de pierres en décomposition sous l'effet de l'humidité l'enveloppait comme un brouillard.

Il trouva d'abord l'Anglais, ou ce qui en restait. Le gros visage joufflu avait la bouche ouverte et les yeux exorbités, et une monstrueuse colonne de fourmis et d'insectes était déjà à l'œuvre sur les membres en bouillie, pulpeux.

A dix mètres de là, Roger.

Il ne put d'abord voir son visage : le sac de plastique avait été laissé en place, sans doute parce qu'on avait estimé qu'il ne servirait plus, après cela. Le plastique était recouvert d'une sanie écœurante et Kutchaï crut comprendre ce qui s'était passé, quand les mains broyées avaient dérisoirement tenté de déchirer le tissu.

Kutchaï dénoua les cordonnets serrés autour du cou, dont la pression n'aurait pas suffi à étrangler et qui n'avaient eu d'autre but que d'empêcher le passage de l'air. Il découvrit le visage. Une longue minute, il resta à le contempler, lui-même accroupi, ne parvenant pas à détacher son regard des traits familiers, où toute expression d'horreur et de colère, et même de peur était absente. Mort, Roger Bouès semblait endormi et pour un peu il aurait paru sourire. Seuls les yeux étaient grands ouverts, emplis d'une vie étrange, et malgré tous ses efforts, Kutchaï ne parvint pas à abaisser les paupières.

Kutchaï pensait à Lara. Et ses gros doigts spatulés tremblaient.

Pour finir, il prit le corps de Roger dans ses bras, insensible à l'épouvantable sensation de chair et d'os réduits en pulpe où des esquilles pointaient, et à l'insoutenable odeur de viande en putréfaction. L'arrachant aux fourmis, il le souleva et le porta sur cinq ou six cents mètres, jusqu'à la rivière où il s'affala, immergeant complètement le cadavre et se lavant lui-même.

Il ôta sa chemise et la déchira en bandes, avec lesquelles il attacha le corps sur un tronc abattu et, s'aidant du mince filet d'eau qui suintait – c'était parce que le Stung Siem Reap n'était jamais à sec que des siècles plus tôt, les anciens Khmers avaient édifié ici leur première capitale – il y fit autant que possible flotter son radeau improvisé. Il mit quatre heures pour parcourir les six kilomètres qui le séparaient de Siem Reap et confia le cadavre à un prêtre français qui vivait là depuis toujours.

Après quoi, il alla rejoindre son ami l'instituteur que son visage terrifia et, presque sans un mot d'explication, il avala coup sur coup deux bouteilles de cognac. Mais il ne réussit même pas à perdre conscience.

Il pensait toujours à Lara. Lara seul.

Le 2 février 1972, Kutchaï regagna Phnom Penh.

Il y nota les premiers signes de ce qui allait par la suite se transformer en une véritable migration en direction de la capitale, alors que dans les premiers mois de la guerre le mouvement avait été exactement contraire : on avait fui Phnom Penh pour échapper à la conscription, ou par crainte des unités khmères kroms qui avaient assuré le massacre du 29 mars de l'année précédente, aux portes de la ville, ou encore pour simplement obéir à ce réflexe atavique qui veut qu'un Khmer en difficulté, pour quelque raison que ce soit, ait pour premier mouvement de se réfugier dans la forêt.

Mais à Phnom Penh, l'exode s'était assez vite ralenti pour lentement s'inverser ou commencer du moins à le faire. Certes les inconvénients de la mobilisation générale étaient constants et réels (de trente mille, l'armée de Lon Nol était passée au fil des mois à cent quarante mille hommes) mais après tout, le fait de porter l'uniforme ne signifiait pas forcément qu'on dût combattre jusqu'à la dernière goutte de son sang, même pas jusqu'à la première d'ailleurs; il y avait toujours la possibilité de déserter et de rentrer paisiblement dans sa famille après avoir revendu son fusil. Un M 14 au cours officiel valait maintenant deux mille riels; quant à un M 16, mieux valait n'en pas parler, mais tout le monde n'en était pas équipé, malheureusement.

Ces inconvénients étaient par chance très largement compensés par de multiples avantages : Phnom Penh commençait à devenir une ville presque aussi amusante que Saigon. Bien sûr, l'armée américaine était officiellement repartie, après seulement deux mois de présence, au grand désappointement voire au désespoir de plusieurs bancs de maquereaux et maquerelles qui avaient trop frétillé à son arrivée pour n'être pas terriblement déçus. Mais enfin, il restait les conseillers militaires de tous les pays de l'OTASE et cela faisait pas mal de monde, Bouddha en soit loué; tout comme il restait les journalistes, tous convaincus de rédiger le reportage du siècle, ou à tout le moins de leur vie : « J'écris en ce moment au cœur d'une ville assiégée... » Le grand frisson. Et de peloter la putain chinoise assombrie par un peu de sang khmer, juste ce qu'il fallait pour faire un velours de la peau et accorder à la race céleste les seins qu'elle n'avait pas toujours. « J'écris en ce moment au cœur d'une ville assiégée... » Ils furent à peu près cent cinquante à plonger voluptueusement sur la formule.

L'exode s'était inversé aussi parce que, hors des villes, on risquait beaucoup, et de plus en plus. On risquait notamment de se faire tuer, pour peu que l'on se trouvât au milieu d'un combat opposant les hommes de Giap d'un côté, ceux de Khieu et de Lon Nol de l'autre. Ou bien sous les bombes et le napalm américains. Mais ce n'était pas tout : cette résistance purement khmère à Lon Nol, celle de la forêt, on découvrait peu à peu qu'elle s'employait à établir une organisation implacable qui glaçait le sang, dont on ne savait pas encore qu'elle s'appelait l'Angkar Loeu, l'Organisation d'En Haut, mais dont on commençait à éprouver l'inexorable progression...

Kutchaï apprit aux Korver la mort de Roger Bouès.

Il connaissait la vieille amitié, presque paternelle, qu'avaient pour Roger Charles et Madeleine et s'était attendu à de pénibles manifestations de chagrin. Or les Korver reçurent la nouvelle avec presque de l'indifférence. Charles demanda :

– Qui l'a tué? Les soldats gouvernementaux, les Vietcongs ou les Khmers rouges?

– Les Khmers rouges. Mais où est la différence?

Charles acquisça.

– Vous avez parfaitement raison, cela ne fait strictement aucune différence. Savez-vous s'il a souffert?

– Oui, dit simplement Kutchaï.

– Avez-vous dîné? demanda Madeleine de sa voix flûtée de petite fille.

Kutchaï dit que oui. Il remercia. Son regard allait de l'un à l'autre des vieillards. Il les trouvait à peine vieillis, en réalité, et pourtant ils lui paraissaient radicalement transformés; ils avaient toujours été minuscules et fragiles, à présent ils étaient diaphanes, le teint de plus en plus clair, et la peau de leur visage et de leurs mains avait cette pâleur de la cire translucide. A son arrivée, Kutchaï les avait trouvés en train de jouer au gin-rummy, assis face à face dans leur grand, trop grand salon où la poussière, pour la première fois depuis presque quarante ans, éteignait quelque peu l'éclat des statuettes et des centaines d'objets d'art accumulés sur les meubles et sur les étagères contre les murs.

– Vous n'avez plus de domestiques?

– Nous avons Yuan, ce cuisinier que vous nous avez trouvé. Il est très gentil et très propre, et sa femme aussi. Mais les pauvres ne sont pas très adroits et après qu'ils nous eurent cassé deux ou trois petites choses, nous avons préféré leur demander de ne plus faire la poussière. Oh! ne le grondez pas, surtout! Vous savez, ils font ce qu'ils peuvent.

– Je vais essayer de trouver quelqu'un d'autre.

– C'est inutile, dit Charles. Vraiment.

– Nous sommes sûrs que vous avez mille choses plus importantes à faire, dit Madeleine, penchant sa tête avec la mèche bleue.

Ils interrogèrent pratiquement ensemble :

– Avez-vous des nouvelles de Lara et de Lisa? Et du jeune enfant? Comment s'appelle-t-il déjà? Ah! Mathias! comment va Mathias?

Kutchaï dit que tous allaient bien et les Korver approuvèrent d'un air satisfait.

– Ils sont toujours à Bangkok, ajouta Kutchaï, et je crois bien que Lisa attend un autre enfant.

– Vraiment ? Et savez-vous à quand est fixée la naissance ?

Kutchaï s'efforça à des calculs qui le dépassaient un peu.

– En juin ou juillet, je crois.

Face à Charles et Madeleine, dans ce salon-musée où le temps ne coulait plus, il paraissait immense et terriblement vivant, d'un autre temps, d'un autre monde.

– Pourquoi n'iriez-vous pas à Bangkok ?

Ils le dévisagèrent comme s'il leur avait suggéré d'aller sur la lune.

– Et laisser la maison ? merci bien, dit Madeleine.

– Nous ne partirons plus d'ici, dit Charles avec fermeté. Quand avez-vous vu Lara et Lisa pour la dernière fois ?

– En juillet, l'an dernier.

– Et il... ils ne sont pas revenus depuis ?

Kutchaï secoua la tête. L'œil de Charles se fit pensif.

– Je ne pensais pas que Lara partirait.

– Il n'est pas parti, dit Kutchaï.

Le silence. Kutchaï entreprit de marcher vers la porte.

– Moi, je crois qu'ils feraient mieux de rester à Bangkok, dit Madeleine. Cela vaudrait bien mieux. Vous devriez le leur dire.

Kutchaï ne broncha pas. Sur la table de bridge avec son tapis vert, les Korver avaient, à son entrée, délicatement posé leurs mains, cartes retournées faces cachées. Il devina que sitôt qu'il serait reparti, ils allaient se remettre à jouer. Et ils joueront jusqu'à la fin des temps, pensa Kutchaï. Il comprenait maintenant jusqu'à quel point Charles et Madeleine s'étaient retirés en eux-mêmes. Leur aurait-il appris la mort de Lara et de Lisa qu'ils auraient sans doute pleuré, mais sans doute moins qu'ils ne l'auraient fait six mois plus tôt. « Ils ne sont déjà presque plus là. »

– Je reviendrai vous voir. A mon prochain passage à Phnom Penh.

Ils acquiescèrent à l'unisson, par le même mouvement de tête poli mais aussi la même expression lointaine; on aurait pu croire qu'ils avaient hâte de le voir parti.

– Embrassez Lisa et Mathias pour nous quand vous les verrez. Et Lara aussi, bien sûr.

Il acquiesça, il sortit. A l'entour, la quasi-totalité des villas étaient désertes, abandonnées par leurs occupants qui avaient fui le Cambodge; certaines avaient visiblement été pillées; des portes béaient; des jardins en friche s'engloutissaient sous une végétation parasite; et l'écho de ses pas rebondissait dans un silence anormal. « La fin d'un monde », pensa Kutchaï avec une totale indifférence. Au moment où il allait reprendre sa place dans la Range-Rover, il aperçut à l'extrémité de la rue la silhouette du cuisinier cambodgien des Korver, Yuan. Il l'attendit, debout tel un géant au milieu de la rue vide.

– Ecoute-moi, dit-il. Ecoute-moi bien. Je veux que tu veilles sur eux. S'il leur arrive quelque chose, si tu les abandonnes, tu auras affaire à moi. Je te trouverai, où que tu sois, et je t'arracherai la tête. Tu as compris, Yuan?

– Compris, dit l'autre, qui aurait probablement eu moins peur d'un cobra posé sur sa poitrine.

Kutchaï le dépassait de plus de trente centimètres. La gigantesque main vint tapoter la tête.

– Très bien, dit Kutchaï.

Il possédait divers moyens pour communiquer avec Christiani. Le plus sûr était évidemment de passer par l'ambassade de Chine populaire, il l'avait déjà utilisé à plusieurs reprises; un autre consistait à faire appel aux mystérieuses liaisons depuis longtemps établies et maintenues en dépit des vicissitudes des combats par les négociants et trafiquants chinois; un troisième lui faisait utiliser son propre réseau, plus discret encore, qu'il avait monté au prix de deux ans au moins de patient travail; le dernier enfin était l'avion de Boudin.

Si bien que le message expédié par le Corse l'atteignit par trois voies différentes. Ce message venait d'une certaine façon en réponse de l'information concernant la mort de Roger Bouès, il disait : « Robinson 3 » – 3 pour 3 février, Robinson étant le nom de code de Sré. Que le message ne fût pas signé par Christiani indiquait qu'il s'agissait d'un rendez-vous donné par Lara lui-même.

Le temps pressait. Kutchaï réfléchit rapidement. Se rendre à Kompong Som par la Route américaine, directement, était plus que risqué : à cette époque, c'était fou. D'un autre côté, il était assurément capable de rejoindre la côte du golfe de Siam en se glissant, déguisé en paysan, au travers de la zone des combats; c'était un exploit qu'il avait maintes fois accompli au cours des mois précédents, mais les délais étaient aujourd'hui trop courts. Restait l'avion. Il partit à la recherche de Boudin. La Saucisse de Strasbourg était alors en train de faire fortune et volait à bord d'un Cessna 180 flambant neuf lui appartenant en propre, tandis qu'il possédait, en association avec des Chinois et des Corses, des parts sur deux autres avions.

– Sors d'ici! hurla Boudin. Pas question de voler. Je viens de rentrer. Je t'abats comme un chien si tu ne fous pas le camp!

Une main de Kutchaï partit, cueillit le poignet de l'irascible pilote, en arracha le Colt. L'autre main suivit, crocha Boudin par le col de sa chemise, l'arracha au sol, le plaqua contre le mur, les pieds battant l'air à cinquante centimètres du sol.

– Il y a des moments où tu m'agaces, dit Kutchaï avec son terrifiant sourire de loup.

– Je te tuerai, grogna Boudin. Les énormes doigts spatulés accentuèrent à peine leur pression autour de la gorge.

– Kutchaï! Kutchaï!

Les doigts desserrèrent leur étreinte.

– On partira demain matin à quatre heures.

La langue de Boudin avait déjà commencé à jaillir

d'entre ses lèvres. Boudin glissa doucement le long du mur et retrouva le contact avec le sol.

– Bon Dieu, qu'est-ce qui t'a pris? Tu as failli me tuer!

– Mais non, dit Kutchaï en riant en silence. Mais non.

– A quatre heures? Et on va où?

– Kompong Som.

– Je ne sais même pas où en est leur foutu terrain, là-bas.

– Tu te poseras sur le toit d'une paillote. Tu te poserais sur la cime d'un cocotier si nécessaire. Et nous le savons tous les deux. Quatre heures.

Boudin se frottait la gorge.

– Si on ne peut même plus plaisanter! dit-il. C'est pour Lara? Pourquoi ne pas me l'avoir dit tout de suite? Tu n'avais qu'à me dire qu'il s'agissait de lui. J'aurais compris.

L'index de Kutchaï se posa sur la poitrine de l'Alsacien, s'y enfonça.

– A demain.

Ensuite il se rendit chez la mère de Ieng Samboth qui habitait dans une petite maison de bois un peu plus loin que la Pagode d'Argent. Il parla quelques minutes avec elle, respectueusement incliné, mains jointes à hauteur des lèvres et en partant, lui glissa dans la paume cinq mille riels. Revenant vers le centre, il fit une courte halte au *Zigzag*. Albert Vandekherkove le reconnut dès son entrée et tint à lui offrir le premier cognac-soda.

– Il y a un bout de temps qu'on a pas vu Lara, remarqua Albert.

– Ah bon? dit Kutchaï, sans autre commentaire.

Il but deux cognacs-soda et ressortit, indifférent aux provocations de trois ou quatre marins philippins en chemises brodées, ivres et qui tenaient à le prendre à partie pour une raison connue d'eux seuls. Il gagna la paillote aux alentours du stade dans laquelle il dormait quand il se trouvait à Phnom Penh et où il avait une femme et trois ou quatre enfants. Là aussi, il laissa de l'argent. Il se coucha, s'endormit aussitôt bien qu'il fît encore jour, et malgré le vacarme à l'entour, des femmes qui jacassaient, des enfants qui piaillaient. Sans le moindre réveil, il rouvrit les yeux à deux heures et demie du matin. Il remonta dans la Range-Rover. Il prit le chemin de l'aéroport de Pochentong et conduisit tout en mangeant de grosses parts de son gâteau préféré, l'*an sam chruk*, épais rouleau de riz gluant fourré de soja en pâte et de petits morceaux de viande de porc; c'était la spécialité de sa femme de Phnom Penh et elle y ajoutait toujours de fins morceaux d'ananas, voire de banane. Au vrai, il fallait un estomac d'autruche pour en avaler plus d'une cuillère à soupe. D'après la légende, l'*an sam chruk* avait été inventé par Bouddha lui-même : constatant que la première femme et le premier homme sur la terre alors vierge ne songeaient pas à se rapprocher et n'imaginaient même pas d'être un peu câlins, Bouddha avait sorti l'*an sam chruk* de son livre de recettes et suggéré au couple de le manger, chacun commençant à une extrémité. Monsieur Premier Homme et Madame Première Femme s'étaient rencontrés au milieu et pof! l'humanité était née.

A Pochentong, Boudin était là, grommelant quelque chose d'indistinct mais de probablement désagréable. Le Cessna décolla à quatre heures, salué quelques instants plus tard par des salves des premières lignes vietcongs, tout de même un peu optimistes quant à la portée de leurs armes.

A Kompong Som, en revanche, si l'aube sur la mer entreprenait de poindre, tout était calme.

– Et maintenant, qu'est-ce que je fais? interrogea Boudin avec haine, sitôt après avoir coupé le contact.

– Tu fermes ta gueule et tu attends. On se retrouve à l'auberge d'Etat.

– J'avais du travail aujourd'hui à Phnom Penh.

– Tu as du travail à Kompong Som.

Kutchaï dut réveiller Weï. Mais le Chinois comprit la situation en un clin d'œil.

– J'ai deux bateaux, un gros et un petit.

– Le plus rapide?

– Le plus petit. Il vole sur l'eau.

Kutchaï acquiesça.

– Celui-là.

Weï parut soulagé.

– Tu pourras le manœuvrer toi-même. Pour l'autre, j'aurais dû trouver des hommes.

Il s'agissait d'un très beau canot automobile avec deux moteurs de cent chevaux. Il avait été importé au Cambodge pour être utilisé sur le Tonlé Sap et le Mékong et servir à tracter des skieurs nautiques mais, la guerre survenue, il était resté sur le quai où on l'avait déchargé; Liu l'avait racheté à bas prix. Weï l'approvisionna amplement en carburant, ajouta des bidons de réserve, expliqua le fonctionnement. A quatre heures quarante environ, Kutchaï mit le cap sur Kas Rong et, au-delà, sur Sré, passant très au large de la presqu'île de Cheko. La mer était calme et belle, couverte par endroits d'une brume légère, et le jour se levait à peine.

Sur Sré, il n'y avait personne et aucune trace que quelqu'un y fût venu récemment. Kutchaï en fit scupuleusement le tour, s'assurant que tout y était en ordre. Le sampan-jonque était à sa place, glissé dans son espèce d'étui rocheux et on l'avait recouvert avec soin de son filet de camouflage, au point qu'il fallait vraiment avoir le nez dessus pour en découvrir la présence. Kutchaï poursuivit son inspection : la maison était en parfait état, propre; à l'évidence, Seng y était venu régulièrement et sans doute le cuisinier s'était-il, plutôt que de demeurer seul sur l'île, réfugié pour un temps sur le continent, grâce aux Malais.

Sur ce continent, précisément, Kutchaï jeta un coup d'œil, au travers du rideau d'arbres. Il avait en vue directe la péninsule de Cheko. Il remarqua une colonne de fumée, bien trop haute et épaisse pour être produite par un simple feu de camp. Il ne l'avait pas aperçue depuis la mer, au cours du trajet dans le canot automobile, mais il se souvint que la brume à ce moment-là lui dissimulait en grande partie la côte. Il finit par conclure que des avions américains avaient à un moment ou un autre, avant son arrivée, déversé un peu de napalm et mis le feu à quelques hectares de forêt. Cette fumée tracassa un moment Kutchaï mais, une minute plus tard, retrouvant la presqu'île à l'horizon, il constata qu'elle se dissipait peu à peu, pour finalement disparaître.

Il descendit dans le silo et vérifia méthodiquement les provisions qui y étaient entassées : bien que quelques-unes fussent détériorées par l'humidité, les réserves de vivres étaient pour l'essentiel en bon état, suffisantes pour permettre de tenir plusieurs mois.

Il réapprovisionna en mazout le générateur et le remit en route.

De sorte qu'il y eut de la bière fraîche quand, une heure plus tard, l'une des vedettes de Christiani se dessina à l'horizon, venant du nord-ouest.

Lara se trouvait à son bord. Mais Lisa l'accompagnait, une Lisa au visage totalement fermé, visiblement refrénant à grand-peine une colère froide.

2

Par rapport au reste du Cambodge, la péninsule de Cheko se trouve en fait assez isolée, coincée entre le golfe de Siam et la grande barrière montagneuse faite de la chaîne de l'Eléphant, du Kirirom et des Cardamomes, qui lui coupe toute communication importante avec l'est, sinon par la trouée de la Route américaine empruntant le col de Phnom Pich. Elle enveloppe au nord, en arc de cercle, la baie de Kompong Som et dresse deux sommets inégaux par l'ampleur, d'à peine quelques centaines de mètres de haut. La base khmère rouge se trouvait sur les pentes du sommet le plus à l'ouest.

Tout d'abord, Kao ne vit rien.

– Plus bas, dit l'éclaireur. Un peu à gauche et en contrebas de ce groupe de rochers qui ressemble à un troupeau de gaurs.

A environs douze cents mètres de distance, les puissantes jumelles de Kao captèrent enfin un premier mouvement et l'excitation coutumière de la chasse l'inonda, le faisant presque trembler.

– Ils se sont enterrés, dit l'éclaireur. On peut s'approcher encore, si vous voulez. Nous avons réussi à nous glisser si près d'eux que nous les entendions parler.

– Inutile, dit Kao. Qui pensait : « Ça ne va pas être si difficile. » Pour un peu, il l'aurait regretté. Il n'aimait pas que le gibier lui facilite la tâche. Et le mérite du chasseur ?

Après un moment, Kao releva ses jumelles et leur fit exécuter un vaste tour d'horizon, à plus de cent quatre-vingts degrés, partant du port de Kompong Som qu'il avait en vue directe sur sa gauche, puis examinant chacune des îles, certaines minuscules, qui s'égrenaient en chapelet à quelques kilomètres de la côte ; achevant son observation sur sa droite, en direction de Koh Por Krom. La plupart de ces îles étaient réputées désertes. Pour la première fois depuis qu'il en connaissait l'existence, il eut un doute à ce sujet. Une association d'idées le fit penser aux pêcheurs malais ordinairement établis sur cette côte, depuis des temps immémoriaux, qu'il n'avait pas vus depuis des mois.

Il serait peut-être allé plus loin, aurait sans doute poussé jusqu'à son terme l'espèce d'intuition qui se formait confusément en lui, mais l'éclaireur qui l'accompagnait, en lui posant une question, le ramena à la réalité immédiate : ce combat qu'il allait engager et le carnage superbe qu'il en espérait.

L'éclaireur demanda :

– A quelle heure l'attaque ?

– Huit heures ce soir.

Soit dans la nuit du 2 au 3 février 1971.

Kao avait dit :

« De là-haut, mon petit Phan, tu verras le massacre. Régale-toi. »

Phan voyait. Dans la pénombre qui pourtant s'intensifiait, les épouvantables flammes jaune orangé du napalm se projetaient avec des sortes de mugissements chuintés lui parvenant par-dessus le crépitement régulier des mitrailleuses et de toutes les armes automatiques crachant le feu en même temps. La végétation calcinée éclairait des choses rampantes, ignobles, qui étaient des corps d'hommes happés par les langues de feu et qui, se contorsionnant, se roulant par terre, tentaient désespérément d'éteindre leur chair qui brûlait, enduite de pétrole visqueux.

Cela dura plusieurs minutes, après lesquelles le front infranchissable des mitrailleuses ou du napalm commença à se déplacer. Peu à peu, la distance qui séparait ce front de la crête où Phan était juché, diminua, jusqu'à n'être plus que d'à peine deux cents mètres. Quelques moments encore et le feu cessa.

– Phan !

La voix de Kao.

– Oui, mon commandant.

– Ça t'a plu, Phan ? Tu as aimé ? Maintenant, descends avec tes hommes. Déployez-vous. On fouille chaque trou de rocher. On ne laisse échapper personne. Tu as entendu, Phan ? personne !

Grâce aux arbres encore en feu sous l'effet du napalm, on y voyait presque comme en plein jour, bien que la nuit fût complètement tombée.

Ils trouvèrent toute une série de caches, en chapelet, reliées les unes aux autres pas des galeries creusées de main d'homme, et juste assez larges pour permettre le passage d'un corps. Quelques grenades et de nouvelles torches éblouissantes de napalm en firent sortir les derniers occupants : une dizaine de femmes et deux enfants, que l'on regroupa avec la vingtaine de Khmers rouges qui s'étaient rendus, presque tous parce qu'ils étaient blessés.

– Compte, Phan. Les morts et les vivants.

On continuait de fouiller le terrain. On trouva des armes, assez disparates, surtout des Kalachnikov de fabrication chinoise. Un peu plus loin, une centaine de bidons d'essence, sans doute volés aux alentours du port.

Il ne fallut que quelques secondes à Suon Phan pour comprendre ce que Kao allait faire de cette essence. Il voulut intervenir :

– Je vous en supplie.

– Pas de survivant, dit Kao. Fous-moi le camp.

Phan s'éloigna. Il remonta jusqu'à la crête, la franchit, s'assit face à la mer qu'une sorte de phosphorescence laiteuse éclairait à peine. Il resta à la contempler, incapable de refouler les lourds sanglots qui lui secouaient la gorge, sans savoir sur quoi au juste il pleurait, sur lui-même qui ce jour-là venait tout juste d'avoir vingt ans, sur un Cambodge en train de mourir, ou simplement sur ce brasier qu'il s'attendait d'une seconde à l'autre à voir éclater, dont il appréhendait l'odeur atroce, les hurlements qui allaient en jaillir, et qui en effet éclata, plus atroce encore qu'il ne l'avait craint, dans une puanteur innommable.

Ce brasier qui, au matin, ne vivait plus que par une haute colonne de fumée, celle-là même que Kutchaï, inspectant Sré, aperçut le lendemain.

– Phan !

On le secouait par l'épaule. Il ouvrit les yeux et reconnut Chau, l'un des Khmers kroms qui commandait en second après Kao.

– Oui.

– Kao se demandait où tu étais passé.

Phan se redressa tout à fait, sa joue et tout son côté droit engourdis : il s'était endormi sur son fusil et se sentait plein de courbatures.

– Kao veut que nous finissions de fouiller la colline. Il pense qu'il y a peut-être d'autres caches, dit Chau.

Phan acquiesça, encore trop plein de sommeil pour avoir même l'idée de discuter. Il découvrit que le jour se levait à peine et en fait que l'aube du 3 février 1971 venait tout juste d'apparaître. Il était environ cinq heures trente. Il jeta un coup d'œil sur la mer. De là où il se trouvait, à deux ou trois cents mètres d'altitude, il voyait une eau lisse comme un miroir, à la surface de laquelle s'allongeaient de délicates écharpes de brume, dégageant par endroits des trouées comme font les nuages. Il avait Kas Rong sur sa gauche et, en face de lui, à approximativement quatre kilomètres, à peine silhouettées dans la lumière incertaine de cette aurore, d'autres îles plus petites.

– Allez, tu viens?

Il allait se retourner quand quelque chose lui accrocha le regard : une sorte de grand triangle parfaitement, étonnamment rectiligne, qui se dessinait à la surface de la mer, là où l'on voyait celle-ci, et allait en s'élargissant sans cesse. Il demanda, la voix morne :

– Qu'est-ce que c'est?

Chau avait des jumelles sur la poitrine. Il les monta devant ses yeux, poussa une exclamation.

– Va chercher, Kao! Vite! Il voulait qu'on lui signale tout mouvement de bateau. Et ça, c'est un bateau!

Il s'écoula plusieurs minutes avant que le double cercle des jumelles de Kao retrouve enfin la forme fine du canot à moteur découpant son sillage, que la brume dissimulait les trois quarts du temps. Mais aussitôt qu'il l'eut captée, il ne la lâcha plus.

– Un de ces canots comme il y avait au Club nautique, dont les Barangs se servaient pour faire du ski nautique. Tu as déjà fait du ski nautique, Phan?

– Non, mon commandant.

Kao éclata de rire, mais ses yeux étaient glacés. La fatigue d'une nuit blanche marquait son visage, une nuit blanche passée à regarder avidement des hommes, des femmes et des enfants arrosés d'essence en train de brûler. Quelques instants plus tôt, on avait apporté à Phan du riz assaisonné de prahoc et roulé dans une feuille de bananier; mais le jeune homme, à la première bouchée, avait failli vomir, mis au bord de la nausée par cette épouvantable odeur qui flottait encore dans l'air et dont il se sentait imprégné.

Kao suivait toujours le canot à moteur.

— Il avance sacrément vite. Je me demande où il va. Il n'y a qu'un homme à bord.

Après trois ou quatre minutes, il se redressa, déçu : l'embarcation avait définitivement disparu, avalée par la brume; à un moment, elle avait semblé se diriger vers une petite île, derrière laquelle on pouvait croire qu'elle s'était engagée. Kao attendit patiemment, guettant sa réapparition. Rien. Il finit par donner un ordre. Parmi les hommes du commando, Chau chercha et trouva quelqu'un qui connaissait la côte. Il l'amena à Kao qui lui demanda le nom de cette île en particulier.

— Sré, dit l'homme. Elle est déserte. Il n'y a que les Malais qui pêchent le requin qui y vont quelquefois. Mais ils n'y restent pas.

— On attend, dit Kao.

Ce fut ainsi qu'ils virent arriver la vedette, venant du nord. Elle ne resta qu'une vingtaine de minutes à peine invisible, de l'autre côté de l'île puis elle réapparut et prit la direction de la haute mer, cap à l'ouest.

— Tu as compris? demanda Kao à Phan.

Les yeux étincelants malgré sa fatigue, il exultait. Il était sûr que le rendez-vous auquel il venait d'assister avait un rapport avec la présence, sur cette colline de la presqu'île de Cheko, du camp khmer rouge qu'il venait de détruire.

— Chau, tu restes là. Si le canot repart, si d'autres bateaux s'approchent, note-le, note tout.

Lui-même partit presque en courant. Sa jeep se trouvait à quatre kilomètres de là, aussi près du lieu du combat que cela avait été possible la veille. Grâce à la radio de la voiture, il pouvait évidemment alerter Kompong Som, qui enverrait quelqu'un enquêter sur place. Il pouvait le faire. Mais il y avait aussi une autre solution.

Il se souvenait des pêcheurs malais. Leurs pirogues pourraient l'emmener sur l'île, lui et quelques-uns de ses hommes.

Il continuait à courir, presque en vue de sa jeep. Il n'avait pas encore fait son choix.

3

– Raconte-moi, dit Lara.

A la seconde même où il avait pour la première fois rencontré ses yeux, Kutchaï avait su que quelque chose n'allait pas, quelque chose qui ne tenait pas seulement, peut-être même pas du tout à la mort de Roger.

Christiani et son équipage malais n'avaient même pas posé le pied à terre; leur vedette n'avait en tout et pour tout passé que quinze à vingt minutes aux abords de l'île et était aussitôt repartie. Kutchaï savait pour où : dans la nuit suivante, donc celle du 3 au 4 février 71, le Corse à la tête d'une véritable flottille de vedettes semblables devait rencontrer un cargo japonais aux cales remplies d'armes et le surlendemain, ces armes passeraient entre les mains des hommes de Ieng Samboth. Christiani, son déchargement effectué, devait ensuite revenir à Sré, à l'aube du 6. Et il ramènerait Lara et Lisa à Bangkok.

– Il n'y a pas grand-chose à raconter, dit Kutchaï. Cet Anglais avec qui il faisait équipe a toujours pris des risques invraisemblables. Il fallait être cinglé pour aller se balader dans les temples. Tout le monde les avait avertis, les types de l'AFP et UPI, le photographe de Gamma, les gens de la Conservation. Rien à faire.

– Comment s'appelait l'Anglais, déjà ?

– Donaldson.

Lara acquiesça, ses yeux pâles contemplant la vide. « Il écoute à peine ce que je lui dis », pensa Kutchaï.

– Ils sont tombés sur une bande conduite par Rath.

Cette fois, le regard de Lara retrouva vie. Il se durcit brutalement.

– Comment le sais-tu?

– Qui est Rath? demanda Lisa.

– Qu'il s'agissait de Rath? Je me suis renseigné. Des bonzes ont vu passer Roger et l'Anglais. Et deux heures avant, ils avaient vu Rath. Et ils ont revu Rath après. Il n'y a pas de doute.

– Qui est Rath? répéta Lisa, avec une pointe d'irritation dans la voix.

Kutchaï tourna ses yeux vers elle, hésitant à répondre, préférant laisser ce soin à Lara. Mais Lara se taisait, à nouveau enfoncé en lui-même. « Ils se sont disputés, elle et lui. Et c'est grave. »

– Quelqu'un que nous connaissons, répondit enfin Kutchaï. Il n'était déjà pas de nos amis, il l'est moins encore à présent.

– Où était-ce?

La question venait cette fois de Lara.

– Le machin envahi par les fromagers, près de baraï oriental.

Ce n'était pas, chez Kutchaï, une sorte de coquetterie de langage : il ignorait réellement le nom de la plupart des temples d'Angkor.

– Le Ta Prohm?

Kutchaï acquiesça.

– Où sont les corps?

– J'ai ramené Roger chez le père Aguirre à Siem Reap. Pour l'Anglais, c'est l'armée qui est allée le chercher.

« Pourquoi sont-ils revenus tous les deux? » pensait Kutchaï. Pourquoi n'étaient-il pas restés à Bangkok? Kutchaï corrigea : « Non, la véritable question est : pourquoi Lara est-il revenu? » Ç'avait dû être là, à coup sûr, le sujet de leur dispute : la volonté obstinée de Lara de revenir, sinon tout à fait au Cambodge, du moins sur l'île, et s'opposant à la volonté de Lisa, qui n'était pas, tant s'en fallait, moins obstinée. Kutchaï examina la jeune femme : les signes de sa maternité étaient nets, elle était visiblement nerveuse, fatiguée, furieuse. Ce n'était certainement pas Lara qui lui avait demandé de quitter

Bangkok; donc c'était Lisa elle-même qui avait décidé d'accompagner son mari, probablement afin de le contraindre, par sa seule présence, dans l'état où elle était, à n'effectuer qu'un court voyage et à ne pas s'attarder.

Kutchaï sourit à Lisa :

– Comment va la future mère?

– En pleine forme, dit Lisa, vaguement sarcastique.

– Fille ou garçon, cette fois?

Elle haussa les épaules. Elle portait une robe ample, soyeuse, à la dominante du même violet que ses yeux; elle était d'une beauté à couper littéralement le souffle. Après un moment, elle sourit à Kutchaï, lui rendant son sourire comme à regret.

– Je suis heureuse de te revoir, dit-elle. Mais tu étais occupé au point de ne pas pouvoir venir nous rendre visite à Bangkok?

– Kutchaï pauvl'Khlmel beaucoup tlavaillé.

– Tu aurais quand même pu venir.

– D'accord. J'ai honte.

– Les Korver?

– Je les ai vus hier. Ils jouent aux cartes. Ils vous embrassent.

Jusque-là, ils n'étaient pas allés plus loin que le sable de la crique où la vedette de Christiani les avait laissés, face au large et non au continent. Soudain Lara se mit en route, partant vers la maison. Mais après quelques pas, il se retourna, se proposant d'aider sa femme à franchir le petit raidillon qui sinuait entre les rochers et les broussailles, vers la palmeraie centrale. Lisa le suivit, et parut ne pas voir la main qu'il lui tendait. En fin de compte, ils allèrent tous trois jusqu'à la véranda. Lisa s'assit sur une banquette de rotin, les deux hommes restant debout devant elle.

– J'ai remis le groupe en marche, dit Kutchaï. Si vous avez soif?

Aucune réponse. Lara avait ce visage complètement fermé, inexpressif au dernier degré, que Kutchaï ne lui avait que très rarement vu, mais dont le Jaraï savait ce qu'il voulait dire : un entêtement et une volonté, dont rien ni personne ne pouvait détourner le cours. « Personne sauf cette femme, qui a essayé et essaie encore, et qui n'est pas, elle non plus, de ces caractères que l'on plie. »

– Je vais me baigner, dit soudain Lara.

Il ne parut même pas attendre une réponse quelconque de sa femme ou du Khmer et s'en alla, ôtant sa chemise tout en marchant et se dirigeant vers la pointe sud de l'île, à l'endroit habituel de leurs baignades. Sur son épaule nue, la vieille cicatrice réapparut. Kutchaï s'assit sur l'une des marches de la véranda.

– Bon, dit Lisa, je pense que tu as compris. Tu n'as pas compris ?

Kutchaï passa sa grosse main dans sa tignasse noire.

– Je ne suis rien, Lisa.

Il jeta un regard vers elle mais le regard violet était absent.

– Cela fait des mois que ça dure, reprit Lisa. Depuis le début, je peux dire. Il n'y a pas eu un jour, pas une minute où ce problème n'a pas été entre nous, même si nous faisions semblant de l'ignorer. J'ai essayé de le comprendre, Dieu sait que j'ai vraiment essayé. Il est normal qu'il soit attaché à ce pays : il y est né et avant lui, son père et plusieurs générations. C'est une chose facile à comprendre, surtout pour une Américaine dont les ancêtres sont arrivés en Amérique bien après que le premier Lara a débarqué ici. Mais la situation est différente. Le pays est en guerre. On peut y être tué à n'importe quel moment. Et il est en guerre parce que...

Elle s'interrompit un instant.

– Je suis américaine. Tu m'en veux d'être américaine, Kutchaï ?

– Vous dites n'importe quoi, dit Kutchaï à voix basse, ne se rendant même pas compte qu'il était revenu au vouvoiement.

Un silence.

– Cette guerre peut durer des années, reprit Lisa d'une voix lointaine. Et moi, je veux vivre dans un pays en paix, où mes enfants peuvent grandir normalement, aller à l'école normalement, traverser une rue normalement. Nous avons beaucoup voyagé ces derniers mois, nous avons été dans quantité d'endroits merveilleux, mais toujours en Asie. Nous n'avons jamais parlé du Cambodge pendant tout ce temps mais bien entendu, je savais qu'il ne cessait d'y penser, je savais qu'un jour ou l'autre, il parlerait de revenir ici. Je m'y attendais et je n'aurais pas dû être surprise. Avant-hier, dès la nouvelle de la mort de Roger Bouès, il m'a dit qu'il devait partir avec Christiani. Pour faire quoi ? Roger est mort. Il m'a répondu que si lui, Lara, avait été au Cambodge, qu'il n'aurait jamais dû quitter, Roger serait sans doute vivant. C'est totalement, c'est monstrueusement idiot. Je l'ai prévenu; je lui ai juré que s'il revenait au Cambodge, je l'y suivrais et que s'il refusait de m'emmener, dès son départ, je prendrais un avion pour Phnom Penh. Quitte à être absurde, soyons-le jusqu'au bout. Mais je n'avais pas le choix : c'était ça ou alors je rentrais chez moi, aux Etats-Unis, en emmenant mon fils. J'y étais prête et je le suis encore. C'est une situation qui ne peut plus durer.

Elle se tut quelques secondes, et Kutchaï faillit se lever pour aller rejoindre Lara. Mais elle dit encore :

– Je lui ai dit des choses horribles, mais vraies, que je regretterai longtemps, que je pense sincèrement. Je lui ai dit que le Cambodge qu'il avait connu n'existait plus, et qu'il n'existera plus. Je lui ai dit qu'il n'y a plus sa place. Maintenant, il doit choisir, tout de suite : le Cambodge ou moi. C'est aussi simple, aussi stupide, aussi fou que cela. Mais je ne céderai pas. Je ne peux pas céder, plus maintenant.

Kutchaï se dressa. Il était au pied des quatre marches de bois noir permettant d'accéder à la véranda. Juste à côté de lui, l'hibiscus qu'il avait planté lui-même un an et demi plus tôt s'était étonnamment développé et se mêlait à s'y confondre avec les plants de bougainvillées qui s'étalaient au long de la balustrade, au point de la dissimuler presque complètement. Un peu plus bas, des cannas, et le frangipanier que Lisa avait voulu, entre tous les autres, tout comme elle avait souhaité avoir du jasmin, ce même jasmin dont les fleurs servaient à fabriquer des colliers et des bracelets vendus par des enfants, pour un sourire ou peu s'en fallait, sur les marchés de Phnom Penh ou aux terrasses des cafés.

– Oh! mon Dieu! dit Lisa. Comment peut-il ne pas comprendre?

Kutchaï hésitait. Une minute plus tôt, il aurait sans doute rejoint Lara, en toute certitude. A présent, il n'était plus très sûr de ce qu'il devait faire, ni même de ce qu'il avait envie de faire.

– Va le rejoindre, va, dit Lisa d'une voix dure. Qu'est-ce que tu attends?

4

Suon Phan avait effectué la traversée dans la deuxième pirogue en compagnie de trois autres membres du commando. Il n'avait pas particulièrement le pied marin et ses seuls contacts avec un bateau avaient jusque-là consisté en deux voyages sur la grosse chaloupe remontant et descendant le Mékong, vers Kratié. Mais passé les premiers moments d'inquiétude, il avait commencé à goûter la traversée.

Les Malais s'étaient montrés étrangement réticents lorsque Kao avait exigé d'eux qu'ils se mettent à sa disposition. Dans un premier temps, même les canons des M 16 braqués sur eux ne les avaient pas convaincus. Il avait fallu frapper, et dur. Kao, frémissant comme un chien qui sent le cerf, était parti le premier, avec trois de ses hommes, son visage maigre tendu.

– Je suis sûr que cette île cache quelque chose ou quelqu'un. Je vais la contourner au nord, par la droite. Toi, Phan, tu iras directement accoster en face, du côté de la terre. Si tu vois un bateau cherchant à s'échapper, tu tires et tu discutes après. Si possible, prends les fuyards vivants. Sinon, tant pis.

L'île était là, à deux mètres. Phan sauta à terre. La pirogue portant Kao avait déjà disparu depuis plusieurs minutes derrière la pointe nord de l'île.

Il s'enfonça dans le sable brûlant, qui lui parut plus fin encore que celui de Kep, mais pareillement doré, pareillement constellé de minuscules pellicules de mica, qui étincelaient. Le silence était total et même en prêtant l'oreille, il ne perçut pas le moindre bruit du côté de Kao. Les trois hommes qui l'accompagnaient se déployèrent en tirailleurs, seuls les deux Malais demeurèrent immobiles, leur visage impassible sous la toque noire, mais croisant leur regard, Phan sut avec certitude que l'île, en effet, cachait quelque chose et qu'ils le savaient.

« Nous allons être fixés. » Pour un peu, il se serait lui aussi abandonné à l'excitation de la chasse.

Après quelques mètres de plage en pente douce, le sol s'élevait brusquement, dressant une véritable muraille extrêmement touffue, au travers de laquelle ils ne trouvèrent pas tout de suite le passage. Phan le premier s'empêtra dans son arme et manqua de tomber. Il venait tout juste de retrouver son équilibre quand les détonations retentirent, caractéristiques d'un M 16.

— Vite !

Il pressa ses hommes et d'un bond acheva de gravir le talus. Un sentier apparut sur sa droite. Il s'y jeta, déboucha dans une palmeraie où l'on avait tendu de merveilleux hamacs brodés et festonnés, installé une immense balancelle en rotin. A vingt mètres de lui, enfin, il découvrit deux des soldats embarqués avec Kao. Leur attitude même le rassura. « D'ailleurs, il n'y a eu que trois coups de feu. » Il ralentit, termina presque au pas.

— Sur qui avez-vous tiré ?

Sans un mot, ils lui montrèrent un gros massif d'hibiscus, de bougainvillées, de jasmin, encore épaissi par les branches d'un jeune frangipanier. Alors, et alors seulement, Phan vit la maison, jusqu'aux derniers mètres indécelable.

– Où est Kao?

Il gravit quatre marches, trouva une véranda et puis, à l'intérieur d'une grande pièce, Kao debout, le canon de son M 16 pointé vers le sol, Kao ayant à ses pieds le corps ensanglanté d'une jeune femme, incontestablement blanche, Kao qui dit:

– Bon d'accord, je me suis trompé. Et après?

Dès la première des trois détonations, Kutchaï avait bondi. A aucun moment, il n'eut le moindre doute. Ce ne pouvait être que Lisa. Ou, pis encore, Lara.

Pour rejoindre la plage vers laquelle il marchait à la seconde précédente, il aurait dû escalader ou à la rigueur contourner en marchant dans l'eau les rochers se dressant sur les derniers mètres. Et puis il entendit sur la gauche les premières foulées de Lara qui se mettait à courir sur le sentier reliant la pointe sud de l'île à la maison. Une seconde d'un soulagement instinctif : Ce n'est pas sur Lara qu'on a tiré! L'instant d'après : « Mais il va se faire tuer! » Il se rua comme un fou au travers de la végétation qui lui barrait à gauche le passage vers le sentier, perdit du temps à s'arracher à la broussaille. Quand il émergea, Lara était déjà loin. Il se précipita à sa suite.

Il entendit le premier cri de Lara appelant sa femme. Puis il débarla enfin, à son tour, dans la palmeraie. Il y vit Lara sur qui des soldats de Lon Nol se jetaient, que l'on frappait, que l'expédiait au sol, que l'on maîtrisait. Avec un hurlement de fureur meurtrière, Kutchaï vola littéralement sur les derniers mètres. Il se projeta de toute sa masse sur les six hommes, frappa pour tuer, pour écraser, pour broyer. Une première balle le toucha à la cuisse, le faucha. Il s'abattit, se releva, repartit à l'assaut, fracassa une gorge d'un revers de main, reçut une deuxième balle dans l'épaule, une troisième quelque part près de la hanche. Il tomba encore, parvint encore à se redresser malgré un coup de crosse qui lui rabota le crâne. Il frappa, fut frappé de nouveau et le canon d'un fusil s'introduisit dans sa bouche, s'y enfonça.

– Encore un geste et tu es mort.

Il s'immobilisa, les yeux étincelants de rage, ses mains énormes griffant le sol, sa mâchoire déployée comme pour mordre, terrifiant.

Un calme subit.

De la maison, un jeune officier au visage de gamin sortit en courant, vint vers eux.

– Qui d'autre est sur l'île?

Malgré les deux canons de M 16 fichés dans sa poitrine, et qui l'écrasaient au sol, Lara bougea :

– Qu'avez-vous fait de ma femme?

– Qui d'autre?

– Je vous tuerai, dit Lara. Où est-elle?

– Répondez d'abord à ma question.

– Nous ne sommes que trois.

L'officier hésita, son visage d'adolescent contracté.

– Relevez-vous, à condition de vous calmer. D'accord? Votre femme est dans la maison.

Sitôt libre, Lara s'élança. L'officier se tourna vers Kutchaï, manifestement impressionné par ce grand corps que la haine et la rage tordaient.

– Ne tentez rien, dit-il. Je ne veux pas vous tuer. Je ne veux pas. Du calme.

Il ordonna aux soldats :

– Lâchez-le.

On s'écarta de Kutchaï avec précautions, sans cesser un instant de le tenir en joue. Deux des soldats étaient allongés sur le sol, nuque brisée.

– Du calme, dit l'officier.

– Kutchaï !

La voix de Lara appelant de la maison.

– D'accord, dit l'officier, mais doucement. Ou nous vous tuons tous.

Trois des soldats suivirent Kutchaï qui entra dans la

maison et vit Lisa allongée sur le sol. Le visage de Lara était d'une blancheur de craie, mais à part cela, d'un calme anormal et effrayant.

– Elle est vivante. Elle a une balle dans le ventre, dit Lara. Il faut l'emmener à Kompong Som. Aide-moi à la transporter.

– C'est une erreur.

Kutchaï identifia la voix avant même de reconnaître le visage. Kao se tenait en retrait dans la pièce, rencogné dans l'ombre, dos au mur; on ne distinguait guère que les méplats caractéristiques de ses pommettes, et ses yeux luisants. Mais il tenait braqué son fusil d'assaut, le doigt sur la détente.

– Rien qu'une erreur. Je me suis trompé.

– Au nom de Dieu, vite! dit Lara.

Ils se servirent de l'un des battants de la porte comme d'une civière. Dehors, Kutchaï trébucha, la cuisse et la poitrine pleines de sang. Jusque-là, aucun des soldats n'avait esquissé le moindre geste pour aider au transport : ce fut le jeune officier qui, le premier, se décida. Il se porta en avant, mettant l'arme à la bretelle.

– Je vais vous aider.

– Fous le camp, dit Kutchaï dans un grondement rauque de fauve.

Il réussit à aller jusqu'au canot, perdant lui-même son sang. Il lança le moteur. Ce ne fut qu'une fois en mer, lancé à une allure folle, qu'il ôta sa chemise et l'appliqua sur la plus grave de ses blessures, celle de l'épaule, où le poumon devait être perforé. Une mousse rosâtre perla à ses lèvres quand il cria à Lara :

– Boudin est à Kompong Som avec son avion.

Lara eut un bref mouvement de tête. Il pleurait, son visage contre celui de Lisa.

Le médecin cambodgien de Kompong Som avait une trentaine d'années. Il secoua la tête :

– Deux balles. Mais seule la blessure au ventre est

grave, surtout dans son état. Je pourrais l'opérer mais je préférerais ne pas avoir à le faire moi-même. Vous avez le temps de l'amener à Kompong Thom mais il paraît qu'on tire sur l'aéroport.

– Et Bangkok? demanda Lara impassible.

Nouveau hochement de tête.

– Au moins trente à quarante minutes de vol en plus. Mais si elle reste sous perfusion...

– Oui ou non?

Lara était d'un calme qui glaçait.

– Elle tiendra.

Dehors, le petit et rond Weï attendait, ayant même réussi à trouver une ambulance. Il dit à Lara :

– Je m'occupe de Kutchaï. Et Boudin est prêt à décoller.

Ils s'envolèrent moins de trois minutes plus tard.

A Bangkok, alerté par radio, un hélicoptère de l'armée américaine prit le relais.

De l'hôpital, Lara téléphona aux Hayward pour leur annoncer la nouvelle.

5

Peter Hayward était né aux Indes, à Lahore et considérait que tout homme, pour être digne de quelque intérêt, devait avoir dans son passé au moins une grande aventure. Ce qu'il entendait par Grande Aventure n'était pas très clair : selon lui, il pouvait s'agir de la mise sur pied et de la réussite d'une usine à fabriquer les boutons de culotte, d'un grand amour de préférence tragique, d'une guerre glorieuse sous réserve qu'on en revînt vivant ou bien encore, si par exemple on s'appelait Rembrandt (il convenait que ça n'était pas donné à tout le monde), de la dernière touche apposée à *La Ronde de Nuit*. En ce qui le concernait personnellement, il affirmait que sa Grande Aventure était double : d'abord sa participation à la campagne de Birmanie, sous les ordres du célèbre Wingate, ensuite le fait qu'il eût assisté à chaque minute de l'accession de l'Inde et du Pakistan à l'indépendance – il avait même photographié le Māhātmā Gāndhi cinq secondes avant qu'il ne fût assassiné, (malheureusement, quelqu'un lui avait marché sur son cor au pied à la seconde même du meurtre, si bien qu'il n'en avait rien vu). Avant cela, après cela, selon lui, il ne lui était rien arrivé de notable, à part les oreillons à l'âge de sept ans et une contravention pour stationnement interdit la seule fois de sa vie où il était allé à Londres. Mais il reconnaissait volontiers que les deux derniers événements étaient peut-être un peu moins spectaculaires que les premiers.

Sur Lara, il n'avait pas tout à fait l'opinion de sa femme. Jodie Hayward trouvait Lara follement séduisant; elle le trouvait secret, mystérieux, beau, romantique, mais aussi froid qu'un Eskimo qui aurait oublié d'enfiler son lainage avant de sortir prendre l'air. « Lara est un homme courtois, prévenant, étonnamment cultivé pour un planteur d'hévéas, avec un bon sens de l'humour; ses yeux sont aussi fascinants que lui-même et pour tout dire, j'aurais été un peu plus jeune, de six mois par exemple (Jodie avait alors cinquante-deux ans), il aurait fallu une grue et un bataillon de parachutistes pour m'extirper de son lit. Mais l'épouser? *God Gracious!* Lisa devait être folle! »

Quant à la séduction romantique de Lara, Peter Hayward ne se prononçait pas. Mais, sous la constante réserve de l'homme de Preah Vihear, sous cette réserve qui pouvait en effet paraître de l'indifférence, il avait presque au premier coup d'œil décelé une passion violente, désespérée, totale. Une passion que Peter pouvait comprendre : il avait lui-même souffert comme un damné le jour où l'Inde de Kipling, de sa jeunesse, avait cessé d'exister, tout en reconnaissant que l'événement était à la fois logique et inéluctable. Il en avait souffert au point qu'il avait fini par partir, bien que rien ne l'y obligeât. Il s'était d'abord installé à Ceylan, puis très vite en Thaïlande. Comme un pis-aller dont l'amertume ne s'atténuerait jamais. En vingt et un ans, il n'était jamais revenu sur le sol indien, pourtant si proche. Comment n'aurait-il pas compris Lara et ce que Jodie nommait « sa folle obstination à vouloir demeurer à tout prix chez ces Khmers sauvages » ? Il avait pour Lara de l'estime, de l'admiration et très certainement de l'amitié. A vingt ans de distance et plus, Lara était un autre lui-même, avec une force, une puissance dans la conviction et l'entêtement qu'à son grand regret il n'avait jamais eues. « Moi, je suis parti en pleurant sur moi-même. Lui veut rester et Dieu sait que les choses sont, au Cambodge, mille fois différentes de ce qu'elles étaient aux Indes. »

Pour ce qui était de Lisa, là encore, il différait de Jodie dans son opinion sur la jeune femme. Il ne la voyait pas comme une victime. Elle avait sans doute épousé Lara en connaissance de cause, et il la jugeait capable, si besoin était, d'opposer à l'obstination de Lara un entêtement pour le moins égal.

Mais cela, c'était avant le drame survenu dans l'île de Sré. Ce drame, et surtout les conséquences qu'il eut, le renforcèrent dans ses convictions. Il avait vu juste et n'en triompha pas pour autant. Au vrai, il en éprouva du chagrin.

L'une des deux balles qui avaient atteint Lisa avait eu pour effet premier de tuer l'enfant qu'elle portait depuis plus de quatre mois. Ce fut évidemment le sujet de la première question qu'elle posa en émergeant de son inconscience, avant même de chercher à savoir où elle se trouvait. Il était évidemment impossible de lui cacher la vérité. Lara lui-même lui répondit. Elle referma les yeux et garda le silence pendant quelques instants.

– Et toi ?
– Je n'ai rien.
– Kutchaï ?
– Qui pourra jamais tuer Kutchaï ?

Elle abaissa de nouveau les paupières puis, les yeux fermés, demanda de cette même voix neutre :

– Qui étaient ces hommes ?

– Officiellement l'armée régulière. Ils ont tiré par erreur.

Il lui expliqua ce qui s'était passé.

– Je suis donc à Bangkok, dit-elle.

Jusque-là, Lisa n'avait pas remarqué Jodie Hayward également présente dans la chambre d'hôpital et ce fut ce qui frappa le plus celle-ci : l'absence presque totale de réactions.

– Et Mathias ?

– Il n'y a aucune raison pour que Mathias ait une difficulté quelconque, répondit Lara avec lenteur. Sa voix était sourde, plus basse encore qu'à l'ordinaire mais à part cela, son visage était parfaitement calme.

– Hi, Lisa, dit Jodie.

Lisa tourna la tête et lui adressa un pâle sourire.

– C'est gentil d'être venue.

– Mathias n'était pas dans l'île, lui, ajouta Lara.

Plus tard, rapportant la scène à son mari, Jodie Hayward s'attacha à souligner l'importance, selon elle, de cette dernière phrase de Lara.

– Elle prouve au moins, expliqua-t-elle à Peter, à quel point il se sent responsable de tout ce qui est arrivé. Il se sent coupable. C'est déjà quelque chose, mais ça ne suffit pas. Est-ce que tu sais qu'il n'est pas sûr du tout que Lisa puisse jamais avoir un autre enfant ? C'est horrible. Horrible. A la place de Lisa...

– Tu n'es pas à la place de Lisa.

Elle haussa les épaules, agacée par un argument aussi misérable.

A sa sortie de l'hôpital, Lisa regagna directement la villa de Chulalongkorn, Hayward crut comprendre qu'elle avait retardé aussi longtemps qu'elle l'avait pu le moment de se retrouver véritablement en tête à tête avec son mari. Quoi qu'il en fût, elle se remit rapidement de ses blessures. Elle effectua sa première sortie à la fin mars, à l'occasion, s'en souvint-il plus tard, d'un cocktail donné par les représentants de l'UNESCO en Thaïlande et passa la soirée constamment aidée, soutenue, protégée par une Jodie agissant à la façon d'un dragueur de mines ouvrant la route à un porte-avions, les deux femmes étant fort différentes quant au physique : autant Lisa était grande et mince, autant Jodie était petite et boulotte. A l'issue du cocktail, les Lara et les Hayward, auxquels s'étaient joints un couple d'Américains, les Green, allèrent d'abord dîner au *Normandie*, le restaurant-terrasse de l'*Hôtel-Oriental*, d'où l'on avait une vue admirable sur les sampans du Menam et le temple de l'Aurore.

La toute première fois où Peter et Jodie avaient rencontré Lisa, elle revenait de ce séjour de deux ou trois mois dans cette île paradisiaque du golfe de Siam; elle était bronzée à souhait, ses extraordinaires yeux violets n'en ayant que plus d'éclat. Son séjour à Bangkok et surtout à l'hôpital lui avait fait perdre ce hâle et Peter Hayward ne considérait pas qu'elle eût perdu au change. Il la trouvait en fait plus belle et plus séduisante que jamais et n'était d'ailleurs pas le seul de cette opinion : pour Freddy Green, Lisa Lara était la plus jolie femme qu'il fût possible de rencontrer dans toute l'Asie du Sud-Est, voire jusqu'en Californie, celle-ci incluse et sans doute même au-delà des montagnes Rocheuses. Freddy Green, qui était à Bangkok pour s'occuper d'un film qu'on y tournait alors – une histoire d'espions avec un super-héros au scénario de laquelle Peter n'avait strictement rien compris – Freddy était péremptoire : « C'est Lauren Bacall avec vingt ans de moins. Et peut-être même quelque chose en plus. Vous vous souvenez de cette scène de *Key Largo* avec Bogey? God elle y serait fantastique! – Proposez-lui un rôle, avait suggéré Peter, un rien caustique. Avec son mari dans le rôle de Bogart. D'après Jodie, Lara n'est pas mal non plus. » Green était du genre à s'enthousiasmer et tout au long du dîner au-dessus du fleuve illuminé dans la nuit, Hayward avait, non sans un plaisir sardonique, suivi la tumultueuse progression de l'idée dans la cervelle du producteur.

Green s'était lancé à l'assaut à l'heure du whisky ou du cognac-soda, que l'on avait pris au *Bamboo-Bar*, dans le patio du rez-de-chaussée de l'*Oriental*. Lara, le premier, avait répondu par un « Merci, mais je ne crois pas être intéressé » qui, malgré la courtoise douceur du ton, n'en était pas moins des plus fermes. Lisa quant à elle avait tout bonnement éclaté de rire, d'un rire qu'Hayward avait jugé un peu nerveux et qui l'avait vaguement mis mal à son aise. Il avait remarqué que Lara et Lisa ne s'adressaient jamais directement la parole et même ne se regardaient pas, vivant en quelque sorte une vie parallèle. Il connaissait ce genre de symptômes, pour les avoir lui-même une ou deux fois présentés, suite à ses solides disputes conjugales qu'il avait parfois avec Jodie. Bien sûr, ce qui opposait Lisa à son mari était autrement plus grave mais, une fois encore, il ne crut pas à l'irrémédiable. D'ailleurs, à cette époque, quelque chose arriva qui détourna quelque peu son attention. Il apprit la découverte, dans l'île philippine de Mindanao, d'une tribu jusque-là totalement ignorée, vivant encore et au sens du propre terme, à l'âge de pierre, les Tasâdaïs. En avril 71, il se rendit une première fois sur place, ramena des photos de troglodytes allumant un feu – ils connaissaient tout de même le feu – à l'aide de deux morceaux de bois, n'utilisant jamais de sel dans leur alimentation et se portant néanmoins à merveille, quoique le plus grand de la tribu ne dépassât pas un mètre cinquante et fût affligé d'un gigantesque goitre. Ses photos trouvèrent immédiatement acquéreur et il reçut commande d'un reportage plus complet encore de la part de magazines tels que le *National Geographic* ou d'universités enseignant l'anthropologie. Il prépara son expédition tout au long du mois de mai; son départ eut lieu le 10 juin, pour une absence qui devait durer un peu plus de deux mois. Outre ses films et ses photos consacrés aux Tasadaïs, il avait également vendu par avance plusieurs sujets sur les peuplades de la mer des Célèbes, et notamment les Toradjas de Sulawesi.

La veille de son départ, le 9 juin, Jodie et lui (Jodie restait à Bangkok; l'anthropologie la laissait de marbre) dînèrent chez les Lara. Entre ses hôtes, Peter Hayward ne décela pas d'amélioration notable, mais pas non plus d'aggravation. En fait, le lui aurait-on proposé qu'il aurait parié pour une réconciliation définitive. Sans doute parce qu'il la souhaitait, au nom de la très sincère amitié qu'il leur portait.

En quoi il se serait trompé.

Il regagna Bangkok le 12 août 1971 et, par suite d'une inexplicable erreur dans le télégramme qu'il avait expédié de Manille pour annoncer son arrivée, il ne trouva personne pour l'attendre à son débarquement de l'avion d'Air India. Ce qui ne contribua pas à le mettre de bonne humeur. Déjà le destin s'était au long des jours précédents acharné sur lui avec une constance imbécile : son séjour dans l'humidité permanente des Célèbes avait éveillé un vieux paludisme colonial, on lui avait malencontreusement acheminé une partie de ses bagages vers Istanbul ou une destination tout aussi saugrenue, la place à côté de la sienne avait été occupée, et plutôt deux fois qu'une, par une Néo-Zélandaise nymphomane qui, sous prétexte qu'il avait un faux air de David Niven, s'était battue pour lui mettre la main dans la culotte, et enfin il pleuvait sur Bangkok. Quoique Anglais, il avait la pluie en horreur. Alertée par téléphone – il détestait également les taxis et les autocars d'aéroport – Jodie vint enfin le chercher. Ils se chamaillèrent un peu, par habitude, puis se réconcilièrent comme toujours. Après quoi, elle lui apprit que Lisa était partie pour les Etats-Unis et qu'elle avait emmené son fils avec elle.

– Et naturellement, Lara a refusé de l'accompagner. Je crois que cette fois, tout est fini entre eux.

« Voilà, c'est complet », pensa Peter. Il regarda sa

femme. Si elle avait en cet instant marqué le moindre signe de satisfaction, il aurait sans nul doute eu envie de l'assommer. Mais Jodie avait tout bêtement les larmes aux yeux.

– Je l'ai accompagnée à son avion, et j'ai pleuré comme une madeleine, dit-elle.

Sur le pare-brise, la pluie de Bangkok redoubla, freinant par instants les essuie-glaces.

– Je trouve ça très triste, dit encore Jodie en se remettant à pleurer.

– Oui, dit Peter. Moi aussi.

6

Peter Hayward revit Lara plus d'un mois et demi plus tard. En réalité, Hayward avait tout fait pour le rencontrer avant et avait à plusieurs reprises téléphoné aux bureaux de la société d'import-export de New Road. Chaque fois, il était tombé soit sur Dominique Christiani, l'associé de Lara, soit sur l'autre Corse, neveu ou cousin du premier. Les deux compatriotes de Napoléon lui avaient de même assuré que Lara n'était pas à Bangkok, et qu'ils ignoraient la date de son retour.

– Il est peut-être parti pour les Etats-Unis, suggéra Jodie d'un air d'espoir.

Peter ne le croyait pas. Lui pensait plutôt au Cambodge. Il se rendit à la villa de Bang Rak dans le quartier de Chulalongkorn et constata que non seulement elle était déserte mais aussi qu'elle arborait un écriteau indiquant qu'elle se trouvait de nouveau à louer. Par Christiani, qu'il fit en sorte de rencontrer, il apprit aussi que Lara avait congédié les domestiques thaïs et que l'ama venue du Cambodge, à qui l'on avait offert, soit d'être renvoyée à Phnom Penh, dans la mesure où les aléatoires liaisons aériennes le permettaient, soit de s'établir au sein de la colonie chinoise de Bangkok, avait opté pour cette dernière solution.

– Qu'est-ce que je disais? remarqua Jodie. Elle aux États-Unis et lui reparti au Cambodge, sa foutue saloperie de Cambodge. Tout est bien fini.

– Il n'est pas absolument indispensable que tu sois grossière.

– Si ce fou est reparti là-bas, il est peut-être mort, à l'heure qu'il est.

Peter secoua la tête.

– Lara n'est pas un homme facile à tuer.

Et Lara revint, le 28 ou le 29 septembre. Il surgit un soir, débarquant de la Peugeot 504 qu'il avait achetée à son arrivée à Bangkok, un an plus tôt. A Peter et Jodie, il parut amaigri, terriblement las. Il leur adressa ce sourire lent, se formant peu à peu, presque timide, qui était l'un de ses charmes.

– Je me suis dit que vous m'inviteriez peut-être à dîner.

– Et puis quoi encore? dit Jodie. Vous vous croyez où? Dans un hôtel?

Là-dessus, elle se jeta dans ses bras et fondit en larmes.

– Ne faites pas attention à elle, dit Peter. Elle fait des complexes depuis que je lui ai expliqué que dans la hiérarchie sociale d'une tribu de Bornéo, la femme vient juste au-dessus du chien et immédiatement après le cochon. Cognac-soda, comme d'habitude?

Lara acquiesça. A la pleine lumière, sa lassitude paraissait de l'épuisement. Son regard pâle semblait incapable de se fixer sur quelque chose de précis, et il avait constamment ce geste habituel de se masser l'épaule et la nuque avec ses longs doigts maigres.

– Asseyez-vous donc, dit Peter. Vous savez bien que vous êtes chez vous.

Il n'osait pas poser de questions et pour meubler le silence se mit à parler des Célèbes et du voyage qu'il y avait fait. Avec un tact qui laissa Peter pantois tant il était exceptionnel, Jodie elle-même se mit à l'unisson. Elle discuta anthropologie comme si le sujet l'avait passionné depuis sa plus tendre enfance. Mélangeant allégrement tout, elle devint carrément intarissable à propos d'un livre de l'Américain Sprague de Camp, qu'elle venait tout juste de lire, et qui était à l'archéologie ce que la recette des nouilles au beurre est à la grande cuisine.

— Connaissez-vous, demanda-t-elle à Lara, un amiral turc du nom de Piri Reis?

— De vue, peut-être, dit Lara en souriant. Non, je ne crois pas.

— Le contraire m'eût étonnée, dit Jodie d'un air de triomphe. Il a été pendu en 1515. Vous savez pourquoi? Parce qu'il a dessiné des cartes montrant l'Amérique, pas encore découverte par Colomb et non seulement l'Amérique mais encore l'Antarctique, ou l'Arctique je ne sais plus, tels qu'on commence à peine à les connaître maintenant, par des relevés aériens. Qu'est-ce que vous dites de ça?

— Extraordinaire, dit Lara, qui n'avait même pas touché à son verre.

La suite du dîner fut de la même veine et sitôt qu'ils furent sortis de table, Jodie prit prétexte de coups de téléphone à donner pour laisser les deux hommes seuls. « De surprenant, pensa Peter Hayward, ce tact subit de mon épouse devient carrément époustouflant. »

— J'étais au Cambodge, dit Lara.

— Je m'en doutais.

— J'ai passé la frontière cette nuit.

— Facile?

— Non.

— Mais ce n'est pas un départ définitif, n'est-ce pas? En fait, Hayward était sûr de la réponse.

— Certainement pas, répondit Lara. Il n'en sera jamais question.

Ses yeux clairs fixèrent Hayward comme s'ils le défiaient à répliquer. « Il n'est pas seulement physiquement fatigué, il est aussi à bout de nerfs. » Hayward demanda :

— Comment était-ce?

— Horrible.

Peter Hayward aurait suivi les événements du Cambodge de toute façon, parce que le Cambodge était à moins de deux heures de voiture, parce qu'il connaissait le pays pour y être allé cent fois, parce qu'il l'avait aimé au point, un moment, d'envisager de s'y installer; son usage de la langue française, à faire crever de rire un Suisse alémanique, l'en avait empêché. Depuis qu'il avait rencontré Lara, il avait trouvé une raison supplémentaire de s'y intéresser. Il avait vu, dans l'expulsion de Sihanouk, une péripétie catastrophique appelant la guerre sur un pays miraculeusement préservé jusque-là. Pas un instant il n'avait douté de la défaite inéluctable d'un Lon Nol, pas plus qu'il ne doutait de la proche défaite d'un Khieu, à Saigon. Il ne souhaitait pas ces défaites, il les devinait certaines. Point n'était besoin d'être un éditorialiste du *Times*, du *Monde* ou du *Washington Post* pour les pressentir et imaginer ce qui allait se passer : les Américains tenteraient de sauver la face, mission impossible, puis s'en iraient à la façon dont les Français étaient partis : la queue entre les jambes. Et aussitôt après, l'effondrement.

– Et vous pensez toujours que ce ne sont pas les Vietcongs qui défileront à Phnom Penh le jour de la victoire ?

– Plus que jamais. Il y a dix-huit mois, il y avait quatre mille Khmers rouges. Ils sont vingt-cinq mille aujourd'hui. Et leur nombre et leur puissance s'accroissent sans cesse.

Entré au Cambodge par la côte du golfe de Siam, Lara avait traversé les Cardamomes par le sud, et sur la carte qu'Hayward avait déployée, il montra l'itinéraire suivi.

– Ça me rappelle mes promenades avec Wingate.

– Je ne suis pas un soldat, dit assez sèchement Lara. Qui sourit aussitôt :

– Excusez-moi.

Après plusieurs jours, en compagnie d'un Khmer appelé Kutchaï et dont les Hayward avaient déjà entendu prononcer le nom, Lara avait atteint la voie ferrée reliant Phnom Penh à la Thaïlande. Là, ils étaient tombés en plein combat et avaient dû faire route au sud, où ils avaient pénétré dans une zone à peu près calme, tenue par la 13e brigade du colonel-prince Norodom Chancarangtsaï.

– Je vous ai déjà parlé de lui.

– Je m'en souviens.

De Kompong Speu, Lara avait fini par se glisser jusqu'à Phnom Penh, où il était resté une dizaine de jours.

– La ville a beaucoup changé ?

– Elle commence à se surpeupler et à recevoir les obus nord-vietnamiens. Lon Nol a transformé sa villa en un véritable bunker.

– Tel Hitler à Berlin.

– Si vous voulez, dit Lara en haussant les épaules.

Hayward le dévisagea, comme toujours sidéré par cette énorme monolithique indifférence que Lara avait toujours manifestée à l'égard de la Seconde Guerre mondiale en Europe. Pour Lara, l'ennemi en 1945 avait été le Japonais, la grande guerre celle du Pacifique. Il savait ou semblait ne savoir d'Hitler que ce qu'un Savoyard ou un Liégeois savait de Tojo. Hayward se souvenait de la réaction – absolument nulle – de Lara au moment des événements de mai 68 en France : une éruption sur Mars.

Après Phnom Penh, Lara et son ami Kutchaï s'étaient rendus dans le nord du Cambodge.

– Nous avons remonté le versant est des Cardamomes, par Pursat.

– Vous êtes allé à votre ancienne plantation ?

« Je n'aurais pas dû poser la question ! »

– Non, dit Lara.

Silence. Lara fumait, yeux dans le vide.

Il avait franchi la frontière khméro-thaïe au sud de la ville cambodgienne de Païlin. Il raconta qu'il avait assisté à un engagement et presque une bataille rangée entre Khmers rouges et Vietcongs.

– Vous voulez dire qu'ils se battent entre eux ?

– C'est exactement ce que je veux dire. Et je pense que ce n'est qu'un début.

Hayward but un peu de cognac. Malgré toute l'amitié qu'il portait à Lara, il se demandait quelle était, dans ses déclarations, la part du rêve.

– Et c'est exactement ce que vous vouliez voir, n'est-ce pas ?

– C'est ce que j'ai vu, répliqua Lara d'une voix froide.

Hayward se sentit mal à l'aise. Il se leva pour aller chercher un cigare, présenta le coffret à Lara qui refusa d'un signe de tête.

– D'accord, dit-il, je ne suis qu'un idiot d'Anglais né à Lahore. Rien qu'un idiot d'Anglais qui n'est pas retourné au Pendjab ni aux Indes depuis presque vingt-deux ans.

Il connaissait la théorie de Lara, la théorie sur laquelle Lara, obstinément, désespérément, bâtissait son avenir : l'effondrement du régime Lon Nol sitôt qu'il serait privé du soutien américain et sud-vietnamien et la venue au pouvoir dans un Cambodge nouveau de ces hommes actuellement en train de s'organiser dans la forêt khmère. Pas de tous ces hommes mais des plus modérés d'entre eux. « Une révolution, disait Lara, est rêvée par des idéalistes, exécutée par des fous fanatiques qui, tôt ou tard, disparaissent et cèdent la place à des modérés. Je compte que ce '' tôt ou tard '' ne sera pas long. Je fais en sorte, j'essaie de faire en sorte qu'il soit court. » De ces modérés en qui il plaçait ses espoirs, Lara n'avait que peu parlé. « Sans doute les connaît-il personnellement, peut-être même les a-t-il aidés. Et il attend d'eux, en retour, qu'ils lui accordent une place dans ce Cambodge nouveau. D'où pour lui la nécessité absolue de ne jamais s'éloigner vraiment du Cambodge, où le dénouement peut survenir à tout moment, où il a besoin de se rendre quels que soient les dangers, pour se prouver à lui-même qu'il a raison et conserver les contacts qu'il a noués. C'est la tentative la plus folle qu'on puisse imaginer. J'aurais pu à la rigueur la rêver, et encore ! mais quant à l'entreprendre ! » Peter Hayward se sentait glacé.

Restait Lisa.

Depuis son départ, les Hayward avaient reçu deux lettres de la jeune femme, qui disait se trouver pour l'instant dans le Colorado mais annonçait son intention de se rendre à New York afin d'y trouver du travail et peut-être reprendre, si l'on voulait encore d'elle, son ancien poste dans une agence de publicité. A aucun endroit de ses deux lettres, elle ne parlait de son mari.

En face de Peter Hayward, Lara s'était enfoncé dans l'un des fauteuils de cuir, orgueil de Jodie et acheminés à prix d'or depuis l'Angleterre. Il avait fermé les yeux.

– Bien entendu, dit Peter, vous passez la nuit ici, autant de nuits que vous voudrez.

Lara parut d'abord ne pas entendre. Puis il souleva ses paupières.

– Je ne reste pas, dit-il. Sauf ce soir si vous le permettez, je n'ai pas dormi depuis trois jours. Et j'ai un avion à prendre demain.

Il eut un petit sourire triste.

– Oui, pour les Etats-Unis.

Il partit le 29 ou le 30 septembre et revint cinq jours plus tard. Seul. Peter Hayward n'apprit d'ailleurs ce retour que par le plus grand des hasards : il se trouva que dans le même avion arrivant de San Francisco voyageait la vedette du film dont Freddy Green était le producteur. Green s'était rendu à l'aéroport, il vit Lara et le salua. Lara ne sembla pas entendre ni voir.

Aussi bien Jodie que Peter comprirent la signification de ce retour. Lisa avait dit non.

– Qu'est-ce que je t'avais dit ! s'exclama Jodie avec une sidérante mauvaise foi. Cette idiote ne cédera jamais !

Il s'écoula ensuite deux semaines avant que Peter Hayward ne réussisse à localiser Lara. Mais Bangkok, en dépit de ses deux millions d'habitants, n'était pas une ville où un Blanc pouvait longtemps demeurer inaperçu. Hayward finit par apprendre que Lara avait une chambre à l'hôtel *Erawan*. Il résista près de deux jours aux pressantes objurgations de Jodie puis finit par céder. A sa surprise, Lara accepta sans hésiter l'invitation à dîner, pour la soirée du 2 octobre.

Farouchement désireux d'éviter une confrontation et surtout une gaffe de Jodie qui, brûlant de savoir ce qui s'était passé au cours de cette ultime rencontre entre les deux époux, aux Etats-Unis, n'aurait probablement pas reculé devant une question directe, Peter convia également à ce dîner les Green, ainsi que trois des interprètes du film de Freddy, deux jeunes et jolies femmes et la vedette masculine, un grand diable d'Anglo-Irlandais très beau, qui lampait le scotch mieux qu'une éponge.

Le dîner se déroula dans la gaieté et Lara, toujours aussi surprenant, s'y montra tout à fait à son aise, avec sa diable de réserve courtoise qui pouvait dissimuler n'importe quoi, y compris des souffrances de torturé. Les réactions des deux actrices à son endroit furent sans équivoque : comme Jodie avant elles, elles le trouvèrent fascinant. Mais, malgré leur double insistance, il déclina leur invitation d'un dernier verre à leur hôtel, accompagnant son refus par son lent sourire. Il partit le premier, peu après minuit et Peter, bouleversé à ne pouvoir se l'expliquer lui-même, alla jusqu'à boire plus que de raison, ce qu'il n'avait pas fait ou réussi depuis plus de vingt ans.

Près de quatre mois passèrent avant que les Hayward ne le rencontrent à nouveau. Ils ne surent jamais si, dans cet intervalle, il s'était rendu à nouveau au Cambodge ou même aux Etats-Unis. Il aurait pu le faire. Par Christiani toujours, Peter apprit que Lara s'était absenté à plusieurs reprises. Mais le Corse fut, comme toujours, sur tous les autres points, d'une discrétion absolue, totalement hermétique.

En fait, ce fut en fin de compte Lara lui-même qui rétablit le contact. Il téléphona le lendemain du Jour de l'an, pour présenter ses vœux et inviter Jodie et Peter à déjeuner, invitation que bien entendu ils acceptèrent. Mais au grand désappointement de Jodie, Lara n'était pas seul. Un Chinois de Hong Kong et un autre qui habitait Bangkok prirent également part à ce déjeuner.

Les deux Chinois portaient le même patronyme de Liu et Lara les présenta comme de vieux amis, avec qui il allait désormais travailler plus qu'il ne l'avait fait jusque-là.

– J'ai l'intention d'ouvrir des bureaux à Hong Kong. Je serai donc moins souvent à Bangkok.

C'était apparemment une façon de dire adieu. Du moins Peter Hayward l'entendit-il ainsi.

A l'époque, Jodie Hayward s'occupait chaque matin d'une petite école de peinture et de sculpture qu'elle dirigeait sous l'égide de l'UNESCO. Peter mit à profit l'absence de sa femme pour, dès le lendemain du déjeuner, appeler Lara.

– J'avais peur que vous ne soyez déjà parti.

– Je ne pars que demain.

« Pour où ? » La question brûla les lèvres de Peter. Qui demanda :

– Puis-je vous voir ?

Une hésitation.

– D'accord. Venez.

Ils se rencontrèrent au bar de l'*Erawan*.

– Vous allez vraiment vous installer à Hong Kong ?

– Oui et non.

– Moitié Hong Kong, moitié Cambodge. Quand partez-vous pour le Cambodge ?

Les yeux pâles et pensifs, et le lent sourire :

– Pourquoi ? vous voulez venir avec moi ?

L'idée frappa Hayward :

– Si Christiani vous y amène, j'aimerais vous accompagner. Je ne débarquerai pas, bien entendu.

Lara haussa les épaules.

Ils prirent la mer dans la soirée du lendemain et la soirée était déjà bien avancée quand la vedette fut en vue des côtes kmères, entre le continent et l'île de Kong, à une dizaine de kilomètres au nord du village de colonisation de Koh Por Krom.

On stoppa et longtemps il n'y eut que le choc léger de

la courte houle du golfe de Siam contre la coque. Puis, depuis la terre, quelqu'un émit une série de brefs signaux. La vedette remit doucement en route et bientôt, sur des rochers plats, Peter Hayward aperçut la très haute silhouette d'un Khmer entièrement vêtu de noir.

On s'approcha.

L'homme était encore plus grand et plus massif de près que de loin; un géant; il portait deux fusils d'assaut et un sac plein de chargeurs; il était osseux et avait un visage terriblement impressionnant avec ses méplats très accusés, ses yeux sombres et dilatés d'animal, et quelque chose de terrifiant dans le sourire muet.

– Kutchaï, dit Lara, de sa voix grave et mélodieuse. Mais c'est vrai que vous ne le connaissez pas.

La vedette, courant lentement sur son erre, vint accoster les rochers.

– Voilà, dit Lara. Embrassez Jodie pour moi.

Il serra la main de Peter, sauta à terre. Kutchaï lui tendit l'un des fusils. Il y eut des mouvements dans les rochers plus haut et Hayward découvrit des hommes dont il n'avait jusque-là même pas soupçonné la présence, tous vêtus de noir et armés, faisant le guet. Lara allait s'éloigner.

– Lara!

Hayward montra son appareil photo.

– Je peux?

Peter Hayward opéra une première fois sans flash, puis, changeant d'appareil, une seconde fois avec, tandis que la vedette battait en arrière.

A son retour à Bangkok, quand il développa les photos dans son laboratoire, il s'aperçut que les premiers clichés étaient les meilleurs. Le contraste entre le visage maigre et beau de Lara et ses yeux pâles était saisissant. Autant que le sourire carnassier de Kutchaï et les silhouettes à peine distinctes des guérilleros à l'arrière-plan. « Une vision fantomatique. » Peter Hayward inscrivit comme toujours la date et l'heure au dos des tirages : « 5 janvier 1972, 2 heures a.m. »

SIXIÈME PARTIE

LA PLUIE DES MANGUES

1

– Vous mentez, dit la femme blonde d'un air sévère. Le Burundi n'existe pas. Ça se saurait.

– Malédiction ! Je suis démasqué ! dit O'Malley. C'est vrai : le Burundi n'existe pas. Vous avez des seins extraordinaires. Comment faites-vous pour dormir sur le ventre ? Vous vous balancez d'avant en arrière ?

A son grand désappointement, la femme blonde ne cria même pas au viol. Au contraire, elle le considéra d'un œil intéressé qui l'épouvanta. Il prit la fuite, se perdant dans la foule. Vingt mètres et neuf ambassadeurs plus loin, il tomba sur Slattery, son ami du Département d'Etat. Slattery le prit par le bras et l'entraîna derrière un maquis de diplomates.

– J'ai à te parler.

– Pas moi. Je suis soûl. J'ai envie de faire pipi contre la jambe gauche du secrétaire d'Etat.

– Ça peut attendre. Je veux te parler de ton rendez-vous de demain.

– Demain n'existe pas.

Mais Slattery l'entraîna dehors, c'est-à-dire dans Virginia Avenue. On était à Washington, dans les tous premiers jours d'avril 1973. Ils montèrent dans la voiture de Slattery.

– Et on va où ?

– Dans un bar de L Street où nous avons rendez-vous avec deux Washingtoniennes faites au moule, dont l'une rêve déjà de tes yeux verts. Ensuite dans un restaurant français de Wisconsin Avenue, enfin à Tidal Basin où nous contemplerons les six cent cinquante cerisiers japonais qui viennent tout juste de fleurir en pelotant les Washingtoniennes faites au moule. Mais d'abord parlons. Je sais ce qu'on va te proposer demain.

– Comme affectation?

– Yawohl.

Un temps.

– Saigon.

Un silence. Avec une intensité et une précision inouïes, fantastiques, Thomas d'Aquin retrouva soudain sur sa langue le goût de la soupe, des soupes mangées au Vieux-Marché de Phnom Penh, en compagnie d'un Français appelé Roger Bouès.

« Qu'est devenu Roger? »

– Tu vas rire, dit-il enfin. J'ai cru que tu disais Saigon.

– Tu n'es pas si soûl que ça, en fin de compte. Tom?

– Oui.

– Tu m'as un jour parlé de quelqu'un là-bas. Pas au Vietnam, au Cambodge. Juste?

– Juste.

– Du neuf à ce sujet?

– Rien. Le vide. Le néant. Rien.

Pour autant qu'il le sût, Lisa était toujours à Phnom Penh. La vieille douleur revint, et un vieux vers français appris par cœur au temps de sa jeunesse folle : *Un amour éternel en un instant conçu...* Pauvre con d'O'Malley, tu aurais dû te pendre. Slattery demanda :

– Est-ce que ça pourrait être, pour toi, une première raison de retourner en Indochine?

Thomas d'Aquin ferma les yeux.

– Parce qu'il y aurait d'autres raisons pour que j'accepte?

– Ta carrière. On ne se bouscule pas précisément pour aller à Saigon, par les temps qui courent. Pour être franc, j'ai un mal fou à trouver des volontaires. Tu as toujours à te faire pardonner ta fantaisie cambodgienne. Tu rêves toujours de ce poste à Paris? OK, c'est donnant donnant.

– Salaud, dit doucement O'Malley.

Slattery hocha la tête.

– Et après, Paris?

– Promis-juré-craché par terre. Tom, deux ans. Jour pour jour. Pas une heure de plus. Tu partiras le 30 avril prochain. Retour le 30 avril 1975. Quinze jours plus tard, et même avant si tu veux, tu es sur les Champs-Elysées. C'est joli, Paris, au printemps.

– Sombre salaud, dit O'Malley. Triste et sombre salaud.

« De qui est-ce que je parle? de Slattery ou de moi? » Slattery mit le moteur en marche.

– Bon. On va se les peloter ces Washingtoniennes?

De retour à Washington, après des vacances aux Bahamas, O'Malley suivit le stage traditionnel d'une semaine pendant lequel on lui expliqua dans quelle partie du monde se trouvait le Vietnam, quelle en était la capitale, les maladies vénériennes et autres qu'on risquait d'y prendre, et la situation de la guerre en cours. Il fut informé que la vietnamisation chère à Richard Nixon battait son plein et se déroulait très conformément au plan prévu – cette dernière assertion l'inquiéta plus que tout le reste. On lui parla des accords Kissinger-Le Duc Tho du 17 octobre 1972, et des Accords de Paris du 27 janvier 1973. Bref, la paix était en vue.

Il demanda :

– Et le Cambodge?

Le Cambodge *itou*, lui répondit-on. Là-bas aussi, sur le terrain la stabilisation était évidente. Rien ne bougeait et rien n'avait plus bougé ou presque depuis presque trois ans, depuis la victorieuse (l'adjectif était de Richard Nixon évidemment) intervention américaine du printemps de 1970. Phnom Penh tenait toujours et Lon Nol aussi, quoi que ce fût plutôt Sirik Matak qui tînt les commandes puisque Lon Nol, malade et soutenu par ses astrologues tels les Giants de New York par leurs majorettes, se promenait en chaise à roulettes sous quelques mètres de béton.

Le stage s'acheva le 19 avril. Le 20, après avoir avec discipline renouvelé son stock de slips en coton (l'usage du nylon était formellement déconseillé par le manuel du parfait petit diplomate tropical), il partit pour New York, ayant dix jours devant lui ou presque avant de prendre l'avion qui, *via* San Francisco, le déposerait à Tan Son Nhut-Saigon.

Il se rendit à Brooklyn et par bouffées mélancoliques y retrouva son enfance, en même temps que ses oncles en retraite, les pommes de terre et le pudding de sa tante O'Connor, et l'accordéon sarcastique du vieux bouquiniste de Flatbush. On exposait Matisse au musée d'Art moderne et il décida de s'y rendre, mais avant de gagner le Moma, il mit à profit la douceur printanière de l'air pour une flânerie sur Madison Ave. Ce fut là que son œil accrocha par hasard une plaque portant la raison sociale d'une agence de publicité. Ce fut comme un déclic. Une irrésistible impulsion le conduisit à l'étage.

– Lisa Kinkaird ? Oui, bien sûr, nous nous souvenons d'elle. Mais elle n'est plus ici.

– Je sais, elle est au Cambodge.

On le regarda avec surprise.

– Elle y était.

On lui conseilla de parler à un certain Kerner, pour l'heure en train de ne rien faire ou de prendre un café chez *Joe's*, *Mario's* ou *Beppe's*, à l'angle de la Soixante-Dix-Septième. Il redescendit, le cœur dans la gorge. Kerner lui apprit que Lisa était aux Etats-Unis depuis environ dix-huit mois, qu'elle avait quelque temps retravaillé à New York mais qu'elle avait quitté Manhattan l'été précédent pour regagner le Colorado où elle avait de la famille.

– A cause de son fils. Difficile de travailler dans cette foutue ville avec un gosse sur les bras. Le garçon doit bien avoir trois ans maintenant. Beau comme six anges. Je ne sais pas qui le lui a fait, elle n'a jamais rien dit mais ce type est fou de la laisser seule. A moins qu'il ne soit mort.

La fille du téléphone lui trouva bien le numéro d'un Kinkaird à Colorado Springs, mais nul ne décrocha. Et le même jour, O'Malley prit l'avion pour Denver.

Au-dessus d'eux, sur leur gauche, la masse verte et rouge brique, clairsemée de plaques neigeuses, de Pikes Peak et de l'ancien territoire des chercheurs d'or. Beaucoup plus près, à leurs pieds, les cathédrales de grès rouge du jardin des Dieux.

– Vous êtes déjà venu dans le Colorado?

– C'est la première fois. J'aurais dû y penser plus tôt, au lieu d'aller bêtement en Grèce ou sur la Loire.

Elle se mit à rire :

– Vous n'avez pas changé.

– J'espère bien que non. Je me sens jeune et frais et vif et tout et tout.

– Plus jeune que jamais.

– Je suis le plus jeune Irlandais que New York ait jamais eu le bonheur de voir naître. Est-ce qu'on ne pourrait pas s'asseoir quelque part?

Ils étaient sur une sorte de petit belvédère de bois dominant le jardin des Dieux. Ce n'était pas O'Malley qui avait choisi l'endroit, dont il ignorait jusqu'à l'existence un quart d'heure plus tôt; il s'était laissé simplement conduire par la jeune femme, qui avait pris le volant de sa propre voiture, dans le garage souterrain du Centre administratif de Colorado Springs.

– Ou bien nous pourrions aller déjeuner.

– D'accord, dit Lisa.

Ils remontèrent en voiture.

– Dites-moi tout, dit Lisa.

– J'étais au fin fond de l'Afrique. J'y ai passé deux ans, je suis revenu, un point c'est tout.

– Ainsi raconté, c'est palpitant.

– Quel conteur je fais! dit O'Mallet. Parlons plutôt de vous.

– J'étais à New York dans la publicité et ici je n'ai trouvé qu'un emploi dans l'administration municipale, et encore grâce à mon grand-père. Vous savez que j'ai un fils?

– Oui.

– Il a trois ans.

– Je sais.

Elle conduisait très lentement. Thomas d'Aquin s'éclaircit la gorge.

– Divorcée?

– Non, dit Lisa. Ni veuve.

– Je n'aurais sans doute pas dû poser la question.

– Oh! pourquoi pas? dit-elle avec douceur.

– D'accord. Est-ce que j'ai droit à une autre question?

– Vingt.

– Pensez-vous divorcer un jour?

– Je ne sais pas.

– Mais vous y avez pensé.

– Oui.

Ils revenaient vers Colorado Springs par une route étroite et sinueuse se coulant entre les pins et les maisons de bois, certaines simples chalets, d'autres luxueuses, dans une floraison de motels.

– Où est-il?

– Mon fils?

– Non. Pas lui.

– Je préférerais ne pas en parler, dit Lisa d'une voix posée.

– O'Malley dans ses œuvres, dit Thomas d'Aquin. Bulldozer O'Malley; là où il passe, rien ne repousse.

– Je l'aime bien, dit Lisa.

– Qu'il aille au diable, dit Thomas d'Aquin.

En fin de compte, ils ne trouvèrent aucun restaurant ouvert, la saison commençait à peine, sinon des spécialistes en hamburgers, dont O'Malley ne voulut à aucun prix. Ils finirent par rentrer à Springs et allèrent dans un restaurant d'El Paso Boulevard où on leur servit une côte de bœuf presque saignante et la Fameuse Tarte Française à la Menthe.

– Je n'ai jamais entendu parler de tarte française à la menthe, remarqua O'Malley. Les Français non plus, je suppose.

Il regarda Lisa et durant quelques secondes fut littéralement paralysé par l'émotion qui l'étreignait.

– Oh! mon Dieu, je n'ai pas cessé une seconde de penser à vous pendant tout ce temps-là! C'est idiot, n'est-ce pas?

Elle baissa la tête un instant, puis la releva et sourit avec une gentillesse un peu triste.

– Et que puis-je répondre à ça?

– Ne dites rien. Si vous dites encore que vous m'aimez bien, que vous m'aimez comme un frère, j'avale par le travers cette fourchette, et peut-être même aussi le sucrier à bec verseur. Non, ne dites rien. Ou plutôt si. Je me souviens que vous m'aviez parlé de votre grand-père qui cultive des fleurs en serre. Comment va-t-il?

– Très bien. Il serait heureux de vous connaître. D'ailleurs, vous avez vu qu'il a immédiatement reconnu votre nom, au téléphone. Je lui ai souvent parlé de vous.

– Vraiment?

Pendant une seconde, il se sentit absurdement heureux.

– Pourquoi ne viendriez-vous pas dîner? dit Lisa. Non, attendez! pas ce soir. Oh! c'est stupide! nous dînons nous-mêmes chez des amis. Demain soir?

– Je dois repartir, dit Thomas d'Aquin, improvisant. Il faut que je sois à New York très vite; enfin, à Washington.

– Vous connaissez votre prochain poste?

Il n'hésita qu'un centième de seconde.

– Pas encore.

On leur apporta les Fameuses Tartes à la Menthe françaises. Elles avaient en effet un goût de menthe, assez lointain, et elles regorgeaient de sucre. Ils avaient pris une bouteille de bourgogne californien et buvaient maintenant du café dans des chopes de grès rouge ornées d'une représentation du funiculaire escaladant Pikes Peak. Lisa ouvrit son sac et en retira un paquet de cigarettes. O'Malley, qui ne fumait pas, aperçut au passage dans le sac entrouvert les photos d'un enfant.

– Votre fils?

– Oui, c'est Mathias.

– Puis-je les voir?

Elle les lui tendit. L'enfant était en effet d'une beauté superbe mais une chose frappa surtout Thomas d'Aquin : si les yeux étaient ceux de Lisa, du même violet profond, leur expression, calme, pensive, attentive, grave, était celle des yeux de Lara. Comme étaient de Lara cette sorte d'immobilité étrange du corps, ce mouvement de tête. Pour un peu, on se fût attendu à voir la main du garçonnet monter vers la nuque pour la masser. La ressemblance était hallucinante. Il rendit les clichés sans un mot, et glissa ses mains sous la table pour en dissimuler le tremblement.

– Vous êtes vraiment obligé de partir?

– Que ferait Kissinger sans moi?

– Que feraient les Etats-Unis d'Amérique sans vous?

Il régla l'addition et ils sortirent côte à côte.

– Où est votre voiture? Vous n'êtes quand même pas venu de Denver à pied.

Il s'immobilisa sur le trottoir, fixant ce même trottoir avec obstination.

– Lisa, j'attendrai le temps qu'il faudra. Dix ans, s'il le faut.

Il se redressa et la dévisagea :

– Lisa! Lisa!

Elle le regardait de ses grands yeux violets, et la

beauté, la douceur de son visage, le firent trembler. Elle secoua la tête :

– N'attendez pas, dit-elle. Ça ne servirait à rien. Oh! Tom, je suis si désolée!

Elle le raccompagna jusqu'à sa voiture et puis s'en alla. Dans l'avion du retour, il échafauda vingt ou trente stratagèmes, excuses ou combinaisons pour annoncer à Slattery qu'il refusait son affectation au Vietnam, le plus spectaculaire mais aussi le plus simple de tous étant de donner sa démission des services diplomatiques. Il rentra directement à Washington où il avait, de toute façon, ses bagages à faire. Dès le second soir, après s'être juré de ne plus boire, il appela Shelley, la Washingtonienne et, par miracle, constata qu'elle était libre. Il loua une caravane compacte et s'en alla avec elle dans le Parc national de la Shenandoah, pour y passer ses dernières heures américaines à contempler des ours, des lynx et des oiseaux au travers de la brume légère des montagnes Bleues. Dans la langue indienne, Shenandoah signifie Fille des Etoiles. Thomas d'Aquin O'Malley rêva de l'Amérique, non de celle qu'il connaissait, où il vivait, mais de celle où trois cent soixante années plus tôt, des hommes blancs s'étaient aventurés, découvrant une terre vierge, ayant alors le droit d'imaginer d'y recréer un monde qui n'eut aucune des imperfections de l'ancien, au temps où l'illusion était encore possible.

Il se confirma qu'il éprouvait décidément de la tendresse pour la douce Shelley, à défaut d'autre chose, d'un sentiment plus fort que la jeune femme, pour sa part, avoua ressentir.

Si bien qu'il y eut tout de même quelqu'un, en fin de compte, pour le pleurer quand il partit pour Saigon, à la date convenue.

En avril 1973, pour la première fois depuis trois ans et trois mois essentiellement passés à Pékin, Norodom Sihanouk s'en revint au Cambodge.

L'existence même de Sihanouk, sa pérennité à la tête du pays, son extraordinaire popularité dans les campagnes et parmi ce qu'on appelait le petit peuple, le fait même qu'il eût été chassé du pouvoir (et par qui!), son appel enfin qui avait atteint à peu près tout le monde, c'étaient là autant de facteurs dont les dirigeants khmers rouges s'étaient servis avec adresse. Et si ces facteurs s'étaient ajoutés à d'autres, telles l'aveuglante incompétence, la prévarication, voire la stupidité d'un régime Lon Nol-Sirik Matak, ils avaient d'évidence été essentiels dans le succès de la résistance khmère.

Pendant presque trois ans, de la fin mars 70 à janvier 73, on avait vu les combattants khmers rouges arborer sur leur espèce d'uniforme, vêtements noirs et écharpe à petits carreaux rouges et blancs, l'effigie de Sihanouk. Ç'avait été le signe de ralliement et il n'avait pas peu contribué à multiplier les effectifs. D'ailleurs, on ne parlait plus officiellement de Khmers rouges; c'était un sobriquet pour journalistes; on disait les Forces armées populaires de libération du Kampuchea, autrement dit les FAPLK, avec cet amour forcené des sigles que professent les pays trouvant ou retrouvant leur identité.

Longtemps, les FAPLK ne s'étaient pratiquement pas battues. Elles avaient recruté d'abord, s'étaient organisées ensuite. Elles avaient laissé à Giap et à ses divisions l'essentiel de l'effort de guerre, qui n'était d'ailleurs pas des plus violents, puisque, à Phnom Penh aussi bien qu'à Saïgon, on se souciait peu d'aller traquer du Vietcong ou du Khmer rouge sur des terrains accidentés, ni même ailleurs; on se contentait d'occuper les villes.

A partir de janvier 1973, tout changea.

Les FAPLK, s'estimant désormais prêtes exigèrent de

mener seules le combat. Les Accords de Paris furent l'un des détonateurs; ils laissaient entrevoir un prochain règlement entre Washington et Hanoi; on fit chez les Khmers rouges et les pro-Chinois, semblant de croire que de tels accords constituaient une trahison de la cause révolutionnaire et, dans la mesure où ils présageaient un arrêt des bombardements américains sur le Cambodge (arrêt qui ne serait effectif qu'en juin 73), ils ôtaient toute justification à l'éparpillement sur le sol cambodgien des divisions de Giap, éparpillement auquel les bombardements avaient jusque-là servi de prétexte.

En réalité, pour Khieu Samphan et Saloth Sar, le moment était venu de prendre les commandes. Jusquelà, plus de deux mille conseillers tonkinois avaient encadré les Khmers rouges. Khieu et Saloth demandèrent leur retrait. Ils réclamèrent en outre le repli, au-delà des frontières cambodgiennes, vers l'Annam et le Laos, des quarante mille soldats nord-vietnamiens. Et quand ce repli ne s'effectua pas assez vite, ils n'hésitèrent pas à lancer leurs propres troupes à l'assaut de leurs alliés officiels, ceux-ci d'autant moins enthousiastes à s'effacer qu'ils tentaient de mettre en place au Cambodge un communisme à la vietnamienne, c'est-à-dire pro-russe, tandis que les chefs khmers rouges se déclaraient, provisoirement, pour Pékin. L'escarmouche dont Lara avait été le témoin en septembre 71, près de Siem Reap, entre Nord-Vietnamiens et un détachement commandé par Rath devint plus tard, toujours dans cette même région de Siem Reap, une véritable bataille rangée faisant plus de trois cent cinquante morts et mille blessés pour le moins.

Car il ne s'agissait pas seulement de prendre la guerre à son compte en priant de sortir ces quarante mille hommes qui, pour être des coreligionnaires communistes, n'en demeuraient pas moins des Vietnamiens, ennemis héréditaires. On voulait aussi lancer les grandes manœuvres en matière de réorganisation politique, administrative, sociale. Khieu Samphan, Saloth Sar, autres Hou Nim, estimaient l'heure venue d'appliquer à la lettre les théories échafaudées à Paris bien des années plus tôt, dans la fureur de la jeunesse. L'heure était venue de l'Angkar Loeu, de l'Organisation suprême...

A Pékin, Sihanouk, quoique toujours officiellement investi du pouvoir révolutionnaire, avait vu naître et grandir en face de lui un adversaire redoutable, un certain Ieng Sary, représentant la faction la plus dure des FAPLK, représentant en fait, outre lui-même, Saloth Sar *alias* Pol Pot. Ieng Sary en avril 1973 venait d'abattre son jeu : il se voulut désormais le mandant unique de la révolution en cours dans la forêt.

Sans l'appui de Chou en-Laï, Sihanouk se serait peut-être résigné, effacé (encore que...). Certains jours, il arrivait presque à s'en convaincre lui-même. Rendu à sa combativité par les constants encouragements franco-chinois, il résolut de tout jouer sur un coup de dés : aller se montrer lui-même au petit peuple avant que ce dernier fût définitivement enrégimenté par l'Angkar. Sûr de son pouvoir, de son charisme, il crut sincèrement en ses chances de déclencher un formidable élan populaire qui changerait tout. Il se vit à nouveau enseveli sous les ovations, nageant au cœur d'une mer de laïs respectueux, et presque les arbres de la forêt khmère s'inclinant sur le passage de leur roi.

Il partit en emmenant son épouse et son matériel de cinéaste. C'était Charles de Gaulle regagnant Paris en août 45. Mais un Charles de Gaulle qui se serait déguisé en John Ford ou Alfred Hitchcock.

3

Egalement en avril 1973, aux alentours du 20, Lara se trouvait à Phnom Penh, où il venait d'arriver, venant de Hong Kong, en réponse immédiate à l'appel que lui avait lancé son vieil ami Liu. Le Chinois avait eu une grave alerte cardiaque et curieusement, au lieu de l'un de ses quatre fils (deux se trouvaient aux Etats-Unis, un autre au Japon, le dernier en Allemagne en stage), il avait réclamé Lara sitôt après avoir recouvré l'usage de la parole. En fait, il se rétablit rapidement, au point de prier Lara de l'excuser pour l'avoir ainsi dérangé.

– De toute façon, dit Lara, j'avais très envie de retrouver Phnom Penh.

Liu habitait une grande et superbe villa entre le boulevard Norodom et la rue Pasteur, dans un quartier résidentiel qui faisait en quelque sorte pendant au quartier français, de l'autre côté de la ville. Les pièces y étaient multiples et elles avaient été magnifiques; elles semblaient maintenant presque vides, l'essentiel des meubles et des objets d'art ayant depuis longtemps été évacués par Hong Kong.

– En réclamant votre présence avec tant d'égoïste grossièreté, dit Liu, et ma seule excuse était que je ne me trouvais pas dans mon état normal, je découvre à présent que j'ai simplement exprimé au grand jour ce que je sentais confusément. Mes frères m'ont parlé de vous. Il n'est personne qu'ils apprécient et aiment davantage. Je sais que vos affaires que vous avez avec eux à Hong Kong marchent parfaitement. Je sais aussi qu'à Hong Kong, vous ne tenez pas en place, qu'auparavant vous étiez à Bangkok, où vous n'êtes pas plus resté qu'à Manille et Singapour. Et après, où irez-vous? Pourquoi ne pas revenir tout simplement ici? Nous pourrions travailler ensemble. Et vous habiteriez avec moi. Vous savez bien que nous autres Chinois avons un pied dans chaque camp. Mes frères et mes cousins assistent Sihanouk et ses amis révolutionnaires, je suis un ami de Khieu Samphan et même Lon Nol, s'il a un moment songé à se servir de nous comme il s'est servi des Vietnamiens, à la façon de boucs émissaires, même lui sait désormais que nous sommes intouchables. Venez et travaillez avec moi. Je ne vous parle pas de trafic, il ne s'agit que de commerce : aidons ces gens, sans distinction de camp. Lara, tôt ou tard, le Cambodge changera de maître. Vous le savez et je le sais aussi. Autant s'y préparer et vous ne trouverez de meilleur moyen. Et vous serez sur place.

Le lendemain de son retour, Lara retrouva Kutchaï, réapparu comme un fantôme. Il y avait alors au moins deux mois que les deux hommes ne s'étaient vus. Ils se retrouvèrent comme s'ils s'étaient quittés la veille. Lara parla de la proposition que Liu venait de lui faire.

– Tu vas accepter.

Ce n'était pas une question.

– Avant, dit Lara, je veux voir Ieng. Où est-il ?

– Toujours dans les Cardamomes, veillant sur ses réserves. En tout cas, il y était encore voici trois semaines. La Saucisse de Strasbourg peut t'emmener jusqu'à Battambang et là, ce Corse qui s'occupe d'opium dans le coin, te ferait passer sans difficulté. Demain matin ?

Lara acquiesça, considérant Kutchaï.

– Ça va, toi ?

Kutchaï rit.

– Rien de nouveau. On se balade.

Albert Vandekherkove lui-même leur apporta leurs cognacs-soda. Lara demanda au Jaraï :

– Tu viens avec moi ?

– Pourquoi pas ? dit Kutchaï.

En sortant du *Zigzag*, Lara voulut aller rendre visite aux Korver, mais la nuit était déjà avancée et toutes les lumières étaient éteintes. Il y retourna le lendemain matin, n'ayant que deux heures devant lui avant le décollage du Cessna de Boudin.

– Quand reviendrez-vous ? demanda Charles Korver.

Lara lui sourit.

– Très bientôt. Juré.

– Vous ferez bien, dit Madeleine.

574

Elle lui tourna autour, avec cette manie qu'elle avait toujours eue.

– Vous avez encore maigri, non?

– Mais non, je suis en pleine forme.

– Vous en avez l'air, en effet.

Elle renifla d'un air sarcastique. A aucun moment, elle n'avait prononcé le nom de Lisa, pas davantage celui de Mathias et, entre Lara et elle, une gêne quasi palpable en était résultée.

– Je vous raccompagne, dit Charles.

Ils marchèrent dans l'allée jusqu'à l'extrémité du jardin, jusqu'à la rue. La villa des Korver était la seule qui fût encore habitée; les autres étaient vides, abandonnées et leurs jardins étaient déserts. Si bien que le contraste était spectaculaire et même angoissant entre ce vide, cet abandon et ces hommes, ces femmes, ces enfants accroupis sur les trottoirs dans un silence anormal. Il s'agissait de réfugiés fuyant les combats, les troupes gouvernementales, les Vietcongs, les Rangers de Saigon, les Khmers rouges, les avions américains, fuyant tout, ayant tout abandonné, mais se contentant pour l'heure de ces morceaux de pavé au long des merveilleux jardins patiemment dessinés, en bordure de demeures où ils n'osaient pas entrer, dans un quartier de barangs et de louk thom, de grands messieurs, où en un siècle aucun des leurs n'avait pénétré, sinon, à la rigueur, comme domestique. De temps à autre, des soldats venaient les chasser et la petite rue plantée de frangipaniers et de flamboyants écarlates se refermait dans son silence. Mais cela ne durait guère. Une nuit, une nouvelle famille arrivait, s'établissait d'un air apeuré, pareillement muette, avec l'obstination stupide de rats se réfugiant sur les hauteurs d'un navire en train de sombrer. Et bientôt d'autres...

– Nous essayons de les aider, dit Charles. Nous leur donnons tout notre riz mais le riz lui-même n'est pas si facile à trouver.

– Je sais, dit Lara.

– Mais nous n'avons pas à nous plaindre. Ce M. Liu que j'avais été voir nous a fait livrer du riz et du poisson pour pas mal de monde. En outre, ces Cambodgiens que Kutchaï nous a trouvés pour remplacer le pauvre M. Bê sont très dévoués.

– S'ils ne l'étaient pas, Kutchaï leur arracherait la tête.

Des avions américains passaient régulièrement dans le ciel; de temps à autre, on percevait l'éclatement lointain d'une roquette, le roulement des 105 nord-vietnamiens tirant de l'autre côté de la presqu'île de Chrui Chang War, par-delà le Mékong. Mais depuis le début de l'année, ce bombardement se ralentissait de jour en jour, à mesure que l'artillerie de Hanoi se retirait, sur l'insistance des Khmers rouges entreprenant leur propre siège. Phnom Penh en semblait du coup plus calme qu'elle ne l'avait été depuis longtemps.

– Il y a quelque chose dont je voulais vous parler, dit Charles. Madeleine et moi avons fait notre testament...

Il leva une main pour prévenir la remarque de Lara :

– Tttt, laissez-moi finir. Nous ne sommes pas immortels et nous n'avons jamais eu d'enfant. L'argent est essentiellement à Hong Kong et en Suisse. Il doit y avoir à peu près cinq millions de francs français, ce qu'ils appellent les nouveaux francs, en France. Je ne sais pas au juste combien ça fait. En fait, je n'en ai pas la moindre idée...

– Trop, dans tous les cas.

– Notre testament est en règle. Il y en a une copie authentifiée à la Chartered de Hong Kong et une autre au Crédit suisse. L'original est chez un notaire de Bordeaux. Tout est en règle. Notre unique héritier est Mathias, votre fils. Vous, vous l'auriez refusé.

– Sans aucun doute.

– Mathias percevra les intérêts jusqu'à vingt et un ans et pourra ensuite disposer du capital à son gré. J'espère qu'il sera prodigue et un peu fou. Cet argent ne vaut pas grand-chose.

Il se pencha, difficilement, pour dégager un canna.

– Pour combien de temps Phnom Penh en a-t-elle encore?

Lara ne répondit pas.

– A question idiote..., dit Charles. Allez, mon garçon, ne vous faites pas tuer, s'il vous plaît...

Boudin volait encore, volait même plus que jamais. Il transportait tout et, disait-il, « n'importe quoi de préférence ». La semaine précédente, il avait emmené des religieuses de Phnom Penh à Bangkok... pour les ramener à Phnom Penh deux heures plus tard, les nonnes ayant pour finir refusé d'abandonner leurs ouailles.

– Moi je m'en fous, je fais mon beurre. Et on va où?

– Battambang, dit Lara.

Boudin le considéra, puis sa tête se renversa plus encore en arrière pour dévisager Kutchaï.

– On aime les voyages, hein?

– Il ne t'énerve pas? dit Kutchaï à Lara. Moi, il m'énerve. Si on le vendait aux Khmers rouges?

Le petit Alsacien bondit, fou de rage, la main déjà sur la crosse de son pistolet. La main de Lara lui bloqua le poignet.

– En route, Lindbergh.

Après un moment, Boudin partit en grommelant vers son avion. Kutchaï riait.

– C'est qu'il aurait tiré, ce monstre!

– Si tu arrêtais de l'asticoter? dit Lara.

Il y avait eu un temps où Pochentong était l'un des plus paisibles aéroports du monde. L'avion d'Air France, par son escale hebdomadaire, en était l'usager à peu près exclusif et l'on se rendait comme à un événement à ses arrivées dominicales, à l'ombre d'un bâtiment des douanes qui tenait de la cabane de pêcheur. A présent, c'était un autre monde. Le Boeing français était toujours là mais il était détrôné et tâchait à se glisser discrètement, timidement, entre de gigantesques escadres de C 130, d'avions-cargos de toutes sortes, de chasseurs-bombardiers hurlants, de nuées d'hélicoptères d'Air America, substitut de l'U.S. Air Force, ramenant des blessés sur leurs flancs voire dans des filets immenses, d'où se détachait parfois un membre ensanglanté.

– On y va! hurla Boudin pour, précisément, dominer le sifflement suraigu du rotor d'un Sikorsky S 58 en train de décharger sa cargaison avec une délicatesse d'orfèvre. Zigzaguant sur la piste crevée par les roquettes et les obus, Boudin lança dès qu'il le put son appareil dans une chandelle à couper le souffle, évitant ainsi les tirs d'armes légères. Très vite, dans le ciel, ce fut l'habituel calme miraculeux.

A la dernière minute, en accord d'ailleurs avec Lara, la Saucisse de Strasbourg avait embarqué un journaliste déguisé en parachutiste équipé sur la Cinquième Avenue. Il s'appelait Halley et expliqua que la guerre ne l'intéressait pas sinon, dit-il, comme épiphénomène.

– J'enquête sur l'opium. Savez-vous que malgré la guerre, le trafic de l'opium se poursuit? Même les Khmers rouges ne s'opposent pas aux livraisons venues du Laos.

Il expliqua qu'il se rendait à Battambang parce qu'on lui avait juré que le gouverneur y était l'un des pivots du trafic.

– Qu'en pensez-vous?

– Je m'en fous complètement, dit Lara.

– C'est la première fois que je viens au Cambodge, dit Halley. Et d'ailleurs en Extrême-Orient.

– C'est le bon moment, dit Kutchaï. Difficile d'en trouver un meilleur.

Lara contemplait les Cardamomes sur sa gauche, revenu quatre ans en arrière, quand il partait pour Saigon y chercher un garçon appelé Jon. Le ciel au-dessus des sommets était plombé, tantôt verdâtre et tantôt violacé; le front des nuages semblait cette fois décidé à s'écarter des montagnes et à se hasarder à la verticale de la cuvette centrale cambodgienne, entre Cardamomes et plateaux moïs. Il n'avait pas plu sur le centre du Cambodge depuis presque six mois.

– On dirait que c'est pour nous, cette fois, dit Lara à Kutchaï.

Le Jaraï se pencha, jeta un coup d'œil, acquiesça.

– La Pluie des Mangues. Elle est très en retard cette année.

– C'est quoi, la Pluie des Mangues? interrogea Halley.

Lara bâilla.

– La première pluie de l'année. Avant elle, la saison sèche, après elle aussi. Elle précède les grandes pluies de la mousson, de juin à octobre.

– Comme un avertissement, dit Halley, enchanté de sa trouvaille.

– Voilà, dit Lara. Un coup de semonce.

Le front des nuages couleur de plomb s'allongeait sur des centaines de kilomètres. Le Cessna le longea, comme on longe une côte inconnue. Les nuages avançaient avec une lenteur inexorable.

Le Corse de Battambang jetait des coups d'œil curieux vers Lara et, par le rétroviseur, vers Kutchaï.

– Dominique Christiani m'a parlé de vous, dit-il. De vous deux.

– D'où êtes-vous, en Corse? demanda Lara.

– De Bastia. Enfin, pas vraiment. Je suis de Brando dans le cap Corse.

– Vous connaissez un endroit appelé Piedicorte-di-Gaggiu?

– Bien sûr, c'est dans la montagne. Pourquoi?

– Pour rien, dit Lara qui pensait à Oreste, dont il ne savait plus rien. Quelqu'un m'en a parlé, autrefois.

Ils entrèrent dans Battambang. Deuxième au Cambodge par sa population, la ville valait par sa situation de capitale du riz, dont les Chinois contrôlaient le marché; par ses usines traitant le poisson du Tonlé Sap, usines créées et gérées par des Chinois; par d'autres usines, mises en place par les Français, et récupérées par des Chinois sous couvert d'hommes de paille cambodgiens et travaillant le caoutchouc, l'or, le soufre et les pierres précieuses extraites de la proche région de Païlin; valait encore, de façon moins officielle (à peine) par le fait qu'elle était la gare de triage de l'opium des hauts plateaux, dont l'achat, l'acheminement et la revente étaient entre les mains des Corses... et des Chinois.

— Il y a deux solutions, dit le Corse. L'hôtel où je vous ai retenu une chambre, ou alors chez moi.

— Où habitez-vous?

— Sur la route de Païlin. C'est un coin tranquille.

Lara se tourna à demi. Kutchaï acquiesça. Lara dit :

— Chez vous, si ça ne vous fait rien.

— Indeh! dit le Corse. Au contraire!

C'était une petite villa en agglomérés de béton, aux trois quarts cachée dans la verdure. Le Stung Battambang coulait à deux cents mètres. Ils entrèrent dans une salle à manger qui aurait tout aussi bien pu se trouver dans un appartement de la rue César-Campinchi à Bastia. Rien n'y manquait : la table et le buffet en chêne ciré avec six chaises assorties. Sur les murs, outre une carte de la Corse, des aquarelles représentant, à en croire les légendes calligraphiées à l'encre violette, la vallée du Nebbiu, la marine de Pietra-Corbara et celle de Porticciolu; sur le buffet, des photos d'un garçon et d'une fille tous deux aux alentours d'une vingtaine d'années.

— Mon fils et ma fille. Lui, il va faire le docteur, il a presque fini ses études.

Il leur offrit du Casanis aves des gestes religieux. Après quoi, ils attendirent la nuit en mangeant du poulet-bambou accompagné de riz et de rosé de Provence. Ils quittèrent la villa à dix heures trente et roulèrent en voiture sur une vingtaine de kilomètres dans la direction de Païlin, tous feux éteints. Puis le Corse stoppa.

– On y est. Vous voyez la diguette à gauche ? Vous la suivez. Vous finirez par trouver un bosquet de palmiers à sucre. Vous marchez droit dessus et vous attendez. Ne parlez pas et ne fumez pas : il y aura des soldats à cent mètres de vous. Bonne chance.

Lara lui serra la main.

– Attention aux portières. Ne les claquez pas, s'il vous plaît.

Le bosquet se trouvait à un kilomètre de la route. Pendant près d'une heure, Lara et Kutchaï entendirent les voix des soldats passant et repassant devant les flammes de leur feu de camp. Puis il y eut un presque imperceptible bruit de pas et deux hommes apparurent. Aucun mot ne fut échangé. On repartit ensemble dans un même silence; on marcha à peu près une heure, après quoi l'on franchit la rivière de Battambang. Un camion attendait sur l'autre berge, qui démarra sitôt qu'on fut à bord.

La piste se mit à monter rapidement, tandis que la nuit s'épaississait. Le ciel était de plus en plus couvert et, sur les deux côtés, la forêt enserrait le camion.

– Ieng Samboth est là-haut ? demanda Kutchaï à l'un des deux guides.

– Até, non.

– Où est-il ?

L'homme dévisagea Kutchaï.

– Tu ne sais donc pas ?

– Je ne sais pas quoi ?

Les yeux de l'homme brûlèrent d'une flamme ardente.

– Samdech Sihanouk, dit-il. Samdech Sihanouk est de retour.

Une sorte de mouvement se produisit. Le clan des chefs khmers rouges venait de se mettre en marche, et le flux ainsi déclenché gagna de proche en proche parmi les centaines d'hommes à l'entour, par un long et lent frisson qui s'étalait. De chaque côté de Ieng et de Ouk, la marée s'ébranla, coulant de part et d'autre d'eux, en direction d'un grand espace découvert, environné d'arbres, en vue directe des cinq tours d'Angkor Vat. Il était onze heures du matin et le ciel se couvrait de plus en plus à chaque minute, s'obscurcissant de nuages violacés et noirs qui ne cessaient d'arriver, toujours plus nombreux et plus épais.

– La Pluie des Mangues, dit Ouk.

Autour de lui et de Ieng Samboth, le flot des hommes vêtus de noir continuait à déferler avec une irrésistible puissance, de nouvelles vagues émergeant sans fin de la forêt. Et puis, après avoir quelque temps résisté à cette mer qui avançait, Ieng céda et se laissa emporter, en proie à une sorte d'hébétude et presque d'anéantissement. Il avança sur deux ou trois centaines de mètres, jusqu'à l'orée des arbres, et se trouva dès lors stoppé par la ligne ininterrompue des Kamaphibals formant un front infranchissable, lui interdisant de faire un pas de plus.

– Par ici.

Ouk l'entraîna vers un tumulus où déjà des gens se perchaient. Les deux hommes s'y juchèrent à leur tour et ils eurent du même coup, par le seul fait de s'élever de quelques mètres, une vue complète du spectacle offert. Devant eux la vaste clairière était parfaitement dégagée en son centre. Sur son côté le plus large, toutefois, à peu près douze cents hommes et femmes uniformément vêtus de noir, le cou enveloppé de l'écharpe à carreaux qui leur servait d'emblème, étaient en train de se regrouper et de s'aligner, sans autre bruit qu'un sourd piétinement, sans qu'un seul ordre fût donné, exécutant à l'évidence une manœuvre depuis longtemps préconçue.

Sur une seconde ligne, celle-là circulaire, d'autres hommes et femmes, par milliers, s'étaient assemblés, délimitant l'arène, spectateurs lugubres et noirs aux visages inexpressifs, tels d'innombrables oiseaux de proie attendant la permission du carnage.

Une minute passa et le silence se fit. Même le piétinement s'interrompit et il n'y eut plus qu'une gigantesque respiration collective mais muette, qui sécrétait l'angoisse. Alors, dans ce silence écrasant, monta peu à peu le grondement d'un camion, presque dérisoire par comparaison. Le camion apparut, venant de l'est par une piste forestière. Il s'approcha lentement et vint s'arrêter enfin devant le groupe légèrement détaché que formaient Khieu Samphan et Saloth Sar, ainsi que leurs compagnons. Norodom Sihanouk se dressa, sauta à terre. Lui aussi était vêtu de noir et portait l'écharpe. Il tentait de sourire. Mais ses paupières battaient, il était blême et ses mains tremblaient.

La seule apparition de cette petite silhouette ronde, extraordinairement familière, tellement évocatrice de souvenirs, presque mythique, fit que durant quelques secondes, Ieng sentit sa respiration lui manquer. Il conserva pourtant suffisamment de maîtrise de lui-même pour regarder autour de lui, et il constata que la même émotion irrépressible étreignait tous les hommes et toutes les femmes à ses côtés. C'était vrai que la quasi-totalité de ces milliers de combattants réunis ici n'étaient même pas nés que Norodom Sihanouk occupait déjà le trône du Cambodge. Lui-même, Ieng Samboth, aussi loin en arrière que le reportât sa mémoire, retrouvait immanquablement ce visage sur les murs des édifices, les pages des journaux, les parois de paille tressée des paillotes les plus solitaires. Trente-deux ans... Il y avait trente-deux années que ce petit homme non seulement gouvernait mais incarnait, était le Cambodge.

Les mots de Hou Yuon, parlant dix minutes plus tôt :

– Ieng, en quinze jours Sihanouk a été promené un peu partout, en tout cas là où on l'a autorisé à se rendre. Il n'a vu que des hommes de Saloth Sar et de Khieu Samphan, rien qu'eux, pas un seul paysan capable de s'émouvoir à l'apparition de son Samdech, personne sauf des soldats et des Kamaphibals endoctrinés. Même moi, je n'ai pas pu lui parler vraiment. Il est fini, même s'il se refuse encore à le croire. Te le connais : il croit toujours qu'il va s'en tirer. Mais cette fois il se trompe. Il a demandé et presque supplié qu'on lui réunisse des hommes du peuple, des milliers d'entre eux. Il veut leur parler une dernière fois et croit qu'il les touchera. Il croit qu'au seul son de sa voix, il les fera pleurer. Il croit qu'il est encore leur dieu-roi. Il ne sait pas ce qui l'attend…

Norodom Sihanouk marcha vers le groupe des chefs khmers rouges, à sa façon familière en pareil cas, un sourire collé sur les lèvres, avançant à petits pas, légèrement courbé, une épaule en avant, les deux mains tendues en coupe, la tête inclinée sur l'épaule. En face, on lui rendit son sourire et l'on esquissa vaguement le geste du salut, du laï formé par les paumes apposées et montant à la hauteur du front. Mais, même à la distance où il se trouvait, Ieng put voir que les visages demeuraient froids et, pis que cela, glacés.

Après quelques palabres, Sihanouk fut conduit à une petite estrade de bois, devant laquelle on avait disposé un unique microphone. A son habitude, il voulut lancer une ou deux plaisanteries, mais elles tombèrent dans un silence de sépulcre. Enfin il se mit à parler, d'abord avec une voix que l'émotion enrouait, presque grave, puis à mesure qu'il redevenait plus sûr de lui-même, son ton se fit plus aigu, avec ces brusques envolées stridentes et comme glapissantes dont il n'avait jamais su se garder, même quand il parlait français.

Ce qu'il dit n'eut rien qui pût surprendre. Il vanta le courage et l'obstination du peuple khmer de la forêt, son irréductible vaillance; il vitupéra les hommes de Phnom Penh et leurs alliés de Washington ou de Saigon; il rendit hommage à la sagesse, à l'intelligence, à la foi des chefs de la révolution, qu'il cita nommément, faisant suivre chaque nom d'un commentaire élogieux, mais ne manquant pas de rappeler que plusieurs d'entre eux, tels Khieu Samphan et Hou Yuon, avaient été ses ministres et qu'il leur avait déjà, dans le passé, accordé sa confiance. C'était façon de souligner l'allégeance qu'ils lui devaient mais il le fit avec adresse et même avec cette humilité matoise dont il savait faire preuve. Il affirma son désir de n'être plus désormais qu'un homme ordinaire, résigné à l'ombre et au silence, n'ayant d'autre ambition et d'autre espoir que de voir son pays n'avoir plus besoin de lui, quoiqu'il se tînt prêt à répondre à tout appel qui lui serait lancé. Et sa péroraison, à l'évidence, suggéra que cet appel fût lancé, et lancé par une ovation monstre, dans la seconde suivante, sur son dernier mot, maintenant.

Il se tut et pas une voix ne s'éleva.

Ce fut pathétique et poignant, au point que les larmes montèrent aux yeux de Ieng Samboth. Exactement en face de Sihanouk sur son estrade, un Sihanouk à présent silencieux et guettant désespérément le moindre signe, les milliers d'hommes et de femmes vêtus de noir ne bougeaient pas, continuant à fixer leur ancien prince de leurs regards totalement vides, dans une indifférence glacée qui était mille fois pire que des huées. Et ce qui arriva ensuite fut en réalité le coup de grâce. Du groupe des chefs, Saloth Sar se détacha. Il marcha lentement jusqu'à l'estrade. Il n'y monta pas, comme s'il voulait encore accentuer la solitude de Sihanouk. Un long moment, il contempla ses troupes, laissant pour une fois tomber son masque de bonhomie un peu efféminée. Il sourit doucement, les yeux mi-clos.

Après quoi il leva le bras droit, poing fermé, et, obéissant scrupuleusement à ce signal, les acclamations éclatèrent. Elles roulèrent une dizaine de secondes. Jusqu'au moment où le bras de Saloth Sar retomba. Alors elles s'interrompirent, avec la même extraordinaire simultanéité, comme le son coupé net d'une radio.

Et le silence total revint.

Bouleversé, Ieng Samboth réussit enfin à détacher son regard du visage livide de Sihanouk dont les lèvres tremblaient tandis qu'il luttait, avec un courage qui crevait le cœur, pour continuer à sourire. Le regard de Ieng parcourut les milliers de visages figés, d'une impassibilité qui, par contraste avec les traits torturés de ce petit homme seul, glaçait le sang. Il n'y tint plus. Il se laissa glisser à terre, suivi de Ouk. Ensemble, ils marchèrent au travers des groupes immobiles et s'en allèrent. Et moins de vingt minutes plus tard, la Pluie des Mangues se mit à tomber.

5

Le 2 mai 1973, ce fut cette même pluie qui accueillit Thomas d'Aquin O'Malley à son arrivée à Saigon.

— Je ne pense pas, lui dit l'ambassadeur Martin, que vous ayez grand-chose à faire ici, en tant qu'attaché culturel. A court terme du moins. Ce pays est en guerre, vous le savez. Mais à long terme, c'est différent. Il importe donc d'implanter plus profondément encore la culture américaine et nos idéaux de liberté. Ce sera votre rôle. Le long terme, O'Malley, voilà votre problème.

« Slattery avait raison : cinglé. »

— Oui, monsieur, dit O'Malley. Le long terme, j'ai bien compris.

— Et puis, j'avais une autre raison de réclamer votre venue : dans les circonstances actuelles et malgré — et je dirais même surtout après – les Accords de Genève, nous devons affirmer notre volonté de nous maintenir ici en tous les domaines, y compris le domaine culturel.

– Oui, monsieur.

Et une nouvelle minute d'observation. L'œil de Martin le scrutait.

– Vous aimez les arbres, la verdure, O'Malley, Tom ?

« Nous y sommes. »

– Venez.

Il l'attira vers une fenêtre.

– Vous voyez cet arbre ? vous le voyez, O'Malley ?

– Très distinctement, répondit O'Malley, qui avait une des branches sous le nez.

– On a voulu l'abattre, sous prétexte qu'il gênait les hélicoptères. Je m'y suis opposé formellement. J'ai même fait mieux : je le fais garder nuit et jour, depuis qu'on a essayé de l'abattre durant la nuit. Un commando avec des scies, O'Malley, vous vous rendez compte. Heureusement, je me méfiais. La tentative a échoué. Vous comprenez ce que cet arbre signifie pour l'Amérique et pour le Vietnam, O'Malley ? Vous comprenez sa valeur de symbole ?

« Dieu Tout-Puissant ! pensa O'Malley, c'est à ce point-là ! »

A partir de juin 1973, Thomas d'Aquin O'Malley allait consacrer son temps à l'élaboration de ce que l'ambassadeur nommait un plan à long terme, une fumeuse élucubration sur « une implantation plus profonde de la culture américaine dans le delta du Mékong ». Il fut à maintes reprises tenté de donner sa démission. Il ne le fit pas en fin de compte. Il avait découvert que, pour quelque raison inexplicable, il ne bénéficiait pas de ce détachement, de cette inconscience somnambulique dont la quasi-totalité de ses compatriotes vivant à Saigon la même vie que lui semblait largement pourvu. Pour un peu il se serait à lui-même reproché une absence flagrante de patriotisme; son pessimisme lui faisait honte.

Les militaires qu'il rencontrait au hasard des « parties » lui affirmaient sans rire que la guerre pouvait parfaitement durer deux cents ans encore et que, d'ailleurs, elle était gagnée.

Plusieurs fois, il se renseigna sur le Cambodge et Phnom Penh et fut même tenté de s'y rendre. Après tout, ce n'était qu'à deux cents miles. Il aurait sans doute pu effectuer le voyage s'il s'en était donné la peine : c'était un véritable pont aérien qui unissait quotidiennement les deux capitales. Il ne se décida jamais à entreprendre les démarches nécessaires et se contenta de faire passer une lettre aux Korver annonçant sa présence au Vietnam, et dans laquelle il demandait des nouvelles de Roger Bouès.

En réalité, hors un bref séjour aux Philippines qu'il effectua en août 74 pour se remettre d'une amibiase, il allait rester à Saigon jusqu'au bout.

6

Depuis plusieurs mois déjà, Charles et Madeleine Korver avaient renoué avec une vieille habitude : celle consistant à se rendre chaque matin jusqu'à la terrasse bordée de palmiers nains du *Taï-San*, à l'angle des rues Yukanthor et Ouk Loun. Ils y avaient leur table personnelle, que les boys chinois leur réservaient religieusement et y passaient des deux et trois heures à siroter un thé glacé au citron vert pour se remettre de cette marche à pied de près de deux kilomètres qui les faisait d'abord remonter l'avenue des Français, ensuite traverser l'esplanade du Phnom, suivre enfin le boulevard Norodom sur la moitié de sa longueur. Pendant quelque temps, en fait depuis la mort de Bê et des autres domestiques vietnamiens, ils avaient renoncé à ce rite qui certes les fatiguait, mais qui les contraignait surtout à rompre cet isolement, ce repli sur eux-mêmes auquel ils s'étaient un temps condamnés. Pour finir, un matin, sans presque s'être concertés, ils s'étaient décidés à mettre fin à leur claustration.

Ils étaient sortis, s'attendant à retrouver une Phnom Penh jetée à bas par les bombes, démantelée par les charges de plastic, trouée par les roquettes, en tous les cas en guerre. Après tout, ils avaient conservé suffisamment de contacts avec le monde extérieur pour ne pas ignorer que la ville était en état de siège, depuis trois ans ou peu s'en fallait, et que ce siège se faisait chaque jour plus pressant.

Leur surprise avait été grande de découvrir qu'il n'en était rien : Phnom Penh avait à peu près le visage de la paix, c'était à n'y pas croire, en dépit des bruits de canonnade auxquels l'accoutumance permettait d'ailleurs de ne même plus prêter attention, en dépit des soldats en surnombre, des hordes de réfugiés et malgré tout de même quelques traces çà et là de plasticages et d'obus.

A la terrasse du *Taï-San*, ils s'installèrent à leur table, la deuxième à compter de l'entrée par la rue Yukanthor, la première étant depuis toujours réservée au magistrat à la pochette embaumant les excréments humains. Le président salua les Korver avec condescendance; il était d'autant plus condescendant qu'il était soûl et ce jour-là, il fut condescendant en diable.

– J'ai un message pour vous, leur dit-il bredouillant. M. Lara est passé voici une heure et il repassera. Il vous demande de l'attendre.

– Merci infiniment, répondirent en chœur les Korver, apprenant ainsi que Lara venait de regagner Phnom Penh.

Lara leur raconta ce que Ieng lui avait rapporté : la scène d'Angkor Vat.

– Pauvre Sihanouk, dit Madeleine. Il ne méritait pas ça.

Charles considérait Lara.

– Et qu'en pense Ieng Samboth?

Les longs doigts maigres de Lara découpèrent délicatement une minuscule cuisse de pigeonneau rôti et laqué et la trempèrent dans le jus de citron vert additionné de poivre vert de Kampot et de nuoc-mam.

– Il pense que nous serons tous chassés de ce pays.

– Ieng a toujours été exalté, dit Madeleine, sur le ton d'une institutrice parlant de l'un de ses élèves.

– Mais vous, vous ne le pensez pas, dit Charles en fouillant le regard pâle de Lara.

Lara se lécha les doigts puis se saisit de la serviette chaude et parfumée que le serveur lui tendait.

– Jusqu'à un certain point seulement. Mais je pense que Madeleine et vous devriez partir.

Le silence s'établit soudain.

– Et puis quoi encore? dit Madeleine avec indignation.

– Tous chassés mais pas vous, c'est cela, n'est-ce pas? remarqua Charles avec amertume.

Lara sourit, le regard lointain.

– Voilà, dit-il.

Il leur apprit la proposition que Liu lui avait faite, et qu'il s'était décidé à accepter. Il avait l'air de croire qu'elle réglait tout. « Il a vraiment l'air de le croire », pensa Charles, totalement désorienté. Charles Korver se sentait très vieux et très fatigué, au-delà de tout.

Il avait entendu parler des atrocités, réelles ou prétendues comment savoir? commises par les Khmers rouges. Qui n'en parlait à Phnom Penh? On jouait volontiers à s'en épouvanter. Les correspondants de guerre et d'innombrables réfugiés se répandaient en récits effroyables. A les en croire, la moitié du Cambodge était en train d'égorger l'autre.

Mais on avait dit à peu près la même chose des communistes de Mao dans les mois et les semaines ayant précédé la fuite de Tchang Kaï Chek vers Formose. Et combien d'Européens étaient restés à Hanoi après l'entrée des troupes d'Ho Chi Minh? Ils n'avaient pas été massacrés pour autant. Au pis, on les avait expulsés. Combien d'abandons dans l'Histoire, de retraites et de replis qui s'étaient accomplis dans la panique, une panique le plus souvent injustifiée? Charles, à des milliers de kilomètres de distance, avait été le témoin de cet exode grotesque des Français au cours de l'été 40. On abandonne toujours trop tôt un navire. Lara avait raison. Immuables; Phnom Penh et le Cambodge étaient immuables. Saigon aussi d'ailleurs, qui en avait vu d'autres.

Le rapprochement entre le sort de Saigon et celui de Phnom Penh était inévitable, et ce n'était pas la première fois que Charles Korver l'opérait. Il ne doutait pas que l'une et l'autre finiraient un jour par tomber. Pour lui, la seule question était de savoir laquelle des deux tomberait la première. Pendant longtemps, il aurait parié pour Saigon mais à présent... « Ou alors elles tomberont toutes deux ensemble, le même jour, à la même heure. Et pourquoi pas? L'Histoire est illogique et folle, elle peut tout aussi bien célébrer ses grands événements d'un grand coup de cymbale sauvage et superbe, ou au contraire en une messe basse dont la signification ne se révèle que longtemps après... »

Charles Korver se reprenait. Il avait toujours lutté avec la dernière énergie contre ce sentiment dépressif, de désespérance morne qui l'envahissait parfois. Une fois de plus, il en triomphait. Il sourit à Lara :

— Si je comprends bien, puisque vous restez désormais à Phnom Penh, nous allons vous voir plus souvent?

— Pauvre de vous, dit Lara en lui rendant son sourire, vous ne verrez que moi.

De sorte que Lara revenu à Phnom Penh et décidé à rester, O'Malley arrivé à Saigon, tout fut dès lors en place pour le dernier acte. Bien entendu, sur le moment, rien de tout cela ne fut aussi clairement perçu, mais tout se passa bel et bien comme si une course à la catastrophe s'était engagée. Charles Korver avait vu juste : la seule vraie question était de savoir laquelle, de Phnom Penh ou de Saigon, tomberait la première.

Ce fut Phnom Penh, avec au plus quinze jours d'avance.

SEPTIÈME PARTIE

LE DERNIER BLANC

1

En septembre 1974, Matthew, aidé de Pete, avait enfin achevé d'agrandir encore la première de ses trois serres, celle jouxtant la maison. Il avait mis pour cela à profit les travaux entrepris pour adjoindre deux petites chambres (destinées à Lisa et à Mathias) au bâtiment d'habitation. La serre agrandie était la serre chaude, celle contenant la volière; Matthew l'avait prolongée de cinq mètres, portant sa longueur totale à trente, pour une largeur constante de neuf.

Tout à sa passion, à laquelle il sacrifiait jusqu'au dernier cent de sa pension de retraite, Matthew Kinkaird s'enfonçait en réalité dans le bienheureux égoïsme de l'âge. Il avait cessé toute relation véritable avec son fils, le père de Jon et de Lisa, sinon par le truchement d'une carte de vœux qu'il recevait chaque fin d'année et à laquelle il ne prenait pas la peine de répondre. De Jon, en revanche, il avait des nouvelles régulières; le jeune homme lui écrivait au rythme d'une lettre tous les deux mois environ. Dans la plus récente, qui remontait à trois semaines, il annonçait son prochain mariage avec une grande fille blonde étudiante en sociologie à Stockholm et il pressait son grand-père de venir assister à la cérémonie, qui devait avoir lieu le 30 avril dans la capitale suédoise. Matthew n'avait pas encore répondu mais sa décision était prise : il n'irait pas, semblables déplacements n'étaient plus de son âge. Tel était le prétexte derrière lequel il comptait s'abriter. La vérité se trouvait ailleurs et il le savait confusément : il y avait certes l'éloignement qui lui paraissait considérable, à lui qui avait toujours été casanier, mais entrait essentiellement en compte le fait que ce petit-fils qu'il avait tant aimé, à présent qu'il n'était plus américain et qu'il était en sécurité, lui était curieusement devenu presque étranger.

En fait, le seul problème que Matthew eût encore, sans doute parce que leur cohabitation au Colorado lui en faisait quasi quotidiennement mesurer le poids, était celui que lui posait Lisa. Non que sa petite-fille se plaignît de quelque façon. Au contraire, elle se taisait. Une seule et unique fois, elle lui avait expliqué les raisons de ce que Matthew hésitait encore malgré tout à appeler la rupture entre Lara et elle : la folle obstination de Lara à vouloir demeurer dans un pays qui ne voulait plus de lui. Elle s'était expliquée une fois et depuis avait refusé d'aborder à nouveau le sujet.

Il devinait qu'elle avait des difficultés d'argent : elle devait gagner aux alentours de quinze mille dollars par an par son emploi au City Hall et la seule pension de Mathias chez lez sœurs Hunter en absorbait presque le tiers, si bien qu'une fois ses impôts déduits, il lui restait sans doute tout juste de quoi vivre; et encore n'avait-elle pas de loyer à payer (mais la vieille maison de Cache-La-Poudre nécessitait des réparations de plus en plus fréquentes). Matthew, l'une des rares fois où il avait osé affronter Lisa à ce propos, avait appris que si Lara persistait à envoyer de l'argent à sa femme et à son fils, Lisa s'entêtait de son côté à catégoriquement refuser de prélever le moindre cent sur les sommes transférées de Hong Kong ou de Bangkok, de sorte que celles-ci s'accumulaient en vain sur un compte bancaire. « Je n'ai pas besoin de cet argent. Et je n'en veux pas. Je suis parfaitement capable d'élever mon fils toute seule. »

Longtemps, dans ce refus obstiné de sa petite-fille, Matthew avait cru voir un autre moyen de pression utilisé par Lasa pour contraindre son mari à céder, un moyen de pression venant en complément du premier, c'est-à-dire son départ de Bangkok et d'Asie en emmenant Mathias avec elle. Mais les mois et les années passaient, et le vieil homme finissait par ne plus comprendre. (Il n'avait pas rencontré Lara lors de la visite que fit ce dernier à sa femme et en fait ignora même pendant des mois cette tentative.)

A l'égard de Mathias, son arrière-petit-fils qui portait peu ou prou le même prénom que lui, Matthew éprouvait par moments un amour émerveillé : le garçonnet était beau à remuer le cœur, il était plus qu'intelligent, il pouvait être très affectueux et était généralement doux, quoique avec de brusques flambées d'exubérance, sinon de colère, qui laissaient déjà entrevoir un caractère des plus solidement trempés. Mais, décidément, il était Lara, à un dégré inconcevable et dans le moindre de ses gestes, dans chacune de ses attitudes, dans tout son comportement, Matthew retrouvait cet homme qu'il avait autrefois connu et dont il conservait encore, dans sa propre chambre, la statuette de bois noir jadis offerte en cadeau.

Ce vendredi 22 septembre, dans la matinée, Matthew Kinkaird reçut un coup de téléphone. Il reconnut sur-le-champ la voix de Jubal Wynn, l'avorat san-franciscain. Depuis sa venue au printemps de 1969, plus de cinq ans auparavant, Wynn n'avait jamais tout à fait perdu le contact avec Matthew. Il avait acheté un chalet vers Aspen, à quelques heures de voiture, et il y allait souvent en hiver, pour y skier.

– Puis-je passer vous dire bonjour?

– Vous savez bien que vous êtes toujours le bienvenu.

– Vers six heures?

– N'imaginez même pas de dîner ailleurs que chez moi.

Ce ne fut qu'après avoir raccroché que Matthew se souvint qu'on était vendredi, que donc Lisa et Mathias allaient arriver, dîneraient et passeraient le samedi et le dimanche avec lui, et enfin que Lisa et Wynn ne s'étaient encore jamais vus.

Un mot entre tous les autres aurait pu qualifier Wynn : élégance, une élégance qui ne tenait pas seulement à son physique, à sa façon de se vêtir ou plus généralement de vivre. Au premier regard qu'on posait sur lui, on le devinait riche, accoutumé à l'être et trouvant naturel de l'être. Ce soir-là vendredi 22 septembre 1974, les Martinez partirent peu de temps après la fin du dîner – passé huit heures, surtout après un poulet au chocolat, Pete sombrait dans le sommeil. Wynn resta bien plus tard dans la nuit, en fait jusqu'à près d'une heure du matin, devant un feu qu'il avait tenu à allumer lui-même, déployant un charme incontestable et réussissant même à faire rire Lisa aux éclats.

Deux semaines plus tard, il se manifesta à nouveau, cette fois appelant directement la jeune femme à son bureau du City Hall, la priant à dîner à Colorado Springs et l'invitant pour le lendemain, son fils et elle, à une promenade en avion. Il avait naturellement son avion personnel. Lisa accepta le dîner mais déclina l'invitation quant à la promenade. Wynn ne se découragea pas pour autant : il revint encore dans le Colorado à la fin d'octobre, puis en novembre et cette fois il alla jusqu'au bout d'intentions qu'il avait toujours eu la franchise de reconnaître.

– Je ne veux en aucune façon m'immiscer dans votre vie privée, je vous supplie de le croire. Je sais simplement quelle sorte de travail vous faisiez à New York, quelles responsabilités importantes vous aviez dans cette affaire de publicité. Et je sais aussi quel est votre emploi ici. En Californie, entre autres bons clients et amis, je compte notamment les dirigeants de l'une des grandes chaînes nationales de télévision. Ce qu'ils appellent votre profil professionnel leur convient parfaitement, ils sont sûrs de vos capacités. Et parce que je tiens à ce que tout soit clair entre nous, laissez-moi ajouter ceci : c'est vrai qu'il y a peu de choses au monde que je souhaite davantage que de vous voir installée à San Francisco, où j'habite moi-même. Mais si vous acceptez cette proposition, vous ne me devrez rien. Vous ne serez pas obligée de me revoir, ou d'accepter les invitations que je vous ferai, celle par exemple d'un après-midi de soleil sur mon ketch à coque noire, le plus beau que le Pacifique ait jamais porté...

L'appartement que Lisa loua à San Francisco occupait tout le premier étage d'une maison ancienne qui n'en comportait que deux; il y avait même un jardin planté de magnolias, dans une petite rue paisible et pentue de Nob Hill, où le seul bruit était le tintement plein de charme suranné du cable-car brinquebalant montant et descendant California Street. Lisa et son fils s'y installèrent le 14 janvier 1975 en compagnie d'une jeune Chinoise née à Taïpeh dans l'île de Formose. Et ce fut un fait que Lisa accepta la première des invitations à déjeuner que lui fit Jubal Wynn.

2

Liu rentra le 29 mars 1975. Le Boeing d'Air France qui le ramena à Phnom Penh réussit à se poser sur la piste de Pochentong sans recevoir la moindre roquette, ce qui paraissait un authentique miracle, ce qui eût été certainement un miracle aux yeux de quelqu'un ignorant que les artilleurs khmers rouges, en réalité, avaient fait l'impossible pour éviter de toucher l'appareil. Mais un accident est toujours possible.

– C'est quand même un mauvais moment à passer, dit Liu à Lara. Vu par le hublot, Pochentong semble tout à fait encerclé par les tranchées khmères rouges. J'ai aperçu des hommes debout en train de contempler mon avion, qu'ils auraient pu percer de balles. Sensation très désagréable. Où en est la situation ?

Trois mois plus tôt, la 504 de Lara avait brûlé, atteinte

avec d'autres véhicules par une roquette, alors qu'elle stationnait dans la rue Pasteur. Les deux hommes montèrent donc dans l'une des grosses Mercedes appartenant au Chinois, et qui était sans doute l'un des très rares véhicules civils de Phnom Penh disposant encore d'essence, grâce à la cuve qu'en septembre 1973, Liu et Lara avaient fait placer dans le jardin de la maison de la rue Phanouvong, et qui contenait plus de dix-huit cents litres.

Lara prit le volant. Depuis son accident cardiaque vingt-trois mois plus tôt, Liu se refusait à conduire. En mars 1975, le Chinois s'apprêtait à fêter ses soixante ans; il était né un 17 avril.

Lara dit :

– Les Khmers rouges sont en train de prendre Neak Luong. Ce n'est qu'une question de jours, peut-être même pas : d'heures. Sitôt que Neak Luong sera tombée, ils tiendront les deux berges du Mékong, entre Saigon et nous et interdiront tout passage de bateau apportant du ravitaillement du Sud-Vietnam. Déjà, les navires qui tentent encore de remonter le Mékong sont mitraillés à bout portant et c'est du suicide. Ça ne durera pas, évidemment : tôt ou tard, quelqu'un s'échouera en travers du chenal et le bouchera. C'est fini.

– Bien entendu, plus aucune liaison par la route ?

– Bien entendu.

Dans le pare-brise de la Mercedes se découpèrent des silhouettes de chars d'assaut, dont la tourelle était certes pointée vers Pochentong, d'où l'ennemi pouvait surgir, mais dont l'avant se trouvait en réalité tourné en direction de Phnom Penh, de façon à pouvoir détaler plus vite, quand le moment serait venu.

– Et avec Kompong Som ?

– Plus rien. Par voie terrestre, Phnom Penh est désormais complètement isolée. Plus aucune possibilité d'y entrer ou d'en sortir. Dans le reste du pays, à ma connaissance et à la minute où je vous parle, Kompong Cham et Kompong Thom tiennent encore, sans doute pas pour longtemps. Des îlots encerclés. De même Kampot et Kompong Speu. Le seul vrai territoire officiellement entre les mains de Lon Nol est Battambang, avec à peu près la moitié de la province. Boudin y était encore hier.

– Et à Phnom Penh même? N'oubliez pas que je suis parti depuis deux mois.

– Vous n'auriez pas dû revenir.

Le Chinois sourit; c'était un homme assez grand et mince, aux tempes argentées, à qui on avait longtemps trouvé une ressemblance avec Chou en-Laï, dont il avait effectivement le regard intelligent et profond et les allures en quelque sorte aristocratiques.

– N'oubliez pas, dit-il, que je suis né dans ce pays, tout comme vous-même.

Ils entraient dans Phnom Penh, et Lara engagea la voiture dans la rue Pasteur, laissant sur sa droite le boulevard Norodom, rebaptisé boulevard du 18-Mars, en souvenir du coup d'Etat de 1970. Lara conduisait sans un mot, impassible et calme.

Liu se mit à rire :

– Certains jours, je me demande si vous n'êtes pas encore plus chinois que moi. C'est bien de vous : vous venez me chercher à l'aéroport, au risque de vous volatiliser sous l'effet d'une roquette, vous savez fort bien que je ramène des nouvelles importantes et rien, pas une seule remarque, vous ne me posez pas la moindre question.

Lara sourit, hocha la tête.

– D'accord, dit-il, je vous pose une question : il faisait beau, à Pékin?

Liu avait sans aucun doute été l'un des tout premiers habitants de Phnom Penh à non seulement considérer comme une monstrueuse imbécillité l'éviction de Sihanouk, mais surtout à tout entreprendre pour réparer cette erreur dans les meilleurs délais. Dès la première minute de vie du nouveau régime, il avait jugé nulles à long terme les chances de Lon Nol. Il avait effectué son premier voyage à Pékin au cours de l'été de 1970 et y avait rencontré Samdech, avec qui il s'était longuement entretenu. Il n'était pas allé en Chine en son nom propre, ou du moins pas seulement, mais en tant que représentant de la communauté chinoise de Phnom Penh et du Cambodge.

Et le plan qui n'était pas uniquement de lui s'était lentement élaboré, au fil des mois et des années. Il impliquait comme conclusion essentielle l'élimination de Lon Nol et le retour de Sihanouk aux affaires. La péripétie du Watergate et la disparition de Nixon de la scène politique en 1974 avaient un moment permis d'entrevoir la possibilité de faire sauter le verrou essentiel : le refus obstiné, quasi fanatique, de Washington de voir Sihanouk retrouver ses prérogatives et ses responsabilités. Espoir de courte durée : la CIA avait mis plus de quinze ans pour évincer Norodom Sihanouk, son ennemi personnel; ce n'était pas pour lui rouvrir aimablement la porte et faciliter son retour triomphal. A la limite, c'était une question d'amour-propre.

Si bien qu'alors que le temps pressait, que la situation militaire devenait de plus en plus critique, on avait perdu des mois et bientôt des années à essayer de faire sauter ce verrou. Toutefois, depuis peu, les voyages de Kissinger à Pékin, où il avait été chapitré par Chou en-Laï, les multiples interventions auprès d'un Ford sans grande consistance par les Français, les Britanniques, par Bouteflika l'Algérien pressé par Boumedienne, par Tito et par n'importe qui, y compris Moktar Ould Dada le Mauritanien, avaient enfin à peu près convaincu Washington.

– Ils vont céder, dit Liu à Lara. En principe, les Etats-Unis annonceront demain, très officiellement, qu'ils cessent de soutenir Lon Nol.

La Mercedes ralentit, louvoya entre deux épaves de voitures incendiées. Liu dévisagea Lara :

– Votre enthousiasme fait plaisir à voir, dit-il.

– Désolé, dit Lara.

– Vous pensez qu'il est trop tard?

– Je ne sais pas.

L'entrée du jardin de la villa de Liu était fermée par un portail de bois. A l'arrivée de la voiture qu'il devait guetter, un domestique cambodgien se précipita pour l'ouvrir, faisant s'écarter à coups de pieds et à grand renfort de vociférations des réfugiés campant sur le trottoir de terre planté de frangipaniers. Lara fit franchir le seuil à la Mercedes, roula jusqu'à l'entrée du garage qui contenait trois autres voitures, deux autres Mercedes et une jeep. Mais il coupa le moteur avant d'y pénétrer. Il réfléchissait.

– Et Ieng Sary?

– Il est toujours à Pékin. Je l'ai vu mardi dernier mais nous n'avons que peu parlé. Il est plus virulent que jamais.

– Il sait ce qui se prépare, le retour de Sihanouk ici?

Les regards des deux hommes se croisèrent.

– Il pourrait difficilement l'ignorer, répondit Liu.

Plus que jamais adversaire de Sihanouk, de la monarchie, de l'ancien régime qu'il représentait, Ieng Sary, dans son combat personnel contre Samdech, avait réussi à obtenir le soutien, parmi les dirigeants de Pékin, de quelques-uns des plus influents, tous adversaires de Chou en-Laï; au premier rang d'entre eux, notamment, l'épouse même de Mao.

Liu se décida enfin à mettre pied à terre. Il dut se pencher pour parler à Lara, demeuré au volant. Il lui demanda :

– Vous dînez avec moi?

Lara secoua la tête.

– Les Korver m'attendent. Si je peux utiliser cette voiture...

– Tout ce que j'ai est à vous, dit Liu. Vous le savez bien.

Ce n'était pas une formule. Depuis près de vingt ans, Liu avait pour Lara une amitié et une affection sincères.

Ce soir-là, chez les Korver, outre Lara, il y eut à dîner ce journaliste australien qui s'appelait Walter Brackett. L'Australien était un vétéran des guerres d'Indochine; il s'honorait de son amitié avec Sihanouk et Souphannouvong le communiste-prince lao, et aussi avec Ho Chi Minh, au temps où ce dernier vivait encore. Il avait la manie d'expliquer tout, jusqu'aux crues du Mékong et aux vols de sauterelles, par ce qu'il appelait l'impérialisme américain. Brave homme au demeurant, en dépit de son obsession; à chacune de ses visites à Phnom Penh, il apportait tout spécialement de Melbourne une énorme boîte de certains chocolats fourrés à la liqueur dont Madeleine raffolait.

Ce fut un dîner presque normal, qui l'aurait été sans la canonnade incessante et cette sorte de grouillement puissant, omniprésent, unanime, qui montait de toute la ville. Phnom Penh, qui avait peut-être six cent mille habitants avant le coup d'Etat, en comptait maintenant trois millions, voire davantage. En fait, la moitié de la population du Cambodge s'y était à présent réfugiée. C'était comme si un Français ou un Britannique sur deux étaient accouru pour s'entasser dans Paris ou Londres, qui eussent alors abrité vingt-six ou trente millions d'hommes, de femmes et d'enfants.

– Dieu sait si j'ai été heureux d'apprendre votre présence à Phnom Penh et donc de vous revoir, disait Brackett aux Korver, mais pourquoi diable êtes-vous restés? Il n'y a plus guère que quelques centaines d'Occidentaux dans toute la ville...

– Les gens de l'ambassade sont venus nous voir deux fois, dit Madeleine de sa petite voix flûtée. Ils auraient voulu que nous embarquions dans ces avions, ou alors, à la rigueur, que nous envisagions d'aller nous installer chez eux. Quelle idée ridicule!

Caressant délicatement la mèche bleue sur son front d'une blancheur de lait, elle prit son mari à témoin. Charles hocha la tête, approuvant. Il n'en réfléchissait pas moins à ce que Lara lui avait appris quelques instants plus tôt : le changement d'attitude des Américains renonçant enfin à soutenir Lon Nol et se préparant peut-être à accepter le retour de Sihanouk. Il demanda :

– Et vous croyez qu'il est probablement trop tard?

– Oui, dit Lara. Mais on peut toujours croire aux miracles.

– Je vous trouve bien pessimiste, dit Brackett. Vous ne tenez pas suffisamment compte de l'énorme, de la fantastique popularité de Norodom Sihanouk. Je crois que vous n'imaginez pas ce que provoquerait son retour à Phnom Penh. Il y a dans cette ville trois millions de Cambodgiens; il n'en est pas un qui ne rêve de paix; or cette paix, c'est Samdech Sihanouk qui l'incarne puisque la guerre n'a commencé qu'après son éviction. Si vraiment les impérialistes de Washington abandonnent enfin Lon Nol, si Sihanouk revient, le Cambodge est sauvé.

– Vous n'oubliez que les Khmers rouges, dit Lara avec un calme touchant à l'indifférence.

– Ils ont officiellement reconnu Samdech Sihanouk comme leur chef d'Etat. Ils l'ont accepté comme président d'un gouvernement dont ils sont les ministres. Pourquoi et surtout comment s'opposeraient-ils à lui? Et d'ailleurs trois millions de Khmers seront là pour acclamer et défendre leur prince.

Ecoutant à peine l'Australien, Charles Korver fouillait le visage de Lara. Il demanda :

– Mais la Chine soutient Sihanouk, n'est-ce pas?

– Chou en-Laï, oui. Mais il y a à Pékin une autre tendance, qui supporte Ieng Sary et Pol Pot.

– Vous êtes victime de la propagande occidentale, dit

Brackett. La Chine agit et pense comme un seul homme derrière Mao. Les tensions prétendues entre Pékin et Moscou ne sont que des inventions de journalistes américains. Dans l'avion, je me suis presque disputé avec un homme qui m'affirmait qu'Hanoi rêve de conquérir toute l'Indochine. J'ai bien connu Ho Chi Minh et je vous assure que c'est faux. S'il y a un jour réunion des deux Vietnams, ce sera à la suite d'un vote parfaitement démocratique.

Le regard pâle de Lara se posa sur lui, se détourna.

– Mon Dieu, dit Madeleine, que tout cela est compliqué ! Je n'ai plus de café, mais quelqu'un veut-il du thé ?

Brackett dit :

– Non, merci.

– Je préférerais un peu de cognac, dit Lara en souriant, s'il vous en reste.

– Merveilleuse idée, dit l'Australien avec un clin d'œil de connivence.

– Vous buvez trop, dit Madeleine à Lara.

Il sourit à nouveau.

– Je sais. Et je fume également trop.

Il alluma une Bastos.

– Je comprends, dit Charles. En fin de compte, c'est une course de vitesse entre Sihanouk et les Khmers rouges. Au premier qui prendra la ville ; l'un par sa présence seule, les autres par les armes.

Il se tut un instant pour écouter la canonnade.

– Voilà pourquoi ces messieurs semblent depuis quelque temps si pressés d'arriver jusqu'à nous, alors que pendant trois ans ils ont pris tout leur temps.

Incapable de demeurer plus longtemps assis, Charles se leva. En quelques pas, il fut dans le jardin où bien des massifs mouraient, faute de soins suffisants. Dehors, il écouta la canonnade, par-dessus la voix de Brackett qui s'était remis à parler et, bien plus que les canons, il percevait surtout le bruissement monstrueux et immense de la ville surpeuplée ; il le percevait comme une respiration unique, comme le halètement syncopé de millions d'hommes attendant dans l'angoisse d'être frappés. Et il se surprit à lui-même respirer au même rythme.

Il revint dans le grand salon, ayant l'Australien et Lara de dos, son regard posé dans celui de Madeleine qui le considérait avec tendresse. Et l'amour qu'il avait pour sa femme, plus fort que jamais, lui serra le cœur.

– Vous ne connaissez pas Sihanouk comme je le connais, disait Brackett. C'est l'homme du destin, des retournements de dernière seconde, des moments de génie et des coups de théâtre. Même si, comme vous le craignez – mais je ne partage pas votre opinion –, même si Saloth Sar et Khieu Samphan veulent lui voler sa victoire en prenant Phnom Penh avant son retour, ils n'y parviendront pas. Notre ami Charles nous parlait d'une course contre la montre. Samdech Sihanouk la gagnera.

Sihanouk la perdit.

Le 30 mars, la grande base de Neak Luong, dernier relais survivant entre Saigon et Phnom Penh, tomba. Pis encore, une violente poussée des Khmers rouges littéralement fanatisés leur permit de s'emparer de l'aérodrome de Pochentong.

C'était définitivement condamner Phnom Penh, et à brève échéance; le ravitaillement n'y serait plus possible désormais que par parachutages, l'on ne pourrait plus y venir ou en partir que par hélicoptère. Mais ce n'était pas en réalité l'essentiel : détenir Pochentong interdisait l'atterrissage d'un avion qui serait venu de Pékin ayant Sihanouk à son bord.

Dans la course contre la montre chère à Brackett, les Khmers rouges marquèrent ce jour-là un point décisif.

Le même jour, enfin, les Etats-Unis annoncèrent qu'ils retiraient leur appui à Lon Nol. Ils n'acceptaient pas pour autant de donner leur aval au retour de Sihanouk. A Brackett qui l'interviewait, un fonctionnaire de l'ambassade américaine affirma que tout, y compris une défaite écrasante, valait mieux que le triomphe d'un homme qui, selon lui, était entièrement responsable du gâchis effroyable non seulement au Cambodge mais dans tout le Sud-Est asiatique.

– Sans lui, sans Snookie, nous aurions depuis longtemps réglé l'affaire du Vietnam. Et nous le laisserions à présent revenir ? Plutôt crever ! c'est une question d'honneur.

Le fonctionnaire était grand, blond, le front dégarni avec des favoris épais; il avait un physique de camionneur avec les manches de sa chemisette roulées sur des biceps épais; il s'appelait Price. Lara avait prévenu Brackett à son sujet : « C'est l'homme qui a préparé sur le terrain le coup d'Etat du 18 mars 1970. »

Le 1er avril, Lon Nol quitta Phnom Penh à destination de l'Indonésie, dont les experts lui avaient été d'un si précieux secours cinq ans plus tôt. Lui succéda un certain général Sok Kam Koy, une potiche que Brackett alla voir et qui déclara : « Si le peuple le voulait, rien ne saurait empêcher une reddition conditionnelle. » Cela revenait à admettre officiellement le retour de Sihanouk, pour peu qu'une manifestation de rue le réclamât – une manifestation que, pour une fois, on n'aurait pas besoin d'organiser spontanément. Mais, tenant encore en main les rudes unités khmères kroms et khmères sereïs fort capables d'abattre Sihanouk à vue, Washington continuait à tergiverser, la CIA menant son ultime combat pour s'opposer envers et contre tous, envers et contre toute raison à ce que la situation fût sauvée par son ennemi personnel.

Le 11 avril, Gerald Ford parvint tout de même à imposer son autorité. Il expédia à Sihanouk un télégramme l'informant de la « conviction du peuple américain » de ce que Norodom Sihanouk répondait aux « suffrages unanimes du peuple cambodgien », de ce qu'il prenait toutes dispositions pour transférer au même Sihanouk le « leadership de Phnom Penh », et de ce que rien ne s'opposait plus à ce que Sihanouk revînt à Phnom Penh, « avec l'aide du gouvernement chinois », à charge pour Pékin de rapatrier Samdech.

Dix-huit heures plus tard, le 12, Mao tsé-Toung obligé d'arbitrer entre Chou en-Laï qui soutenait Sihanouk et le clan dirigé par sa propre épouse, qui supportait Ieng Sary, Saloth Sar *alias* Pol Pot et Khieu Samphan, opta, au su de la situation sur le terrain, en faveur des Khmers rouges.

Vaincu, et le sachant, Sihanouk répondit à Ford qu'il n'était plus en mesure d'accepter les responsabilités qu'on lui demandait de prendre. Il ne pouvait ignorer que Saloth, Khieu et Ieng étaient ou allaient être d'un jour à l'autre, contre toute défense, les maîtres de son pays. Il estima que sa place, et sa chance d'infléchir un jour le cours des événements, étaient au Cambodge même, aux côtés des Khmers rouges, à n'importe quel prix. Et il ajouta cette phrase à sa lettre : « Je ne trahirai jamais les alliances nouées avec les révolutionnaires. »

3

Un peu avant cinq heures du matin, le 17 avril 1975, Kutchaï parvint aux abords du Marché-Central, exactement à l'angle de la rue Samdech Souk et du boulevard Monivong, tout près de l'entrée du petit hôtel *Kirirom*. Il demeura quelques minutes immobile, malgré lui impressionné par ce calme extraordinaire, ce silence pesant qui venaient de s'abattre soudain sur la ville, à la seconde où la guerre avait cessé.

Mais rien ne bougeait. Il finit par repartir en passant devant la façade bariolée d'un cinéma; il s'engagea un peu plus loin dans la rue Pasteur, parfois obligé de marcher sur la chaussée pour éviter de réveiller la foule entassée sur les trottoirs.

Il n'ouvrit pas la barrière de bois de la villa de Liu et se contenta de l'enjamber. Dans la nuit, la maison dont toutes les lumières étaient éteintes, semblait parfaitement déserte. Kutchaï, presque à tâtons, traversa le jardin et trouva sous ses pieds les marches de la véranda de pierre.

En haut, il s'apprêta à frapper.

– Je suis là, dit Lara, dissimulant sa cigarette dans la paume de sa main.

Kutchaï pivota sur le côté : Lara était assis dans l'angle de la terrasse, à peu près invisible.

– J'ai été retardé, dit Kutchaï.

– Bière ?

Kutchaï acquiesça. Il s'approcha et Lara lui tendit une bouteille puisée dans la glacière portative posée à ses pieds. Kutchaï s'adossa au mur, décapsula la bouteille de Tsing Tao d'un coup de dents et se mit à boire.

– Ils sont loin ? demanda Lara.

– Ils pourraient être là dans une heure. Mais ils prennent leur temps. Ils ont leur plan.

Il vida ce qui restait de la bière.

– Il y en a une autre ?

Lara cueillit une autre bouteille.

– Ils vont vider la ville, dit Kutchaï. Entièrement.

Une seconde, Lara demeura figé, interrompu dans son geste de tendre la bouteille. Il y eu un silence.

– Il y a trois millions d'habitants, dit enfin Lara.

Menton sur la poitrine, Kutchaï rota.

– Ça, ils s'en foutent. Ils sont terrorisés à l'idée que Sihanouk puisse débarquer au milieu de tout ce monde. La meilleure parade, c'est de vider la ville. Plus de population, plus de manifestation possible. C'est logique.

Il prit la bouteille de Tsing Tao que Lara tenait toujours et s'assit à côté de son ami, sur le petit banc de bois. Il s'étira.

– Et les étrangers ?

Kutchaï savait que quand Lara disait « étranger », il ne pensait en aucun cas à lui-même mais, par exemple, aux Korver.

– Tout est prévu, dit Kutchaï. Toutes les maisons seront fouillées, tous les bâtiments, publics ou privés. Le peigne fin. Plus de circulation, plus rien.

A nouveau, il accomplit cette performance de décapsuler la bouteille simplement avec ses dents.

– Je crevais de soif. En principe, il est prévu que tout le monde – je parle des étrangers – sera rassemblé dans l'enceinte de l'ambassade de France. Tout le monde, même les journalistes.

Il avala d'un trait plus des deux tiers du contenu.

– Même les Suisses et même les Russes.

Il se mit à rire, sa mâchoire étincelante. L'idée que les Soviétiques allaient subir le sort des Français, des Britanniques, des Américains, des Allemands et même des Suisses, lui paraissait finalement tout à fait juteuse.

– Mais pas les Choinois, dit Lara.

– Non. Pas les Chinois.

Au même instant, par coïncidence, il y eut un double bruit de pas et de porte dans l'intérieur de la villa. Liu parut.

– Je vous entendais parler. Je pensais bien que c'était vous, dit-il à Kutchaï.

Le Chinois avait abandonné son habituel costume taillé sur mesure à Rome ou à Paris et portait une simple chemise et un pantalon de toile kaki. Il tenait à la main un petit sac également de toile contenant quelques objets de première nécessité et il était prêt à rallier comme prévu l'ambassade de Chine populaire. Il considéra les deux hommes d'un air pensif et finit par demander :

– Quand seront-ils là ?

– D'après le plan de bataille, le 23.

– Pourquoi ce délai ? Nous sommes le 17, ça laisse six jours, pourquoi attendre ?

– Il leur faut le temps de rassembler tous les commissaires politiques nécessaires. Et il va en falloir pas mal.

Kutchaï expliqua rapidement ce qui allait se passer, l'évacuation totale de Phnom Penh, jusqu'au dernier de ses trois millions d'habitants.

– Incroyable! s'exclama Liu abasourdi.

Depuis la terrasse de la villa, on apercevait très distinctement, en train de brûler, le grand village de paillotes à l'ouest de Phnom Penh. Le jour quant à lui commençait à poindre à l'est, par-delà le Tonlé Sap et le Mékong, et il illuminait de sa lumière virant à l'écarlate le reste de la ville encore plongée dans l'ombre.

– A propos, dit Lara à Liu. Bon anniversaire.

Les premiers hommes en noir apparurent tout au bout du boulevard Norodom, vers sept heures. La très large artère jadis dessinée par les Français était à ce moment-là totalement déserte, la ville tout entière paraissait morte.

Ils étaient en fait à peine quelques centaines et, après avoir tiré une dizaine de coups de feu en l'air, ils se mirent à avancer lentement, tenant le milieu de la chaussée, les canons de leurs armes braqués sur les façades muettes, parfois piquetées de drapeaux blancs.

Lara et Kutchaï les aperçurent au moment où eux-mêmes débouchaient, ou s'apprêtaient plus exactement à déboucher sur le boulevard, sensiblement en face de l'hôtel *Raja*. Une seconde, Kutchaï s'immobilisa, surpris. Puis il dit:

– Regarde leurs armes.

Les fusils d'assaut brandis par la petite troupe étaient des M 16 américains avec, surmontant la culasse, leur caractéristique poignée de transport. Le détachement passa, les visages un peu tendus mais pas autrement menaçants; ces visages étaient tous très jeunes; on y lisait la fièvre des grands événements mais aussi de l'inquiétude. Les hommes passèrent, s'éloignèrent, allant dans la direction du centre de Phnom Penh mais un peu plus loin, au carrefour de la rue Dekcho Damdin, un autre groupe vint rejoindre le premier, celui-là arrivant de l'est de la ville, c'est-à-dire du quai Sisowath par-delà le Palais royal.

– Allons-y, dit Lara.

Il traversa le boulevard ayant Kutchaï à ses côtés, et prit la rue Makhavan qui longe l'ancien musée Albert-Sarraut. La placette servant autrefois à l'incinération des Vénérables et des membres de la famille royale était déserte mais à peine les deux hommes s'y furent-ils engagés qu'ils virent surgir l'immense silhouette de Mueller, le Suisse représentant en liqueurs, qui habitait tout près de là. Mueller les découvrit avec soulagement.

– Vous ne pouviez pas tomber mieux! s'exclama-t-il. Alors, la guerre est finie?

– En quelque sorte, dit Lara, qui se massait doucement la nuque.

Mueller avait dû s'habiller avec un peu trop de précipitation : en fermant sa chemisette, il avait sauté une boutonnière.

– J'ai vu passer les premiers Khmers rouges, dit-il d'un air d'excitation. Ils n'ont pas l'air si terribles.

– Ce ne sont pas des Khmers rouges, répondit Lara de sa voix lente, mais des étudiants qui jouent à la révolution. Ils ne joueront plus longtemps.

– Vous êtes sûrs? vous êtes sûrs de ça?

Kutchaï lui enfonça son énorme index spatulé dans la poitrine.

– Certains, dit-il.

Lara était déjà reparti et Kutchaï le suivit. Un instant planté au milieu de la placette, Mueller leur courut après.

– Où allez-vous?

– Chez les Korver.

Mueller saisit le bras de Lara, obligea Lara à s'arrêter.

– Ecoute, je ne sais vraiment pas quoi faire...

De fait, il semblait perdu. Lara hocha la tête, l'air absent.

– D'accord. En principe les Khmers rouges ne devaient entrer dans la ville que dans quelques jours, mais il est probable que ces crétins d'étudiants vont précipiter le mouvement. Autrement dit, ça pourrait se passer aujourd'hui, ça se passera sans doute aujourd'hui. Fais une valise, une petite, et file à l'ambassade de France.

– Mais je suis suisse!

Kutchaï était au Cambodge le seul homme à pouvoir, du point de vue taille, traiter d'égal à égal avec l'Helvète. Il lui tapota la joue en souriant.

– Fais ce que dit Lara, dit-il. L'ambassade de France. Et magne ton cul helvétique.

Cela commença moins de cent mètres plus loin dans la rue Yukanthor, après qu'ils eurent abandonné le Suisse derrière eux, avec sa grande silhouette maigre et son air de désarroi. Aux fenêtres des compartiments, à chaque porte, sur les grilles métalliques des boutiques chinoises, une mer de drapeaux blancs était peu à peu apparue et les Phnom-Penhois, d'abord avec une timidité inquiète, puis de plus en plus rassurés, avaient commencé à descendre dans la rue, entourant ces garçons vêtus de noir qui ne ressemblaient pas à ces monstres que l'on avait décrits, qui, au contraire, souriaient en expliquant qu'ils n'étaient effectivement pas des révolutionnaires assoiffés de sang mais bien des partisans de Samdech Sihanouk, Sihanouk qui allait revenir, qui était presque là, qui réglerait tout et restaurerait à jamais la paix. Sihanouk. Le nom monta au long des rues et bientôt il fut scandé, tandis que la population jusque-là terrée, sortait, s'écoulait et s'assemblait sur les trottoirs et la chaussée. Rue Khermarak Phoumin, Lara et Kutchaï durent presque se débattre pour fendre une cohue joyeuse qui entreprenait déjà de célébrer la fin des combats, l'arrivée de ces vainqueurs si bienveillants, la paix revenue et le retour de Samdech.

Ils se dégagèrent à la hauteur du cinéma Eden.

– Tu avais raison, dit Kutchaï. Ils vont être forcés

d'intervenir. Tant pis pour le plan de bataille. Ils ne peuvent pas laisser la ville s'enflammer. Regarde-moi ces cons!

Un groupe de garçons et de filles passait en courant, brandissant un énorme portrait de Norodom Sihanouk tel que, six ans plus tôt, les Jeunesses socialistes royales khmères en arboraient lors de leurs défilés.

Il était presque huit heures et demie quand ils arrivèrent chez les Korver, mais ils trouvèrent la maison vide et Yuan le domestique cambodgien, leur apprit que le couple était sorti une vingtaine de minutes plus tôt.

– Ils ne sont quand même pas assez fous pour aller se jeter dans cette foule? Ils ne seraient pas allés à l'ambassade?

Le domestique ne savait rien. Lara faisait lentement le tour des grandes pièces du rez-de-chaussée, contemplant la centaine de pièces et d'objets d'art accumulés en soixante années de patientes et coûteuses recherches. De chacune de ces pièces, sélectionnées entre des dizaines de milliers d'autres, la beauté était fabuleuse et la valeur sans doute inestimable. Lara prit entre ses doigts une statuette T'ang, qui devait être du VIIᵉ ou du VIIIᵉ siècle : elle représentait une merveilleuse jeune femme de la cour impériale, en robe à traîne à larges manches flottantes et épaulettes à aile. A côté, et de la même époque, un fauconnier à cheval; plus loin, un groupe de musiciennes en ivoire jauni, d'une grâce étourdissante, avoisinait une somptueuse collection d'ivoires et de jades ciselés par la main d'un sculpteur, né quatre siècles avant la construction d'Angkor et de ses temples.

– Alors, qu'est-ce qu'on fait? Nous n'avons pas tellement de temps.

La grosse voix de Kutchaï marquait une certaine irritation.

– La *Taverne*, dit Lara. Ils y vont parfois prendre leur petit déjeuner.

Ils repartirent, cette fois en courant.

Vide un quart d'heure plus tôt, le boulevard des

Français s'était empli d'une foule en apparence identique à celle qui noyait le centre de la ville, mais cette foule-là, moins citadine, faite essentiellement de réfugiés, plus incertaine quant à ses propres sentiments, était aussi plus inquiète et elle s'ouvrit avec une résignation morne sur le passage des deux hommes, impressionnée par la taille de Kutchaï et l'air d'exaspération sauvage que reflétaient ses traits, et aussi par le fait que Lara était un Barang, et un Barang en train de courir.

Devant le Palais du gouvernement, quelques soldats étaient embusqués à l'abri de sacs de sable mais aucun officier ne les commandait et ils se contentaient de demeurer là, à leur poste, l'air stupide, pointant à tout hasard les canons de leurs mitrailleuses en direction de cinq ou six cyclo-pousses parfaitement décontractés, coiffés de leurs drôles de petits chapeaux de brousse coniques, jambes nues, et qui visiblement considéraient que ce tohu-bohu ne pouvait en aucune façon les concerner, eux qui n'avaient rien à perdre et probablement rien à gagner à tout changement.

La *Taverne* était fermée mais les Korver étaient là, assis à une table, absolument seuls, paisibles et se tenant la main. La poste centrale était close, de même que la pharmacie française, la Banque d'Indochine et jusqu'au commissariat de police, mais les Korver étaient sur cette place déserte jadis si animée, pareillement minuscules et souriants, ayant à peu près cent soixante ans à eux deux.

– Vous nous cherchiez ?

– Voilà, dit Lara, ses longues mains maigres glissées dans les poches de sa chemise-veste de toile.

Il avança et prit les doigts de Madeleine et, avec une douce insistance, amena la vieille dame à se lever.

– Mais nous n'avons pas eu notre petit déjeuner ! protesta Madeleine avec indignation.

– Je crois qu'il y a des choses plus urgentes, répondit Lara avec gentillesse. Et de toute façon, c'est fermé.

Ils revinrent à la villa et à ce moment-là, il était à peu près dix heures du matin.

– Il me semble, dit Charles Korver, que vous n'avez pas très bien compris ce que Madeleine et moi souhaitons vraiment. Nous en avons longuement parlé ensemble.

– Exactement, dit Madeleine. Nous en avons parlé ensemble.

– Et nous sommes parfaitement d'accord sur ce que nous désirons faire. Nous n'irons certainement pas à l'ambassade de France.

– Oh! non, dit Madeleine. En fait, nous n'irons nulle part. Nous allons demeurer ici.

Et pour preuve de sa détermination, elle s'assit à sa place habituelle, devant la grande table et le grand classeur où elle rangeait ses fiches.

Lara échangea un regard avec Kutchaï puis, tirant une chaise, il s'y assit lui-même à califourchon.

– Vous savez, dit-il, que Kutchaï et moi pourrions vous emmener simplement en vous prenant sous le bras?

Madeleine sourit avec une malignité condescendante.

– Vous ne feriez certainement pas une chose pareille, dit-elle. Nous vous avons connu à votre naissance. Tous les deux. Vous étiez vraiment affreux l'un et l'autre, en ce temps-là, et pas bien gros.

Charles Korver s'assit à son tour, face à sa femme, se mit à feuilleter des fiches.

– Nous ne quitterons pas cette maison, dit-il. Certainement pas. Nous avons été chassés de Shangai; nous avons été chassés de Hanoi. Cette fois, c'est trop. Nous ne quitterons pas toutes ces choses qui sont notre vie.

– Je vous en prie, je vous en supplie, dit Lara d'une voix douce et triste. Je vous jure qu'il n'y a aucun espoir. Aucun.

Il leva les yeux et son regard rencontra celui de Kutchaï. Le visage de Kutchaï était fermé, irrémédiablement.

– Ces hommes qui vont venir, reprit Lara, ne sont pas des révolutionnaires ordinaires.

Il parlait sans quitter un seul instant les yeux de Kutchaï. Il dit :

– Ils vont faire de ce pays un charnier. Vous ne pouvez même pas imaginer ce qu'ils s'apprêtent à faire. Ils vont faire ce qui n'a jamais été fait dans l'Histoire.

Charles Korver hocha la tête avec bienveillance et entreprit de consulter un grand registre relié de cuir blanc sur lequel il avait noté les premières caractéristiques des pièces de leur collection.

– Et vous ? demanda-t-il tout en tournant les pages. Irez-vous à l'ambassade ?

– Non, dit Lara. Sitôt que vous serez à l'abri, je vais partir pour les Cardamomes.

Madeleine avait commencé à écrire, de sa belle écriture anglaise, aux pleins et déliés superbement formés. Elle secoua doucement la tête et dit de sa petite voix d'institutrice :

– Vous voyez bien que tout cela n'est pas raisonnable. Cette fois, vous n'avez plus cet amusant petit Boudin pour vous emmener dans son avion et si la situation est aussi épouvantable que vous le dites, comment franchiriez-vous les lignes des cent mille Khmers rouges qui nous encerclent ?

– Parce que Kutchaï est commandant chez les Khmers rouges, dit Lara d'une voix lasse, regardant toujours le Jaraï. Et parce que nous partons ensemble.

Il y eut un silence. Après être un instant demeurés plumes en l'air, Charles et Madeleine se remirent à écrire.

– Bon, dit Charles. Mais ça ne change rien en ce qui nous concerne.

– Allez-vous-en, dit Madeleine comme elle eût dit à des enfants : « Et maintenant, allez jouer. »

– C'est si gentil à vous d'être venus.

Pour la première fois depuis qu'à leur retour de la *Taverne*, ils étaient revenus dans le grand salon, Kutchaï bougea. Deux pas l'amenèrent devant l'une des vitrines apposées au mur du salon où ils étaient tous quatre. Comme l'avait fait Lara une heure et quelques plus tôt, il l'ouvrit et prit entre ses énormes doigts la statuette T'ang, vieille de plus de douze siècles. Il se retourna, face aux Korver et, dans la même seconde que Charles criait, il la brisa d'un coup sec, la fracassant contre le rebord de l'étagère. Il en laissa tomber les morceaux par terre et les broya à coups de talon.

– Non! Non! hurlait Charles, qui se précipita.

Kutchaï, sans brutalité mais avec une puissance irrésistible, le souleva de terre et l'écarta de sa route. Du mur, il décrocha un long sabre de samouraï et il se mit à frapper à la volée, pulvérisant les porcelaines et les terres cuites à la valeur inestimable, frappant avec une sorte de violence rentrée, froide et absolument implacable, comme s'il ne s'agissait pas seulement de briser, mais aussi de tuer quelque chose. Madeleine à son tour se mit à hurler.

– Mais arrêtez-le donc! cria-t-elle à l'intention de Lara.

Lara, d'abord figé, ses yeux pâles presque complètement clos, avança effectivement vers Kutchaï, au terme d'interminables secondes d'une immobilité totale mais, au lieu de tenter de maîtriser le grand Jaraï, il s'empara à son tour d'un sabre et frappa de même, le visage livide et horriblement contracté, fracassant tout, s'acharnant à le faire et broyant les débris tombés au sol dans une rage désespérée.

4

Kompong Som était tombée.

La grande baie était vide et le port désert. Au travers de ses jumelles, pour la troisième fois, Suon Phan venait d'assister à une exécution massive. Cette fois, après une centaine d'officiers de l'ancienne garnison, après leurs femmes et leurs enfants qu'on avait de même massacrés à la mitrailleuse, était venu le tour de plusieurs centaines de civils, apparemment des techniciens et des ouvriers du port et de la raffinerie. Les Khmers rouges conduits par leurs Kamaphibals les avaient obligés à se lier les uns les autres en un groupe compact, affreux conglomérat de troncs, de membres et de têtes puis, à l'aide de grandes rafales tirées au centimètre près, ils avaient très lentement poussé cette espèce d'essaim humain vers la mer, le faisant d'abord avancer au long de la jetée nord puis, enfin, le contraignant à basculer et à s'engloutir en eau profonde, tirant sur tout ce qui surnageait.

Suon Phan savait qu'il aurait dû depuis longtemps abandonner ce poste de guet où il s'était tapi, à l'une des pointes de la presqu'île de Cheko. Les quatre hommes qu'il avait avec lui l'en pressaient constamment, eux-mêmes terrifiés à la pensée qu'ils pouvaient être découverts par l'ennemi. Mais il ne parvenait pas à se décider, même plus fasciné par cette fantastique démesure dans le massacre dont il était le témoin, mais littéralement stupéfié, assommé. Depuis qu'il avait rejoint Kao, l'ancien étudiant de Phnom Penh avait certes souvent assisté à des tueries ignobles – il se souvenait de la façon dont Kao avait exterminé le camp Khmer rouge, à très peu de distance de l'endroit où il se trouvait à présent – mais il lui semblait qu'un nouveau degré avait encore été franchi dans l'horreur et la folie, un degré insoupçonnable. Les derniers prisonniers qu'ils avaient faits s'étaient expliqués sans difficulté et presque avec de la complaisance sur ce que l'Angkar Loeu non seulement projetait de faire, mais avait même commencé à réaliser : éliminer systématiquement les bonzes, les commerçants, les fonctionnaires, les étudiants, les enseignants, les intellectuels – et était considéré comme intellectuel quiconque savait lire et écrire –, les officiers, les sous-officiers, voire les soldats coupables de zèle à l'égard du « super-corrompu-super-traître Lon Nol », les médecins, les infirmiers, les ingénieurs, les architectes, tous ceux qui, à un quelconque degré, avaient exercé la moindre responsabilité dans l'ordre ancien; il fallait raser ou à tout le moins vider de toute présence humaine les villes d'importance et éliminer tous ceux qui y avaient vécu, parce que ceux-là avaient renié leurs origines : la terre et la forêt, la terre et la forêt qui seules permettaient la pureté; il fallait éliminer tous ceux qui, parce qu'ils étaient vieux, parce qu'ils avaient plus de trente ans, parce qu'ils avaient connu la pourriture ancienne ne pouvaient vraiment pas accepter le Kampuchea nouveau; il fallait éliminer les malades et les infirmes, et les métis, qui avaient pourri l'antique race khmère, surtout s'ils portaient dans leurs veines le sang des ennemis héréditaires, les Vietnamiens et les Thaïs; il fallait revenir à la pureté pastorale des anciens Khmers et pour cela, s'enfermer le temps nécessaire dans un isolement orgueilleux et terrible, refusant jusqu'à l'existence du monde extérieur et rejetant sans pitié ni regret tout ce qu'il avait créé.

Suon Phan était couché sur le ventre. Quelqu'un lui effleura la jambe. Il se retourna et au même instant capta à son tour le bruit de moteur que, la seconde suivante, le temps d'un brutal battement de cœur, il identifia. Il abandonna enfin son observation. Prenant soin de ne pas silhouetter au-dessus de la crête qui l'avait jusque-là abrité, il opéra une précautionneuse reptation en arrière. Bientôt, il put se redresser. Il dévala la pente. Au détour d'un fourré, il découvrit la jeep de Kao, encore surmontée de sa mitrailleuse, et Kao lui-même qui grogna :

– Qu'est-ce que tu foutais ? Nous avons été repérés. Une colonne vient sur nous.

Outre la jeep, il leur restait deux camions, mais après une vingtaine de kilomètres sur ce qui n'était même plus une piste, l'un des camions s'immobilisa définitivement, faute d'essence. Les quelque soixante hommes survivants des cent qui avaient constitué le commando d'origine se hissèrent tant bien que mal sur les deux véhicules encore capables de rouler. On avança une autre heure sur un terrain encore peu boisé mais de plus en plus accidenté, dont l'altitude augmentait à mesure que l'on s'enfonçait davantage dans les contreforts des Cardamomes. Se retournant à intervalles réguliers, Kao et ses hommes pouvaient maintenant apercevoir leurs poursuivants, tenaces et tout autant entraînés qu'eux-mêmes à ce jeu mortel. A son volant, Kao fredonnait une vieille chanson de Sinatra, ou du moins Suon Phan crut-il en reconnaître l'air.

– Et où allons-nous? Si nous leur échappons.

De plus en plus fréquemment, Phan se retournait et à chaque fois il découvrait que les trois ou quatre cents Khmers rouges lancés à leur poursuite, eux-mêmes précédant un détachement plus important encore, gagnaient régulièrement du terrain. « C'est ce camion et cette jeep qui nous retardent. A pied, nous irions plus vite. » Mais il n'osait même pas imaginer ce que serait la réaction de Kao s'il lui proposait d'abandonner sa chère jeep.

– Nous leur échapperons, dit Kao en riant. Pourquoi t'inquiéter?

Kao se remit à fredonner.

– Et pour aller où? en Thaïlande?

Phan n'arrivait pas à croire à la réalité de ce qu'il était en train de vivre. Il ignorait tout du sort de Phnom Penh, des autres villes, ou de l'enclave de Battambang. Le dernier prisonnier qu'ils avaient fait parler avant de l'exécuter comme les autres semblait convaincu que la fin de la capitale était proche. Selon lui, ce n'était plus qu'une question de jours, sinon d'heures. Aussi bien, Phnom Penh était déjà tombée, détruite, morte. Phan fut envahi par une brutale et douloureuse nostalgie au souvenir des petites tables du Vieux-Marché dans la douceur parfumée de la nuit phnom-penhoise, aux filles superbes moulées dans leurs sampots de soie, la croupe frémissante, les seins bougeant librement sous les chemisiers toujours très ajutés. Voilà bien l'une des choses que lui avaient apprises les films étrangers, occidentaux : la beauté des seins des filles et le plaisir qu'on pouvait prendre à les caresser de la paume ou simplement à les regarder, alors qu'à la campagne, tant de femmes allaient la poitrine nue sans que nul songeât à s'y intéresser.

– Que veux-tu aller faire en Thaïlande ? dit Kao en éclatant de rire. Tu es déjà fatigué de la guerre ? Non, Phan, nous allons continuer à nous battre comme nous l'avons toujours fait. J'ai réfléchi, cette nuit, et je nous ai même trouvé un nom : les Cobras noirs. Tu as déjà vu des cobras, non ? Mais si, nous en avons même tué un il y a quelques mois. Phan, là où nous allons, les cobras pullulent. C'est une forêt comme tu n'en as jamais vu. A côté le Kirirom et l'Eléphant ne sont que de simples bois. C'est un autre monde, Phan, épais, sombre, inconnu. Nous allons y chercher refuge, et nous en sortirons de temps en temps, pour frapper comme les cobras : une seule fois, rapide, mais mortelle.

Dix minutes plus tard, le deuxième camion stoppa à son tour, son réservoir vide. Il était temps : les Khmers rouges n'étaient plus qu'à dix-huit cents mètres de distance, et cent cinquante mètres plus bas. Le véhicule fut incendié comme le premier à l'aide d'une grenade à la thermate. On repartit et la pente s'accentua encore, au point que parfois la jeep se cabrait comme un cheval refusant l'obstacle. De plus en plus souvent, pour lui faire franchir certains passages rocheux, il fallait qu'une dizaine d'hommes viennent l'épauler. Suon Phan, assis à côté de Kao, voulut descendre mais Kao l'en empêcha.

– Reste là. Elle nous conduira jusqu'au bout. Elle ne m'a jamais trahi.

Et il caressait de la main l'espèce de verge qu'était le fût de la mitrailleuse.

A mesure qu'ils s'élevaient, le panorama se faisait plus large et plus grandiose. Le temps était extraordinairement clair et un vent léger, presque frais, venu de la mer, permettait une surprenante visibilité, au point que Suon Phan vit lentement monter l'Eléphant sur sa gauche, la côte thaïe à droite et, quand il se retourna de nouveau face à la pente, les chapelets d'îles et d'îlots égrenés dans l'eau violette du golfe de Siam. Une seconde, le souvenir lui revint de cette femme blanche, si belle, blessée par erreur sur l'un de ces îlots. Il se demanda si elle était morte. Il retrouva aussi dans sa mémoire, un bref instant, les visages des deux hommes : le Blanc avec ses yeux pâles et ce grand diable de Cambodgien au rictus sauvage et terrifiant.

Et puis les souvenirs s'effacèrent; les Khmers rouges n'étaient plus qu'à douze cents mètres.

– Ils nous rattrapent.

– Merde, dit Kao, les dents serrées, le front ruisselant de sueur.

Il s'acharnait au volant de son véhicule fétiche, ne parvenant même plus à le lancer droit sur la pente mais abordant celle-ci en biais et ne gagnant presque plus de terrain.

– Poussez! hurla Kao.

Une nouvelle fois, la jeep venait de s'empaler sur un rocher. Les hommes approchèrent, les visages émaciés par l'épuisement, les regards mobiles. Cette folie commençait à les inquiéter et pourtant, depuis cinq ans, ils avaient eu toutes les occasions de connaître leur chef.

– Poussez!

Ils poussèrent et la jeep repartit, dans un grincement de métal déchiré. Au même instant, quelqu'un lança un cri. Phan se retourna une fois de plus et vit que l'un des commandos avait été touché par une balle à la hanche.

– Poussez! cria Kao.

La jeep était à ce point cabrée que Phan devait se retenir à la fixation du pare-brise pour ne pas tomber en arrière.

– Poussez, bande de salauds!

Phan examina le terrain devant lui et découvrit une sorte de glacis vaguement et légèrement raviné par les pluies, hérissé par endroits de têtes de rocher. La forêt n'était plus qu'à cent cinquante mètres. « Et après ? Et même si nous réussissions à hisser cette saloperie de jeep jusque-là ? » La forêt semblait impénétrable, au sens propre du terme ; elle semblait hermétique, à l'instar d'un véritable mur.

– Poussez ou je vous abats tous !

Les hommes une fois de plus s'arc-boutèrent, dans une puissante odeur d'huile s'échappant du carter crevé. Ils gagnèrent dix, puis vingt mètres. A présent, les balles pleuvaient avec une affolante régularité, s'enfonçant dans la terre grasse ou faisant éclater les crêtes des rochers. D'autres blessés s'écroulèrent.

– Poussez !

Suon Phan, d'un seul élan, sauta à terre. Il braqua son M 16 sur Kao.

– Allez, descendez de là !

Il y eut une seconde d'éternité pendant laquelle il crut vraiment qu'il allait devoir appuyer sur la détente. Et puis le regard fulgurant de Kao se voila, s'abaissa. Kao hocha la tête.

– D'accord, petit. D'accord.

Il bloqua le frein à main et mit à son tour pied à terre. La jeep glissa en arrière sur un mètre puis vint culer contre un rocher qui stoppa sa glissade.

– D'accord, répéta Kao. Foutez-moi tous le camp.

Phan cria :

– A la forêt !

Il se mit lui-même à courir, des hommes tombant à ses côtés. Très vite, bien plus vite qu'il ne s'y attendait, le mur de verdure se dressa devant lui. Quelqu'un ouvrit un passage à coups de sabre d'abattis. Il s'y engouffra.

– Par ici !

Les hommes défilèrent devant lui, comme par le seuil d'une porte, nombre d'entre eux couverts de sang, boitant ou traînant un camarade plus gravement atteint.

Coup sur coup, deux balles vinrent frapper le tronc du teck derrière lequel il s'abritait. Le flot se tarit, cessa. Phan passa la tête, découvrit le glacis désert, à l'exception de cinq ou six hommes gisant dont aucun ne bougeait plus.

Et à l'exception de Kao.

Kao était penché sur le capot de la jeep et avec un calme extraordinaire, inhumain, en dépit des balles qui trouaient la terre et faisaient tinter la tôle tout autour de lui, il s'occupait paisiblement à démonter sa mitrailleuse.

– Kao! Vite!

« Pourquoi est-ce que je crie? Ce type est fou à lier! » Mais une fierté sauvage et inexplicable montait en Suon Phan devant le courage de cet homme avec qui il combattait depuis si longtemps. Il avait toujours cru, il avait toujours été convaincu qu'il haïssait Kao, qu'il ne restait à ses côtés que pour cette seule et unique raison que Kao le terrifiait. Or, dans cette minute, voilà qu'il priait avec une ferveur désespérée pour que Kao lui revînt vivant. Et Kao ôta le dernier boulon, jeta la bande-cartouchière en travers de son épaule, souleva la mitrailleuse, en plaça le canon dans la saignée de son bras gauche. Il se mit à hurler et à tirer en même temps sur les Khmers rouges se lançant par dizaines à l'assaut de la pente, et qui n'étaient plus qu'à trois ou quatre cents mètres de lui. Kao commença lui-même à monter le long du glacis, vers la forêt, mais il le fit à reculons, hurlant son défi et tirant toujours.

Il gravit pas à pas chacun des soixante-dix ou quatre-vingts mètres le séparant de Suon Phan et il était indemne, sans la moindre éraflure, il vociférait encore son défi et lâchait ses dernières balles quand, se refermant sur lui, la forêt l'engloutit.

Presque à la même heure, soit le 17 avril à deux heures de l'après-midi, Walter Brackett sortit du *Royal* où il avait réussi à se faire servir à déjeuner et s'engagea résolument sous le soleil brûlant, par le travers de la large esplanade de l'avenue Daun Penh, ayant la cathédrale catholique sur sa droite, le lycée Descartes et le Club sportif en face de lui, le Phnom sur sa gauche. Il était au courant de la méprise qui, pour quelques heures, avait fait prendre pour des Khmers rouges de simples étudiants jouant à mai 68. De cette péripétie, dont il se flattait qu'elle corroborait son jugement quant à la fabuleuse popularité de Sihanouk, il tirait néanmoins les mêmes conclusions que Lara : c'est-à-dire qu'il s'attendait à voir d'une minute à l'autre les Khmers rouges. Les vrais.

Et il devait s'avouer qu'il avait peur.

A la hauteur de la rue Ang Non, il reconnut l'un des photographes français de l'agence *Sygma* qu'il connaissait. Il leva la main pour un salut, il cria « Serge ! » mais le Français ne détourna pas la tête et quelque chose dans son attitude même alerta Brackett. Il regarda dans la même direction, vers le sud et il vit lui aussi.

Ils étaient là.

Walter Brackett était né à Adélaïde et était alors âgé de soixante-deux ans. Il avait assisté, sur le cuirassé *Missouri*, à la reddition japonaise; il avait suivi la guerre de Corée et avait été blessé à deux reprises en suivant dans sa retraite la 1re division US de Marines, d'abord au Réservoir de Chosin, puis quelques mois plus tard lors des combats du Triangle-de-Fer; il était présent le 8 mai 1954 à Dien Bien Phu, quelques heures après l'arrêt des combats et la capitulation des derniers défenseurs français et encore le 9 juillet de la même année, au moment où les civils français quittèrent Hanoi et le Tonkin.

Walter Brackett n'avait jamais vraiment adhéré au communisme mais s'en était toujours considéré comme très proche. Il pensait avoir vu tout ce qu'une guerre ou une révolution pouvaient offrir de courage, d'ignominie, de grotesque et d'horrible. Les heures suivantes lui apportèrent la démonstration irréfutable qu'il lui restait tout à découvrir.

Les trois millions et plus d'habitants de Phnom Penh furent expulsés en quatre jours. Quatre jours durant lesquels il y eut probablement, entre les hommes, les femmes et les enfants directement assassinés, ceux qui furent étouffés, ceux qui moururent de soif, ceux qui périrent des suites des blessures reçues lors des combats précédents, ceux qui se suicidèrent ou succombèrent en raison de diverses épidémies de ce qui fut, en un tel laps de temps, le plus grand exode de l'histoire du monde, quatre jours pendant lesquels il y eut entre cent et deux cent mille morts. Sans compter les centaines de milliers de victimes, voire le million, voire plus encore de cadavres qui s'amoncelèrent les jours suivants.

Les trois millions et plus d'habitants de Phnom Penh furent jetés sur les routes et les pistes, dans n'importe quelle direction, pourvu que ce fût ailleurs. Il n'y eut aucune espèce de possibilité d'échapper à la mesure. Chaque maison fut fouillée, de même que chaque bâtiment administratif, commercial ou social, et ceux qui avaient espéré pouvoir s'y cacher furent massacrés sur-le-champ sans avoir le temps de s'abriter derrière le moindre mot d'explication. Des hordes frénétiques de Khmers rouges, généralement très jeunes, parfois âgés de douze ou treize ans mais tous armés de Kalachnikov, de M 16, de Colt, de pistolets mitrailleurs ou de coupe-coupe, firent irruption dans tous les hôpitaux et toutes les cliniques, jusque dans les salles d'opération où des chirurgiens étaient à l'œuvre. Ils fracassèrent tout, des scialytiques aux armoires à pharmacie enfermant des médicaments qui allaient ensuite cruellement manquer, des appareils médicaux les plus coûteux aux simples lits sur lesquels gisaient des amputés, des mourants ou des femmes en couches. Souvent ils tirèrent au hasard, ordonnant à tous de sortir et précipitant les hésitants, les fous et les impotents par les fenêtres quand l'ordre n'était pas exécuté avec suffisamment de promptitude.

Conformément à la tradition qui marque les défaites totales, les cadres des grandes banques, Banque nationale, Banque khmère pour le commerce, Inadana Jati, se tinrent prêts dès treize heures, ce même 17 avril, à remettre les clefs de leurs coffres aux vainqueurs. Ils furent à peu près tous abattus sur place et les survivants ensanglantés purent voir des centaines de millions de riels, des dollars et des francs, des sterlings et des roubles, tout l'argent en ce temps-là encore disponible à Phnom Penh, assemblés dans des sacs, lesquels furent arrosés d'essence et incendiés.

Fut de même incendié, et il s'agissait à l'évidence d'un ordre précis, tout ce que la ville pouvait contenir de livres, de brochures, de journaux, de manuscrits et, de façon plus générale, de tout morceau de papier, quel qu'il fût, pourvu qu'il fût imprimé et portât la moindre trace d'écriture. En certains endroits, ces autodafés provoquèrent des incendies que nul ne se préoccupa d'éteindre.

L'extraordinaire frénésie de destruction ne s'arrêta pas là. Tout ce que pouvaient contenir les maisons, les entrepôts et les magasins en matière de meubles, d'ustensiles ménagers de toutes sortes, de vêtements, de lampes, de bibelots, d'appareils de radio, d'électrophones, d'appareils mécaniques quel qu'en fût l'emploi, tout cela fut méthodiquement, au cours des jours suivants, jeté à la rue et pareillement livré aux flammes, arrosé de napalm, détruit à l'explosif.

Dans les douze premières heures de la chute de

Phnom Penh, ils ne furent que dix mille Khmers rouges à pénétrer dans la ville. C'était beaucoup, dès lors que chacun de ces dix mille hommes, ou femmes, était prêt à massacrer et ne s'en privait pas. Ce n'était pourtant pas assez pour faire dégorger vraiment la cité et canaliser le gigantesque torrent humain qui devait impérativement s'en écouler. Dans la nuit du 17 au 18, des renforts arrivèrent, à peu près vingt-cinq mille nouveaux tueurs non moins assoiffés de sang que les premiers et s'excitant au contraire du carnage entrepris par leurs prédécesseurs. Ils se servirent de roquettes et de bazookas, de lance-flammes pris aux troupes de Lon Nol et, pour accélérer l'exode, ils s'en servirent à bout portant.

L'on était en pleine saison sèche, il n'y avait pas la moindre goutte d'eau dans les rizières et, dans le courant de l'après-midi du 17, soit rupture accidentelle, soit mise en panne délibérée, le réseau d'eau de Phnom Penh cessa de fonctionner. Si bien que par une température de quarante degrés, ces trois millions et plus d'habitants de la capitale durent abandonner leurs maisons et se mettre en route sans la moindre provision, en une cohue fantastique à ce point dense et inextricable que certains mirent quatre jours, serrés à en mourir, et ils en moururent souvent, à parcourir deux kilomètres.

Le 23 avril, jour officiellement prévu dans leur plan de bataille par Saloth Sar, devenu entre-temps Pol Pot, et Khieu Samphan, pour la prise de Phnom Penh, un avion de reconnaissance américain – un Phantom ! – survola la ville et n'y découvrit plus la moindre trace de vie, sinon celle de chiens se nourrissant de cadavres.

Un endroit de la capitale, pourtant, enfermait encore de la vie et c'était l'ambassade de France, tout à l'extrémité du boulevard Monivong. Tout ce que Phnom Penh dans ses dernières heures avait compté d'étrangers y était rassemblé en un étrange caravansérail. Aux Français s'étaient réunis des Anglais, des Allemands, des

Italiens, des Belges, quelques Américains qui n'avaient été évacués en catastrophe par les hélicoptères d'Air America, des Coréens, des Pakistanais ou des Indiens. Et jusqu'au chargé d'affaires soviétique et à ses adjoints, dont on avait enfoncé au bazooka la porte de la légation et que l'on avait conduits garrottés, bousculés, sur cet îlot environné d'un désert.

Walter Brackett reprit connaissance et, pendant quelques secondes, ne sut ni où il se trouvait ni comment il y était arrivé. Puis il revit le jeune Khmer rouge s'avançant sur lui et abattant à la volée la crosse de son Kalachnikov, alors qu'il tentait d'expliquer qu'il était un journaliste de gauche, ami personnel d'Ho Chi Minh. Et quelqu'un lui raconta comment le photographe de *Sygma* et lui-même avaient été, tels des colis, littéralement livrés à l'ambassade de France.

Brackett se tâta précautionneusement le front, n'y découvrit qu'une forte bosse et une plaie légère. On lui fit même l'honneur d'un bandeau. Bientôt il put marcher normalement. Il partit à la recherche des Korver.

Il croisa des instituteurs, des professeurs, des coopérants français qui, au nom de la sainte alliance des révolutionnaires de tous pays, s'étaient, pour accueillir les Khmers rouges, soigneusement déguisés eux-mêmes en révolutionnaires, avec foulard rouge de *La Belle-Jardinière*, voire de chez Cardin. On leur avait, au propre, botté le cul et ils avaient été, tels des colonialistes, projetés dans leur ambassade. Leur indignation était sans bornes de n'avoir pas été compris. Même *L'Internationale* que six d'entre eux avaient entonnée devant la Banque d'Indochine était demeurée sans écho.

Brackett vit le Suisse Mueller, assis sur une valise.

– Je ne comprends pas ce que je fais ici, dit Mueller. Je suis suisse.

Plus loin se trouvaient Albert Vandekherkove et son trombone.

Plus loin encore, les Korver. Ou plutôt Madeleine Korver. La vieille dame était assise sur l'une des marches du perron de l'ambassade, ses fines mains diaphanes posées sur ses genoux, des mains que l'on se serait presque attendu à voir enveloppées dans des mitaines brodées. Elle était délicate et minuscule, à son habitude merveilleusement nette et soignée et faisait plus que jamais penser à ces porcelaines bleu tendre et rose du XVIIIᵉ siècle.

– Dieu merci, dit Brackett ému, Dieu merci vous êtes là.

Il s'assit à côté d'elle, comme toujours sidéré par sa gracilité extrême. Madeleine leva sur lui ses yeux de myosotis.

– Charles aussi est là, dit-elle de sa petite voix. Mais il est mort. Il a eu une attaque cardiaque voici une heure.

Elle regardait maintenant droit devant elle. Une boule au fond de la gorge, Brackett voulut lui prendre la main mais elle se dégagea avec douceur.

– Merci, Walter, mais vous savez, il était très vieux. Et c'était un homme très sentimental.

La vue de Brackett se brouillait. Il finit par demander :

– Y a-t-il quelque chose que je puisse faire ?

– Je ne crois pas, dit Madeleine. Merci beaucoup.

Elle écarquillait les yeux, comme si elle ne parvenait plus à voir. Elle dit encore, d'une voix posée et parfaitement calme :

– Je voudrais bien mourir moi aussi, à présent. J'espère que ce ne sera pas trop long.

Quelqu'un de l'ambassade vint la chercher et, la prenant délicatement sous les bras, l'aida à se relever puis l'emmena à l'intérieur.

Après un moment, Brackett se leva à son tour. Il marcha au travers de la foule abasourdie, lui-même plongé dans une stupeur où se mêlaient étrangement une honte et un chagrin tels qu'il n'en avait jamais connus. Pour finir, il aperçut plusieurs de ses confrères qui, depuis l'intérieur du mur d'enceinte de l'ambassade marquant les limites de l'ex-territorialité, contemplaient avec un saisissement horrifié, le monstrueux torrent humain qui commençait à couler. Il alla leur parler, échangea ses impressions avec les leurs. Il apprit d'eux que tous les Blancs de Phnom Penh et non seulement tous les Blancs mais tous les non-Khmers hors les Chinois, étaient regroupés, rassemblés, parqués, autour de lui, dans cette ambassade.

Tous, sauf un.

6

Devant le portail de l'ambassade américaine à Saigon, on se battait presque. Tous ceux qui parvenaient à y pénétrer, après avoir subi victorieusement le contrôle des Marines de garde, abandonnaient à même la rue Cadillac et Mercedes que des hordes de pillards, parmi lesquels des policiers n'étaient pas les moins acharnés, s'affairaient aussitôt à mettre en pièces, démontant les pneus, les auto-radios à lecteur de cassettes, les sièges, les garnitures, les moindres éléments du moteur et de la carrosserie, et se disputant le butin à grand renfort d'injures et de coups.

O'Malley laissa la Vietnamienne à cent mètres de là, devant l'entrée du magasin, sourit à la jeune fille, entra et monta directement au bureau de l'ambassadeur Graham Martin. L'ambassadeur lui prit le bras :

– O'Malley, mon cher Tom, je compte sur vous. Vous seul pouvez comprendre et avez compris ce que cet arbre signifie pour moi, pour l'Amérique que nous aimons, pour le Monde Libre. Tom, je vous en supplie et je vous l'ordonne : veillez sur lui. Je sais que je peux compter sur vous, n'est-ce pas ?

L'ambassadeur buvait sans cesse du café, yeux cernés et rougis, mains tremblantes, avalant constamment Dieu

seul savait quelles pilules. Q'Malley finit par sortir. Il alla
de bureau en bureau, les découvrant tous vides. Il trouva
enfin quelqu'un, une espèce de grand escogriffe chauve
au poitrail de taureau dont il croyait se souvenir qu'il
était de la Sécurité, de la CIA, de quelque chose en tout
cas de la même farine, qui puait le militaire et l'agent
officiellement secret. Il exposa son problème. L'escogriffe se révéla colonel. Et justement qualifié.

– Et vous n'avez jamais établi de liste[1]? Jamais?

– Jamais.

Le colonel était flegmatique; il avait l'œil glacé et
immuablement sceptique des vieux policiers.

– Toutes les vérifications seront faites, soyez-en sûr.

– Je fais confiance à l'administration, répondit O'Malley en faisant de son mieux pour être sardonique.

Le colonel prit dans un tiroir une série de papiers sur
lesquels, apparemment au hasard, il donna des coups de
tampon.

– Signez ici. Et inscrivez les noms dans cette colonne,
avec les numéros des cartes d'immatriculation ou des
passeports. Sans erreur, s'il vous plaît. Vous ne les avez
pas tous? D'accord, vous les ajouterez ensuite. Pourvu
qu'il n'y en ait que huit en tout, pas un de plus. Des amis
à vous? Votre petite sœur, peut-être?

O'Malley soutint le regard.

– Concubine notoire, dit-il.

Il eut au moins cette satisfaction de voir les yeux durs
du colonel se voiler un court instant. Il recopia sur le
papier imprimé le nom complet de la jeune fille, tel que
celle-ci lui avait donné dix minutes plus tôt. Il laissa les
sept autres lignes en blanc. A la dernière seconde, il
souligna le seul nom inscrit.

– Ça ne sert à rien de souligner, dit le colonel. Ça ne
change strictement rien.

---

1. Liste des noms sur laquelle les employés du Département d'Etat et
les militaires pouvaient inscrire ceux des ressortissants vietnamiens qu'ils
souhaitaient voir évacuer.

– Je vous emmerde, dit suavement O'Malley. Je vous emmerde profondément et à perpétuité.

Le colonel éclata de rire. Il plaça dans une serviette le papier signé par O'Malley et qui servait en quelque sorte de reçu au laissez-passer.

– Vous êtes arrivé à temps. Moi-même, j'allais partir. Dans une heure, je serai sur l'un de ces porte-avions. Vos protégés ont le choix : un avion à Tan Son Nhut, un hélicoptère en ville. Elle est jolie ?

– Hélicoptère. Très jolie.

– Elle baise bien au moins ? En général, elles sont froides, pire que ma femme et ça n'est pas peu dire. Vous me plaisez, O'Malley. Si un jour on élève une statue au Civil Inconnu, il faudra que je pense à vous. Vous êtes le plus civil des civils que j'aie jamais eu le dégoût de rencontrer. Maintenant, foutez-moi le camp. Vous ne vous rendez pas compte de la chance que vous avez eue de me trouver. Et ça vous paraît naturel ! Qu'est-ce qu'on dit au gentil monsieur ?

– Merde, plus que jamais, dit O'Malley.

Il plaça les papiers dans la poche intérieure droite de son veston et boutonna même la poche. Il éprouvait une sorte d'exaltation, de douceur, de tendresse. Au moins aurait-il servi à quelque chose. Il partit dans le couloir climatisé, glacé, sur lequel béaient les portes ouvertes, respirant l'odeur de poussière des papiers que l'on déchiquetait à l'aide de machines spécialement conçues pour les abandons, les retraites, les défaites irrémédiables. Il croisa des groupes d'hommes de la CIA fouillant chaque bureau l'un après l'autre, méthodiques et calmes, pour s'assurer que rien n'y avait été laissé qui pût mettre en danger les Etats-Unis d'Amérique. Ils fouillaient jusqu'aux lieux d'aisances, vérifiaient même le papier hygiénique.

O'Malley s'en alla, avec le sentiment très fort qu'il quittait à jamais le théâtre des combats. On ne l'y prendrait plus, jamais, quel que fût le prétexte. Il pensait à Paris, à tel fauteuil de telle terrasse étroite de la rue des

Saints-Pères qu'il aimait presque autant que le pont de Brooklyn, Paris où Slattery avait promis-juré-craché par terre de lui faire donner un poste, où il irait peut-être, s'il ne démissionnait pas avant.

Il franchit le seuil, passant des dix-huit ou dix-neuf degrés de l'ambassade aux trente-huit degrés de l'extérieur. Le ciel roulait des nuages violacés.

– Où vas-tu? lui cria Kearns, qui commandait le poste de Marines. Ce n'est pas le moment de t'éloigner. Tu ne vois donc pas qu'on fout le camp? Ce n'est même plus une question d'heures mais de minutes.

O'Malley, sans se retourner, leva une main pour signifier qu'il avait entendu. Il traversa le jardin, se fit ouvrir le portail derrière lequel la même foule se battait toujours, gagna la rue, passa comme un somnambule entre les voitures qu'on éventrait. Il ne vit pas tout d'abord la jeune fille, elle n'était plus à l'endroit où il l'avait laissée. Sans même savoir ce qu'il désirait vraiment, il avança d'une dizaine de mètres, entre tout un groupe de soldats sud-vietnamiens qui venaient de débarquer de camions et là, à même la rue, commençaient à se débarrasser de leurs uniformes, de leurs équipements, déjà rendus à la vie civile. Dans le vacarme enfin, il s'entendit appeler. Et il la vit qui lui faisait signe. Il traversa au milieu de jeeps et de camions qui filaient à toute allure, échappa à un torrent de motos Honda, la rejoignit sur le seuil de la boutique où elle se tenait.

– J'avais si peur que vous ne reveniez pas. J'avais si peur, j'ai prié tout le temps. Est-ce que vous avez les papiers?

Elle se pencha et embrassa la main d'O'Malley de ses lèvres fraîches.

– Ecoutez, commença-t-il.

D'un seul coup, il avait envie d'elle, férocement.

– Je m'appelle O'Malley, dit-il. Je voudrais...

– Vous avez les papiers?

Des hélicoptères passaient sans cesse au-dessus d'eux.

Il la tira à l'intérieur de la boutique, ne lâcha pas son bras.

– Vous avez les papiers?

Il la tenait de la main gauche, il avança sa main droite, sans trop savoir ce qu'il avait l'intention de faire, peut-être simplement lui caresser la joue. Elle recula de deux pas et, la tenant encore, il fit machinalement les deux mêmes pas. Si bien qu'il pénétra et s'enfonça véritablement dans la boutique. Et ce fut alors ce regard qu'elle coula par-dessus son épaule, destiné à quelqu'un derrière lui, ce haussement de sourcils impliquant la connivence. Il voulut se retourner et n'en eut pas le temps. Le premier coup de couteau l'atteignit à la nuque et au visage. Il s'écroula, pas encore inconscient. La fille, d'une voix parfaitement calme :

– Il a les papiers dans sa poche. Tue-le.

Le second coup qu'il reçut lui traversa le dos, et d'autres suivirent. Cette fois, il perdit totalement conscience mais il faisait encore jour quand il rouvrit les yeux et le premier visage qu'il aperçut fut celui de Kearns.

– Quelle chance tu as eue, mon salaud! disait Kearns de sa voix efféminée. Quelle chance tu as eue!

– Tu n'as pas mis longtemps à me récupérer, parvint à dire O'Malley.

On avait dû lui injecter de la morphine ou quelque autre drogue. Il ne ressentait aucune douleur, à peine une gêne légère sur un côté du visage, et éprouvait même l'impression de flotter en l'air.

– Pas mis longtemps! s'exclama Kearns. Six de mes hommes t'ont cherché toute la nuit et ils avaient pourtant autre chose à faire. Si quelqu'un n'avait pas eu l'idée de fouiller ces sacs, dans cette boutique, tu y serais encore et tu aurais crevé. Pas mis longtemps! Et puis quoi encore! Pauvre bille d'Irlandais pourri : on est le mercredi 30 avril 1975 et il est huit heures quarante du matin. Tu es dans le dernier hélicoptère Chinook à avoir quitté cette putain de ville en compagnie des derniers Américains. Moi et mes gars, on a comme qui dirait mis la clef sous la porte. T'as quelques doigts et un œil en moins, un assez beau trou dans les reins et juste au-dessous de toi, c'est le joli pont surpeuplé du porte-avions *Blue Ridge* voguant allégrement sur la mer de Chine. Et quand je dis allégrement... Souris, mon pote. On a perdu. Et tu n'en mourras pas.

7

Il pleuvait sans arrêt depuis dix jours sur le massif des Cardamomes, du moins sur ce versant qui fait face au golfe de Siam avant d'y plonger. Un vent tiède rameutait et bousculait constamment les nouveaux nuages de la mousson du Sud-Ouest et les envoyait buter contre les sommets, qui n'étaient que très rarement franchis. C'était une pluie tropicale le plus souvent douce et silencieuse, avec de temps à autre des accélérations, des rages subites en bourrasque cinglant les arbres et tordant leurs cimes.

– Tu es le dernier Blanc, dit Ieng Samboth, tremblant de fièvre.

Il fixait les yeux pâles de Lara.

– Le dernier. Il y a déjà plus d'un mois, ils ont évacué tous ces gens rassemblés à l'ambassade de France; ils les ont entassés dans des camions bâchés et ils les ont emmenés jusqu'à la frontière thaïe. Je ne sais pas si les Korver étaient parmi eux.

– Ils devaient y être, dit Lara.

Ieng hocha la tête.

– Sans doute. Il n'y a plus d'autre Blanc au Cambodge que toi. Aucun et nulle part. Phnom Penh est vide, totalement, déserte, c'est une ville morte. Comme Kompong Cham, Kompong Thom, Kampot ou Battambang.

Il se tut et pendant un long, très long moment, il n'y eut plus autour d'eux que l'inlassable et apaisant bruissement de la pluie molle, qu'on finissait par presque ne plus entendre mais sur lequel venaient se greffer des clapotements irréguliers, nés du ruissellement de l'eau sur le toit de latanier ou dans les fentes des rochers, l'eau tombant sur les feuilles remuées avec des tonalités tantôt graves et tantôt grêles, musicales. Le toit n'était pas celui d'une paillote mais plutôt d'un simple abri ménagé au creux d'une petite faille rocheuse, à quelques mètres au-dessous et en retrait de la crête, à environ douze cents mètres d'altitude. Par-devant s'étalait une sorte de court promontoire en pente légère, terminé par d'autres rochers. Immédiatement après, c'était le vide, plongeant à pic sur plus de deux cents mètres pour s'ouvrir sur un paysage de longues vallées s'écartant en cicatrice et descendant vers la mer. On ne voyait pas cette mer, tant le rideau de pluie était épais.

Lara était assis sous le toit de latanier et fumait; une de ses jambes était allongée, sa main tenant la cigarette était appuyée sur son autre genou; lui, Kutchaï et les cinq Jaraïs qui les accompagnaient se trouvaient à cet endroit des Cardamomes depuis maintenant près de quatre semaines, au terme de la longue course haletante et furtive qui les avait amenés de Phnom Penh. Sur la façon dont Lara avait réussi à quitter la capitale encerclée moins d'une heure avant que les Khmers rouges n'y pénètrent eux-mêmes, Ieng Samboth savait peu de choses. Ni Lara ni Kutchaï n'étaient par nature enclins à s'épancher. Ieng supposait que dans cette fuite Kutchaï avait évidemment joué un rôle essentiel, se servant sans doute du grade obtenu dans la résistance, un grade auquel il avait à présent renoncé. « Sans doute pour les mêmes raisons que moi. »

Ieng tourna la tête et chercha la silhouette du Jaraï. Celui-ci se trouvait au bord même du précipice, totalement nu à l'exception d'un sarong, subissant la pluie avec l'indifférence stoïque d'un animal. Les autres Jaraïs présents étaient au contraire à l'abri, et la plupart d'entre eux dormaient ou semblaient dormir. Ieng lui-même ferma les yeux, subissant soudain le contrecoup de la montée rapide qu'il venait de faire, des interminables heures de marche et de fuite au cours des jours précédents. Les muscles douloureux, il se sentait encore en proie à une sorte de nervosité tétanique qui le poussait à parler, outre la fièvre dont les atteintes se précisaient d'heure en heure.

– J'ai fait le compte, dit-il. Entre le moment où Phnom Penh est tombée et celui où Saigon a été conquise par les Nord-Vietnamiens, il s'est écoulé douze jours et vingt-deux heures. Douze jours et vingt-deux heures! Après trente ans de guerre ininterrompue. C'est presque incroyable.

Il retrouva le regard de Lara. Il reprit :

– Autre chose m'a frappé : la guerre d'Indochine a commencé alors que toute l'Asie, tout l'Orient, toute l'Afrique et même l'Amérique latine faisaient partie du monde blanc. Et pendant qu'elle se déroulait, le monde blanc s'est écroulé, un certain monde blanc, qui a dû commencer avec Christophe Colomb ou même avant, avec les Portugais, je ne me souviens plus. Elle a commencé la première des grandes guerres de libération coloniale et elle s'achève la dernière.

– Il y aura d'autres guerres en Indochine, dit Lara avec indifférence.

Ieng secoua la tête.

– Entre Cambodgiens et Vietnamiens, entre Vietnamiens et Chinois. Ou avec les Thaïs. Mais entre nous. Même les Russes n'oseront plus s'y risquer. Ce ne sera plus jamais la même chose.

Il s'était assis très près de Lara, de façon à profiter au mieux de l'abri offert par les feuilles de latanier. Il allongea la main et prit une cigarette dans le paquet dépassant de la poche de Lara; à ce dernier il emprunta sa cigarette et s'en servit pour allumer la sienne. Un mouvement presque imperceptible se produisit à une soixantaine de mètres de là, en lisière de la forêt : un Jaraï surgit, progressant de cette allure trotte-menu des coureurs de piste, furtif. Kutchaï se dressa, se mit en marche vers le nouveau venu, avançant lentement le long de l'à-pic, insensible au vide vertigineux, sa grande carcasse musclée luisante de pluie.

– Les Anglais aux Indes et partout, les Hollandais en Indonésie, les Belges au Congo, les Français en Afrique et ici, même les Portugais s'en vont d'Angola et du Mozambique. Lara, quatre cents ans d'histoire viennent de se terminer. Il n'y avait qu'en Indochine que le monde blanc ne voulait pas lâcher, quelle qu'en soit la raison. Il avait été battu une première fois à Dien Bien Phu. Il n'a pas renoncé; alors est venu son grand champion, invaincu en deux cents années et surpuissant, la plus grande puissance de la terre. Le Grand Chevalier Blanc. En Occident, le blanc est synonyme de pureté; chez nous, c'est la couleur du deuil. Le grand champion blanc a été battu. Pas seulement battu, humilié. Humilié.

Il rendit sa cigarette à Lara.

– Vous voulez vraiment redescendre, Kutchaï et toi?

Lara acquiesça.

– Pour aller où?

– Nous n'allons pas passer toute notre vie dans ces montagnes, dit Lara de sa voix lente.

– Au mont Tippadeï, ils ont fusillé plus de trois cents officiers amenés de Battambang. Et encore deux cents à O Taki. Et encore des centaines à Mongkol Boreï, à Veal Trear, à O Koki, et encore des milliers d'hommes, de femmes et d'enfants déportés de Battambang près du Centre de recherches agricoles japonais de Mey Chbar. Car ils ne se contentent pas de tuer les officiers et les sous-officiers de Lon Nol, ils tuent aussi leurs familles. Près du temple de Chamcar Khnor, à côté de Sisophon, ils ont massacré à coups de bâton uniquement des femmes, en les accusant d'avoir été des prostituées. Ils ont installé des camps de concentration au monastère de Wat Ek, et un autre à Kpor; au total, dans les deux camps, ils ont rassemblé plus de trois mille instituteurs et institutrices et quand ils en ont eu assez de les abattre à coups de hache, ils les ont fait travailler sans manger jusqu'à ce que tous en meurent, et presque tous sont morts. J'ai des dizaines, des centaines d'autres exemples, je peux énumérer des dizaines de milliers de morts. Et je ne parle que de ce que j'ai vu, de mes yeux, dans une petite partie de mon pays. Je ne sais pas ce qui se passe dans le reste du Cambodge, j'ai peur de le savoir, j'ai peur et j'ai honte, je ressens un désespoir infini. Et c'est là que tu veux aller ?

Kutchaï était allé à la rencontre du Jaraï surgi un peu plus tôt de la forêt. Il lui avait parlé, l'avait écouté, était ensuite allé vers l'un des guetteurs apostés à l'extrémité nord du promontoire, avait donné un ordre. A présent, il revenait lentement vers l'abri, à grandes enjambées souples, ses pieds nus étreignant la terre grasse. Et le sarong noir qu'il portait lui faisait comme une seconde peau, soulignait la puissance explosive et féline de son grand corps. Ieng suivait Kutchaï des yeux.

– Lara, il y a longtemps, l'année dernière ou plus loin encore, nous nous étions mis d'accord, toi, Kutchaï et moi : si les choses tournaient vraiment mal, si Saloth Sar prenait le pouvoir, nous devions nous retrouver ici, sur ce promontoire où nous sommes. Nous pensions ainsi avoir prévu le pire. Le pire ! Je devais me rendre à notre rendez-vous avec tous les hommes dont je pourrais disposer et Kutchaï devait faire de même. Je suis venu, Lara, mais je suis seul. Il n'y a personne derrière moi. Rien que des ombres.

– Tu as des armes. Tu as toujours des armes, dit Lara, son œil pâle scrutant avec une intensité douloureuse le visage de Ieng.

– Oui, j'ai des armes. Celles que tu m'as procurées. Je les ai encore.

Tête baissée, Ieng contempla l'extrémité incandescente de sa cigarette puis l'enfonça avec lenteur dans la boue.

– J'ai de quoi équiper deux bataillons. Il ne reste plus qu'à trouver les deux bataillons.

– Tu devrais y arriver. Des hommes vont chercher à

échapper à ces massacres. Ils viendront dans la forêt. Choisir les meilleurs, les grouper, les entraîner, les équiper, tu pourrais certainement le faire.

– Oui, je devrais y arriver, dit Ieng.

Obstinément, de la pointe de son index, il continuait à enfoncer le mégot de cigarette dans la boue, bien qu'il eût depuis longtemps disparu du regard.

– Ieng Samboth le nouveau Seigneur de la Guerre. Tu te souviens de Kamsa? Lui aussi était un Seigneur de la Guerre ou du moins le croyait. Et puis est arrivé le Corse aux yeux bleus qui l'a pendu. Je sais, Kamsa n'était qu'un tueur stupide, rien qu'un petit tueur stupide…

– Ainsi, je dois payer pour lui aussi, dit Lara avec calme.

Kutchaï n'était plus qu'à quelques mètres d'eux et il n'avançait plus que très lentement, comme au ralenti.

– Tu voulais me dire autre chose, dit Lara. Dis-le.

– Rath. Il y a toujours ce vieux compte à régler avec Rath. Lara, il y a quatre hommes que Rath rêve nuit et jour de retrouver : moi, Kutchaï, un certain Kao et toi. Il sait que nous sommes encore tous les quatre au Cambodge. Il sait que tu y es encore.

– Kao?

– L'ancien capitaine Kao, celui de Pochentong. Ces dernières années, il a dirigé un commando de chasse aux Khmers rouges dans la région de Kompong Som et de Kampot.

– Je me souviens, dit Lara.

Kutchaï venait à l'instant de les rejoindre. Il s'immobilisa debout, immense, juste à la limite de la protection offerte par le toit.

– Rath n'aura pas de répit avant de nous avoir retrouvés, dit Ieng. Il nous pourchassera des années s'il le faut.

Il hésita, tête toujours baissée, fixant ce point du sol où il avait enterré la cigarette, l'enfouissant aussi profondément qu'il l'avait pu. Le regard de Lara, constamment posé sur lui jusque-là, le quitta enfin et alla se porter sur le rideau de pluie qui dissimulait la mer.

– Surtout toi, Lara, dit encore Ieng. Pour ce que tu représentes.

– Ce que Ieng Samboth veut dire, dit Kutchaï en riant de son rire étrange, c'est que ta présence au Cambodge est dangereuse. Pour toi, bien sûr. Mais aussi pour lui, Ieng Samboth, pour Ieng Samboth et sa future armée. Ieng Samboth pense que si tu n'étais plus là, si tu étais en Europe, ou en Amérique, Rath finirait peut-être par se lasser ou continuerait sa traque avec moins de hargne. Ieng Samboth pense que tu devrais partir, quitter le Cambodge. Il pense que ta place n'est plus ici, dans ce pays.

– J'avais compris, dit Lara de sa voix lente et comme assoupie.

Il détourna lentement la tête et fixa Kutchaï.

– Et toi?

Le silence qui suivit parut interminable à Ieng. Kutchaï s'accroupit, impassible. Il allongea le bras et prit l'un des fusils d'assaut M 16 à côté de Lara. L'arme était équipée d'un lance-grenades de quarante millimètres, avec son propre système de visée et de mise à feu. Kutchaï l'examina en silence, le reposa et l'échangea contre une carabine Winchester 70 à canon spécial et à grosse lunette Unerti, telle qu'en utilisaient les tireurs d'élite. Il caressa le fût, essuyant méticuleusement les gouttelettes d'eau qui s'y étaient disposées, puis demanda à Ieng :

– Où est Rath? Il est entré derrière toi dans la forêt?

– Oui.

– Il est sur tes traces?

– Oui.

Kutchaï hocha la tête.

– Quelle avance avais-tu sur lui?

– Six, peut-être huit heures.

Un silence.

– Il ne peut pas avoir beaucoup d'hommes avec lui, dit Kutchaï comme s'il réfléchissait à haute voix. Dans la forêt, ça ne sert à rien. Et puis ils ont autre chose à faire, à massacrer tous ces gens. Rath travaille pour son compte.

Avec une prestesse et une virtuosité stupéfiantes, il épaula la Winchester, tint une seconde dans sa ligne de mire le visage de Ieng. Puis il abaissa l'arme et son rire totalement silencieux lui découvrit la mâchoire. Enfin, il porta son regard sur Lara :

– Tu veux qu'on aille à sa rencontre, c'est ça?

– Je ne sais pas.

– Mais si, dit Kutchaï. Mais si, tu le sais. Tu le sais très bien.

– Tu ne m'as pas répondu, dit Lara.

Kutchaï reposa à son tour la carabine et quand il secoua la tête, ses longs cheveux noirs projetèrent des gouttelettes d'eau. De nouveau il se mit à rire, par ce rire qui dissimulait ses amitiés et ses colères, et les plus violentes de ses émotions.

– Je ne sais pas où est Rath, dit-il. Peut-être qu'il nous a déjà repérés. Il est peut-être sur la crête, quelque part là-haut, à attendre tranquillement pour nous tuer.

– Tu ne m'as pas répondu.

– Il est peut-être bien sur la crête, dit Kutchaï et dans une heure ou demain, nous serons peut-être tous morts, la tête dans un sac de plastique. Je ne sais pas où est Rath mais, par contre, je sais où est Kao. Ce feu que nous avons aperçu il y a cinq nuits, c'était Kao. Depuis, il a continué à avancer. Il n'est plus très loin de nous maintenant. Il a cinquante hommes avec lui, il suit la ligne des crêtes et il vient droit sur nous.

Et le lendemain à l'aube, un autre des chasseurs jaraïs repéra la colonne de Rath, sans lui-même être vu. Rath avait avec lui deux groupes de soixante hommes chacun, avançant en tenaille; il progressait selon une ligne ouestsud-ouest, en remontant la rivière de Pursat en direction de ses sources, et donc en demeurant dans le fond de la vallée, quoique la pente de celle-ci s'accentuât sans cesse. Tandis que le lit se rétrécissait, pour ne plus enfermer qu'un mince filet d'eau.

Délogés par l'approche de Kao, Lara, Kutchaï, Ieng et la poignée d'hommes avec eux avaient fait mouvement au nord-ouest, de sorte que le troisième jour, s'étant établis dos tournés au golfe de Siam et à la frontière thaïe, ils eurent Rath sur leur gauche et Kao sur leur droite, les deux détachements également ennemis se trouvant à environ vingt-cinq kilomètres l'un de l'autre.

L'idée d'opposer Kao à Rath devint dès lors parfaitement logique. Plus que cela, elle devint fascinante.

L'après-midi toucha à sa fin. Coup sur coup, trois des éclaireurs rentrèrent. Ils confirmèrent ce qui, jusque-là, était à peine mieux qu'une hypothèse : les deux colonnes, celle de Kao et celle de Rath, allaient se croiser sans probablement s'apercevoir, passant à cinq ou six kilomètres l'une de l'autre, et à des altitudes différentes.

Kutchaï partit à la tombée de la nuit, emportant un M 16, la Winchester 70, un coupe-coupe et, dans une musette passée en bandoulière, des munitions de rechange pour les deux armes à feu. Il chuchota quelques mots en jaraï à l'intention de ses hommes, adressa un signe de tête à Ieng, effleura les doigts de Lara dont il croisa le regard. Une dizaine de secondes plus tard, il avait disparu, s'enfonçant à la fois dans la forêt et dans la nuit.

8

Depuis trois jours, Kao avait interdit qu'on fît le moindre feu. Sans raison clairement exprimée, son instinct seul l'avait mis en garde et aucun de ses six éclaireurs n'avait repéré d'autre présence que la leur dans ce monde végétal qu'une pluie sempiternelle ne cessait de détremper et transformait en un cloaque grouillant de millions de bêtes. Mais quelque chose au fond de lui le maintenait en alerte, il humait l'air gorgé d'humidité et croyait déceler des effluves anormaux. A plusieurs reprises, il s'était senti guetté et quelques-uns de ses hommes, dont le jeune Suon Phan lui-même, qui s'était considérablement aguerri, avaient éprouvé la même sensation. Leurs yeux le lui avaient dit. Ils avaient tous trop d'expérience, traquer et être traqué, pour s'y tromper.

Comme il le faisait presque toujours depuis leur entrée dans les Cardamomes, il avait ordonné la halte une heure environ avant le coucher du soleil, si l'on pouvait encore parler de soleil, si même le soleil existait encore, avec cette pluie infernale. Maintenant, la nuit était venue tout à fait, Kao s'était rencogné au ceux d'un rocher, enroulé dans son poncho de plastique, il essayait de dormir. Autour de lui, les hommes de son détachement étaient pareillement recroquevillés, ne tentant même plus de lutter contre la pluie mais lui opposant une résignation morne. Kao vérifia une fois de plus l'emplacement des sentinelles : elles étaient normalement disposées, plus nombreuses qu'à l'ordinaire, tout était en ordre. Il referma les yeux. Des images défilèrent, revinrent du passé; ces femmes et ces enfants brûlés vifs sur la presqu'île de Cheko. La guerre. Je suis un homme de guerre. Il ne vit rien, n'entendit rien.

Simplement une main géante se posa sur sa bouche, une lame glacée sur sa gorge. Une voix à son oreille :

– Tu es mort, Kao. Ne bouge pas.

L'acier entailla la chair de la gorge, à hauteur de la pomme d'Adam, mais ne pénétra pas davantage.

– J'ai envie de te tuer, Kao. J'en ai vraiment envie. Mais je ne vais pas le faire. J'ai besoin de toi.

La paume gigantesque se souleva, s'écarta. Kao demanda à voix basse :

– Je peux bouger?

La lame s'écarta à son tour. Kao se retourna et ses yeux lui confirmèrent que c'était bien Kutchaï.

– Qu'est-ce que tu veux de moi?

– Ce que tu sais faire le mieux, dit Kutchaï. Tuer.

La voix de Ieng, sa voix lasse et affaiblie, chevrotante par l'effet de la fièvre qui le brûlait depuis déjà trois jours.

– Nous n'en sortirons pas vivants. C'est fini. Il fallait bien que ça finisse un jour. Je suis content que ça se passe avec toi Lara, je ne suis venu à ce rendez-vous que pour te revoir, te dire adieu. Tu devrais quitter le Cambodge à présent et tu le sais.

– Tais-toi, dit Lara d'une voix douce.

Son regard accrocha celui du guetteur jaraï. Le montagnard eut un presque imperceptible mouvement de tête. Il y avait maintenant plus de douze heures que Kutchaï était parti avec l'intention de lancer Kao contre Rath et l'aube venait de pointer.

– Des années, il y a des années que ça dure, disait Ieng. Des années.

La longue main maigre de Lara se posa sur son épaule et exerça une pression légère, amicale et apaisante. A voix basse :

– Sam, tais-toi s'il te plaît. Quelqu'un vient.

La même fièvre qui faisait grelotter Ieng Samboth depuis plusieurs jours l'avait atteint à son tour et tout son corps était parcouru de longs frissons. Par instants, sa vue se brouillait et il luttait alors férocement contre son propre corps. C'était le cas à ce moment précis. Mais il se glissa néanmoins hors de l'abri constitué par les plaques rocheuses, et l'eau presque froide sur sa nuque et son visage lui rendit une partie de sa lucidité. Il rejoignit le guetteur. Ses lèvres formèrent le mot sans le prononcer vraiment :

– Kutchaï?

Un mouvement de la tête, une lueur dans les prunelles

sombres et animales du montagnard : « Non, ennemi. »
Et d'agiter en silence les doigts d'une seule main, l'autre
tenant le M 16 chargeur enclenché : vingt ou trente
hommes, qui étaient déjà à moins de deux cents mètres,
qui approchaient, qui montaient par le versant nord de
la butte. Il devint clair que, contrairement à toute
attente, du détachement Rath cheminant dans la vallée,
un petit groupe s'était détaché et, soit hasard pur, soit
travail de ses éclaireurs propres, venait tout droit sur ce
sommet où Lara et Ieng, et leurs cinq compagnons,
avaient trouvé refuge.

Un deuxième Jaraï rejoignit Lara, puis deux autres
encore; il n'en restait plus qu'un, qui devait se trouver
posté quelque part dans cette végétation extraordinairement dense, où seul un serpent – ou un Jaraï – aurait pu
se glisser sans faire tressaillir la moindre feuille. Peut-être
était-il perché sur un arbre, ils le faisaient souvent, et
dans ce cas, cette approche ennemie inattendue l'avait
probablement surpris et déjà isolé, en lui coupant toute
retraite.

Aplati sur un rocher, Lara hésita à peine. Sur sa
droite, il avait l'escarpement de faille, un grand talus
quasi vertical dominant le ravin nappé de brume où,
d'une minute à l'autre, pouvaient éclater les détonations
de l'embuscade – pour autant que Kutchaï eût réussi à
joindre et convaincre Kao; à sa gauche et donc au nord,
un glacis pelé et raide, d'accès difficile et dans tous les
cas sans le moindre abri. L'ennemi – car ce ne pouvait
être que des hommes de Rath, qui d'autre ? – arrivait au
nord. Il ne restait qu'une solution. Il fit signe aux Jaraïs,
index tournoyant puis pointé au sud.

« On décroche. »

Il rampa vers la grotte dont il venait de s'extraire. Ieng
s'y était recroquevillé, tremblant de tous ses membres,
les yeux clos, le visage livide.

– Allez, viens.

– Je ne peux pas.

– Viens.

– Laisse-moi ici.

Lara passa en bandoulière sa carabine AR 18, prit Ieng par les épaules, le tira dehors. Au même instant, à mille mètres de là, dans le ravin, les premières rafales de miltrailleuse partirent et le tonnerre se déchaîna.

– Essaie de marcher.

– Je ne peux pas.

Ieng était brûlant, malgré le froid, et la pluie qui redoublait. Il n'avait même pas la force de tenir sa propre tête, qui tombait sur son épaule. Lara parvint à le mettre debout, mais il s'effondra aussitôt. Les quatre Jaraïs, après un temps de reptation, se redressèrent et parvinrent à la hauteur des deux hommes.

– Khmers rouges. Ils arrivent. Vingt hommes.

Sur le fracas des armes montant du ravin en un grondement ininterrompu, vint se greffer l'aboiement infiniment plus proche d'un M 16 – celui du Jaraï qui manquait – qui lâcha plusieurs rafales, avant d'être écrasé par la riposte massive des Kalachnikov. Lara d'un seul élan hissa Ieng sur ses épaules, se mit à courir, droit dans la pente du versant sud. Un des Jaraïs voulut l'aider.

– Non !

Il parcourut cinquante ou soixante mètres. Une volée de balles lui gicla presque entre les jambes. Quelqu'un a ses côtés s'arrêta pour riposter, puis cria. Lara ne ralentit pas, déjà titubant, fixant avec une intensité rageuse le mur vert qui mettait tant de temps à s'approcher, qui s'entrouvrit enfin sur lui. Il s'y jeta, trébucha dans des branches basses, faillit tomber, se rattrapa à temps, le canon de son Armalite lui frappant le visage. Il se mit à courir, zigzaguant entre les arbres et les fourrés, crevant d'immenses toiles d'araignée, ayant tout de même conscience de ce qu'un autre de ses compagnons jaraïs demeurait en arrière et se mettait à tirer, non par rafales affolées mais au contraire calmement coup par coup, en chasseur expérimenté qui économise ses balles et ne tire que pour tuer.

Cent mètres de jungle, cent cinquante. Lara s'asphyxiait dans cette touffeur écrasante que la pluie accentuait encore. Le terrain cessa soudain d'être en pente descendante, il se ravina et après quelques foulées où il fut presque plat, il se remit à monter. La déclivité était légère, elle aurait été presque imperceptible en temps normal; aux jambes alourdies de Lara, elle parut abrupte. Il tomba, s'écroula plutôt, pantelant.

Trente, quarante secondes.

Ieng rouvrit les yeux.

– Foutu, dit-il. Laisse-moi.

Agenouillé, bouche ouverte à la recherche d'air, Lara avait déjà décroché sa carabine. Il faillit ne pas penser à manœuvrer le levier de sélecteur, qui contrôlait la sécurité. Dans le même temps, son regard partit, remontant rapidement l'espèce de trouée qu'il venait lui-même de faire. Deux silhouettes s'y dessinèrent à cent mètres, vêtues de noir et écharpes au vent. Pour la première fois depuis quinze ans, depuis sa dernière chasse, il épaula, visa, tira en un éclair : un des deux hommes s'abattit, la gorge transpercée, l'autre plongea pour se mettre à l'abri, mais fut certainement atteint.

– Foutu, répéta Ieng d'une voix étonnamment claire, bien qu'il fût à l'évidence aux trois quarts inconscient.

Il n'avait pas bougé de l'endroit et de la position où Lara, en tombant lui-même, l'avait laissé. Il gisait sur le côté, un bras sous lui, la joue contre la fange gluante du sol, la pluie faisant reluire ses longs cheveux noirs; bien qu'il eût plus de trente-cinq ans, il en paraissait vingt, au plus, et semblait d'une fragilité extrême et désarmante. Lara jeta un coup d'œil autour de lui : il n'était plus accompagné que par deux Jaraïs. Dans un chuchotement :

– Les autres?

– Deux morts. Un blessé, resté derrière.

Le geste d'une gorge tranchée.

– Lui, même chose mort.

Comme Lara lui-même, les deux montagnards étaient

agenouillés un seul genou en terre, légèrement penchés en avant, index sur la détente; ils écarquillaient leurs yeux sous l'averse comme des noyés, la conjonctive rougie, fouillant constamment du regard le monde glauque qui leur faisait face. L'écho du combat en cours dans le ravin, entre Kao et la colonne khmère rouge, était à présent plus lointain, presque irréel, même si son roulement était toujours régulier. Hors cela, et le crépitement de la pluie, la forêt était silencieuse. Trop silencieuse. Bientôt d'étranges frôlements montèrent. Lara revint à Ieng.

– On repart.

– Fous le camp sans moi. Seuls, vous avez une chance. Sans moi, Lara.

Lara sourit.

– Voilà.

On lui tapa légèrement sur l'épaule au moment où il se penchait pour reprendre Ieng sur ses épaules. Un des Jaraïs se livra à une mimique silencieuse : « Toi et mon camarade partez devant avec Ieng Samboth. Je reste pour les retarder. »

Lara secoua la tête avec énergie.

Mais il finit par céder. Quelle autre solution? Sur les trois qu'il avait, il laissa un chargeur au montagnard qui restait en arrière et il repartit, cette fois aidé dans le transport de Ieng qui ne reprenait conscience que pour se débattre et tenter de contraindre Lara à l'abandonner. Ils se glissèrent, rampèrent sous des fourrés ruisselant d'eau, pataugèrent dans une sorte de marigot sur les bords duquel Lara nota machinalement les traces de plusieurs panthères et d'un tigre. Un serpent traça son sillage à quelques mètres d'eux mais s'éloigna. Deux minutes plus tard, la première détonation du M 16 claqua : derrière eux, le Jaraï avait commencé à tirer. A compter de cet instant, les coups de feu ne cessèrent de retentir, isolés s'agissant de l'arme américaine, par rafales rageuses quand les Kalachnikov russes répondaient. Cela dura quinze à vingt minutes, puis, sur une dernière volée de balles russes, le silence se fit, dramatiquement éloquent.

Ils accélérèrent encore leur allure, autant qu'ils le pouvaient et débouchèrent enfin sur une espèce de forêt-clairière plantée de tecks aux troncs rendus noirs et luisants par la pluie, assez bien dégagée par endroits, et qui escaladait sur des hectomètres la pente douce d'un nouveau sommet. Sur lequel ils se hissèrent. Parvenus à cette crête, ils se trouvaient dès lors à environ trois kilomètres du ravin où avait eu lieu l'embuscade, dans le sud-ouest de celui-ci; l'embuscade dont aucun écho ne leur parvenait plus, mais la forêt qui étouffait tout, pouvait fort bien étouffer de même les sons de la bataille, qui était peut-être encore en cours.

Ieng Samboth était à présent totalement inconscient et même il délirait, mêlant le français au khmer, parlant d'un hôtel de la rue de l'Estrapade, d'une fille appelée Françoise, de Lara.

– Ieng? tu m'entends?

Aucune réponse intelligible. Lara se tourna vers le Jaraï.

– Tu restes ici, tu t'occupes de lui, tu le protèges. Prends soin de lui.

Immédiatement après, il se remit en route, revenant en réalité sur ses pas, contournant par la gauche la trace nettement visible que le Jaraï et lui, encombrés de Ieng, avaient laissée derrière eux sur la terre détrempée où la pluie formait des rus minuscules. Il se déplaça très vite, courant souvent, jusqu'à l'orée de la forêt-clairière, là où elle rejoignait le couvert épais, à peu près six cents mètres plus loin. Il pénétra dans ce couvert, s'y installa, à l'abri d'une souche, sur laquelle il appuya le canon de son arme. Glacé jusqu'aux os, luttant contre le tremblement de la fièvre et contre une torpeur qui le gagnait lentement, il s'allongea sur le ventre. Il était à environ cent dix mètres de l'endroit par où, un peu plus tôt, le Jaraï et lui avaient débouché. De son poste de guet, il distinguait parfaitement le léger sillon qu'il avait lui-même, d'un coup de talon, creusé dans le sol meuble. Volontairement.

Il attendit.

Pour rejoindre Lara et Ieng, après avoir acquis la certitude que Kao et ses hommes allaient bel et bien livrer bataille, Kutchaï s'était mis en route avant même les premières lueurs du jour. D'une part, en raison de la présence d'un à-pic, d'autre part, pour ne pas se trouver sous le feu croisé des deux colonnes quand elles se combattraient, il choisit de contourner le ravin par le nord. De sorte qu'il passa sur les arrières du détachement Rath; de sorte aussi qu'il croisa très vite les traces d'une vingtaine d'hommes ayant d'évidence opté pour la route des crêtes, laissant le gros de la colonne khmère rouge poursuivre sa progression dans le ravin, en fait droit dans l'embuscade tendue par Kao.

Kutchaï devina à l'instant le danger mortel que cette vingtaine d'hommes représentait. Il se jeta, se rua sur leurs pas (au moment même où Kao, en bas, faisait ouvrir le feu, à la seconde où Lara, décidé à emmener Ieng au besoin sur ses épaules, entreprenait lui-même de décrocher). Si bien qu'il déboucha sur l'escarpement par ce même côté nord où les hommes de Rath étaient montés. Kutchaï retrouva leurs traces et trouva aussi les premiers cadavres, avant même d'atteindre les petites grottes du sommet : deux Khmers rouges et l'un de ses amis jaraïs, ce dernier littéralement déchiqueté par les balles au point de n'être plus qu'une viande ensanglantée pendant grotesquement aux branches de l'arbre sur lequel il s'était perché.

Plus loin, passé les grottes qui étaient vides, un deuxième Jaraï, ayant devant lui les trois hommes qu'il avait tués avant de mourir lui-même. Plus loin encore, un troisième montagnard, celui-là ayant reçu une balle dans les reins et ayant été achevé d'un coup de coupe-coupe qui l'avait à moitié décapité.

Et encore, en pleine piste ouverte dans la végétation, un sixième Khmer rouge dont la gorge était traversée par une balle.

Cent cinquante mètres et quatre autres corps répandus sur trente mètres carrés, dont un quatrième Jaraï qui avait à l'évidence chèrement défendu sa vie. « Il s'est sacrifié. » Neuf Khmers rouges et quatre Jaraïs, le massacre prenait ses proportions. « Mais Lara, Ieng et Rath sont toujours vivants. » Kutchaï hésita : les pistes sous ses yeux se multipliaient et la présence d'un marigot lui compliqua encore la tâche par le fait que l'eau, même peu profonde, dissimulait les traces.

Le visage totalement fermé, tous ses instincts de fauve en alerte, écoutant, scrutant et respirant la jungle, il découvrit enfin l'empreinte des bottes de Lara. Il allait s'élancer quand son oreille capta le son très net d'un fusil qu'on armait. Il plia sur les genoux, tira, l'arme à la hanche et, dans le silence revenu, découvrit à moins de quinze mètres de lui, un dixième Khmer rouge qui avait dû être blessé et laissé en arrière et que, dans tous les cas, il venait d'achever.

Il venait à peine de repartir lorsque, à environ quinze cents mètres sur sa droite, il reconnut sans hésitation possible les claquements de l'Armalite de Lara.

Ils étaient onze et il les laissa s'engager sur l'espace découvert entre les troncs de tecks. Rath se trouvait parmi eux, en troisième position, petit, trapu, massif, les cheveux coupés court. Lara ne l'avait jamais vu, Kutchaï le lui avait simplement décrit, mais, dès l'instant où il le découvrit, il fut certain que c'était bien là l'homme qui avait voulu tuer Oreste, et qui avait tué Roger.

Lara avait déplié la crosse de son Armalite 18, une carabine d'assaut encore supérieure au M 16, et qui pouvait tirer sept cent cinquante balles à la minute. Il avait enclenché un chargeur plein, de trente cartouches et en tenait un autre prêt.

Les onze hommes progressèrent, légèrement déployés mais pas trop; leurs yeux étaient fixés sur la crête, six cents mètres plus loin, où les traces conduisaient, et ils se servaient des arbres pour s'abriter d'un tir qui serait venu de cette crête. Quatre-vingts mètres déjà les séparaient du couvert dont ils avaient surgi quand Lara ouvrit le feu. Sa première balle fut pour Rath et même s'il comprit aussitôt qu'il avait en partie raté sa cible, il n'eut pas le temps, et ne le prit d'ailleurs pas, de lui adresser une deuxième balle. L'essentiel était de tuer au maximum et il tua. Déplaçant le canon de quelques millimètres à chaque fois, il visa successivement chacun des hommes du groupe. Il en abattit six, tirant huit balles en tout en même pas dix secondes.

La riposte vint avec une terrifiante rapidité, sous la forme d'une grêle qui hacha les feuilles et les branches, troua la souche et le tronc de l'arbre au pied duquel il s'était couché. Une première grenade explosa sans l'atteindre. Il répondit par un tir en rafale qui arrosa le terrain, se releva d'un bond, se glissa sous un fourré immense abritant des serpents lovés. Il rampa précipitamment sur sept ou huit mètres, trouva le talus qu'il avait espéré, s'y jeta. La profondeur n'en dépassait pas un mètre vingt mais elle le sauva des deuxième et troisième grenades qui éclatèrent à ce moment-là, et elle lui permit aussi de parcourir une centaine de mètres latéralement. Il courut courbé en deux, de nouveau secoué par la fièvre, déjà à bout de forces et ne tenant plus debout que par un prodigieux effort de volonté. Il revint en fait sur la piste que le Jaraï et lui-même, portant Ieng Samboth, avaient faite vingt ou vingt-cinq minutes plus tôt. Maintenant, la terre gorgée d'eau portait en supplément les traces de Rath et de ses hommes. Avec des lenteurs précautionneuses de reptile, il se coula jusqu'à l'orée de la forêt-clairière. La lumière verte vira légèrement au jaune et le rideau de pluie se déploya. Il compta les cadavres épars, il y en avait cinq. « Plus deux autres que je n'ai fait que blesser, dont Rath lui-même. » Il tenta de distinguer quelque chose tout en haut de la crête, là où il avait laissé Ieng et le Jaraï, mais ne vit rien.

« Où sont Rath et ses hommes ? » Normalement, ils devaient être encore six lancés à sa poursuite. Mais aucun signe de leur présence ou de leurs mouvements ne lui parvenait plus. Pourtant ils étaient là, quelque part, aussi habiles que lui-même à se déplacer dans cet enfer, il sentait leur présence muette. Il jeta un ultime coup d'œil en direction de la crête, un instant submergé par le désir fou de se dresser et de courir vers le Jaraï survivant, qui aurait pu l'aider. Il pivota en fin de compte pour s'enfoncer à nouveau dans la jungle. La rafale claqua au même instant et deux des balles s'enfoncèrent dans son flanc gauche, le clouant presque au sol. Il découvrit l'homme à trente mètres de lui, debout dans ce même ravin par lequel il était venu et déjà convaincu de sa victoire. Lara tira et vit distinctement sa balle trouver le visage de son adversaire. Une autre rafale, celle-là venant de sa droite. « Ils m'encerclent. » Et toujours cette fièvre qui le faisait grelotter. Il riposta au jugé et voulut se mettre à courir. Mais une douleur paralysante le saisit. Il trébucha et après quelques mètres, boula littéralement comme un lapin culbuté. Cela le sauva peut-être, ou retarda l'échéance : on tirait sur lui de deux côtés, et les balles tressèrent un réseau par-dessus lui. Il s'arracha à la boue, perdant encore de sa lucidité et ne réagissant plus que par soubresauts instinctifs. Se traînant et rampant, il se coula sous une succession de souches pourrissantes piquetées de merveilleuses orchidées que la pluie grasse à grosses gouttes molles faisait trembler. Là, il se tapit, mordant sauvagement son propre bras dans l'espoir que cette douleur supplémentaire lui restituât le contrôle de lui-même. Tout son corps n'était pourtant plus qu'une plaie, et des sangsues par dizaines s'y étaient fixées avidement. Il constata qu'il avait été également touché à la jambe, par deux fois, et aussi à l'épaule, tout près de la cicatrice vieille de vingt années.

Les minutes passèrent dans un silence total. Mais il savait qu'on le guettait. Il choisit enfin de repartir. Il se traîna sur le côté, tirant sa jambe engourdie, par moments perdant presque conscience mais continuant à progresser et à tenter de fuir avec cet entêtement fou des bêtes se refusant à l'hallali.

Lui parvint le bruit d'une cascade. Il comprit qu'il venait d'atteindre le lit d'un ruisseau, peut-être celui-là même coulant dans le ravin dans lequel Kao livrait bataille.

Il but puis s'immergea aux troits quarts, ne laissant en surface que sa tête et son bras droit qui tenait l'arme. Il était incapable d'aller plus loin et le savait. Peu à peu un froid mortel l'envahissait, étrangement associé à la brûlure de la fièvre et de ses blessures, au battement incessant de ses tempes. Ses paupières s'abaissaient de plus en plus souvent et à plusieurs reprises il plongea son visage dans l'eau pour retrouver quelques secondes de lucidité.

Il perçut le glissement d'un corps tout proche. Une voix dit en khmer :

– Il est ici.

Un buste d'homme apparut dans son champ de vision, noir avec les petits carreaux rouges et blancs de l'écharpe. Se servant de sa carabine comme il l'eût fait d'un pistolet, Lara actionna la détente. Deux balles partirent, les deux dernières du chargeur. Mais l'homme s'abattit foudroyé. « Recharger, je dois recharger. » Tout le côté gauche de son corps était à présent paralysé. Il tenait pourtant toujours l'Armalite hors de l'eau. L'hébétude le gagnait. « Recharger. » Sa main gauche remonta lentement le long de sa jambe en direction du chargeur encore fixé à sa ceinture mais ce seul mouvement le libéra du coup de la résistance qu'il offrait jusque-là au courant. Il se mit à glisser lentement. Il coula avec l'eau, le visage tourné vers le ciel d'où la pluie continuait à tomber. Un peu plus loin, il posa sa nuque sur la pierre qui le retenait et ce fut ainsi qu'il put voir Rath qui venait vers lui, piétinant sans hâte l'eau courante couleur de rouille, ses petits yeux durs le fixant sans ciller. Rath franchit les derniers mètres qui les séparaient. Il s'immobilisa. Il se pencha, prit des mains de Lara la carabine américaine et la lança au hasard sur la berge. Il ne souriait pas, n'avait en aucune façon le visage enfiévré du chasseur enfin parvenu au terme de sa traque. Il était impassible et froid, quasi indifférent, tout comme il était indifférent au profond sillon que la balle de Lara avait ouvert sur tout le côté de son visage, déchiquetant l'oreille et fracassant sans doute la mâchoire. Il retira le sac de plastique de sa poche de poitrine.

– Lara. Lara, le dernier.

Il s'exprimait avec difficulté et crachait ses mots plus qu'il ne les prononçait.

– Il y a longtemps, dit-il encore, en français.

Il passa l'arme à la bretelle et souffla dans le sac pour en écarter les bords.

Ce fut ce moment que Kutchaï choisit pour ouvrir le feu.

Kutchaï ne tira pas pour tuer. Sa première balle, à même pas vingt mètres, fracassa le Kalachnikov et fit tournoyer Rath, sa deuxième troua la main de celui-ci. Ensuite Kutchaï s'avança avec presque de la nonchalance, marchant lui aussi dans l'eau, et ce fut avec le même calme effrayant, le même mépris, qu'il écarta la main gauche de Rath tentant de le frapper du tranchant de son coupe-coupe. Il bloqua le poignet au vol, défit un à un les doigts enroulés autour du manche de l'arme, prit Rath par le cou et le tira sur la berge. Il l'attacha à un arbre, mains encerclant le tronc. Il revint à Lara.

– Ça va?

– Je suis vivant.

– C'est déjà pas mal.

Kutchaï se pencha, se redressant en tenant Lara dans ses bras. Il le porta à son tour sur la terre ferme.

– Ieng, dit Lara. Ieng et un de tes Jaraïs, sur la crête.

– Je les ai trouvés, dit Kutchaï d'une voix étrangement lointaine. Mais les hommes de Rath les avaient trouvés avant moi. Morts tous les deux.

Lara ferma les yeux, mais les rouvrit aussitôt, pour voir Kutchaï qui fouillait l'eau, recherchant le coupe-coupe. Son énorme main réapparut, tenant la lame. Kutchaï se retourna lentement, regardant Rath.

– Ne fais pas ça, dit Lara. Je t'en prie. Je t'en supplie.

Sa voix tremblait, pas seulement sous l'effet de la fièvre qui le brûlait.

– *Khniom khmer*, dit Kutchaï de sa grosse voix rauque et sauvage. Je suis khmer.

– Kutchaï, je t'en prie...

Kutchaï se mit à rire en silence, ses yeux injectés de sang étincelant de férocité et de haine.

– *Khniom khmer*.

En deux pas, il fut devant Rath, dont il arracha sans paraître forcer les vêtements, mettant à nu le ventre et la poitrine. La lame fendit la peau et les muscles de l'abbomen. Dans lequel les énormes doigts spatulés s'enfoncèrent, à la recherche de quelque chose...

Le foie. Qui fut extirpé.

Et mangé, le sang sur les lèvres, se mêlant à la pluie.

Et ainsi s'acheva l'histoire.

Dans la nuit du mardi 17 au mercredi 18 juin 1975, Dominique Christiani effectua sa dernière opération d'embarquement clandestin sur la côte khmère. La dernière parce qu'il avait désormais peur. Au cours des semaines précédentes, il avait à plusieurs reprises approché, sans l'aborder, la côte cambodgienne et il avait recueilli des réfugiés, évadés de cet enfer innommable qu'était devenu l'ancien petit royaume. Leurs récits l'avaient terrifié et il n'était pourtant pas homme à se laisser épouvanter aisément. Il avait fini par céder à cette peur et s'était juré qu'en aucun cas, dût-on lui offrir son propre poids en or, il ne retournerait là-bas.

Mais le 11, un Chinois vint le voir et prononça le seul nom qui pût le convaincre : Lara. Et il partit, ayant à son bord, outre son habituel équipage de Malais, le propre frère de Kutchaï, Ouk, lequel avait un mois plus tôt réussi à franchir la frontière thaïe mais souhaitait à présent rejoindre son aîné.

Les choses allèrent très vite, on savait que des détachements khmers rouges battaient constamment les plages et les rochers de la côte pour intercepter les fugitifs.

Christiani embarqua un Lara d'une maigreur qui l'effraya, sans aucun doute blessé et également malade, mais qui l'impressionna plus encore par son visage de mort-vivant. Lara n'était plus qu'une ombre et il eut en fait tout juste la force de se traîner jusqu'à l'une des couchettes de la vedette. Là, il s'allongea, le visage contre la paroi, et il ne bougea plus.

Sur les rochers, autour de Kutchaï que son frère avait maintenant rejoint, il y avait une douzaine d'hommes dont certains portaient encore des chemises d'uniformes de l'armée Lon Nol. Tous donnaient une extraordinaire impression de dureté; ils étaient puissamment armés, froids et dangereux comme des cobras. Parmi eux, se trouvait un jeune homme au visage émacié qui se présenta comme le lieutenant Suon Phan et qui demanda au Corse de donner de ses nouvelles à sa famille, à son oncle surtout dont il écrivit le nom et dont il espérait qu'ils avaient tous pu se réfugier en Thaïlande. Christiani dévisagea le garçon.

– Vous n'étiez pas avec Kao?

– Kao est mort. Maintenant Kutchaï est notre chef. Bientôt, d'autres hommes viendront nous rejoindre.

Christiani, en parlant, voulut serrer la main de Kutchaï, mais le géant ne sembla même pas voir la main qui lui était tendue. Il fixait obstinément cette cabine où Lara venait de disparaître et ses prunelles écarquillées avaient ce regard d'aveugle halluciné que braquaient sur les visiteurs les démons de pierre d'Angkor. Dominique Christiani avait toujours connu Kutchaï sauvage, portant en lui une sorte de barbarie primitive venue du fond des âges. Cette nuit-là, qui fut la dernière où il vit le Jaraï, il lui parut que Kutchaï avait, dans sa sauvagerie, franchi un nouveau degré, sans espoir de retour.

— On se reverra bien un jour, dit le Corse, à seule fin de dire quelque chose.

— *Até*, dit Kutchaï. Non.

Il fixait toujours la cabine et le dernier mot qu'il prononça ne s'adressait probablement pas seulement à Christiani et à son équipage.

— *Tao*, dit-il. Va-t'en.

9

Madeleine Korver pencha légèrement la tête et tapota sa mèche bleue.

— Je suis venue ici pour la première fois, dit-elle de sa petite voix tranquille et douce, en juillet 1913. J'avais tout juste treize ans. Vous vous en souvenez sûrement...

— Je suis tout à fait désolé, dit le directeur de l'hôtel, que son manque de mémoire mettait apparemment au bord de la dépression nerveuse, peut-être même du suicide.

— Ça fait tout de même soixante-deux ans, remarquez bien. Vous n'étiez pas ici, à cette époque?

— Je ne le pense pas, dit avec la plus extrême courtoisie le directeur de l'hôtel *Peninsula*.

— Je me souviens que nous avions quitté Shangai — ou était-ce Pékin? — à cause de cet affreux général Yuan She Kaï qui voulait à tout prix renverser ce bon docteur

Sun Yat Sen. Avez-vous rencontré, je veux dire personnellement, le docteur Sun Yat Sen? Non? Quel dommage! Vous avez manqué beaucoup. C'était un homme admirable, en dépit de ses théories. Il venait souvent dîner chez mes parents. Intelligent. D'ailleurs, tous les Chinois sont très intelligents.

Le directeur chinois de l'hôtel *Peninsula* écarta les mains et sourit, comme s'il ne pouvait que s'incliner devant une telle évidence.

– Nous avons toujours aimé votre hôtel, dit Madeleine.

L'hôtel *Peninsula* avait longtemps été autrefois, s'il l'était à présent un peu moins, la gloire de Hong Kong. Les Korver y étaient descendus des dizaines de fois, y avaient même séjourné plusieurs mois d'affilée aux temps heureux des années trente, à l'époque où Pierre et Nancy Lara, qui venaient de se marier dans cette ville où ils s'étaient connus, habitaient encore la Colonie de la Couronne. Du *Peninsula*, les Korver avaient toujours aimé l'atmosphère nonchalante, feutrée, assurément snob, raffinée à coup sûr, où chaque jour à cinq heures les écumes coloniales, Anglaises à chapeaux de paille et coloniaux immaculés, s'en venaient prendre le *high tea* sous les flamboyants plafonds du siècle précédent étincelant de leurs dorures.

– Quand je dis, je parle de mon mari et de moi. Mais mon mari est mort, vous le savez peut-être. Il est mort à Phnom Penh où son corps est resté. Cela vaut d'ailleurs mieux, je crois qu'il n'aurait pas souhaité d'être en un autre endroit, Phnom Penh était la ville qu'il aimait le plus. Certainement pas en France. Nous avons une fois, voici plusieurs années, tenté de nous réacclimater là-bas. Vous ne connaissez pas Bordeaux? Ça ne fait rien. D'ailleurs, il ne s'agit pas particulièrement de Bordeaux. Nous avons vraiment essayé. Mon Dieu, ce fut épouvantable! Tous ces gens qui couraient dans tous les sens comme des fous, ces maisons noires et fermées, ces après-midi humides et ces soirées glaciales, ces visages sans sourire; nous sommes très vite revenus.

L'hôtel *Peninsula* se trouvait à Kowloon à la pointe du continent chinois, exactement en face de Victoria sur l'île de Hong Kong. Il avait à sa droite les ferries verts de la Star Line, dont les embarcadères servaient immuablement de points de rendez-vous; il n'avait pas de piscine et sa tuyauterie entonnait parfois d'irritantes mélopées mais les Rolls-Royce de l'hôtel se trouvaient toujours là quand on débarquait d'un avion à Kaï Tak, d'un paquebot de la P & O, ou du MS Paipoosek vous amenant de Singapour. Et au seul énoncé du nom de Korver, on avait aussitôt libéré pour Madeleine, expulsant le vulgaire homme d'affaires qui l'occupait, la suite à mille dollars par jour que son mari et elle avaient toujours occupée et dont les dix fenêtres ouvraient sur Wanchaï, Victoria Peak et la Vallée Heureuse.

– J'ai soixante-quinze ans aujourd'hui, dit Madeleine Korver. Autant dire que c'est en quelque sorte mon anniversaire, et je prendrai du thé, exceptionnellement. Je voudrais s'il vous plaît de ce thé au narcisse et au chrysanthème que recommandait Luk Yué il y a environ douze siècles. Charles mon mari l'adorait, il en buvait des litres et affirmait qu'il en mourrait centenaire. Voyez-vous, certains jours, j'ai vraiment du mal à me faire à sa disparition. Aujourd'hui surtout, parce que j'ai soixante-quinze ans. Il avait eu autrefois une idée très gentille : j'avais dix-huit ans quand nous nous sommes mariés et ce jour-là, il m'a offert dix-huit des plus belles perles qu'il fût possible de trouver en Chine en ce temps-là. Depuis, chaque vingt et un juillet, il m'offrait une autre perle. Il m'avait juré que nous irions à cent et qu'il serait encore là pour m'offrir la dernière. C'était un homme qui avait ainsi de ces idées sentimentales. Je ne lui en veux pas du tout de n'avoir pas tenu sa promesse, ce n'est pas de sa faute, pauvre Charles...

On lui servit du thé avec un cérémonial qu'on n'eût probablement pas accordé à la reine venue de Londres.

Elle le goûta délicatement et remercia individuellement chacun des maîtres d'hôtel qui s'empressaient autour d'elle, sans autre raison que de l'entourer et de lui sourire. Elle le but sans se hâter, minuscule vieille dame entièrement vêtue de dentelle noire, un camée enrubanné autour du cou, ses yeux de porcelaine bleu tendre perdus dans la marée des souvenirs. Sous ce haut plafond resplendissant, elle semblait avoir été oubliée par une immense vague depuis longtemps éteinte. Et quand on vint s'asseoir auprès d'elle et qu'on utilisa la deuxième tasse que les boys avaient depuis le début préparée, elle ne tourna même pas la tête et dit simplement :

– Charles avait tout à fait raison. Ce thé est vraiment délicieux.

– Bon anniversaire, dit Lisa, la gorge nouée et pas très loin d'avoir la larme à l'œil.

La grande et luxueuse Mercedes aux rideaux intérieurs stoppa devant la porte des départs à l'aéroport de Kaï Tak-Hong Kong.

– Vous conduisez très bien, dit Liu. Presque aussi bien que mon chauffeur habituel. Enfin, presque.

– Il fallait utiliser ses services. C'est vous qui avez insisté pour que je prenne sa place. Mais je suppose que vous voulez économiser sur ses heures supplémentaires.

– Il n'y a pas de petites économies, dit Liu avec le plus grand sérieux. C'est comme ça qu'on acquiert une certaine aisance.

Un silence. Les deux hommes se dévisagèrent d'un œil amical.

– Bon, reprit le Chinois. Je ne resterai à Pékin que quatre jours, si bien que je devrais être à Manille le vendredi 25 dans la matinée. Je vous appellerai de là-bas, dès mon arrivée.

– Je ne comprends toujours pas pourquoi vous avez

insisté pour vous rendre vous-même aux Philippines. J'aurais pu et dû y aller. Ou alors, à la rigueur, nous nous serions retrouvés là-bas.

– Je préfère vous savoir ici. Imaginez que Chou en-Laï me pose une question à laquelle je ne puisse répondre : je n'aurais d'autre ressource que de joindre aussitôt à Hong Kong mon associé préféré, qui sait tout.

– Mon œil, dit Lara.

Liu lui tendit la main.

– Je vous appelle vendredi matin.

Il mit pied à terre et partit vers son avion, escorté des directeurs de la compagnie aérienne, dont il se trouvait posséder quelques actions. Après un moment, Lara remit la Mercedes en route. Près de la gare centrale, il s'engagea sous le tunnel achevé l'année précédente et regagna Causeway Bay, sur Hong Kong. Il n'y arriva que vers six heures et jugea par conséquent inutile de rallier son bureau du Hong Kong Chong Building, dans Queens Road. Au contraire, il poursuivit tout droit en direction de Repulse Bay, traversant l'île dans sa largeur. La maison qu'il avait louée deux ans plus tôt à l'un des fils de Liu, n'avait ni les dimensions extravagantes ni le luxe fastueux des grandes résidences de l'endroit; elle se trouvait d'ailleurs sur les hauteurs de Stanley Bay, dans une zone où l'effrayant boom immobilier et touristique n'avait pas encore exercé ses ravages. La plage tout en bas du jardin y était à peu près déserte. Il passa un maillot et deux minutes après son arrivée, il nageait souplement dans l'eau bleu-vert de la mer de Chine. Ses cicatrices étaient encore visibles, traces plus claires sur une peau par ailleurs superbement bronzée.

Il nagea sur plusieurs centaines de mètres puis se retourna sur le dos, agitant doucement les jambes pour éviter de se retrouver debout dans l'eau; il n'avait jamais réussi à faire la planche et Roger Bouès, piètre nageur quant à lui, l'avait toujours constaté avec des accents de triomphe, lui qui ne savait faire que cela.

Roger. Et Ieng. Et ces Jaraïs mourant les uns après les

autres, et Oreste écrasé, et les flammes courant au long de la merveilleuse véranda de bois noir.

Et Lisa. Et le Cambodge assassiné, le Cambodge en train de s'immoler lui-même, se plongeant dans un délire fou d'autodestruction avant, sans doute, que les conquérants venus de Hanoi au terme de leur ambition logique et séculaire, ne viennent parachever l'anéantissement; le Cambodge mort à jamais à la seule exception, peut-être, de Kutchaï le Jaraï, immense et noir, revenu à sa forêt, rendu à sa barbarie première. Kutchaï pouvait, devrait survivre, il le fallait. Au moins Kutchaï, Kutchaï pour lui-même, hors de Lara, même hors de Lara à jamais. Il le fallait. Ou alors, c'était que l'espoir n'existait plus.

Il se remit à nager, d'abord très lentement, puis accélérant dans une rage froide et désespérée. Il nageait vers le large. Après quelques nouvelles centaines de mètres, il dut s'interrompre, ses muscles ne répondant plus. Une douleur lui tenaillait le flanc, à l'endroit où les deux balles l'avaient atteint. Il recouvra une partie de sa maîtrise. Il avait sa propre maison en vue directe, à un kilomètre à peu près. Tout à l'heure, au cours de la poignée de secondes qu'il avait mises à la traverser, le temps de changer son complet de toile blanche pour son maillot de bain, il n'avait pas vu ni même entendu Cheng, le cuisinier et domestique unique. La villa n'était pourtant pas si grande, trois chambres à peine, cinq pièces en tout. Elle lui avait paru vide. Ordinairement, Lara dînait tôt et, hormis les deux ou trois fois où il avait reçu Liu et l'un ou l'autre des membres de la famille du Chinois, il y dînait parfaitement seul. Il prenait ses repas sur la petite terrasse face au jardin en pente descendante et à la mer, Cheng le servant en silence et Lara lisant, ne prêtant jamais la moindre attention à ce qu'il avait dans son assiette. A deux ou trois reprises, Liu s'était élevé contre une solitude aussi totale, qu'il jugeait presque dramatique.

– Tout de même pas à ce point.

– Lara, je n'aime pas ça. Je vous assure que ça me préoccupe.

– Mêlez-vous donc de vos affaires, avait fini par dire Lara, atténuant et même effaçant par son étrange sourire lent et chaleureux la rudesse du propos.

Il cessa d'agiter les jambes et celles-ci descendirent doucement, à la verticale des mille mètres de mer sombre. Il aurait suffi à Lara d'élever les bras au-dessus de sa tête pour que son corps tout entier disparût sous la surface, s'enfonçant sans autre mouvement jusqu'à deux mètres de profondeur. Il tourna sur lui-même, vint face au large. Droit devant lui, au-delà des mille kilomètres de la mer de Chine, s'ouvrait l'immensité sans fin du Pacifique. Une nuit déjà, alors qu'il se baignait comme il le faisait à présent, il avait dû lutter contre l'envie féroce de nager vers ce vide absolu, allant à la limite de ses forces, laissant à jamais l'Asie derrière lui.

Il plongea son visage dans l'eau, écarquillant les yeux pour tenter, dérisoirement, d'apercevoir quelque chose du fond, un kilomètre plus bas.

Enfin, il se remit à nager, revenant lentement vers la plage et la maison.

– Vous pouvez encore descendre de cette voiture, dit Madeleine d'une voix acide d'institutrice morigénant l'un de ses élèves. Rien ne vous en empêche. Je ne vous attraperai pas au lasso ou quoi que ce soit d'aussi ridicule. Il suffit de dire à ce chauffeur de s'arrêter et il le fera, quoique Chinois et donc naturellement porté à la contradiction.

Un peu plus loin, tandis que la Rolls-Royce du *Peninsula* traversait Happy Valley et longeait son champ de courses, Madeleine dit aussi :

– Et essuyez donc vos yeux, espèce de grande bringue. Je ne suis pas allée vous chercher à San Francisco, je n'ai pas passé des heures à attendre devant cette maison de Nob Hill à écouter bringuebaler ce cable-car pendant que Madame se prélassait sur un bateau à voiles, je n'ai pas parcouru ces millions de kilomètres, à mon âge, pour amener ici quelque chose d'aussi lamentable. A ce sujet, faites voir. Voilà un moment que ça me préoccupe.

Elle se pencha et mit son nez dans le décolleté de Lisa, l'entrebâillant même avec les doigts tout comme elle aurait fouillé son panier à couture.

– Même vos seins sont bronzés, c'est une honte. Non, n'essayez pas, ça ne servirait à rien : on ne vous verrait même pas rougir, de toute façon. Et il s'appelait comment, ce type?

– Wynn.

– Je reconnais qu'il était plutôt bel homme. Pourquoi est-ce que je dis « était »? Il n'est pas mort, que je sache.

Elle fixait Lisa.

– Est-ce que vous... est-ce que lui et vous avez... enfin...

A ce moment-là, de la plus surprenante des façons, ce fut Madeleine Korver qui devint écarlate. Lisa sourit :

– Non, dit-elle. Non.

Elle rit vraiment, et rit de plus en plus, devant la mine de la vieille dame, pour la première fois depuis qu'elles avaient toutes deux quitté San Francisco.

– Ah! c'est malin! dit Madeleine.

Le silence vint, s'installa et dura jusqu'au moment où la Rolls-Royce stoppa. Le chauffeur en livrée ouvrit la portière et Lisa descendit.

– Cette maison, Madame, dit-il.

Il n'eut pas le temps d'en dire plus, déjà Madeleine le rappelait à l'ordre. Il remit sa casquette sur sa tête, reprit place au volant et redémarra.

– A l'hôtel, dit Madeleine Korver. Et que ça saute.

Elle ne se retourna même pas pour voir une dernière fois la silhouette de la grande jeune femme en robe blanche, à l'air désemparé, qu'elle venait d'abandonner à l'entrée d'une villa sur les hauteurs de Stanley Bay.

De retour au *Peninsula*, elle déclina l'invitation à dîner que lui firent des Anglais habitant Hong Kong depuis toujours, et qui venaient d'apprendre sa présence; elle se refusa même à lire les nombreux messages que la réception avait reçus pour elle et qui émanaient d'autres très anciens amis que Charles et elle s'étaient faits au fil des années.

– Je dînerai dans ma chambre. Avec mon amant, Mathias Lara, sitôt qu'il aura fini sa bouillie de flocons d'avoine.

Dans l'ascenseur, elle dit en français au liftier, qui n'y entendit goutte :

– Qu'est-ce que vous pensez de ça? Elle m'a dit : « Non, je ne veux pas que notre fils soit là. Pas avant que nous nous soyons expliqués, lui et moi. » Expliqués! je vous demande un peu. Ce cher M. Liu avait raison : ils sont aussi bêtes l'un que l'autre.

Elle alla s'installer dans un fauteuil, face au panorama de la plus belle baie du monde. Elle pleura un peu, très peu, et seulement comme on lui avait appris à le faire, soixante et dix ans plus tôt, en mouillant à peine un coin de son mouchoir de dentelle. De sorte qu'elle ne vit pas tout de suite le petit paquet posé sur une table basse. Elle le découvrit enfin, juste au moment où elle se levait pour aller accueillir le jeune Mathias et son ama. Elle l'ouvrit, y trouva un écrin et à l'intérieur de l'écrin, une perle unique, d'une eau miraculeuse. Accompagnée de ces mots : « Avec tout mon amour et bon anniversaire. Lara. »

En remontant de la plage, il ne passa pas, contrairement à son habitude, par la terrasse et le salon dont la terrasse était le logique prolongement. Au lieu de cela, il regagna sa chambre par une porte-fenêtre latérale. Il y prit une douche et se changea, endossant une tenue de soirée blanche. Il alluma une cigarette mais l'écrasa dans un cendrier dès la première bouffée. La maison était totalement silencieuse et la nuit tombait. Il hésita quelques secondes encore, son regard pâle perdu dans le vide, puis alla enfin jusqu'à la terrasse. Deux couverts étaient disposés sur la table de teck noir.

Il releva la tête et reçut le regard des yeux violets. Elle demanda :

– Tu savais que j'étais à Hong Kong, n'est-ce pas ?

Il n'arrivait pas à parler. Il dit enfin :

– Je savais que Madeleine allait venir. Dominique Christiani m'en avait averti. Je ne savais rien d'autre, et surtout pas que Mathias et toi l'accompagneriez. Mathias est bien là ?

– A l'hôtel, avec Madeleine.

Il se massait doucement l'épaule.

– Ce n'est qu'il y a quelques instants, en me baignant, que j'ai compris. Liu et Madeleine, en association.

Il s'assit sur le plateau de la table, ses longs doigts maigres et bronzés serrant le bois comme s'ils voulaient le broyer, pour en dissimuler le tremblement. Mais elle tremblait pour le moins autant que lui.

– Tu as maigri, dit-elle.

– Tu es très belle.

Elle prit place sur un siège.

– Tout ira bien désormais, dit enfin Lisa. Nous vivrons ensemble toi, Mathias et moi, ensemble. Et nos autres enfants, si tu veux bien que nous en fassions d'autres. Nous vivrons où tu voudras. Ici à Hong Kong, si tu veux. O mon amour, tout ira bien désormais.

– Oui, dit Lara.

Il secouait la tête. Il se leva, marcha vers elle, la prit dans ses bras, posa sa joue contre la sienne et ferma les yeux.

Dans Le Livre de Poche

Loup Durand

Le Caïd

4974

Qui est le Caïd ? En fait, il n'y a pas eu un caïd, mais quatre. Quatre hommes qui, depuis Carbone, se sont succédé au cours des cinquante dernières années. Ceci est l'histoire vraie de leur ascension, de leur succession. Quatre hommes également durs, implacables, intelligents. Intouchables. Ces hommes-là n'ont jamais eu besoin de s'évader d'une prison ou d'un bagne. Parce qu'ils n'y sont jamais entrés. Qui les y aurait envoyés ? C'est, ce faisant, aussi l'histoire de la fantastique évolution du « Milieu » des années 20 à nos jours, du grand boom de la drogue et de la politique, de leur étrange alliance...

IMPRIMÉ EN FRANCE PAR BRODARD ET TAUPIN
Usine de La Flèche (Sarthe).
LIBRAIRIE GÉNÉRALE FRANÇAISE - 6, rue Pierre-Sarrazin - 75006 Paris.

ISBN : 2 - 253 - 04915 - 8   ◈ 30/6602/4